Keine Stunde ist zuviel

Michael Burk
Keine Stunde ist zuviel

Roman

© 1975 by Franz Schneekluth Verlag, München
Lizenzausgabe mit Genehmigung des Franz Schneekluth Verlages, München
für die Bertelsmann Club GmbH, Gütersloh
die Europäische Bildungsgemeinschaft Verlags-GmbH, Stuttgart
die Buchgemeinschaft Donauland Kremayr & Scheriau, Wien
und die Buch- und Schallplattenfreunde GmbH, Zug/Schweiz
Diese Lizenz gilt auch für die Deutsche Buch-Gemeinschaft
C. A. Koch's Verlag Nachf., Berlin – Darmstadt – Wien
Umschlag- und Einbandgestaltung Gebhardt und Lorenz
Gesamtherstellung Mohndruck Graphische Betriebe GmbH, Gütersloh
Printed in Germany · Buch-Nr. 05473 4

Dieses Buch ist ein Roman.
Die Personen sind frei erfunden, auch wenn die eine
oder andere bekannt erscheinen mag.
Die außergewöhnliche Situation, in die
Paul Niklas gerät, könnte sich so ereignet haben.
Die Klinik gibt es. Mitten in Deutschland.
Seit Februar 1974. Sie wird vom Land gefördert.
Aus rechtlichen Gründen mußte ich ihren Namen leicht verändern.
Sie gilt heute, auf ihrem Gebiet,
als die umfassendste Spezialklinik der Welt.
Ihren Betrieb, ihren technischen Stand,
die Umgangssprache und den fachlichen Vorgang
habe ich in allen Einzelheiten recherchiert.
Michael Burk, im Juli 1975

Dein ist nichts als die Stunde in der du lebst.
Hamaša

Erstes Buch

Die Entscheidung

Wer alles richtig ansieht,
für den ist kein Anlaß, Tränen zu vergießen.
Mahâbhârata, Buch 12

1

Schlagartig erinnerte er sich, daß er als Junge manchmal von einem Tag wie dem heutigen geträumt hatte. Aber jetzt war alles anders.

Die Blitzlichter der Fotoreporter blendeten ihn unerträglich. Nur schemenhaft nahm er das Rednerpult wahr, obwohl er keine drei Schritte davon entfernt stand.

Unten im Saal saßen ein paar Hundert geladene Gäste. Trotz der Vormittagsstunde waren sie festlich gekleidet. Ihnen erschien er, wie sie ihn seit jeher kannten, selbstsicher, Mittelpunkt und ruhender Pol auch in ungewohnten Situationen.

Nur er allein war sich im klaren, wie kraftlos seine Arme an ihm hingen, wie unbeteiligt er das Geschehen über sich ergehen ließ. Vor wenigen Monaten hatte er in Stockholm den Nobelpreis für Medizin erhalten. Heute nun wurde er hier, in seiner Stadt, dafür geehrt. Noch nie war er für Lob empfänglich gewesen. Die Hymnen aber, die ihm heute dargebracht wurden, verursachten ihm Unbehagen.

Er wußte, daß die Versammlung jetzt von ihm mehr als nur einige Worte des Dankes erwartete. Doch er war entschlossen, keine ausführliche Rede zu halten. Er haßte Reden. Er trat ans Pult, beugte sich zum Mikrofon vor und sagte in die Stille hinein: »Ich danke Ihnen für die Anerkennung, die Sie meiner Tätigkeit entgegenbringen. Ich teile sie mit meinen Mitarbeitern.«

Mehr zu sagen, war er nicht gewillt. Er trat vom Pult zurück, verließ das Podium über die wenigen Stufen und setzte sich wieder auf seinen Platz in der ersten Reihe.

Teilnahmslos hob er den Blick zur schweren goldgetäfelten Decke aus der Zeit der Renaissance und hinüber zu den überlebensgroßen, von breiten goldenen Bahnen umrahmten Gemälden, die erhabene Männer zeigten, Könige, Priester und Gelehrte aus dem 14. Jahrhundert.

Durch die Reihen ging ein enttäuschtes Raunen. Helen, seine Frau, die neben ihm saß, neigte sich zu ihm, drückte leicht seine Hand und sagte leise: »Paul, das kannst du nicht machen! Das faßt man als Provokation auf. Bitte, Paul!«

Er sah unbeweglich geradeaus und schwieg.

Der nächste Redner begab sich zum Pult und begann mit einer weitschweifenden Schilderung des Lebensweges.

»... Professor Doktor Paul Niklas, dem es gelungen ist, durch eine geniale Methode die Sauerstoffversorgung des geschädigten Herzmuskels operativ zu verbessern. Er ist in einfachen, um nicht zu sagen, in ärmlichen Verhältnissen aufgewachsen ... das jüngste von fünf Geschwistern ... schon in der Schule durch seine hohe Intelligenz hervorgetreten ...«

Paul Niklas hörte nicht hin. Er flüsterte Helen zu: »Ich halte das nicht mehr aus. Ich gehe.«

»Untersteh dich!« Sie erschrak. »Du mußt durchhalten. Ob du willst oder nicht!«

Der Redner hob die Stimme an: »... sein Vater entschloß sich, ihm als einzigem der sechs Kinder eine höhere Schulbildung zu ermöglichen ... Paul Niklas dankte es ihm mit exzellenten Prüfungsergebnissen ...«

Niklas wartete gerade noch das Ende der Rede ab, dann stützte er sich mit den Händen von den Lehnen seines Stuhles ab. Er hatte sich entschieden.

Er war in Stockholm gewesen, hatte damals dort zwei Tage verloren, war heute hier erschienen und hatte die Ehrung und zwei Redner ertragen, jetzt mußten sie ihn endlich wieder in Ruhe lassen.

Leise sagte er zu Helen: »Entschuldige mich auf dem Empfang. Sag ihnen, ich habe zu tun«, und noch ehe sie zu einer Reaktion ansetzen konnte, hatte er sich erhoben. Er ging ruhigen Schrittes den Mittelgang zurück, vorbei an den ihn anstarrenden Menschen und durch das hohe Portal, das ihm zwei livrierte Diener offenhielten.

Sollen die Leute glauben, ich gehe schon voraus zum Empfang, sagte er sich und trat an die Garderobe. Er ließ sich seinen leichten Sommermantel aushändigen und gab der alten Frau ein Trinkgeld. Er hatte keinen Blick für das inzwischen in der Halle errichtete Kalte Büfett und trat hinaus in die grelle Mittagssonne, auf den breiten Vorhof, der zur Straße führte.

9

Befreit atmete er auf.

Er war von Natur aus bescheiden und zurückhaltend. Er achtete seine Mitmenschen, vermied es, ihnen die Zeit zu stehlen und beanspruchte für sich, daß sie sich ihm gegenüber genauso verhielten. Er lebte ohne Aufwand. Er lehnte es ab, sich zur Schau zu stellen. Wenn er mit Helen hin und wieder die Oper besuchte, war sein Bedarf an gesellschaftlichem Leben vollauf gedeckt. Er bedurfte keiner Anerkennung von außen. Für ihn zählten nur seine Patienten.

Er überquerte den verkehrsreichen Platz. Helen würde ihn auf dem Empfang hervorragend vertreten. Sollte sie den Wagen haben, um nach Hause zu fahren, er wollte die U-Bahn nehmen, die in der Nähe der Klinik hielt.

Auch wenn noch so viele von ihnen sich ereifern sollten, daß er dem Empfang ferngeblieben war, er mußte die Operation vorbereiten. Die Operation für morgen vormittag. Eine selbst für ihn seltene Operation von besonders hohem Risiko.

2

Als er nach Hause kam, zeigte die Uhr in seinem Schlafzimmer fast schon Mitternacht.

Er war noch kurz durch das dunkle Haus gestreift, hatte im Arbeitszimmer kurz Licht gemacht, im Wohnraum, so wie es seine Gewohnheit war, wenn die anderen schon schliefen.

In der Klinik hatte er alles für morgen festgelegt. Gemeinsam mit Jena, dem Kinderkardiologen, und Hagenau, dem Anästhesisten, hatte er die Einzelheiten für die Operation an dem Jungen durchgesprochen.

Die so wichtige ›psychische Vorbereitung des Patienten‹, die gewöhnlich der Bezugsarzt vornahm, hatte er in diesem Fall selbst geleitet.

Er hatte den Jungen in den Operationssaal geführt, hatte ihm die verwirrende Technik gezeigt, um ihm, wie sie sagten, die ›Unheimlichkeit vor der für ihn fremden Welt‹ zu nehmen. Er hatte ihm erzählt, unter welchen Umständen er nach der Operation auf der Intensivstation erwachen würde. Er hatte ihn auf den Anblick der Schläuche, Kanülen und Apparaturen vorbereitet, die ihm seinen

Körper womöglich gleich einem technischen Monstrum erscheinen lassen könnten. Und er hatte ihn beruhigt, daß er keine Schmerzen haben würde.

Danach hatte er noch die Schriftsachen aufgearbeitet, die sich auf seinem Schreibtisch seit Tagen angesammelt hatten.

Er hatte sich wohlgefühlt. Ungleich wohler als während der Feierstunde.

Er nahm den Wecker vom Nachttisch und stellte ihn auf 5 Uhr 45. Er sah, daß Helen in ihrem Zimmer noch Licht hatte. Sie wird noch lesen, dachte er, ging ins Badezimmer und lag wenige Minuten später im Bett. Er löschte die Nachttischlampe und drehte sich auf die Seite.

Die Tür öffnete sich. Ein Lichtschein fiel ins Zimmer. Helen kam herein. Sie war im Morgenmantel. Schmal und grazil stand ihre Silhouette gegen das matte Licht.

»Ich will dir nur gute Nacht sagen.«

»Das ist schön«, sagte er und wandte sich ihr zu.

»Hast du noch einen Wunsch«, fragte sie, »etwas zu trinken?«

»Nein, danke. Es ist spät geworden.«

»Es wird immer spät.« Sie gab ihm einen liebevollen Kuß auf die Stirn. »Ich komme noch kurz zu dir.« Sie legte sich neben ihn, und er zog die Decke über sie.

Sie lagen schweigend nebeneinander. Leise war das Ticken des Weckers zu hören.

»Muß es denn immer so spät werden?« sagte sie.

»Das weißt du doch.«

»Du hast zu wenig Schlaf.«

»Wenn man Mitte Fünfzig ist, braucht man nicht mehr.«

»Du hast keinen Grund, immer auf dein Alter anzuspielen. Du wirkst nicht wie Mitte Fünfzig.«

»Danke. Aber mehr Schlaf brauche ich trotzdem nicht.«

»Wann mußt du morgen aufstehen? Um Viertel nach sechs?«

»Um Viertel vor sechs.«

»Etwas Besonderes?«

»Wie man es nimmt.«

Sie schwiegen.

Sie neigte sich über ihn. »Ich lasse dich jetzt schlafen. Für morgen habe ich Karten für die Eröffnung der Opernfestspiele. Freust du dich?«

11

»Sei bitte nicht traurig, wenn ich nicht . . .«

»Paul, bitte!« Es klang inständig.

»Ich werde es versuchen. Aber versprechen kann ich nichts.«

»Danke.« Sie küßte ihn auf den Mund und glitt aus dem Bett.

Sie hatte die Tür schon halb hinter sich geschlossen, da sagte er:
»Hat dich noch jemand daraufhin angesprochen?«

»Du meinst, weil du dich vor dem Empfang gedrückt hast?«

»Ja.«

»Das war nicht richtig, Paul.«

»Mag sein. Aber ich konnte nicht anders.«

»Nein«, sagte sie, »direkt hat mich niemand gefragt. Aber ich
glaube, die meisten konnten es nicht verstehen. Und nun schlaf gut.«
Sie schloß die Tür.

Sie lag noch lange wach. Sie dachte an ihn und an ihr Verhältnis
zueinander.

Sie war sich durchaus im klaren, daß er stärker an seinem Beruf
hing als an ihr. Daß er ihr oftmals zu erkennen gab, wie wenig er ihr
zuhörte. Daß die Klinik sein Zuhause war und sein Zuhause nur eine
für ihn unumgängliche Notwendigkeit.

Aber sie liebte ihn. Er war für sie der Inbegriff eines Mannes. Sie
konnte sich nicht vorstellen, ohne ihn zu sein.

3

Alle wußten, daß er sich diesmal auf ein außergewöhnliches Wagnis
einließ. Öfter als sonst richteten sich darum ihre Blicke auf ihn. Er
hatte ihr Vertrauen.

Im klaren, taghellen Licht der Lampen arbeiteten seine Hände
gleich denen eines Artisten. Rationell in der Bewegung. Exakt im
Griff. Mutig und konsequent in der Entscheidung.

Er hob den Kopf. Mit gedämpfter Stimme, ohne erkennbare Erregung, kamen seine Anweisungen.

»Die Säge, bitte.« Er hielt die offene Hand der Schwester entgegen.

»Bitte, Herr Professor.« Sie legte die kleine, pneumatische Säge am
Schlauch schwer in seine Handfläche.

Dr. Kramer, der als ›erste Hand‹ ihm gegenüber am Tisch stand,
gab dem dritten Biotechniker ein Zeichen, und der verband den

Schlauch mit der Druckluftleitung. Das Team war aufeinander eingespielt.

Paul Niklas drehte den Sicherungsknopf und setzte die Säge genau auf der vorher markierten Linie an. Eine winzige Korrektur, ein Atemzug, sein Daumen drückte den blanken, breiten Hebel, und das Blatt fraß sich singend in den Knochen. In knapp fünfzehn Sekunden war das Brustbein des Patienten durchtrennt.

Paul Niklas war seinem Beruf verfallen. Bei jeder Operation kämpfte er wie um sein eigenes Leben. Er wollte eine Schuld abtragen. Eine Schuld, die er sich an dem Geschehen zuschrieb, das viele Jahre zurücklag, als der ihm damals liebste Mensch nicht mehr gerettet werden konnte und auf dem Operationstisch starb.

Seit jenem Tag hatte er sich in seine Arbeit geradezu verbissen, war von dem Gedanken besessen, bei jedem Fall aufs neue wiedergutzumachen und bis zur Selbstaufopferung dem Wohl seiner Patienten zu dienen.

Doch er wollte abtreten, wenn ihm seine Hände nicht mehr die Gewißheit boten, absolut zuverlässig zu sein. Er würde seinen Beruf aufgeben, wenn es sein mußte von einem Tag zum anderen.

Das schreckliche Geschehen vor vielen Jahren war seiner Umwelt nicht bekannt. Es sollte sein Geheimnis bleiben.

Er richtete sich auf und gab die Säge an die Schwester zurück.

Kramer hatte den Elektrokauther schon in der Hand. »Es schwallert ganz schön«, sagte er zu Niklas, mit einer Kopfbewegung auf das in der Wunde sickernde Blut, und über die Schulter hinweg zum Biotechniker: »Max, gib doch noch mal Strom drauf.«

Max schaltete den Strom ein. Dr. Obermann, heute als ›zweite Hand‹ und Dr. Saunter als ›dritte‹, faßten mit ihren Pinzetten die Gefäße, aus denen das Blut sickerte, hoben sie leicht an, Kramer drehte den Elektrokauther so, daß dessen metallener Kopf die Pinzetten berührte, der Hochfrequenzstrom wurde übergeleitet, ein kurzes Zischen, kaum sichtbarer Dampf, für einige Augenblicke der Geruch von Versengtem über dem Tisch, die Blutungen ließen schlagartig nach.

Paul Niklas betrachtete flüchtig die Schnittflächen des Knochens und war mit seiner Arbeit zufrieden. Seine Erfolge beruhten nicht zuletzt darauf, daß er den aufgestellten Zeitplan nie überschritt.

Der Mensch vor ihm auf dem Tisch war ein Junge von kaum acht

13

Jahren. Das grüne sterile Tuch verhüllte den Körper und gab außer dem Operationsfeld nur eine schmale, weiße Hand frei, die wie leblos neben einem großen, braunen abgegriffenen Teddybären lag.

Der Junge hieß Andreas, das hatte sich Niklas gemerkt. Das Gespräch mit den Eltern des Jungen wollte ihm nicht aus dem Kopf gehen.

4

»Frau Werner«, hatte er eindringlich zu der Frau im blauen Kostüm gesagt, »bitte seien Sie überzeugt, daß ich mich in Ihre Lage versetzen kann. Aber ich darf Ihnen keine falsche Hoffnung machen. Sie haben für Ihren Sohn nur die Wahl zwischen einer ständigen, akuten Lebensgefahr und einer Operation mit unverhältnismäßig hohem Risiko.«

»Ja«, hatte sie leise geantwortet, »inzwischen weiß ich es«, und hatte den Kopf gehoben: »Aber ich will es mir nicht vorstellen. Ich kann nicht.«

Ihr Gesicht war vor Erregung gerötet, ein brennender Kontrast zum Rot ihres vollen Haares. Sie saß neben ihrem Mann im Büro von Paul Niklas auf der Sitzbank vor dem Schreibtisch. Ihr Mann schien in sich gekehrt und hielt ihre Hand. Er sah an Niklas vorbei zum Fenster hinüber, durch dessen Vorhänge die Sonne drang.

Sie sind beide noch jung, dachte Paul Niklas, und die Frau war gewiß früher ein frisches, anmutiges Mädchen, doch davon ist heute nicht mehr viel geblieben.

An der Stirnseite des Schreibtisches neben Niklas saß Professor Dr. Edgar Jena. In der Herzklinik leitete der untersetzte Mann mit den schütteren grauen Haaren die Abteilung für Kinderkardiologie. Er hatte bei Andreas Werner die Katheteruntersuchung vorgenommen. Er galt als weltweite Kapazität.

Niklas warf ihm einen Blick zu. Jena verstand. »Ich will Ihnen den Fall Ihres Sohnes noch einmal genau erklären«, sagte er zu den Eltern, nahm Papier und Bleistift und skizzierte mit wenigen Strichen die Lungenflügel, das Herz und die Verbindung der Organe durch die Lungenschlagader und deren Äste.

»Über die Lungenschlagader wird das venöse Blut in der Lunge mit

Sauerstoff angereichert«, erklärte er mit seiner weichen, melodischen Stimme, »im Fall Ihres Sohnes ist jedoch die Lungenschlagader nicht voll entwickelt. Das Blut wird mit zu wenig Sauerstoff versorgt. Durch eine körperliche Belastung entsteht ein besonders starker Mangel an Sauerstoff. Am deutlichsten macht sich dieser Sauerstoffmangel im Gehirn bemerkbar. Es kommt zu einer, wie wir sagen, zerebralen Hypoxämie. Krampfartige Anfälle setzen ein. Der Mensch wird bewußtlos. Außerdem besteht die Gefahr einer Thrombose oder Embolie. Bei einer schweren Hypoxämie kann der Mensch dann innerhalb von Sekunden sterben.«

»Ja«, sagte Frau Werner kaum vernehmlich, »genauso hat man es uns auch in Heidelberg und in Erlangen erklärt. Nur mit dem Unterschied, daß man dort bis jetzt noch keine Erfahrung mit der Operation hat.«

»An die Operation eines Defekts der Pulmonalarterie konnte man vor Jahren noch nicht denken«, sagte Niklas, »außerdem ist das eine äußerst schwierige Operation. Sie erfordert besondere Geschicklichkeit. Die Aorta, also die große Hauptschlagader, überlagert an dieser Stelle die Pulmonalarterie und ihre Äste. Eine heikle Angelegenheit.«

»Deshalb sind wir ja jetzt hier bei Ihnen«, sagte Frau Werner, »Sie sollen in Europa der einzige sein, der die Operation schon gemacht hat.«

»Ja, das stimmt«, sagte Niklas nachdenklich, »ich habe sie gemacht.«

»Und wie oft?« sagte die Frau. Sie setzte ihre ganze Hoffnung auf ihn.

»Zweimal«, sagte er.

»Zweimal? Nur zweimal?«

»Ja. Das waren die bisher einzigen Fälle.«

»Die einzigen . . .«, sagte sie verloren und war im nächsten Augenblick bereit, auch aus seiner wenigen Erfahrung Hoffnung zu schöpfen, »und mit welchen Ergebnissen?«

»Mit keinen endgültigen. Die verkümmerte Lungenschlagader muß durch eine künstliche ersetzt werden. Eine künstliche aber wächst mit dem Menschen nicht mit. Erst in einigen Jahren können wir aus den beiden Operationen unsere Schlüsse ziehen.«

»Das bedeutet ein zusätzliches Risiko?«

»Ja, Frau Werner, das ist nicht zu umgehen.«

Jena schaltete sich ein: »Es gibt noch eine Möglichkeit.« Er sah von der Frau zum Mann. »Sie schieben die Operation hinaus, bis wir anhand weiterer Fälle zusätzliche Erfahrungen gesammelt haben. Sie warten so lange, bis sich die Operation nicht mehr aufschieben läßt.«

Das Ehepaar sah ihn befremdet an. Frau Werner fragte mit kehliger Stimme: »Und wann kann man sie nicht mehr aufschieben?«

»Wenn bei Ihrem Sohn die Atembeschwerden unerträglich werden. Wenn er fast keine Luft mehr bekommt.«

Eine Weile war es ganz still im Raum. Dann blätterte Niklas im Befundbericht. Das Papier raschelte.

»Bis Andreas fast keine Luft mehr bekommt?« wiederholte Frau Werner tonlos.

»Ich wollte Ihnen nur die dritte Möglichkeit aufzeigen«, sagte Jena zurückhaltend.

»Uns bleibt noch eine andere Möglichkeit«, sagte sie, »wenn wir es finanziell schaffen, könnten wir uns in Amerika orientieren.«

»Das bleibt Ihnen unbenommen«, sagte Niklas voll Wärme. Er legte den Bericht beiseite. »Sie könnten sich in Houston orientieren. Oder an der Stanford-Universität in Palo Alto. Wir möchten Sie aber darauf hinweisen, daß Ihnen weder in den Staaten noch in Kanada, noch sonstwo eine Klinik wie die unsere zur Verfügung steht. Technologisch wie personell. Hier bei uns wird nur ein Organ behandelt, das Herz. Darauf ist die gesamte Klinik ausgerichtet. Alles, was mit der Behandlung und der Erforschung des Herzens zusammenhängt, ist hier unter einem Dach. Kardiologie, Kinderkardiologie, Chirurgie. Anästhesiologie, Radiologie. Klinische Chemie.«

Er merkte, daß ihm die beiden angespannt zuhörten, und fuhr fort: »Wir haben das Glück, mit Apparaturen arbeiten zu können, die zum Teil ausschließlich für unsere Klinik entwickelt wurden. Erst in einiger Zeit können davon ein zweites und drittes Exemplar exportiert werden. Wir haben zur Zeit als einzige Klinik der Welt im OP einen Computer, der während der Operation den Zustand des Patienten zwanzig Minuten im voraus aufzeigt. Wir führen im Jahr an die sechshundert Herzoperationen aus, davon rund vierhundert am offenen Herzen.«

Er ließ sich Zeit und sagte eindringlich: »Und was nun Ihren speziellen Fall betrifft, kann ich Ihnen sagen, daß wir mit unseren Kollegen in den Staaten in ständiger Verbindung stehen. Was den Defekt der Pulmonalarterie betrifft, so haben wir hier nicht um eine Operation weniger Erfahrung als irgendeine Klinik in den Staaten oder sonstwo.« Er setzte achselzuckend hinzu: »Leider aber auch nicht um eine Operation mehr.«

Frau Werner senkte den Blick. »Ich . . . ich . . .« Sie schluckte. Auf ihrer Wange bahnte sich eine Träne ihren Weg.

Niklas beugte sich vor. »Sie lieben Ihren Sohn sehr . . .«

Die Eltern nickten beide. »Er ist unser einziges Kind«, sagte Frau Werner, »wir lieben unseren Andreas mehr als alles in der Welt.« Sie wischte sich mit dem Handrücken die Träne weg. »Er ist ein prächtiger Junge. Froh, lustig, gescheit. Ein Junge wie jeder andere auch. Er ahnt nichts von der Gefahr, in der er lebt.«

Sie holte aus der Handtasche eine Fotografie und hielt sie Niklas hin. »Mein Mann ist Dekorateur. Früher haben wir beide verdient. Jetzt bleibe ich zu Hause bei dem Jungen. Ich lasse ihn nicht mehr allein.«

»Sie haben eine schwere Entscheidung vor sich«, sagte Niklas ruhig, und sein Blick ging von einem zum anderen, »niemand kann sie Ihnen abnehmen, denn nur Sie beide können sie treffen.«

»Wir vertrauen Ihnen. Wozu raten Sie uns?« Frau Werner drückte verstohlen die Hand ihres Mannes.

»Wir haben die Wertigkeit einer Operation genau abgewogen«, sagte Niklas, und Jena stimmte ihm zu, »wir können nicht verantworten, daß Ihr Sohn mit diesem Defekt lebt. Wir müssen zu einer sofortigen Operation raten.«

Claus Werner erhob sich. »Wir danken Ihnen. Wir werden zu Hause noch einmal alles durchsprechen.«

Drei Tage später hatten sie der Operation zugestimmt.

5

Das Herz lag offen.

Nicht größer als eine Männerfaust, ein Kaleidoskop von Farben, blau in vielen Schattierungen bis hin zu zartem Violett, purpurn der Grundton, vermischt mit rosafarbenen Abweichungen, über allem, in einem dunklen, drohenden Rot, die Verästelungen der Herzkranzarterien, bizarre Graphik, kunstvolles Gebilde, für Paul Niklas jedesmal von neuem überwältigend in seiner Schönheit.

Das Herz schlug. Schleppend zwar, doch in zuverlässigem Gleichmaß.

Er hatte das Musikband abschalten lassen. Er würde sich beinahe übermenschlich konzentrieren müssen, da wollte er auf die Musikberieselung verzichten.

Die übliche gedämpfte Geräuschkulisse im OP wurde jetzt nur von einem regelmäßigen Piepton übertönt: der Herzschlag des Patienten, mit Hilfe eines Verstärkers zur Kontrolle für den Operateur übertragen.

Niklas betrachtete das Herz und begann mit der Inspektion, er tastete es ab. In den verschiedenen Herzhöhlen ließ er den Blutdruck messen, im jetzigen Zustand des vollnarkotisierten Patienten als Gegenprobe zu den Werten der Katheteruntersuchung.

Noch hatte er die schwierigste Arbeit vor sich. Die Äste der Pulmonalarterie hatten zwar ausreichende Kaliba, aber der Hauptstamm erwies sich als ungemein dünn.

Er tastete das Herz aus.

Das Operationsfeld war außerordentlich klein. Er würde äußerst behutsam vorgehen müssen. Der Raum war viel zu eng, der dünnwandige rechte Ast zu dicht von der großen Aorta überlagert.

Bis er endlich den distalen Teil der Prothese mit den beiden Ästen verbunden hatte, würde er schier Unmögliches möglich gemacht haben. Er wußte, daß er höchst vorsichtig zu stechen hatte, daß die Nähte auf Anhieb bluttrocken sein mußten, nachstechen konnte er bei diesem Gewebe kaum, denn dann würde er den Erfolg der Operation in Frage stellen.

Seine Gedanken entglitten ihm. Das Bild seiner Tochter drängte sich ihm auf. Zum Teufel jetzt mit Kathy, dachte er und konnte das Gesicht doch nicht vertreiben.

Nachdem sie sich vor jetzt sechs Monaten nach Vollendung ihres achtzehnten Lebensjahres für ihn entschieden und ihre Mutter verlassen hatte, war ihr Verhältnis ein wenig getrübt.

Früher hatten sie sich nur alle vier Wochen gesehen. Der Gerichtsbeschluß war hart für ihn gewesen, doch er hatte ihn streng eingehalten. Ein Tag alle vier Wochen, mehr nicht, das waren die Stunden, die er nie versäumt hatte. Sie waren jedesmal wie im Flug vergangen.

»Paps, jeder Tag mit dir ist für mich ein Sonntag«, hatte Kathy ihm einmal gestanden.

Jetzt war das anders. In seinem Verlangen, sie noch näher an sich zu binden, hatte er Fehler begangen, das war ihm nach und nach bewußt geworden. Er war eifersüchtig auf jeden Jungen gewesen, der sich in ihre Nähe gewagt hatte. Auseinandersetzungen waren die Folge, zum Teil unsachliche, laute.

Vor drei Tagen hatte er Kathy zum letztenmal gesehen. Seither war sie nicht mehr nach Hause gekommen. Auf der Kommode in der Diele hatte sie eine kurze Nachricht hinterlegt: »Wohne vorübergehend bei einer Freundin.«

Er hob den Blick in die Runde. Jeder des Teams stand auf seinem Platz. Sie warteten darauf, daß es weiterging. Er mußte sich entschließen.

Ein erneuter Blick auf das allzu kleine Operationsfeld. Das Gespräch mit dem Ehepaar Werner, der schwache Hauptstamm, die dünnwandigen Äste.

Plötzlich, ohne Vorankündigung, überfiel ihn eine nie gekannte Schwäche. Flüchtig wie ein Windhauch nur, doch alarmierend genug, daß er in sich hineinhorchte.

Ein Krampf die Atemwege hoch, ein stechender, jäher Schmerz in der Herzgegend, eine Welle, die ihm heiß durch den Brustraum schoß, ein Druck im Gehirn, Durchsacken der Gedanken, Schwarzblende im Film, einen Atemzug lang, nicht länger.

Die Symptome erschreckten ihn.

Er fand keine Erklärung. Seine 57 Jahre? Der tägliche, nie nachlassende Streß? Die Nerven? Verdammt, das durfte einfach nicht sein! Seine große Stärke waren die Nerven. Am Tisch war keiner so ruhig, so gelassen wie er.

Mit dem Schwierigkeitsgrad und dem damit verbundenen Wagnis der heutigen Operation brachte er den Vorfall nicht in Zusammenhang. Nein, er würde heute operieren wie sonst auch, und auch ohne Komplikationen, das stand für ihn fest.

Er hob den Kopf. Alle Blicke waren auf ihn gerichtet. Er gab der Schwester einen Wink. Mit einer sterilen Mullkompresse tupfte sie ihm den Schweiß von der Stirn. Er sah zu Kramer und zwang sich zu einem schmalen Lächeln: »Wir können.«

Die Spannung war gelöst.

Kramer lächelte aufmunternd zurück: »Wir sind bereit.«

Saunter, der ihm schräg gegenüberstand, sagte in seiner jungenhaften Art: »Na, dann viel Glück!«, und Kramer drehte sich halb den beiden Biotechnikern zu, die wie gewöhnlich die Herz-Lungen-Maschine bedienten, und sagte: »Ihr könnt anrollen.«

6

»Ich bitte dich, Claus, antworte endlich! Sag etwas! Unternimm etwas!« Frau Werner stand vor ihrem Mann, der vornübergebeugt in einem der Segeltuchsessel saß und den Kopf in die Hände gestützt hielt. Sie machte eine flehentliche Geste.

Sie waren im Wartezimmer allein. Eine Schwester hatte es eigens für sie freigehalten. »Hier können Sie in Ruhe alles abwarten.«

Also hatten sie sich in die Sessel gesetzt und gewartet.

Das Zimmer war in Weiß gehalten, die Wände, die Decke, die Borde, auch der Vorhang mit dem Blumenmuster war im Grundton weiß. Auf den Borden lagen Kinderbücher, Spielzeug, Fachzeitschriften. An den Wänden hingen, aufgereiht an einer Leiste, Zeichnungen, die auf heitere Weise das Thema »Arzt und Patient« variierten.

Das Fenster ging auf einen großen Parkplatz hinaus. Die Wagen standen dicht nebeneinander. Eine Lücke ließ die Zufahrt zum rückwärtigen Eingang der Klinik frei.

Nach einiger Zeit hatte die Schwester noch einmal hereingesehen: »Die Operation dauert noch an.« Inzwischen waren zweieinhalb Stunden vergangen.

»Claus, ich kann nicht mehr, hörst du! Ich muß wissen, ob du mit mir einer Meinung bist!« Sie rüttelte ihn an der Schulter.

»Nein«, sagte er leise vor sich hin, »ich bin nicht deiner Meinung.«

»Aber, Claus! Wir sind einem Irrtum erlegen! Einem schrecklichen Irrtum!«

»Nein, wir sind keinem Irrtum erlegen.« Von unten herauf sah er sie an.

»Bei mir schnürt sich hier alles zusammen.« Sie schlug sich mit der Faust schwach gegen die Brust. »Ich bin fertig, restlos fertig.«

»Ich weiß, Sylvie. Mir geht es nicht anders. Aber wir müssen damit fertigwerden. Wir dürfen uns nicht gegenseitig verrückt machen. Bitte, Sylvie!«

Er nahm sie bei der Hand und zog sie sanft auf den Sessel neben sich. Sie ließ es geschehen.

Ihre Stimme klang dünn: »Claus, Andy darf nicht sterben!« Und dann mehr zu sich: »Mein Gott, Andy!«

»Sylvie, du machst dich kaputt.«

»Wir haben ihn auf dem Gewissen, Claus. Wir hätten die Einwilligung nicht geben dürfen! Niemals! Wir hätten sie niemals geben dürfen! Wir haben das Ganze nicht durchdacht.«

»Wir haben einen Tag und eine Nacht diskutiert. Diskutiert, bis wir nicht mehr konnten. Wir haben uns die Entscheidung weiß Gott nicht leicht gemacht.«

»Ich hätte allein entscheiden sollen.«

»Du? Warum?«

»Weil eine Mutter mit ihrem Kind verwachsen ist. Weil ich mehr Zugang zu ihm habe als du. Ich war immer mit ihm zusammen. Das bindet. Eine Mutter sieht ihr Kind anders als ihr Vater. Direkter.«

»Falsch. Absolut falsch. Wenn schon einer allein hätte entscheiden sollen, dann ich.« Er streichelte ihre Hand. »Aber wir haben gemeinsam entschieden. Und das war richtig. Wir haben richtig entschieden. Du weißt das so gut wie ich.«

Mit einer schnellen Bewegung entzog sie ihm die Hand. »Ich weiß nur, daß ich in diese Operation niemals hätten einwilligen dürfen. Niemals!«

»Sylvie, sei vernünftig!«

»Ich wollte mich an den letzten Strohhalm klammern. Ich wollte Andy dieses Risiko ersparen. Ich wäre immer in seiner Nähe geblieben. Hätte ihn Tag und Nacht beschützt. Hätte ihn nie aus den Augen gelassen. Hätte nur noch für ihn gelebt.«

»Beschützen hättest du ihn nicht können. Nein, nicht in Mannheim. Gute dreihundert Kilometer von München entfernt! Bei einem akuten Vorfall hätten wir den Weg nie geschafft. Bei einem akuten Vorfall wäre er gestorben.«

»Aber ich . . . Tag und Nacht wäre ich für ihn dagewesen . . . ich hätte mich für ihn geopfert . . . nein, deinen akuten Vorfall hätte es nie gegeben!« Ihre Augen waren verweint. In ihrem Blick lag Verzweiflung.

»Als Frau hast du ein Recht, so zu empfinden. Sylvie. Eine Frau läßt sich von ihrem Brutinstinkt leiten.« Er nahm erneut ihre Hand. »Die harte Wirklichkeit aber sieht anders aus. Hätten wir die Operation hinausgeschoben, wäre unser Leben zur Hölle geworden, glaub mir. Abends, wenn ich nach Hause gekommen wäre, ewig und ewig nur bedrückte Gesichter oder gespielte Fröhlichkeit mit der Angst im Nacken. Ein Leben mit angehaltenem Atem. Das hält auf die Dauer keine Ehe aus.«

»Du denkst nur an dich.«

»Nein, Sylvie. Ich denke an uns. An uns drei. Denn auch dein Leben wäre von Tag zu Tag mehr zerstört worden. Dein Leben und damit auch deine Fähigkeit, zu lieben.«

»Und Andy? Geht es nicht um ihn?«

»Doch. Gerade um ihn. Bitte, Sylvie, sieh mir in die Augen. Du sagst doch immer, daß du in ihnen lesen kannst. Bitte schau mich an.« Er hob behutsam ihr Kinn an, bis sich ihre Blicke trafen, und fuhr fort: »Ja, ich denke an Andy. Wie von dir, so ist er auch ein Stück von mir. Wir hätten ihm keinen Gefallen getan, wenn wir ihn Jahre über Jahre wie in einem Glaskasten hätten halten müssen. Er hätte Schäden für die Zukunft bekommen. Große Schäden. Psychische Schäden. Ein Kind muß fröhlich sein dürfen. Muß in fröhlicher Umgebung heranwachsen. Muß mit seinesgleichen zusammen sein. Muß mit Freunden lachen können, herumtollen.«

Eine Weile war es ruhig im Zimmer. Dann hob Sylvie die Stimme an: »Ich will einfach nicht, daß Andy auf dem Operationstisch stirbt, hörst du! Ich will nicht, daß sie an ihm herumexperimentieren! Daß er das Experiment mit dem Leben bezahlt!«

»Sylvie!« Claus Werner sah sie eindringlich an. »Nun hör mir mal gut zu! Wir wollen das Thema ein für allemal beenden! Keiner will, daß Andy auf dem Operationstisch stirbt. Du nicht und ich nicht und die Chirurgen auch nicht. Uns bleibt keine andere Wahl, verstehst du endlich! Wir tragen die Verantwortung für das Leben unseres Kindes. Und daß Andy hier in der Klinik in einer besseren Obhut ist als bei uns zu Hause in Mannheim, willst du wohl kaum bestreiten. Wenn Professor Niklas uns sagt, daß er dringend zu einer sofortigen Operation rät, dann gibt er diesen Rat sicher nicht ohne schwerwiegende Gründe. Auch wenn es noch keine großen Erfahrungen für so eine Operation gibt. Der Mann hat mein Vertrauen. Ich vertraue ihm mehr als meinem Gefühl. Und zu wenig Gefühl für unseren Jungen kannst du mir gewiß nicht vorhalten.«

Er ließ sich kraftlos in den Sessel zurückfallen. »Um die Diskussion abzuschließen: Wir haben beide in die sofortige Operation eingewilligt. Und diese Operation läuft jetzt. Seit mehreren Stunden. Vielleicht ist sie in diesem Augenblick auch zu Ende, wir wissen es nicht. Wir wissen nur, daß uns diese elende Diskussion nicht den kleinsten Schritt weiterbringt. Im Gegenteil, sie zermürbt uns. Um nicht zu sagen, sie entzweit uns.«

Er holte tief Luft. »So, und jetzt wollen wir davon nicht mehr sprechen.«

Sie schob sich aus dem Sessel, ging an ihm vorbei zur Tür. »Du übernimmst also die Verantwortung?« Sie sah ihn feindselig an.

»Ja. Ich übernehme sie. Gemeinsam mit dir.«

»Auch wenn die Operation mißglückt?«

»Ja. Auch dann.«

Sie drückte die Klinke, öffnete die Tür und drehte sich zu ihm um: »Wenn die Operation mißglückt, hast du das Leben unseres Kindes auf dem Gewissen!«

Noch bevor er zu einer Entgegnung ansetzen konnte, war sie aus dem Zimmer, und die Tür fiel ins Schloß.

7

Der Herzbeutel war vernäht.

Paul Niklas atmete auf. Für ihn war die Operation abgeschlossen. Sein Blick ging zu Kramer. »Glück gehabt.«

»Glück?« Kramer war nicht seiner Meinung. »Wir haben es eben geschafft.«

»Ja«, bekannte Niklas, »mit Glück. Die Äste waren schwer zu fassen.«

»Aber Sie haben sie bekommen.«

»Das Gewebe ist äußerst schwach.«

»Aber es ist vernäht. Gut vernäht. Trocken.«

»Wir wollen es hoffen.«

»Ich bin sicher.« Kramer ließ sich von der Schwester den Bohrer geben und sagte zu Niklas: »Machen Sie zu?«

»Ja. Und Sie verdrillen.«

»In Ordnung.«

Kramer reichte Niklas den Bohrer.

Niklas begann, feine Löcher in das Brustbein von Andreas zu boh-
ren. Er ließ sich den ersten Silberdraht reichen. Nach knapp zehn Minuten hatte er das Brustbein geschlossen. Kramer verdrillte die Nähte
und zwickte sie mit der Zange ab.

»Nadel.« Niklas hielt die Hand auf. Die Schwester legte ihm eine
Nadel hinein, bereitete die anderen vor.

Muskeln und Haut waren schnell vernäht, der Verband angelegt.

»Wollen wir ihm Aludrin geben?« fragte Niklas, während Ober-
mann und Saunter die letzten Handgriffe am Verband verrichteten.
Die Frage galt Dr. Hagenau, dem Anästhesisten, der am Kopfende des
Patienten stand.

»Ich bin dafür«, sagte Hagenau, »der Junge ist keineswegs über den
Berg.«

»Einverstanden«, antwortete Niklas und wandte sich an alle:
»Meine Damen und Herren, ich danke Ihnen. Es war ein hartes Stück
Arbeit.«

Er ging in den Vorraum und von dort den Weg zurück zur Sterilisationsschleuse. Er streifte den Bleimantel ab.

Müde zog er sich Handschuhe, Mundschutz und Kopfbedeckung
herunter. Er setzte sich auf die Bank.

Nach ihm waren Kramer und Saunter in den Raum getreten. Sie
begannen sich auszukleiden.

»Wie lange haben wir gebraucht?« fragte Kramer, und Saunter
antwortete: »Auf alle Fälle war es ein Rekord. Ich habe schon gedacht, wir stehen heute abend noch am Tisch. Es war noch nie so
lange.«

»Na ja«, bezweifelte Kramer, »vielleicht seitdem Sie bei uns sind.«

»Okay«, sagte Saunter, »aber auch in Houston habe ich nicht so
geschuftet.« Er bezog Niklas in das Gespräch mit ein: »Herr Niklas,
ich gratuliere. Eine große Leistung.«

Niklas winkte ab: »Danke. Die Gratulation geht an alle. Ich kann
nur hoffen, daß wir Erfolg gehabt haben.«

»Rastelli hätte es nicht besser gekonnt«, sagte Saunter und streifte
sich das blaue Hemd ab. Sein junger, muskulöser Körper war von der
Sonne tief gebräunt.

»Rastelli haben wir eine Menge zu verdanken«, sagte Niklas. Er saß noch immer auf der Bank, ermattet.

»Zugegeben«, sagte Kramer, »Rastelli ist ein Könner. Aber der Name ›Niklas‹ hat nicht weniger Klang.«

Nach Professor Rastelli von der Mayo-Klinik war die Einpflanzung einer aus Dacron vorgefertigten künstlichen Lungenschlagader benannt.

»Rastelli war richtungweisend«, sagte Niklas.

»Aber ob er unsere Marathontour durchgestanden hätte, ist die Frage«, sagte Saunter und lachte, daß man seine kräftigen Zähne sah, »ich bin grundsätzlich für Niklas.«

Niklas erkannte, daß jetzt das Gespräch eine lockere Form annahm, und stemmte sich hoch. »Ich bin auch für Niklas«, lachte er, »aber nur, wenn es darum geht, wer als erster unter die Dusche kann.«

»Genehmigt«, sagte Kramer, »wir beide haben heute nichts mehr vor«, und zu Saunter: »Stimmt's, Monty?«

Montgomery Frederic Saunter ging auf den Ton ein. Die Kollegen der Klinik mochten seine ungezwungene heitere Art, er wußte darum. »Okay«, rief er in gespieltem Übermut, »wir lassen allen den Vorrang, die heute noch ein Rendezvous haben«, und schnalzte dazu mit der Zunge.

»Mich meinen Sie doch gewiß nicht damit«, sagte Niklas lachend. Er stieg aus den Holzpantinen, streifte sich Strümpfe, Schürze, Hemd, Hose und Unterwäsche ab, verschwand durch die Klapptür in den Duschraum und drehte das Wasser an.

»Ausgeschlossen«, rief Kramer, »Monty kommt nur nicht von seinem Thema runter.«

»Richtig!« rief Saunter. »Es geht nichts über ein Rendezvous, zu dem man frisch geduscht kommt.«

Die Männer alberten, als wollten sie so die ungeheure nervliche Belastung der letzten Stunden abschütteln. »Wenn schon einer ein Rendezvous hat«, rief Niklas durch den prasselnden, dampfenden Vorhang aus heißem Wasser, »dann doch höchstens Sie!«

»Warum immer nur ich?« rief Saunter zurück, und tat, als fühle er sich beleidigt: »Ich werde in völlig falschem Licht gesehen! Nicht nur ein Junge aus Kansas hat bei den deutschen Mädchen Chancen.«

»Aber doch wohl ich nicht mehr?« rief Niklas. »In meinem Alter hat man andere Interessen.«

»In Ihrem Alter«, rief Saunter, »ich wäre heilfroh, wenn ich in Ihrem Alter noch so aussähe wie Sie! Wie Henry Fonda in jung!«

»Danke für die Blumen«, rief Niklas, »aber Sie brauchen sie eher als ich!«

»Und wie er sie braucht«, rief Kramer dazwischen, »Monty hat alle Hände voll zu tun, um sich seiner Verehrerinnen zu erwehren. Wir sollten am Schwarzen Brett anschlagen, daß Doktor Saunter hier schließlich Gast ist. Und Gäste dürfen nicht belästigt werden!«

»Peh! Jetzt hast du es mir aber gegeben!« rief Saunter. »Und dabei habe ich nicht bei allen Chancen.«

»Du hast recht«, rief Kramer, »Schwester Beate zeigt dir die kalte Schulter.«

Schwester Beate hatte heute als erste OP-Schwester gearbeitet. Sie war bei allen Kollegen beliebt, doch sie lebte nur dem Beruf und hatte mit ihren neununddreißig Jahren keinen Blick mehr für den jüngeren, ungestümen Assistenzarzt aus den Vereinigten Staaten.

»Ach, stimmt das?« rief Niklas und drehte das Wasser ab.

»Und wie«, lachte Kramer, »an Schwester Beate beißt sich Monty die Zähne aus!«

Niklas trat aus dem Duschraum, hielt Kramer die Tür auf, der hineinging, und rieb sich mit einem der bereitliegenden Frotteetücher trocken. »Ach«, sagte er mit übertriebenem Mitgefühl, »und ich dachte, meine Tochter sei die einzige, an die er nicht rankommt. Obwohl er sich neulich bei unserem Abendessen so sehr um sie bemüht hat.«

Unwillkürlich klang ein ernsthafter Unterton mit. Daß er das Gespräch auf Kathy gebracht hatte, ärgerte Niklas. Nahm seine Eifersucht derart überhand, daß er jetzt sogar Saunter mit einbezog?

»Was Ihre Tochter betrifft, habe ich ein Alibi«, sagte Saunter lachend, »sie ist für mich zu gut erzogen.«

Niklas gab keine Antwort. Er holte seine weiße Arztkleidung aus dem Schrank und zog sich an. Seiner Miene entnahm Saunter, daß die Alberei für ihn beendet war.

»Okay«, sagte er, »wenn ich fertig bin, löse ich Obermann auf der Wachstation ab.

Dr. Holger Obermann, als ›zweite Hand‹, hatte nach der Operation den Transport des Jungen Andreas zur Wachstation begleitet. Seine Aufgabe war es, dort für die notwendigen ersten Vorkehrungen zu sorgen, damit der Patient seinem Zustand entsprechend betreut wurde.

»Ich komme auch vorbei«, sagte Niklas, »noch bevor ich den Bericht diktiere. Für heute nacht allerdings hätte ich gerne Herrn Kramer hier.« Da Kramer inzwischen das Wasser voll aufgedreht hatte, hob Niklas die Stimme an: »Herr Kramer, können Sie mich hören?«

»Jedes Wort«, kam es aus der Duschkabine.

»Ich hätte Sie gerne heute nacht hier«, rief Niklas, und Kramer drehte das Wasser ab. »Einverstanden«, sagte er und langte nach einem Frotteetuch.

»Ich gebe an, unter welcher Nummer ich zu erreichen bin«, sagte Niklas. Er war im Begriff, den Ankleideraum zu verlassen.

»Ihre Privatnummer ist bekannt«, sagte Saunter mit einem Anflug von Scherz. Für einen Augenblick sah es aus, als sollte die vorherige Alberei noch einmal aufflammen.

Niklas aber blieb sachlich. »Ich hinterlasse die Nummer. Ab Mitternacht bin ich dann zu Hause. Besser wäre natürlich, wir kämen ohne Komplikationen davon.« Er trat hinaus auf den Flur.

Saunter begann sich zu duschen. Als er fertig war, sagte er zu Kramer, der jetzt bis auf die leichten weißen Schuhe vollständig angezogen war: »Der Boß hat heute nicht seinen besten Tag.«

»Für mich war er wie immer.«

»Und der kleine Durchhänger am Tisch?«

»Ich hab nichts gemerkt.«

»Mittendrin.«

»Ach so, ja. Das habe ich auf ›volle Konzentration‹ gebucht. Er kann sich das leisten.«

»Absolut. Aber warum leistet er sich den zarten Hinweis auf seine Tochter?«

»Monty, sei nicht überempfindlich! Auf Niklas laß ich nichts kommen.«

»Okay, okay!« Saunter machte eine Geste der Abwehr. »Ich frage ja nur. Vielleicht hat er zu Hause Ärger. Zum Beispiel mit seiner Frau.«

»Na und? Ist das nicht seine ureigene Sache? Los, wir wollen uns um den Jungen kümmern.« Kramer drängte den Kollegen, sich schnell anzukleiden. Als er bereit war, gingen sie hinüber zur Wachstation.

27

8

Die Fassade des Nationaltheaters war an diesem Abend festlich erleuchtet. Die Kandelaber an der Straße, an der Auffahrt, der helle Glanz aus sämtlichen Fenstern, aus den hohen Eingangstüren, die Strahler, die auf das Relief am Giebel gerichtet waren, und die zusätzlichen Scheinwerfer, die ihr gleißendes Licht auf die breite Freitreppe und gegen die Säulen warfen.

Die Opernfestspiele nahmen ihren Anfang.

Schwere, blitzende Wagen rollten einer nach dem anderen heran, die Zaungäste reckten die Hälse, und man hätte glauben können, die Revue eines internationalen Autosalons mitzuerleben. Jaguar, Maserati, Iso Grifo, Lotus, BMW, Mercedes, Ferrari, Rolls-Royce Silver Cloud.

Polizisten hielten die Anfahrt frei, Diener in Livree rissen den Schlag auf.

Damen, in erlesenen Roben, rafften ihre Nerze und Chinchillas um sich und schritten am Arm ihrer Begleiter, die Smoking und Frack trugen, zum Eingang hoch. Diademe glitzerten, Perlen leuchteten, in den kunstvollen Haargebilden der Damen fing sich das Licht.

Ein schillerndes, verwirrendes Bild. Pracht und Pomp, Reichtum und Ansehen und die Überreste von altehrwürdigem Bürgertum.

Ein Sommerabend, der mild und anmutig über der Stadt lag.

Paul Niklas, in Smoking mit schwarzer Schleife, geleitete seine Frau Helen durch eine der hohen Eingangstüren in die Vorhalle.

»Ach Paul, weißt du eigentlich, wie sehr ich mich freue, daß du mitgekommen bist?« Helen Niklas drückte liebevoll seinen Arm, doch der erhoffte Gegendruck blieb aus. Die tiefschwarzen Haare, modern kurzgeschnitten, bildeten einen schmückenden Kontrast zu ihrem schmalen, blassen Gesicht.

»Paul! Denk jetzt nicht mehr an die Klinik! Mach dich wenigstens für ein paar Stunden frei. Paul!«

»Ich bin nicht in der Klinik. Ich bin ganz hier.«

»Das ist schön. Wie lange waren wir schon nicht mehr zusammen in einer Oper? Paul?«

»Wie? Keine Ahnung.«

»Hast du heute Ärger gehabt?«

»Nein.«

»Einen besonders schwierigen Fall?«

»Ja.«

»Und? Erfolg?«

»Hm. Die Operation ja. Aber . . .« Er hob die Schultern.

»Bist du auf Abruf?«

»Ja.«

»Hier in der Oper?«

»Ja. Ich habe die Nummer hinterlassen. Auch die Nummer der Loge.«

»Paul!« Sie drückte erneut seinen Arm, zärtlich und dankbar. »Ich kann ermessen, was es für dich bedeutet, jetzt hier zwischen all den Leuten . . . aber vergiß die Arbeit. Wenigstens bis zum Ende der Aufführung. Du mußt dich auch einmal entspannen. Du kannst nicht Tag und Nacht nur an die Klinik denken. Paul, siehst du das ein?«

»Ja. Du sagst es mir ja oft genug.«

»Ich bin deine Frau. Ich muß es dir sagen.« Sie wendete flüchtig den Kopf und entdeckte im Gewühl der Menschen ein ihnen bekanntes Ehepaar. »Paul, schau mal, wer dort ist! Wollen wir zu ihnen?« Sie versuchte, ihn sanft hinüber zu dirigieren.

»Nein, bitte nicht. Nicht jetzt.«

»Wie du meinst. Aber du solltest auf andere Gedanken kommen.«

Das erste Klingelzeichen setzte ein. Paul Niklas nahm Helen den Mantel von den Schultern und trug ihn zur Garderobe. Für einige Augenblicke war er allein. Er fühlte sich wie von einer Last befreit. Und sofort waren seine Gedanken wieder bei dem Jungen Andreas.

Ob er die erste Nacht gut übersteht? Ob der Sauerstoffdruck schon über dreißig ist? Der Hömotokrit wird wahrscheinlich zwischen sechzig und siebzig liegen. Der Ventrikel-Septum-Defekt war erheblich!

Seine Gedanken drehten sich im Kreis.

»Haben wir Turandot eigentlich schon mal zusammen gehört?« Helen war hinter ihn getreten.

»Was? Ach so, Turandot.«

»Oder weißt du noch gar nicht, daß uns heute Turandot erwartet?«

»Turandot? Natürlich.«

»Meine Lieblingsoper.« Sie hängte sich bei ihm ein.

»Ich weiß.«

»Puccinis bestes Werk. Sein reifstes. Ich glaube, wir haben Turandot noch nie zusammen gehört, was meinst du?«

»Ja, ich glaube auch.«

»Kennst du Turandot überhaupt?«

»Ich glaube nicht.«

»Sein letztes Werk. Neunzehnhundertvierundzwanzig. Das letzte Duett und das Finale konnte er nicht mehr vollenden. Kehlkopfkrebs. Einer seiner Schüler hat es nach den vorhandenen Skizzen vollendet. Langweile ich dich?«

»Nein, absolut nicht.«

»Ich dachte, du hörst mir gar nicht zu.«

»Doch, doch.«

»Ich will dich ja nur auf andere Gedanken bringen.«

»Ja, das tust du.«

Das zweite Klingelzeichen.

Sie nahmen ihre Plätze ein. Paul Niklas hielt seine Hände ineinander verschränkt im Schoß. Sein Blick ging unbewegt ins Leere. Die Geräuschkulisse, die über dem sich jetzt füllenden Haus lag, das Raunen, Rascheln und Hüsteln, er nahm nichts davon wahr.

»Die Uraufführung war in Mailand«, sagte Helen mit gedämpfter Stimme und beugte sich zu ihm, »neunzehnhundertsechsundzwanzig unter Toscanini. Nach dem Trauermarsch der Liu fiel der Vorhang. Es wurde also nur Puccinis Originalfassung aufgeführt. Erst am darauffolgenden Abend gab man dann die ganze Oper, auch mit dem nachträglich vollendeten Duett und Finale. Interessant, ja?«

»Ja, interessant. Hat sich eigentlich Kathy inzwischen gemeldet?«

»Kathy? Nein. Sie wird wohl noch bei ihrer Freundin sein.«

»Ja. So wird es sein.«

Das dritte Klingelzeichen.

»Achte mal auf die Rezitative bei der Verkündigung des Mandarins«, sagte Helen leise. Sie sprach jetzt schnell, da jeden Augenblick das Licht verlöschen und die Ouvertüre ihren Anfang nehmen konnte. »Die dissonanten Akkorde! Cis-Dur über d-Moll und A-Dur über b-Moll . . .«

Sie kam nicht mehr dazu, ihre Erläuterungen fortzusetzen. Das Licht verlöschte. Das Stimmengewirr ließ augenblicklich nach, das letzte Hüsteln verstummte.

Beifall rauschte auf und ebbte sofort wieder ab. Aus dem Halbdunkel heraus nahm der Dirigent seinen Platz am Pult ein. Er klopfte ab, hob den Taktstock. Die Ouvertüre begann.

9

Die Zuschauer drängten zur großen Pause ins Foyer. »Großartig«, schwärmte Helen Niklas an der Seite ihres Mannes, »einfach überwältigend. Allein das Sextett!« Sie warf ihm einen innigen Blick zu. »Hat es dir gefallen?«

»Ja. Ja, doch.«

»Bist du auch überwältigt? Sagt dir die dissonante Akkordik zu? Herrlich der Trompetenchor! Und der Chor der Henker!« Sie summte leise die Hauptzeile: »Nimmer mangelt es an Arbeit bei Prinzessin Turandot.« Sie drückte seinen Arm. »Einfach phantastisch! Findest du nicht auch?«

»Ja. Ja, natürlich.« Er bemühte sich, sie nicht merken zu lassen, wie abwesend er war. Schon als Turandot am Fenster ihres Palastes erschienen war, hatte er sich vorgenommen, die Aufführung unter einem Vorwand zu verlassen. Ihm gab die Musik nichts. So großartig sie auch war. Ihm waren Trompetenchor und dissonante Akkordik gleichgültig, an ihm glitt die Dramatik der Handlung ab. Er konnte sich weder am Sopran der Titelrolle noch am Tenor des Prinzen begeistern.

Das Ganze zerrte an seinen Nerven.

Wonach er sich jetzt sehnte, war Ruhe, war ein Mensch, mit dem er ein Gespräch führen konnte, das seinen Interessen entsprach. Ein Gespräch, das ihn erleichterte.

»Ich bin glücklich«, sagte Helen, »überglücklich, daß es dir gefällt, daß du begeistert bist wie ich. Ach, Paul, ich danke dir, daß du dir diesen Abend freigenommen hast. Und du entspannst dich wirklich?«

»Ja.« Er schob mit sanftem Nachdruck ihren Arm weg. »Aber bitte sei nicht traurig. Ich muß jetzt telefonieren.«

Sie fühlte sich überrumpelt. »Die Klinik?«

»Ja. Ich bin gleich wieder zurück.«

Er wandte sich an einen der Logendiener und ließ sich den Weg zu den Telefonkabinen zeigen. Vor den Kabinen vergewisserte er sich, daß Helen ihn nicht sehen konnte. Nachdem er einige Zeit vor einer Kabine gestanden hatte, ging er zu Helen zurück.

»Hast du die Klinik erreicht?« Ihre Stimme klang verhalten.

»Ja«, log er, »ich muß hin.«

»Jetzt? Mitten in der Aufführung?«

»Ja, sofort. So leid es mir tut.«

»Aber, Paul . . . muß das denn . . . ist es tatsächlich so dringend? Ich meine, weil sie doch nicht von selbst angerufen haben?«

»Unsere Anrufe haben sich gekreuzt.« Er sah ihr die Enttäuschung an. »Bitte, Helen, sei nicht traurig. Aber ich habe eben einen Beruf, der . . .«

»Ist schon gut.«

»Du bist traurig.«

»Wundert dich das? Nun geh. Um so eher bist du zurück.« Auf ihrem Gesicht bereitete sich ein Schimmer von Hoffnung aus. »Vielleicht schon zum Finale?«

»Das glaube ich kaum.«

»Dann wird es spät?«

»Ja. Kann sein, die ganze Nacht.«

»Die ganze Nacht?« Sie glaubte ihm nicht.

»Ja«, sagte er hart und bedauerte ihm gleichen Atemzug seine heftige Reaktion. Er lenkte ein: »Ich werde versuchen, so schnell wie möglich zurück zu sein. Bitte, Helen, versteh mich. Ich saß schon während des ganzen ersten Akts wie auf Nadeln. Du hast es ja gemerkt.«

»Ich kenne dich mittlerweile zur Genüge«, sagte sie nachsichtig, »nun geh, damit du nicht zu spät kommst.« Sie gab ihm einen flüchtigen Kuß auf die Wange. »Und fahr vorsichtig!«

10

Die Wälder standen schwarz wie Schattenrisse gegen das fahle Mondlich. Hier, nur wenige Kilometer vor der Stadt, war die Nacht in ihrem vollen Ausmaß spürbar.

Ab und zu fraßen sich Lichtkegel von Scheinwerfern über das Band der Straße, erhellten es für Augenblicke in ihrer Reichweite, huschten an Baumgruppen vorbei, belebten die Finsternis.

Paul Niklas hatte den Wagen auf die Autobahn gesteuert. Die Reifen surrten monoton. Er blendete das Armaturenbrett ab und drehte das Radio an. Musik prallte ihm entgegen, schrille, hektische Unterhaltungsmusik. Er dämpfte den Ton.

In etwa vierzig Minuten würde er am Ziel sein. Sein Verlangen, jetzt mit einem vertrauten Menschen zu sprechen, sich ihm mitzuteilen, war stark und mächtig und verdrängte alle Einwände.

Er wußte Kramer in der Klinik, und Kramer war ein guter Mann, ein sehr guter Mann. Kramer würde vierzig Minuten überstehen können, egal was sie brachten.

Er drückte den Gashebel durch. Er freute sich auf das Gespräch, das er schon den ganzen Tag herbeigewünscht hatte.

Nein, Helen war nicht der Mensch, der ihm dieses Gespräch geben konnte. Helen war hingebungsvoll und treu, vereinte viele gute Eigenschaften einer braven Ehefrau. Sie war jetzt vierundvierzig, dreizehn Jahre jünger als er, und ihre Figur hatte sich gegen früher um nichts verändert, ja, ein junges Mädchen konnte nicht anmutiger sein.

Sie war hübsch anzusehen, war gebildet, ausgeglichen, stand überlegen dem Haushalt vor, eine bessere Frau als Helen konnte er sich nicht wünschen.

Er bezweifelte nicht, daß sie sich bei ihm wohl fühlte. Führte sie an seiner Seite nicht ein sorgloses, ruhiges Leben? Hatte sie nicht alle Freiheiten, sich das Leben nach ihren Wünschen zu gestalten?

Gewiß, auch sie übte an ihm Kritik. Doch nicht so unnachgiebig und bitter, nicht so zersetzend wie seine erste Frau, wie Lance sie unaufhörlich vorgebracht hatte.

Er hatte eben einen Beruf, der ihm nicht allzuviel Zeit für ein Privatleben ließ. Helen wußte es. Und respektierte ihn. Daß sie ihren Mann manchmal gerne mehr für sich gehabt hätte, war nur allzu verständlich. Wie zum Beispiel heute in der Oper.

Er konnte es ihr nachfühlen. Er war nie der Mann gewesen, der einer Frau seine Zeit voll zur Verfügung stellen konnte. Wer mit ihm zusammen sein wollte, mußte auf seinen Beruf Rücksicht nehmen.

Helen war so ein Mensch.

Sie achtete seine Tätigkeit, ordnete sich ihr unter. Sie nahm die Ehe, wie er sie ihr bot. Sie war ihm die ideale Ergänzung zu seiner anstrengenden Arbeit in der Klinik.

Dennoch war sie nicht der Mensch, dessen Nähe er suchte, wenn er das Bedürfnis hatte, sich auszusprechen, Verständnis zu finden für Probleme, die ihn beschäftigten.

Nein, darin war Helen ihm keine Partnerin. Gefühl, Wärme, Harmonie, diese Eigenschaften besaß sie jedoch in reichem Maß. Schon an dem Abend, an dem sie sich kennenlernten, war er sich dessen bewußt geworden.

Jahresempfang des Kollegiums der Medizinjournalisten. Festsaal im Hotel ›Vier Jahreszeiten‹. Ärzte, Zeitungsleute und charmante Frauen in Abendkleidern. Ein Kollege stellt ihm eine Frau Dr. Helen Ivensen vor. Er unterhält sich mit ihr, witzig und geistvoll, findet sie interessant. Dieser Abend gehört ihr.

Beim Tanzen schmiegt sie sich an ihn. Er atmet den herben Duft ihres Parfüms.

»Sie sind also einer der Menschen, vor denen wir Mediziner uns in acht nehmen sollten?«

»Soll man sich nicht vor allen Menschen in acht nehmen?«

»Ich meine eigentlich nur die Journalisten.«

»Da haben Sie falsch getippt. Ich habe mit den Zeitungshyänen nichts zu tun.«

»Sind Sie denn etwa auch nur Gast hier?«

»Erraten. Man hat mich mitgeschleppt. Ich sollte mal unter Leute kommen.«

»Medizinerin?«

»Ich lehre Sprachen.«

»So läßt man sich von einem Doktortitel irritieren.«

»Der Doktor steht für Philologie. Ich pauke willigen Menschen Englisch und Französisch ein. An einem Institut.«

»Und warum sollte man sich vor allen Menschen in acht nehmen?«

»Oh, Sie sind hellhörig! Da muß ich mich vorsehen. Damit wäre Ihre Frage schon beantwortet.«

»So leicht kommen Sie mir nicht davon! Sie haben von allen Menschen gesprochen. Verbirgt sich vielleicht hinter Ihrem angenehmen Äußeren so etwas wie eine Menschenverächterin?«

»Danke für das ›angenehme Äußere‹. Aber ich kann Sie beruhigen. Ich verachte die Menschen nicht. Ich trete ihnen nur mit Zurückhaltung entgegen.«

»Ist der Mensch denn nicht ein sehr hilfsbedürftiges, ein geradezu zerbrechliches Wesen?«

»Nein. Der Mensch ist ichbezogen, gefühlsarm und unbarmherzig zu seinen Mitmenschen.« Ihre Blicke treffen sich. Sie scheint seine Gedanken zu erkennen. Sie schränkt ihr hartes Urteil ein: »Ausnahmen bestätigen natürlich die Regel.«

Das war ihr erster Abend gewesen. Ein halbes Jahr später hatten sie geheiratet.

Er kniff die Augen zusammen, als könne er so die Hinweise auf den Schildern am Straßenrand besser entziffern.

›Ausfahrt Holzkirchen 1000 Meter‹. Er steuerte den Wagen auf die rechte Spur. Bis Rottach-Egern waren es noch an die 20 Kilometer. Die Musik wurde ausgeblendet.

Aus dem Radio tönte jetzt die Stimme des Sprechers: ». . . wir bringen Spätnachrichten . . . nach einer Meldung der Deutschen Presseagentur soll – wie erst jetzt bekannt wird – vor zwei Tagen amerikanische Militärpolizei auf dem Gebiet der Bundesrepublik widerrechtlich einen Mann festgenommen haben. Bei dem Mann handelte es sich weder um einen amerikanischen Staatsbürger noch um einen in amerikanischen Diensten stehenden Mann anderer Staatsangehörigkeit. Nachdem sich das deutsche Bundesinnenministerium einschaltete, gab der für die amerikanische Militärpolizei verantwortliche Offizier den Vorfall zu.

In Zusammenhang damit wird ein gestern in der amerikanischen Zeitung ›Washington Post‹ erschienenes Interview gebracht, das der Chef des amerikanischen Geheimdienstes, Pullman, gab. Pullman erklärte, daß es Agenten seines Dienstes gelungen sei, Abu Dschafar in der Bundesrepublik aufzuspüren. Dschafar gilt als der radikale Führer der extremistischen palästinensischen Untergrundorganisation AWT.

Ein Sprecher des deutschen Bundesinnenministeriums bringt beide Vorfälle ebenfalls in unmittelbaren Zusammenhang. Es gilt für erwiesen, daß der von amerikanischer Militärpolizei festgenommene Mann Abu Dschafar ist.

Inzwischen hat auch die palästinensische Untergrundorganisation durch einen Sprecher erklären lassen, daß ihr Führer Dschafar aller Wahrscheinlichkeit nach in die Hände der amerikanischen Militärpolizei gefallen sei . . .

... Das Hochwasser im Gebiet des australischen Bundeslandes Tasmanien ist inzwischen ...«

Paul Niklas schaltete das Radio ab. Er hatte jetzt kein Ohr für Ereignisse, wie sie unsere Welt tagtäglich bot. Seine Probleme waren anderer Art.

Er nahm das Steuer fest in den Griff. Nur noch wenige Kilometer, dann war er am Tegernsee.

11

Der eiserne Vorhang war längst heruntergelassen. Das Publikum klatschte weiter, in den Reihen, in den Logen stehend. Immer noch erschollen vereinzelte Bravorufe, vereinten sich zu einem Crescendo, entzündeten neue Beifallswogen.

Dann aber schloß sich die Tür im eisernen Vorhang unwiderruflich. Der Beifall versickerte. Die letzten Zuschauer verließen ihre Plätze, gingen hinaus zu den Garderoben. Der große Abend war zu Ende.

Helen Niklas zog ihren Mantel an und stand einen Moment unschlüssig im halbleeren Foyer. Sie kämpfte mit sich, warf einen Blick auf die zierliche Uhr, die an einer langen Kette aus Platin um ihren Hals hing – schon elf! – und gab sich einen Ruck.

Natürlich mußte sie mit Paul telefonieren, so schnell wie möglich! Der unschöne Abschied von vorhin sollte ihn nicht länger belasten. Sie mußte ihm sagen, wie sehr sie bedauerte, daß sie ihm nicht geglaubt habe, er müsse womöglich die ganze Nacht über in der Klinik bleiben, daß sie an ihm gezweifelt hatte, und wenn auch nur für kurze Zeit, und daß ihr flüchtiger Abschiedskuß nicht von Versöhnung bestimmt gewesen war. Sie hatte etwas gutzumachen.

Sie betrat eine der Telefonkabinen, ließ zwei Münzen in den Apparat rasten und wählte die Nummer der Klinik.

»Hier Herzklinik.« Die rauhe Stimme des Nachtportiers. Sie kannte sie.

Sie nannte ihren Namen und bat, sie mit ihrem Mann zu verbinden.

»Herr Professor Niklas?« sagte die rauhe Stimme, »ich glaube nicht, daß er da ist. Er ist jedenfalls nicht bei mir vorbeigekommen. Ich will mal schauen.« Der Nachtportier stöpselte um, verband sich mit der Intensivstation, mit den Herzstationen I und II, schließlich auch noch mit dem Casino, fragte, stöpselte erneut und hatte wieder Helen Niklas in der Leitung.

»Hören Sie noch?«

»Ja«, sagte sie in die Muschel, »haben Sie meinen Mann erreicht?«

»Nein. Der Herr Professor ist nicht im Haus.«

»Aber er muß dort sein! Zumindest muß er dort gewesen sein! Bitte erkundigen Sie sich doch, wann er das Haus verlassen hat.« Unter Umständen ist Paul auf dem Weg hierher zurück, dachte sie, dann warte ich besser auf ihn.

»Ist gut, ich erkundige mich«, sagte die rauhe Stimme. Abermals ein Knacken in der Leitung. Nach einer Weile ließ sich die Stimme noch einmal vernehmen: »Hallo, sind Sie noch da?«

»Ja«, sagte Helen Niklas, »haben Sie etwas in Erfahrung bringen können?«

»Ich habe gefragt. Überall. Der Herr Professor hat das Haus schon heute nachmittag verlassen.«

»Na gut. Haben Sie besten Dank.« Sie hing ein.

12

»Ich schieße grundsätzlich nur mit diesem Modell. Seit Jahren mit demselben. Da, schau her! Meine sieben-mal-fünfundsechziger-R! ›R‹ heißt soviel wie Randpatrone. Die schießt man nur aus Kipplaufwaffen.«

Jan Voss strich zuerst über seinen eisgrauen Spitzbart und dann beinahe zärtlich über die Waffe, die vor ihm auf dem schweren, hölzernen Tisch lag. Seinen Bart bezog er in jedes angenehme Gefühl mit ein, das gehörte zu seinen Eigenarten.

»Das Ganze nennt man eine Bockbüchsflinte«, fuhr er fort und lehnte sich auf der Ofenbank zurück, so daß der Schein der tief hängenden Lampe voll auf das Gewehr fallen konnte.

»Bockbüchsflinte hört sich komisch an, ich weiß«, sagte er, »es ist aber der fachgerechte Begriff. Hat nichts mit einer Bockjagd zu tun. Das Ding heißt nur deshalb so, weil die zwei Läufe übereinander angebracht sind, sozusagen ›aufgebockt‹. Hier, der Lauf einer Büchse. Mit dem feuert man Kugeln ab. Hier, der Lauf einer Flinte. Viel schmaler. Der ist für Schrot. Also für das Wild, das man mit einer Kugel nicht treffen kann. Fasanen zum Beispiel und das Zeug.«

Jan Voss ließ Paul Niklas nicht aus den Augen. Ihm war klar, daß der Freund ihn um diese Stunde nicht aufgesucht hatte, um sich einen Vortrag über Jagdgewehre anzuhören. Wenn Paul kam, hatte er gewöhnlich einen ganz persönlichen Anlaß. Fragen, die er mit ihm besprechen wollte. Probleme, die er sich bei ihm von der Seele redete.

Wenn er aber wie heute sogar mitten in der Nacht ankam, mußte sein Problem entsprechend groß sein, entsprechend quälend, dann hatte er echte Sorgen.

Jan Voss kniff die Augen zusammen. Er hatte vor, den Freund noch eine Weile zu zwingen, seine Erklärungen über die Jagd anzuhören. Das würde Paul innerlich ablenken, er konnte zur Ruhe kommen und den nötigen Abstand zu seinen Sorgen gewinnen.

Eine hundsgemeine Therapie, Jan war sich darüber im klaren. Doch er mochte Paul mehr als einen leibhaftigen Bruder. Er war ihm jetzt ein Leben lang verbunden.

Er fühlte sich verpflichtet, ihm zu helfen. Und wenn es sein mußte, auch auf eine hundsgemeine Art.

Der Gegensatz im Äußeren der beiden Männer hätte kaum größer sein können. Dr. Johannes Voss, von seinen Bekannten allgemein Jan genannt, war gedrungen, rundlich, und in seinem Gesicht blinkten zwei helle, wasserblaue Augen. Er trug eine grobe, wollene Strickjacke, wie sie die Waldarbeiter trugen, eine ländliche Bundhose aus Leder, und seine Füße steckten in derben Bergschuhen. Er hatte sich gerade fertiggemacht für den nächtlichen Aufstieg in sein Jagdrevier im Gebiet von Baumgarten.

Paul Niklas, noch im Smoking, weißem Hemd und schwarzer Schleife, mit seinem schmalgeschnittenen Kopf, sehnig, in den Bewegungen elegant, wirkte am Tisch unter der niedrigen Decke wie ein Fremdkörper.

»Ich habe sie für mich anfertigen lassen«, sagte Jan Voss und legte seine Hand auf den Schaft der Waffe, »die wird noch mit einem Hahn gespannt. Oder sagen wir, schon wieder. Die Nostalgie hat auch uns Jäger erreicht.« Er winkte ab: »Spar dir deine Worte, Paul. Ich fühle mich in erster Linie als Jäger und erst in zweiter Linie als popeliger Landarzt.«

Er erhob sich, holte vom Ofen einen Krug herunter und von der

Anrichte zwei Gläser und goß ein. »Terlaner. Nicht übel. Ab dem dritten Glas schmeckt er jedem. Prost!« Er schob Paul ein Glas hin.

Paul hielt das Glas hoch: »Prost, Jan! Du wirst von Mal zu Mal jünger!«

»Quark! Ich werde in drei Wochen siebenundsechzig. Ich zeige dir nur, wozu du in zehn Jahren noch imstande sein kannst. Das heißt, wenn du nicht vorher umkippst.« Er trank das Glas auf einen Zug leer und wischte sich den Mund mit dem Handrücken ab. »Streß! Managerkrankheit! Dir muß ich das sagen! Ausgerechnet dir, dem Fachmann.« Er goß sich ein zweites Mal ein. »Merkst du allmählich, warum ich in erster Linie Jäger bin? He! Merkst du's?«

»Wer kann schon aus seiner Haut heraus?«

»Jeder! Jeder kann! Er muß nur wollen! Was weißt du eigentlich vom Leben, Paul? Du kennst dein Operationsfeld, deine Herzklappen und den ganzen Krempel. Aber was weißt du vom Leben, he?« Jan Voss kippte den Wein in sich hinein.

»Weißt du zum Beispiel«, sagte er, »warum man jetzt wieder dazu übergeht, die Flinten wie vor hundertfünfzig Jahren mit Hähnen zu versehen? Weißt du das?«

»Gehört das zum Leben, Jan?«

»Ja! Ja! Ja! Das gehört zum Leben!« Er goß sich noch mal ein. »Wie alle Schlechtigkeiten nehmen seit Jahren nämlich auch die Jagdunfälle zu. Und warum? Weil die Herren sich zu modern fühlen, um noch alte Spannhähne zu benützten! Eine einfache Sicherung kann sich leicht lösen. Du bleibst an einem Zweig hängen, am Rucksack, und schon macht's ›peng!‹, und irgendeiner hat eine Kugel im Arsch! Oder im Kopf! Freilich, beim Übersteigen von Zäunen und beim Besteigen von Hochsitzen ist das Gewehr zu entladen! Jagdvorschrift! Äh!« Er machte eine Handbewegung, als wollte er alle Vorschriften der Welt vom Tisch wischen. »Mit einem Hahn kann dir so was nicht passieren! Da!« Er demonstrierte an der Waffe, die vor ihm lag: »Das geht nur mit Kraft! Oder Schmalz, wie man hierzulande sagt. Versuch, ob du ihn spannen kannst!« Er hielt Paul das Gewehr hin.

Paul spannte den Hahn. »Es geht nicht leicht, zugegeben.«

»Siehst du! Und diese Kraft bringt kein Rucksack auf und kein Zweig, ohne daß du es merkst! Prost, Paul!«

»Prost, Jan!« Sie tranken.

»Jan, ich bewundere dich«, sagte Paul Niklas und setzte sein Glas hart auf den Tisch, »du schöpfst deine alten Tage voll aus. Aber das ist nicht der Grund, warum ich herausgekommen bin zu dir.«

»Deine Probleme laufen dir nicht weg. Wohl aber das Leben. Prost!«

»Meine Zeit läuft mir weg. Das ist schon sehr viel.«

»Also gut. Erzähl der Reihe nach.«

»Zuerst muß ich telefonieren.«

»Die Klinik?«

»Sie können mich sonst nicht erreichen.«

»Du weißt, wo der Apparat steht.« Jan füllte erneut nach. Paul ging in die kleine niedrige Diele, wo in einer Ecke das Telefon auf einer hölzernen Truhe stand. Zum Wählen mußte er sich bücken.

Jan erwartete ihn mit den vollen Gläsern in der Hand zurück. »Nicht, daß wir uns besaufen wollen. Wenn du auf Abruf bist, hast du sowieso ein Alibi. Aber es freut mich einfach, daß du wieder mal da bist.« Er gab Paul ein Glas. »Auf die alten Tage!«

Jan nahm einen großen Schluck, Paul nippte nur.

»Hast du deinen Anruf erledigt?« sagte Jan, und als Paul nickte, setzte er hinzu: »Dann schieß los!«

Paul ließ sich Zeit. Er setzte sich auf die Ofenbank, verschränkte die Arme vor der Brust und überlegte, wie er beginnen sollte. »Heute am Tisch«, sagte er schließlich, »hatte ich das Gefühl, ich müsse aufhören. Sofort. Es kam ohne Vorwarnung.« Er erzählte von seinem Schwächeanfall, erzählte in allen Details, seine Gedanken, die Reaktionen der Kollegen.

Jan hörte geduldig zu. Einige Male machte er einen Einwurf oder stellte eine kurze Frage. Den Redefluß des Freundes aber unterbrach er nicht.

»Verstehst du, Jan«, sagte Paul am Ende seiner Ausführungen, »daß mich diese Erkenntnis fast erdrückt, daß ich verzweifelt bin?«

»Ja, ich verstehe das«, sagte Jan in seiner beruhigenden Art, »das heißt, ich muß mich einschränken. Ich kann mir die Situation vorstellen. Ich verstehe die Gedankengänge. Trotzdem: Ich verstehe nicht den Arzt Paul Niklas. Sekunde, Paul, laß mich ausreden. Ich habe in all den Jahren geglaubt, dich blind zu kennen. Jetzt kommen mir Zweifel.«

»Warum kannst du die Sache nicht auf mich beziehen? Soll etwa mir so etwas nicht passieren können? Bin ich ein Übermensch?«

Jan lächelte: »Ja, vielleicht bist du wirklich eine Art Übermensch. Zumindest für deine Umwelt.« Er dachte kurz nach. »Paul, wie lange kennen wir uns?«

»Wann hast du dein Examen gebaut?«

»Ach, herrje! Das ist fast vierzig Jahre her.«

»Na also. Und ich fing damals gerade an. War ich überhaupt schon auf der Uni?«

»Frag mich nicht! Die Berliner Zeit war jedenfalls eine tolle Zeit!«

»Daß du dich damals überhaupt mit einem Greenhorn wie mir abgegeben hast!«

»Hattest du nicht die Moneten?«

»Mit Sicherheit nicht. Ich glaube, daß ich der einzige von euch war, der sich sein Studiengeld hart erarbeiten mußte. Nein, der Spendieronkel war der dicke Bender.«

»Stimmt! Der hatte den reichen Vater! Mensch, der Bender!«

»Ist gefallen. Kurz vor der Kapitulation.«

»Ja! Er war nicht der einzige. Aber Berlin hatte es in sich! Das Aschinger in der Friedrichstraße! Und die große, leere Wohnung! Wo war die noch mal?«

»Bleibtreustraße.«

»Richtig! Mann, das war eine Zeit!«

»Jan, du wolltest mir erklären, warum es dir schwerfällt, mein Problem auf mich zu beziehen.«

»Ja. Entschuldige. Aber ich glaube, man sollte sich viel öfter der alten Zeiten erinnern. Vierzig Jahre sind eine ganz hübsche Latte für eine Freundschaft. Noch dazu für eine so enge wie unsere. Gut, wir haben uns ein paar Jährchen aus den Augen verloren. Aber nicht viel länger als zehn Jahre! Das soll keine Entschuldigung sein. Seit wann bist du in München?«

»Seit achtundfünfzig.«

»Na, und ich bin seit sechsundvierzig Bayer. Ich bin nach dem Krieg gleich hiergeblieben. Merkst du, worauf ich hinaus will?«

»Sag es deutlicher.«

»Zwei Männer aus der gleichen Ecke. Beide seit mehr als dreißig Jahren ohne Heimat, entwurzelt. Oder warst du in letzter Zeit vielleicht einmal in Breslau? Na, siehst du!«

»Aber ich fühle mich nicht heimatlos.«

»Mag sein. Das ist nicht entscheidend. Entscheidend ist, daß wir beide die gleiche Sprache sprechen. Hier drinnen, meine ich!« Jan schlug sich auf die Brust. »Gibst du das zu?«

»Ja. Das stimmt wohl.«

»Das stimmt sogar genau! Paul, wenn sich zwei wie wir beide so lange kennen und noch dazu aus dem gleichen beruflichen Topf kommen und sich dann noch dazu so mögen, wie wir uns mögen . . . keine Angst, ich verschone dich mit einer Liebeserklärung! – Aber, Paul, begreif doch! Wer sollte dich besser verstehen können als ich?«

»Du hast ja recht.«

»Na also. Und jetzt auf einmal verstehe ich dich nicht mehr! Jetzt auf einmal bist du mir fremd! Jetzt auf einmal bezweifle ich, ob ich dir helfen kann! Es sei denn . . .« Jan sah sein Gegenüber nachdenklich an.

»Es sei denn?«

»Es sei denn, du enttäuschst mich.«

»In welcher Beziehung?«

»Daß auch eine Kapazität, wie du sie bist . . . nein, das stimmt, du bist eine weltweite Kapazität! Auch wenn du dich noch so sehr gegen den Lorbeerkranz sträubst! Du stehst in deiner Reihe mit den Shumways, Cooleys, Barnards und wie sie heißen. Wahrscheinlich stehst du sogar noch vor ihnen. Laß mich bitte ausreden! Daß also auch so eine Kapazität menschlichen Schwächen unterliegt. Daß auch du ein Innenleben hast, das dich stolpern läßt. Daß du nicht gefeit bist gegen Gefühle, wie sie jede kleine Sekretärin mit sich herumschleppt, oder der Patient, der vor dir auf dem Operationstisch liegt.«

»Also doch deine jahrelange Fehldiagnose vom Übermenschen?«

»Nicht ganz. Dein Privatleben sollst du ja haben. Das steht außer Frage. Auch deine Gefühle und die damit verbundenen Komplikationen. Nur, daß sie auf deinen Beruf übergreifen, daß sie dich bei deiner Arbeit beeinflussen, daß sie dich überfallen, während du am Tisch stehst, das, lieber Paul, das ist mir unverständlich! Denn daß dein Schwächeanfall seinen Ursprung in deiner, jetzt darf ich es ja sagen, deiner Gott sei Dank vorhandenen Menschlichkeit hatte, gilt für mich als erwiesen.«

Paul war verwundert. »Du hast mich also tatsächlich am Tisch als seelenloses Wesen gesehen, als Roboter?«

»Eine verzwickte Frage. Sagen wir, ich habe mir eingebildet, deine Arbeit sei Routine und Geschick, aufgebaut auf Erfahrung. Und gib zu, Paul, ganz so falsch, wie du meinst, habe ich dich nicht gesehen. Ob die Herzklappe, die du auswechselst, dem Herrn Müller oder Meier gehört, bewegt dich nicht im geringsten. Womöglich weißt du mitunter nicht einmal, wen du operierst. Gut, auch wenn das letztere nicht zutrifft, liege ich doch nicht völlig falsch.«

»Völlig nicht. Nur im Detail. Ich habe dir ja gesagt, daß meiner Ansicht nach gerade der heutige spezielle Fall den Schwächeanfall ausgelöst hat. Wie es auch sei, das Problem stellt sich für mich anders. Ich hätte die Operation übergeben müssen! Mitten in der Arbeit! Ich hätte die Verantwortung nicht weiter übernehmen dürfen! Wußte ich denn, ob ich noch in der Lage war, bluttrocken zu nähen? Stell dir nur einmal vor, Jan, ich hätte nicht bluttrocken genäht, stell dir das einmal vor!«

»Hm. Nehmen wir den schlimmen Fall an. Dann kann der Junge doch noch einmal operiert werden?«

»Eine Schinderei! Eine Reoperation wäre die Hölle. Bei einem schwachen Gewebe wie seinem ohne Aussicht auf Erfolg. Bei einer Reoperation hat der Junge keine Chance.«

»Das wäre schlimm, ja. Aber es ist doch nichts erwiesen! Du darfst dich doch nicht jetzt schon verrückt machen!«

»Außerdem habe ich keine Schrittmacher-Elektroden eingenäht. Zur Vorsorge in der Krisenzeit.«

»Drähte?«

»Ja. Die werden durch die Haut herausgeführt. Und bei einem Herzblock kann außen ein Schrittmacher angeschlossen werden. Nach der Krisenzeit werden sie einfach wieder herausgezogen.«

»Ich weiß. Nähst du diese Elektroden denn immer ein?«

»Nein. Nur wenn ich einen Herzblock befürchten muß.«

»Ist denn in diesem Fall ein Herzblock zu befürchten?«

»Kinder neigen nun mal leicht zu Rhythmusstörungen. Da ist ein Herzblock nicht unbedingt auszuschließen.«

»Aber auch nicht unbedingt zu erwarten. Nein, Paul, ich bleibe dabei, mir ist es unverständlich, warum du mit dem Gedanken gespielt hast, aufzugeben.«

»Weil ich plötzlich ein Risikofaktor war! Weil ich der Verantwortung nicht mehr gewachsen war! Weil ich für mich nicht mehr garantieren konnte! Begreifst du denn noch immer nicht!« Paul hob die Stimme an. Er machte den Eindruck, als wollte er sich verteidigen.

43

»Nun laß mal die Kirche im Dorf«, sagte Jan ruhig, »Risikofaktor! Garantie! Verantwortung! Das sind verdammt große Worte! Die kann ich dir nicht abnehmen. Nicht bei einem derart minimalen Vorfall.«

»Der Vorfall war nicht minimal.«

»Aber auch nicht ungewöhnlich.«

»Für mich schon!«

»Paul! So kenne ich dich nicht! Und ich bin froh, daß ich dich nicht so kenne. Du erschreckst mich, Paul! Ja, wirklich, du erschreckst mich!«

Die beiden Männer sahen sich an. Für eine Weile war es still im Zimmer. Das Ticken der Wanduhr, die Geräusche des unruhigen Wellensittichs, nichts sonst war zu hören.

An der Miene des Freundes erkannte Paul, wie fern er ihm auf einmal war.

Er rang sich zu dem Entschluß durch, sich ihm voll anzuvertrauen. Ihm zu sagen, was er ihm schon seit Jahren hatte sagen wollen. Sich ihm mitzuteilen, zu erklären, unter welcher seelischen Belastung er tagtäglich seinem Beruf nachging.

»Also gut«, sagte er, »es liegt an mir. Ich war zu dir nicht ehrlich. All die Jahre. Ich war zu dir nicht ehrlicher als zu anderen Menschen auch.«

»Nicht ehrlich?« Jan sah ihn ungläubig an.

»Ja. Ich muß dir etwas gestehen.«

»Gestehen?«

»Du kannst es auch ›beichten‹ nennen. Oder ›offenbaren‹. Ich habe über die Sache noch nie mit einem Menschen gesprochen. Sie liegt jetzt genau fünfundzwanzig Jahre zurück.«

»Fünfundzwanzig Jahre?«

»Ja. Damals war ich in Pakistan.«

»Mann, Paul!« Jan wischte sich mit der Innenfläche der Hand von oben herunter übers Gesicht, als könne er so die Erinnerung wachrufen.

Einen Atemzug lang ging sein Blick durch Paul hindurch. Dann kam er wieder zu sich. Er gewahrte die halbleeren Gläser. Er schenkte nach und schob dem Freund ein volles Glas hin.

»Los«, sagte er, »fang an zu erzählen!«

13

Die postoperative Intensivpflegestation wird auch Überwachungsstation oder Intensivstation genannt.

Zwei große, helle Räume, durch eine gläserne Wand voneinander getrennt, durch einen gemeinsamen Vorraum, eine Art technischen Kommandostand, miteinander verbunden.

In beiden Haupträumen ein Gewirr von Leitungen, elektronischen Überwachungsgeräten und technischen Einrichtungen. Plastikschläuche von der Decke, Plastikschläuche aus den Wänden, Plastikschläuche an Gestängen, schmale, starke, gerippte und glatte Plastikschläuche. Anschlüsse, Meßgeräte, die von der Decke hängen, Leitungen zu Apparaturen, die das EKG registrieren oder Kreislaufgrößen, Körpertemperatur und Atemfunktion, der Intensivcomputer, der alle Werte vereint und die Überwachung des Patienten rechnerisch festhält.

Auch Andreas Werner war nach seiner Operation auf die Intensivstation gebracht worden. Sein Bett stand am Fenster, aus seinem zarten Körper liefen Katheter und Schläuche.

Schwester Christine Bern war noch jung. Sie hatte vor vier Jahren die Schwesternprüfung mit Auszeichnung bestanden und gehörte seit acht Monaten zum Personal der Herzklinik. Sie war äußerst gewissenhaft.

In dieser Nacht hatte sie Dienst auf der Intensivstation. Unter anderem mußte sie den Monitor beobachten, der laufend den Herzrhythmus, den arteriellen und venösen Blutdruck anzeigte.

Sie trat heran, sah auf die neuen Werte und zuckte unmerklich zusammen. Der Blutdruck des Jungen sank ab! Sie mußte sofort handeln! Sie mußte den Bereitschaftsarzt der Kardiologie und Oberarzt Dr. Kramer verständigen!

Besonnen zog sie das Sprechfunkgerät aus der Brusttasche ihres Kittels, schaltete ein und hielt die Membrane schräg an ihren Mundwinkel. »Sieben und neunzehn, bitte melden!«

Nummer sieben, Dr. Wendeler, meldete sich als erster. »Wendeler hier. Was ist?«

»Hier Schwester Christine, Intensivstation. Andreas geht mit dem Druck runter.«

»Ich komme.«

Wenig später ertönte Kramers Stimme über das Mikrofon verzerrt aus Christines Sprechfunkgerät. »Hier Kramer. Ist was?«

»Ja, Herr Doktor. Andreas geht mit dem Druck runter.«

»Der frischoperierte Junge?«

»Ja.«

»Okay.«

Keine Minute später stießen die beiden Ärzte beinahe gemeinsam die Pendeltür zur Station auf. Christine lief ihnen entgegen.

»Waren Sie die ganze Zeit beim Patienten?« Kramer ging mit schnellen Schritten an ihr vorbei.

»Ja, die ganze Zeit.«

»Und der Druck war immer gleich gut?« fragte Wendeler.

»Ja.«

»Ohne Schwankung?« Wendeler blieb kurz stehen und sah sie durchdringend an.

»Völlig ohne. Ich habe ständig kontrolliert.« Sie hielt seinem Blick stand. Sie mochte Wendeler nicht besonders. Seine Art war ihr zu herb.

Die beiden Männer prüften mit der Hand die Temperatur am Unterschenkel des Jungen.

»Soll ich Professor Niklas verständigen?« fragte Christine aus dem Hintergrund, doch die beiden beachteten sie nicht.

»Blutvolumen müßte es schaffen«, sagte Kramer zu Wendeler, »die Beine sind kühl.« Wendeler nickte: »Ja.« Er rief Christine über die Schulter zu: »Volumen!«

»Volumen«, wiederholte sie, um anzuzeigen, daß sie ihn verstanden hatte, ließ die Bluttransfusion schneller laufen und sagte: »Sollen wir nicht doch Professor Niklas verständigen?«

Obwohl es ihr nicht zustand, konnte sie sich einen solchen Hinweis erlauben. Außer bei Wendeler war sie bei den Ärzten des Hauses geachtet. Vielleicht wegen meines Äußeren, hatte sie sich manchmal gesagt, denn auch Ärzte sind Männer. Nur Wendeler vielleicht nicht.

»Sollen wir ihn verständigen?« rief sie noch mal, um Wendeler herauszufordern.

Wendeler sah Kramer fragend an: »Müssen wir?«

»Ich glaube nicht.«

»Wir warten ab!« sagte Wendeler bestimmt zu Christine.

Christine zog die Bettdecke zurecht und sagte: »Der Herr Professor hat vorhin eine Nummer durchgegeben, unter der er zu erreichen ist.«

»Er hat angerufen?« Kramer sah sie jetzt an.

»Ja, bei der Pforte«, sagte Christine, »er ist jetzt in Rottach.«

»Ach?« Kramer ging nachdenklich in den Vorraum. Eigenartig, dachte er, warum sagt Niklas seiner Frau, daß er zu uns fährt, wenn er nach Rottach will? Na, womöglich hat er es sich erst im letzten Augenblick überlegt.

Die beiden Männer blieben einige Zeit im Vorraum, unterhielten sich über Belanglosigkeiten und warteten, bis sich die Atemfunktion des Jungen gebessert hatte.

»Ich bin in meinem Zimmer erreichbar«, sagte Wendeler laut, damit Christine ihn hörte, nickte Kramer zu und verließ die Station.

»Wann werden Sie abgelöst?« sagte Kramer zu Christine.

»In einer dreiviertel Stunde.«

»Müde?«

»Es geht.«

»Sie haben gut reagiert, Christine«, sagte er anerkennend, »gut und schnell.«

»Danke.«

Er wandte sich zum Gehen. »Ich will mal sehen, ob ich im Casino noch etwas zu trinken bekomme. Was möchten Sie?«

»Apfelsaft. Oder so etwas.«

»Wenn was da ist, bringe ich Ihnen was. Wenn nicht, lege ich mich ein bißchen aufs Ohr.« Er hatte die Pendeltür erreicht. »Hoffen wir, daß nichts mehr passiert.«

»Ja«, sagte Christine, »hoffen wir.«

14

Das Zimmer gehörte zu einer billigen Pension im Vorort Obermenzing nahe der Autobahn nach Mannheim. Claus Werner stand bereit, um sich von seiner Frau zu verabschieden. Er hatte den Regenmantel achtlos über der Schulter und den gepackten Koffer in der Hand.

»Ich gehe ungern, das darfst du mir glauben. Ich würde viel lieber hierbleiben, in seiner Nähe.«

»Ach? Hast du auf einmal Angst? Bist du dir der Entscheidung für die Operation nicht mehr sicher?« Sylvie Werner sprach voller Hohn.

»Quatsch! Aber wenn ich nicht zurück müßte, wenn ich mir länger Urlaub hätte nehmen können, glaubst du etwa, dann würde ich mich jetzt nach Mannheim hocken?«

»Also doch Angst um Andy?«

»Natürlich habe ich Angst um ihn! Mit der Operation ist noch lange nicht alles gelaufen. Die schlimme Zeit steht erst bevor, das ist mir klar. Aber die Operation ist gut verlaufen, das steht nun mal fest. Unsere Entscheidung war richtig.«

»Du widersprichst dir.«

»Bitte, Sylvie, fang nicht noch einmal an! Ich muß zurück in meinen verfluchten Laden, ich kann nicht hier sein in seiner Nähe, so wie du, ich kann nur in Gedanken bei euch sein, habe keinen, mit dem ich reden kann, muß alles in mich hineinfressen, kann nur zuversichtlich sein, sonst nichts. Und kann beten.« Er atmete tief durch. »Bitte, Sylvie, fang also die Diskussion nicht noch einmal an! Nicht jetzt, wo ich fort muß.«

Er legte seinen Arm um sie, doch sie schob ihn weg. Er sagte versöhnlich: »Wir sollten jetzt mehr denn je zusammenstehen, wir sollten uns aneinander aufrichten können, nicht gegenseitig kaputtmachen.«

Er legte von neuem den Arm um sie, fester diesmal, so daß sie es geschehen lassen mußte.

»Sylvie, ich liebe dich doch! Ich liebe dich, und ich werde dich immer lieben!« Er wollte ihr einen Kuß auf die Wange geben. Sie riß ihren Kopf zur Seite. Der Kuß rutschte auf den Halsansatz ab.

»Laß mich! Mir ist jetzt nicht danach!« Sie senkte den Blick.

»Ich will dir nur sagen, daß du auf mich bauen kannst, Sylvie. Daß ich immer für dich da bin. Was auch geschieht.« Er ging zur Tür. »Ich ruf dich an, sobald ich zu Hause bin. Und du versprichst mir, sofort Bescheid zu geben, wenn irgendwas ist. Sofort, hörst du!« Als sie nicht antwortete, sagte er mit Nachdruck: »Sylvie, du mußt es mir versprechen!«

»Ja«, sagte sie leise.

»Du rufst sofort an?«

»Ja. Sofort.«

»Mach's gut. Grüß den Jungen von mir.« Er ging aus dem Zimmer.

Sie trat ans Fenster, schob die Gardine einen Spalt zur Seite und wartete, bis sie ihn unten auf der Straße in den Wagen steigen sah.

Als er abfuhr, füllten sich ihre Augen mit Tränen.

15

Die beiden Männer auf der Ofenbank beobachteten einander verstohlen.

Paul Niklas hatte seinen Freund eben mit der Erklärung überrascht, er müsse ihm gegenüber eine Art Geständnis ablegen. Jan Voss war einen Augenblick erstaunt gewesen, hatte die Gläser neu eingeschenkt, Paul eines hingeschoben und ihn aufgefordert: »Los, fang an zu erzählen!«

Jetzt lehnte Jan sich auf der Bank zurück, so daß sein Gesicht im Schatten der Lampe lag, und verschränkte erwartungsvoll die Hände im Schoß.

Paul beugte sich vor, halb über den Tisch, und senkte den Kopf.

Die Wanduhr schlug die halbe Stunde.

»Was weißt du eigentlich von mir?«, begann Paul.

»Na, du bist gut! Ich kenn dich wie mein zweites Ich!«

»Weich mir nicht aus. Was weißt du wirklich von mir?«

»Alles. Ich hoffe, alles. Wir kennen uns seit . . . wie lange kennen wir uns, hast du vorhin gesagt?«

»Du hast es selbst gesagt, Jan. Seit ungefähr vierzig Jahren. Also, was weißt du von mir? Privat und beruflich.«

»Na, hör mal! Ich weiß, daß du . . . willst du mich auf den Arm nehmen?«

»Nun komm schon, Jan!«

»Ich weiß eigentlich alles von dir. Daß du in den letzten Kriegsmonaten noch zum tapferen Knochenschneider avanciert bist. Ich kenn deinen Erfolg beim Abschlußexamen in Berlin. Wenn ich mich nicht irre, hast du mir sogar einmal deinen Wisch gezeigt.«

»Mag sein. Weiter?«

»Na, und nach dem Krieg haben wir uns doch sofort wiedergetroffen. Der liebe Gott meinte es gut mit uns. Bad Tölz. Die schräge

Hauptstraße. Ich von unten, von der Brücke her, du von oben. Ich von der Ostfront, du von der sogenannten Alpenfestung. Das feierliche Wiedersehen fand mitten auf dieser abschüssigen Straße statt. Stand da nicht ein Brunnen?«

»Oder ein Denkmal.«

»Ja, oder ein Denkmal. Mann, Paul, das war eine Zeit!«

»Weiter, Jan. Was weißt du sonst noch von mir?«

»Na, erlaube!« Jan Voss dachte nach. »Du hast recht, da ist ein Loch. Hm. Also, ich bin kurze Zeit danach am Krankenhaus von Rosenheim gelandet. Und du? Bist du nicht ziemlich rasch mit den Amerikanern ins Geschäft gekommen?«

»Stimmt. Ich kam bei den Amerikanern unter. Hilfsarbeiter im Lazarett. Ein unwahrscheinliches Glück. Peanutbutter. Lucky Strike. Und unschätzbare Verbindungen.«

»Richtig, jetzt bin ich wieder da! Du hast dich mit dem Sohn eines amerikanischen Generals angefreundet!«

»So ähnlich war's. Jedenfalls konnte ich schon neunzehnhundertsiebenundvierzig raus aus Deutschland.«

»Einsatz bei der Flutkatastrophe in Kyushu! Japan!«

»Es war ein Erdbeben im Gebiet von Kangra. In Indien. West-Pakistan.«

»Egal. Das war die Zeit, in der wir uns beinahe aus den Augen verloren hätten. Nur eine einzige Karte! Mehr war ich dir fast zehn Jahre lang nicht wert! Erst vor ein paar Monaten habe ich sie weggeworfen. Das heißt, die Reiterin.« Die ›Reiterin‹ war Frau Reiter, Jans Haushälterin.

»Du weißt, daß ich damals nicht wußte, wo du steckst. Zwei Briefe sind zurückgekommen«, sagte Paul.

»Ich habe mich immer im gleichen Sprengel bewegt. Um den Tegernsee herum. Und du bist von Pakistan nach Amerika. Und plötzlich warst du der große Niklas! Aus der Zeitung mußte ich von deinem Werdegang erfahren. Aus der Zeitung!«

»Ganz so schlimm war's nicht mit den Erfolgen. In Palo Alto und am Cornell Medical Center in New York war ich nicht mehr als ein Lehrling.«

»Aber dein Name stand in der Fachzeitschrift.«

»Versehentlich.«

»Wurde damals nicht Kathy geboren?«

»Neunzehnhundertsechsundfünfzig. Kurz nachdem ich Lance geheiratet habe.«

»Lance Walsh! Die Millionenerbin! Die hat dir zugesetzt, was?«

»Ich habe sie nur wegen Kathy geheiratet.«

»Ich weiß. Aber ein paar Jährchen hast du ihr standhalten müssen!«

»Nur vier Jahre. Und die wenigste Zeit davon waren wir zusammen.«

»Jedenfalls ging's nach der Scheidung mit dir steil bergauf. Oberarzt. Professor. Chef. Anerkennung von Australien bis Rußland. Haben nicht sogar die roten Chinesen dich hochleben lassen?«

»Sie meinten die Entwicklung in der Herzchirurgie als solche.«

»Nein, mein Lieber, sie meinten dich! Dich ganz persönlich!«

»Das tut jetzt nichts zur Sache. Du hast mir ohne Frage bewiesen,
daß du einiges aus meinem Leben kennst. Einiges! Aber nicht alles.«
Paul stützte sich mit beiden Händen an der Tischkante auf und lehnte
sich zurück. »Nicht meinen . . .« Er überlegte. ». . . meinen dunklen
Punkt. Meine schlimmste Zeit.«

»Eine schlimme Zeit? Kann ich mir bei dir nicht vorstellen. Außer
die Zeit mit Lance Walsh vielleicht.«

»Ich habe also nie eine Andeutung über David gemacht?«

»David? Nein. Wer ist das?«

»Du sollst die Geschichte erfahren. In allen Einzelheiten.«

16

Der Distrikt Kangra gehört zur indischen Provinz Punjab. Das Vorge-
birge des Himalaja bestimmt mit seinen weiten Tälern und den hoch
liegenden Ebenen von Lahul und Spiti die Landschaft.

Paul ist 29 Jahre jung. Er hat sein Studium als Mediziner abgeschlossen, das letzte Jahr Krieg an der vordersten Westfront erlebt,
mehr als ein Jahr Hilfsdienste im US-Militärlazarett in Garmisch geleistet.

Er sieht seine Umwelt mit nüchternem Blick. Für ihn ist der Teil,
den er vom Distrikt Kangra kennenlernt, ein karges, ärmliches Gebiet, doch von berauschender Schönheit in seinen gewaltigen Ausma-
ßen.

Das Erdbeben hat vor allem die Gegenden betroffen, in denen die ausgedehnten Teepflanzungen liegen mit den jeweiligen Teefabriken und den jämmerlichen Behausungen der Tausende von Hindus, die dort ihren geringen Lohn verdienen; den Frauen, die auf den Feldern die Blätter beschneiden und ernten, den Männern, die in den Fabriken arbeiten.

Paul und die kleine Gruppe von amerikanischen Ärzten und medizinischen Helfern sind im größten Ort, in Dharmasala, in einem Nebenhaus der Distriktsverwaltung untergebracht. Dharmasala gilt als sogenannte ›Erholungsstation‹ innerhalb des ärmlichen Landstriches.

Paul und seine amerikanischen Kollegen operieren die verwundeten und verstümmelten Menschen in schnell aufgestellten Zelten, arbeiten Tag und Nacht hindurch, gönnen sich kaum eine Ruhepause.

Schon in der ersten Woche begegnet Paul vor der Distriktsverwaltung einem Mädchen, das seine Aufmerksamkeit erregt, einer Europäerin. Hochbeinig, mit kurzen blonden Haaren und einem Gesichtsschnitt. Er hält sie für eine Schwedin. Er spricht sie an, auf englisch.

Sie antwortet auf deutsch: »Sie haben daneben geraten. Ich bin Deutsche.«

Paul ist verblüfft. »Eine Deutsche?« fragt er ungläubig und spricht deutsch.

»Sind Sie etwa auch . . .?«

»Ich stamme aus Breslau. Und war zuletzt in Garmisch. Und Sie?«

»Ich bin Rheinländerin. Das heißt, genaugenommen aus dem Ruhrgebiet. Aus Essen.«

»Und was verschlägt Sie hierher nach Dharmasala?«

»Das war ein weiter Weg. Meine Eltern sind ausgewandert. Schon als ich vier war. Vor genau achtzehn Jahren«, gibt sie unbekümmert ihr Alter preis, »Südafrika. Vor drei Jahren wurde es mir zu Hause zu eng. Und das bei zweihundert Hektar Land! Na ja, ich bin nach Johannesburg. Wollte auf eigenen Füßen stehen. Bin zu Coook. Und Cook gibt's auf der ganzen Welt. Auch in Britisch-Indien. Ich wollte die Welt kennenlernen. Und jetzt lerne ich sie kennen.«

»Sie sind bei Cook?«

»Ja. Warum nicht?«

»Was macht Cook in diesem Trümmerhaufen?«

»Ich gehöre zu Cooks Spedition. In Karachi. Wir sind hier, um die Reste unserer Filiale sicherzustellen.«

»Und ich bin hier, um den armen Teufeln zu helfen. Ich heiße Niklas. Paul Niklas. Und Sie?«

»Von der Heydt. Elisabeth.«

Jede Stunde, die sie sich freinehmen können, verbringen sie miteinander.

Schon nach wenigen Tagen gestehen sie sich, daß sie sich lieben.

Aber nach zwei Wochen ist die Tätigkeit von Elisabeth in Dharmasala abgeschlossen. Sie muß zurück nach Karachi. Paul verspricht ihr, nachzukommen, sobald er kann.

Als sich auch die Aufgabe der amerikanischen Ärztegruppe ihrem Ende zuneigt, unterbreitet der Leiter der Gruppe, Colonel McCrew, Paul ein verlockendes Angebot.

»Paul, wollen Sie unbedingt wieder zurück nach Old Germany? Nach Garmisch?«

»Nicht unbedingt. Ich will nach Karachi.«

»Nach Karachi? Was wollen Sie denn in Karachi?«

»Ich habe meine Gründe.«

»Okay. Aber ich möchte Sie überreden, in die Staaten zu kommen. In den Staaten steht Ihnen die Welt offen. Die Welt der Chirurgie! Bei Ihrem Können gibt es für Sie keinen anderen Weg als den in die Staaten! Ich habe Sie schon der Universität von Minnesota angekündigt.«

»Ohne mich zu fragen?«

»Ja. Sie gehören in die Staaten! Und an der Minnesota-Universität haben Sie die richtigen Partner. Ich habe mit unserem Konsulat in Karachi alles geregelt. Sie wenden sich an Johnson, Mark Johnson. Er ist informiert. Sie fliegen morgen mit unserer Maschine nach Karachi. Und von dort mit Linienflug bis Minneapolis. Okay?« Colonel McCrew hält Paul die Hand hin, damit er einschlägt.

Paul kann sich nicht entschließen.

»Paul, auf was warten Sie! Das ist die Chance Ihres Lebens!«

»Okay«, sagt Paul und schlägt ein, »ich fliege morgen nach Karachi zu Mark Johnson.«

Als die US-Militärmaschine auf dem Flugplatz von Karachi landet und Paul auf der Rollbahn steht, sieht er schon von weitem im Schatten einer der Wellblechbaracken den Chrysler mit dem amerikanischen Nummernschild.

Ein Mann kommt ihm von dort entgegen. Vierschrötig, Bürstenhaarschnitt, in Hemdsärmeln.

»Paul Niklas?«

»Mark Johnson?«

»Ja, der bin ich. Hatten Sie einen guten Flug?«

»Danke. Ich bin heil angekommen.«

»Okay.« Johnson macht eine Geste zum Wagen hin und geht voraus. »Sie wohnen bei uns. Am Dienstag geht Ihre Maschine.«

»Das ist sehr freundlich. Aber ich hatte eigentlich vor, mich selbständig . . .«

»Colonel McCrew hat mich gebeten, mich Ihrer anzunehmen. Ihnen die Stadt zu zeigen.« Johnson lächelt gequält. »Aber hier gibt's nichts zu sehen. Dort drüben, das riesige Ding«, er zeigt mit dem Daumen verächtlich auf eine Halle, die alle anderen im Ausmaß weit übertrifft, »das ist die einzige Besonderheit hier. Haben die Idioten vor zwanzig Jahren für Luftschiffe gebaut! Hat noch nie eins dringestanden!«

Er setzt sich ans Steuer, stößt von innen die Tür für Paul auf und startet den Motor. »Jetzt haben Sie alles Wissenswerte über dieses Drecknest kennengelernt. Jetzt können Sie sich selbständig machen.«

Im Konsulat wirft Paul seinen Kleidersack in eine Ecke des ihm zugewiesenen Zimmers. Gleich darauf steht er draußen auf der sonnenüberfluteten Straße, erkundigt sich nach der Spedition von Cook.

Elisabeth ist nicht im Büro.

»Und wo kann ich Miß von der Heydt erreichen?«

»Jetzt?«

»Ja, freilich. Jetzt sofort.«

»Sie arbeitet zur Zeit auf der P.I.I.F.«

»P.I.I.F.?«

»Pakistan-International-Industry-Fair.«

»Und wo ist diese Ausstellung?«

»Ziemlich weit von hier, Sir. An der Straße auf dem Weg zum Flugplatz.«

Paul mietet sich einen Kamelwagen. Beiderseits der Straße, die zum Flugplatz führt, nach den Siedlungen der Hütten aus Lehm und Brettern, den Wellblechsilos und Erdlöchern, in denen der größte Teil der Bevölkerung haust, dehnt sich in endloser Weite die Wüste. Flach, ohne die Spur einer Erhebung, ohne ein Baumgeripp, ohne einen Strauch, lehmig und steinig, in gnadenloser, flimmernder Sonne bis zum Horizont.

Mitten in dieser Trostlosigkeit stehen auf einmal niedrige Hallen aus Holz, weiß und farbig gestrichen. Im Wüstenwind flattern die Fahnen der ausstellenden Nationen. Die Hallen ziehen sich an neu angelegten, planierten Straßen und Wegen entlang, unterbrochen von einem mühsam am Leben erhaltenen Blumenbeet.

Paul findet Elisabeth in Cooks Kontor. Sie überwacht das Abwiegen von Transportkisten.

»Hallo, Elisabeth!«

Sie sieht von ihrer Liste hoch. »Paul?« Ein schwaches Erstaunen. »Paul, du bist wirklich gekommen?«

»Ich habe es ja versprochen.«

»Aber ich hab nicht daran geglaubt.« Sie streckt ihm die Hand hin, nicht gerade gefühllos, doch auch nicht übertrieben herzlich. »Das ist Mister Ahmed, einer unserer Chefs.«

»Hallo, Ahmed.«

»Hallo, Paul.«

Paul bleibt bis zum Abend auf dem Gelände der Ausstellung und fährt im alten Ford von Elisabeth mit ihr in die Stadt zurück. Sie sind allein.

»Elisabeth, willst du mir nichts sagen?«

»Was soll ich dir sagen?«

»Zum Beispiel, ob deine Liebe zu mir die letzten Wochen überdauert hat? Ob sie abgekühlt ist?«

»Du verlangst viel von mir, Paul. Ich habe wirklich nicht mehr mit dir gerechnet. Ich muß mich erst wieder an dich gewöhnen.«

»Und ich habe geglaubt, unsere Liebe reicht bis ans Ende der Welt.«

»Paul, sei nicht albern. Jeder muß sehen, wo er bleibt.«

»Und wo bist du geblieben?«

»Bei mir selbst. Ich genieße mein Leben. Wie lange bleibst du?«

»Wie lange? Ich dachte, wir . . . am Dienstag geht meine Maschine.«

»Vier Tage also. Hast du schon eine Unterkunft?«

Er zögerte mit der Antwort und entschließt sich zu einer Lüge. »Nein«, sagt er, »ich weiß noch nicht, wo ich wohne.«

»Für vier Nächte kannst du bei mir wohnen. Vier Nächte, ja, das ist möglich.«

»Ich nehme an.« Später weiß er nicht mehr zu sagen, was ihn dazu trieb, auf ihren Vorschlag einzugehen. Es bleibt die Eingebung eines Augenblicks.

So wie er ist, zieht er zu ihr in das geräumige Zimmer des Hotels »Central«. Er läßt seinen Kleidersack mit allen persönlichen Sachen im Konsulat zurück und ist gewillt, für immer mit Elisabeth zusammenzubleiben.

Er besitzt eine Hose, ein Hemd, ein Paar Socken und ein Paar Militärschuhe, seine Brieftasche mit fünfzig englischen Pfund in Noten und seine Papiere.

Das Hotel »Central«, im Kolonialstil erbaut, hat vier Stockwerke und liegt inmitten des Verkehrs, wird umspült von Autos aller Größen und Fabrikate, von Fahrradrikschas, Eselkarren, stinkenden Motorrikschas und Kamelwagen, bei denen die Deichsel am hinteren Höcker des Tieres festgebunden ist.

Das Zimmer, das Elisabeth seit einem Jahr bewohnt, liegt an der Straßenseite und ist mit den anderen Zimmern durch einen offenen Säulengang an der Außenfront des Hauses verbunden. Dort, vor der Tür des Zimmers, hält sich ihr Diener auf. Ein junger Hindu, Elisabeth nennt ihn Wischnu, den ›Erhalter‹. In einen wirr gebundenen Turban und ehemals weiße Tücher gehüllt, hockt er den überwiegenden Teil des Tages in gekrümmter Haltung an eine der Säulen gelehnt, wartet geduldig auf einen Auftrag seiner Herrin und schläft nachts auf seiner Matte unmittelbar vor der Zimmertür auf dem Fußboden.

Drei große, ununterbrochen surrende Ventilatoren an der Decke bestimmen die Einrichtung des Zimmers. Eine Pritsche, ein Schrank, eine Kommode, ein Tisch, ein Stuhl, ein Lampenschirm aus getrocknetem Kamelmagen.

Eine Badewanne aus Eisen im anschließenden Baderaum. Ein halbblinder Spiegel. Noch mal ein großer Ventilator, die ganze Zeit in Betrieb.

Es gibt kein kaltes Wasser, nicht einmal lauwarmes. Das Wasser fließt Tag und Nacht warm aus den Hähnen, sehr warm, oft sogar heiß. Der Wasserverbrauch der Stadt ist groß. Er mindert den Druck in den Leitungen. Die Direktion des Hotels trägt dem Umstand Rechnung. Ein großes, offenes Wasserbecken auf dem flachen Dach des Hauses soll die Versorgung der Zimmer sicherstellen. Doch auf das Becken brennt den ganzen Tag unerbittlich die Sonne herab, läßt die Temperatur des Wassers bis auf 40 Grad steigen. Die Direktion fühlt sich dagegen machtlos.

Paul nimmt die widrigen Unzulänglichkeiten mit stoischer Ruhe hin. Für ihn gilt Elisabeth, nichts sonst.

Vier Tage und vier Nächte vergehen. Die Tage eintönig. Die Abende und Nächte turbulent.

Tagsüber döst Paul allein auf der Pritsche vor sich hin, meist nackt, um die Hitze besser zu ertragen, die auch durch die ständig kreisenden Ventilatoren nicht gemildert wird. Manchmal verläßt er das Hotel. Dann geht er durch die Straßen, ohne Lust und ohne Ziel, nur um sich Bewegung zu verschaffen, beobachtet die Menschen in den Rikschas, auf den offenen Karren, den wackeligen, alten Fahrrädern, hört ihrem Geschrei zu, wenn der Verkehr nicht nach ihren Wünschen läuft, und er läuft nie nach ihren Wünschen, sieht die toten Hunde und Katzen, die am Straßenrand liegen, beobachtet den Polizisten, der in weißer Uniform in der Mitte der Kreuzung auf einem Podest steht und so temperamentvoll wie vergebens versucht, den Verkehr unter seine Kontrolle zu bringen. Die Nähe des US-Konsulats meidet Paul.

Abends, sobald Elisabeth von Cook zurückkommt, beginnt das Leben. Es spielt sich überwiegend auf der Pritsche ab. Sie lieben sich hingebungsvoll und unermüdlich, finden kaum Zeit, zum Essen zu gehen, in das kleine, triste Lokal an der Ecke, liegen sofort danach von neuem auf der Pritsche, ineinander verschlungen und besessen von einer Leidenschaft, als müßten sie in den vier Nächten alle Liebe ihres Lebens erfüllen.

Am Morgen des fünften Tages schließt Elisabeth das Badezimmer hinter sich ab.

»Das tust du zum erstenmal«, ruft Paul von der Pritsche her.

»Dein Gastspiel ist zu Ende«, ruft sie durch die Tür, »ich muß mich von dir lösen!«

Der Diener serviert den Tee. Wie jeden Tag sitzen sie auf der Pritsche, um den Tee einzunehmen. Elisabeth rückt von Paul ab.

»Meinst du das ernst?« Er lacht.

»Vier Tage, habe ich gesagt. Und keinen Tag länger.« Sie sieht ihn nicht an.

»Wovor hast du Angst?«

»Mach dich nicht lächerlich. Waren die vier Tage nicht schön?«

»Wenn sie dir gefallen haben, warum bist du dann dagegen, daß wir . . .?«

»Ich bin es eben. Genügt das nicht?«

»Mir nicht. Ich will dich haben. Für immer. Nicht nur für vier Tage.«

»Ich wußte, daß es so endet. Ich hätte mich auf nichts einlassen sollen.« Sie ist verärgert.

»Auf was hast du dich denn eingelassen? Haben dir die Tage nicht wirklich gefallen? Die Tage und die Nächte? Warst denn das nicht du, die in meinen Armen lag?«

»Du bist auf der richtigen Spur. Vielleicht lag gar nicht ich in deinen Armen. Erlaß mir die Antwort. Wenn du willst, behalte die Tage in guter Erinnerung. Oder vergiß mich.« Sie erhebt sich, nimmt ihren Umhängebeutel über die Schulter und geht zur Tür. »Wann geht deine Maschine?«

»Die habe ich gestrichen. Ich bleibe. Hier bei dir.«

»Das wirst du nicht!« Sie zögert. »Ich komme heute abend nicht nach Hause. Bis morgen früh hast du das Zimmer geräumt!«

»So geht das nicht, Elisabeth!«

»Doch! Nur so! Mach's gut, Paul. Vielleicht sehn wir uns mal wieder. Irgendwo.« Sie drückt die Klinke.

Er springt auf, ist bei ihr, hält sie am Handgelenk, sie will sich ihm entwinden, er verstärkt den Druck.

»Laß mich! Laß mich sofort los oder ich schreie!«

Da nimmt er sie in seine Arme, kraftvoll und unnachgiebig, erstickt ihren Versuch, sich loszureißen, zwingt ihr Gesicht zu sich herum, preßt seine Lippen auf ihre Lippen, küßt sie, ohne Atem zu holen, spürt, wie ihr Widerstand erlahmt, wie sich ihre Lippen öffnen, wie sie zurückküßt, spürt die Wärme ihrer Hände, die ihm über den Kopf streichen, durchs Haar, die Wangen entlang, sie umschlingt ihn, preßt sich an ihn mit ihrem ganzen Körper, er fühlt den drängenden Druck ihrer Schenkel, die Wölbung ihres weichen Schoßes, und wie in einem Taumel sinken sie auf die Pritsche und lieben sich, treiben sich von Höhepunkt zu Höhepunkt.

Als sie endlich voneinander lassen, steht die Sonne hoch am Himmel.

»Ich habe meine Arbeit versäumt«, sagt Elisabeth benommen, als erwache sie aus einem tiefen Traum.

Er sieht auf die Uhr. »Gleich drei. Sollen wir Wischnu schicken?«

»Wohin?«

»Daß er dich entschuldigt.«

»Das macht die Sache nur schlimmer. Nein, ich muß selbst gehen.«

Sie hat sich noch nicht von der Pritsche erhoben, da klopft Wischnu an die Tür. Doch bevor Elisabeth antworten kann, ertönt von der Tür eine harte Stimme, laut und unflätig schimpfend, eine Stimme, die nicht Wischnu gehört, eine Stimme, die sie erkennt.

»Ahmed«, entfährt es ihr, »der Idiot!«

Ahmed traktiert die Tür mit Fäusten und Fußtritten, läßt eine Kanonade von Verwünschungen los und begehrt Einlaß.

In aller Eile wirft sich Elisabeth ihren Morgenmantel über und öffnet.

»Miß Elisabeth!« Ahmeds Stimme überschlägt sich, seine Augen sind voll wilder Wut. Er drängt ins Zimmer.

Sie versperrt ihm den Weg. »Mister Ahmed, was erlauben Sie sich!«

Er atmet schwer. »Das will ich Sie gerade fragen! Miß Elisabeth, Sie haben mich zutiefst enttäuscht!« Er wendet sich halb ab. »Gehen Sie mir aus den Augen! Ich will Sie nicht mehr sehen!«

Für Paul entbehrt die Szene nicht der Komik.

Er sitzt auf der Pritsche, nackt, mit untergeschlagenen Beinen, und genießt den Auftritt des unbändigen Ahmed in vollen Zügen.

Ahmed wirft ihm einen vernichtenden Blick zu und sagt zu Elisabeth, mühsam beherrscht: »Miß Elisabeth, ich werde mich dafür einsetzen, daß Sie entlassen werden!«, macht auf dem Absatz kehrt und verläßt das Zimmer, so schnell er kann.

Wischnu schließt behutsam die Tür von außen.

Paul will sich ausschütten vor Lachen. Elisabeth bleibt ernst.

»Cooks Spedition in Karachi hat soeben ihre beste Kraft verloren!« sagt sie mit Grabesstimme, dann platzt auch sie heraus, und sie liegen sich prustend in den Armen.

Nach einer Weile sagt er: »Fühlst du dich wirklich entlassen?«

»Es war eine private Entlassung. Ahmed glüht vor Eifersucht. Er kann mir die Situation nie verziehen. An eine Zusammenarbeit ist nicht mehr zu denken. Jetzt kannst du hierbleiben.«

Sie findet einen neuen Job bei der Distriktsverwaltung. Wochen später empfängt Paul sie am Abend geheimnisvoll, schon draußen auf dem Säulengang.

»Ist was passiert?« Sie sieht ihn mit großen Augen an.

»Ja, es ist etwas passiert«, sagt er, ohne eine Miene zu verziehen, und öffnet die Tür zum Zimmer.

Elisabeth prallt freudig erschreckt zurück. »Ein Fest?«

Er hat den Raum geschmückt mit farbigem Papier, irgendwelchem Grünzeug, einem Lampion, einer brennenden Kerze und grell bemalten Zeitungsblättern, an einer Leine aufgeknüpft, die als Fähnchen dienen.

»Ja, ein Fest!« Er nimmt zwei Gläser Whisky vom Tisch, reicht ihr eines und setzt zu einem Trinkspruch an: »Wir trinken auf Doktor Paul Niklas, den die Direktion der Klinik ›Mahmud von Ghasna‹ inständig gebeten hat, sein beinahe schon legendäres Können in den Dienst ihres Hauses zu stellen.«

Elisabeth fällt ihm um den Hals, ihr Whisky fließt über seinen Rücken. »Paul! Liebling! Du arbeitest wieder?«

»Seit heute mittag! Ich bin eben erst nach Hause gekommen. Ich assistiere!«

»Erzähl!«

»Keiner hat sich an meinem Paß gestoßen. Keiner hat Einwände erhoben. Sie waren nur froh, daß sie einen zusätzlichen Chirurgen bekommen.«

»Und was verdienst du?«

»Ich arbeite. Darauf kommt es mir an. Ich esse dort. Ich kann auch meine Wäsche dort waschen lassen. Ich halte mich fit. Und ich werde später bestimmt auch mit ihnen über ein Honorar reden.«

Er ist gefaßt darauf, daß sie nichts davon hält, daß er in ihrer Achtung gesunken ist, doch ihr Blick überzeugt ihn vom Gegenteil.

Mit vor Freude feuchten Augen schmiegt sie sich an, küßt ihn: »Liebling, ich bin stolz auf dich!«

In dieser Zeit wird Westpakistan von Indien getrennt und ein eigener Staat. In Karachi tanzen die Menschen auf der Straße, jubeln, umarmen sich. Die Verwaltung wird umgestellt, Elisabeth in den Staatsdienst übernommen.

Die Regenzeit ist vorüber. Elisabeth und Paul leben nach wie vor glücklich miteinander.

»Liebling, du arbeitest zuviel. Bald bist du nur noch in der Klinik.«

»Wir haben zu wenig Ärzte. Da bleibt es nicht aus, daß . . .«

»Du mußt mir nichts erklären. Ich will dich nur an einem Tag in der Woche ein paar Stunden für mich haben. Wie wär's, wenn wir uns am nächsten Sonntag ein Boot mieten?«

Sie mieten ein Segelboot mit einem großen grauen Segel und vier Mann Besatzung. Eines der vielen schmalen Boote, im Heck die Polster zum Liegen, das Auslegebrett, auf dem, gut zwei Fuß über dem Wasser, der gerade nicht beschäftigte Teil der Mannschaft in der Sonne hockt.

Das Segel spendet Schatten, und sie fühlen sich trotz der Besatzung allein.

»Liebling, kannst du dir denken, warum ich dich bat, ein Boot zu mieten?«

»Du liebst die Buchten. Die kleinen Inseln. Du magst den Geruch der See.«

»Auch. Aber ich wollte, daß wir ungestört sind. Daß dir deine Klinik keine Nachricht schicken kann. Daß du nicht ständig mit einem Ohr auf das Klopfen von Wischnu wartest. Ich will mit dir reden können, ohne daß du mit deinen Gedanken woanders bist.«

»Du kannst. Ich bin jetzt ganz bei dir.«

»Liebling, ich genieße dich.« Sie lehnt ihren Kopf an seine Schulter.

»Und ich habe eine Überraschung für dich.«

»Eine Überraschung?«

»Du kannst mir helfen.«

»Wobei?«

»Ich habe bis jetzt nur einen Mädchennamen gefunden. Ein Name für einen Jungen aber . . .«

»Wir bekommen ein Kind?« Er wird blaß vor Freude. »Wirklich, wir bekommen ein Kind?«

»Ja. In fünf Monaten. Wenn es ein Mädchen wird, soll es Jasmin heißen.«

»Wir bekommen ein Kind!« Mit sich überschlagender Stimme schreit er die Worte auf die See hinaus, brüllt aus vollen Lungen gegen den Wind: »Ein Kind! Ein Kind! Wir werden ein Kind haben!«

Er ist trunken vor Glück, umarmt sie, drückt sie, umarmt jeden Mann der Besatzung.

»Wir bekommen ein Kind! Verstehst du, wir kriegen ein Kind!« Taumelt zurück ins Heck zu Elisabeth, klammert sich an sie. »Ein Kind!« Und sie spürt das Zittern, das seinen Körper erfaßt, spürt die Erregung, die ihn überwältigt.

»Wenn es ein Junge wird«, sagt er leise, und sie sitzen jetzt wieder nebeneinander in den Polstern, »wenn es ein Junge wird, dann möchte ich, daß er David heißt.«

»David Niklas«, sagt sie versonnen, als wolle sie den Klang des Namens prüfen, »David Niklas ist ein guter Name.«

Am übernächsten Abend schwenkt er schon von weitem einen Briefumschlag.

»Post für mich?«

»Wenn du so willst, ja«, sagt er und legt den Umschlag auf den Tisch.

»Ohne Adresse?«

Der Umschlag ist unverschlossen. Sie zieht ein Formular der Lloyds Bank heraus. »Ich verstehe nicht.«

»Ich habe heute morgen mit dem Direktor der ›Mahmud von Ghasna‹ gesprochen. Er sieht ein, daß ein Familienvater nicht ohne Honorar operieren kann.«

»Moment! Hast du gesagt: Familienvater? und: operieren?«

»Genau davon habe ich gesprochen. Gestern haben sie mich zum erstenmal als Operateur eingesetzt, und heute habe ich meine Honorarverhandlungen geführt. Und auf dem Nachhauseweg habe ich bei Lloyds hineingeschaut und ein Konto eröffnet.« Er hebt selbstbewußt das Kinn. »David braucht schließlich ein Fundament!«

»Paul, ich liebe dich! Nur . . .«

»Nur was?«

»Nur will ich dich beruhigen. Du sollst dich nicht gezwungen sehen, mich zu heiraten, nur weil wir miteinander ein Kind haben werden.«

»Okay«, sagt er, »wenn es soweit ist, werden wir würfeln.«

David wird an einem Sonntag geboren. Er wiegt drei Kilo und siebenhundertfünfzig Gramm. Und entwickelt sich innerhalb weniger Tage zum größten Schreihals der Babystation.

Sein Vater ist von ihm hingerissen.

Sie mieten für David das Zimmer neben dem ihren, und Wischnu entwickelt sich zum perfekten Kindermädchen.

Schon mit einem Jahr kann David laufen und wenig später spricht er, klar und verständlich für die Eltern, seine ersten Worte: »Guge Gach«, die soviel bedeuten sollen wie »gute Nacht«.

Er wächst zu einem fröhlichen, stämmigen Kind heran, Elisabeth und Paul sind von Tag zu Tag stärker in ihn vernarrt. Sie überbieten sich in ihrem Bemühen, seine Liebe zu gewinnen.

Paul sieht sein Leben erfüllt. In der Klinik ist er der gefragteste Operateur. Und er hat Elisabeth. Und einen Sohn.

Zum zweiten Geburtstag bringt er ihm eine Eisenbahn aus Holz.

Am Abend, als sie allein sind, entrüstet sich Elisabeth: »Das Geschenk war zu groß! Du verdirbst das Kind!«

»Deins war nicht kleiner. Ein Kamel auf Rädern!«

Sie streiten sich, und der Streit weitet sich aus. Die Eifersucht, die sie um die Gunst Davids schon lange insgeheim gegeneinander hegen, läßt sich nicht mehr verdecken. Sie lassen sich eine zusätzliche Pritsche ins Zimmer stellen und schlafen von diesem Tag an voneinander getrennt, jeder in einer Ecke.

Die Eifersucht wird stärker und stärker und nach einigen Wochen für beide unerträglich. Sie zanken sich bei jeder Gelegenheit.

»Wir sollten uns trennen«, sagt Elisabeth, »wenigstens für eine geraume Zeit.«

»Gut. Und David bleibt solange bei mir.«

»Bei mir! Ich bin die Mutter!«

»Und ich kann ohne ihn nicht mehr sein!«

Sie stehen sich feindselig gegenüber und kommen zu keiner Entscheidung.

Der 18. April ist ein Tag wie alle anderen. Elisabeth macht sich fertig fürs Büro, Paul für den Weg zur Klinik.

Da klopft Wischnu aufgeregt an die Tür, wartet ihr »come in!« nicht ab, stürzt ins Zimmer. »Sahib! Kommen! Schnell!!« Er packt Paul am Arm, zieht ihn auf den Flur hinaus und hinüber ins Zimmer von David.

David liegt wie leblos in seinem eisernen Bett, wachsbleich mit geschlossenen Augen. Für einige Augenblicke ist Paul wie gelähmt vor Angst.

Dann beugt er sich über ihn, prüft die Reaktion der Pupillen und, so gut er kann, die Atemfunktion, fühlt flüchtig den Puls, ist im Nu schweißüberströmt, und seine Gedanken überstürzen sich.

Elisabeth steht neben ihm, von panischer Angst ergriffen. »Was ist mit ihm? Was hat er? Warum tust du nichts?«

»Ich . . .« Er hebt die Schultern, läßt die Arme kraftlos fallen. »Ich weiß nicht. Ich bin überfragt. Ich kann einfach nichts erkennen.«

»Das gibt's doch nicht! Du mußt doch sehen, ob er Fieber hat, ob er atmet, ob er . . .«

»Ja, er atmet. Schwach zwar. Aber er atmet.«

»Dann tu etwas!« Sie schreit ihm die Worte ins Gesicht.

Ein Ruck geht durch ihn. »Laß schon den Wagen an. Ich bringe ihn in die Klinik!«

Er hebt seinen Sohn behutsam aus dem Bett, trägt ihn auf seinen starken Armen aus dem Zimmer, David hat noch immer die Augen geschlossen, er wimmert kaum hörbar.

In der Klinik geht alles sehr schnell. Paul erlebt die nächsten Stunden wie in Trance.

»Bauchfellentzündung«, stellt der Kollege der Inneren Abteilung fest, der die Untersuchung führt.

»Bauchfellentzündung?« sagt Paul. »Das kann nicht sein. Er hätte Schmerzen gehabt, große Schmerzen. Er hätte sich gekrümmt, hätte geschrien. Nein, Bauchfellentzündung halte ich für ausgeschlossen.«

Der Kollege überzeugt ihn. »Die Befunde sind einwandfrei. Ihr Sohn hat offenbar einen eisernen Willen. Er ist ohnmächtig geworden vor Schmerz. Nur so läßt sich das Ganze erklären.«

»Ja, vielleicht ist das möglich«, sagt Paul. »Muß operiert werden?«

»Unverzüglich«, sagte der Kollege, »der Direktor möchte Sie deshalb sprechen.«

Paul läuft hinüber ins Büro, sieht sich einem seiner Kollegen von der Chirurgie und dem Direktor gegenüber.

»Da ist keine Zeit zu verlieren«, eröffnet der Direktor das Gespräch, »wir müssen nur noch klären, wer operiert. Natürlich liegt in diesem Fall die Entscheidung bei Ihnen, Doktor. Wenn Sie sich zutrauen, den Fall zu übernehmen . . . ich meine, zutrauen, einen Menschen zu operieren, der Ihnen so nahesteht . . . in Ihrem momentanen Zustand, meine ich. Vielleicht ist es angebrachter, daß Sie nicht selbst operieren.«

Paul zögert. Seine Gedanken sind bei David. Der Junge hat einen eisernen Willen, sagt er sich vor, dieser Wille wird ihm die Kraft verleihen, die er jetzt braucht.

»Mister Niklas«, sagt der Direktor drängend, »Sie müssen sich entscheiden.«

»Ich? Ja, natürlich.« Paul ist unschlüssig. Soll er die Verantwortung übernehmen, obwohl er erkennt, daß seine Nerven ihn im Stich lassen könnten? Soll er nur seinem Können vertrauen? Soll er das Risiko eingehen, mitten in der Arbeit von Gefühlen übermannt zu werden, die ihn unter Umständen beeinträchtigen, entscheidend beeinträchtigen, ja sogar die Kraft nehmen können, die Operation zu Ende zu führen? Oder genügt nicht für diesen Fall das normale Können des unbelasteten Kollegen?

»Mister Niklas, wir haben keine Zeit. Ihre Entscheidung!«

»Die Entscheidung ist nicht leicht.« Paul sieht von einem der Männer zum anderen. Er weiß nur, daß David nichts geschehen darf, daß David die Operation übersteht, daß er gesund werden muß.

»Mister Niklas, ich bitte Sie!«

»Ja, ich weiß . . . ich . . . glauben Sie mir . . .« Er hat im Ohr, wie Elisabeth auf der Fahrt zur Klinik gebetet hat: »Lieber Gott, bitte beschütze ihn, lieber Gott, steh ihm bei!«

Nichts Ernsthaftes! denkt er, und jetzt ist es eine Bauchfellentzündung! Sie kann von der Entzündung eines anderen inneren Organs ausgelöst worden sein, durch Pneumokokken, durch Tuberkelbakterien übertragen, und Davids kleiner Körper ist noch nicht sehr robust und widerstandsfähig, und eine Bauchoperation bei einem so kleinen Kind kann alle möglichen Komplikationen nach sich ziehen, erfordert den vollen Einsatz des Operateurs. »Bitte, Mister Niklas!« Der Direktor wird jetzt selbst ganz nervös. »Ich bin mir im klaren«, hört Paul sich sagen, »im klaren . . . daß . . . völlig im klaren . . .«

»Worüber sind Sie sich im klaren, Mister Niklas, worüber?«

Paul reißt sich zusammen. »Ich bin bereit, den Fall zu übernehmen. Ja, ich will operieren. Ich bin mir darüber im klaren, daß . . .« Ihm dröhnt der Kopf. Seine Schläfen pochen.

»Mister Niklas«, sagte der Direktor, »ich denke, Sie sollten nicht operieren. Ich könnte es nur schweren Herzens verantworten. Sind Sie einverstanden, daß Ihr Kollege den Fall übernimmt?« Er weist flüchtig auf den Kollegen, der sich im Hintergrund hält.

»Ja, ich weiß nicht ...«, sagt Paul.

»Mister Niklas, bitte geben Sie Ihr Einverständnis, es ist so am besten.«

»Wenn Sie meinen.«

»Also, einverstanden?«

Paul nickt.

Länger als eine Stunde sitzt er im Personalraum der Klinik auf der Bank in der Ecke, umgeben von der Geräuschkulisse der Schritte und Stimmen, dem Hantieren mit Tassen, der Männer und Frauen, die hier hereinkommen, sich laut angeregt unterhalten, die Tür hinter sich ins Schloß fallen lassen.

Er sitzt vornübergeneigt, hat den Kopf in die Hände gestützt. Neben ihm sitzt Elisabeth, das Gesicht von ihm abgekehrt. Sie sprechen kein Wort.

Eine Schwester bittet ihn ins Büro. Dort erwartet ihn der Direktor und der Kollege, der operierte. Er sieht ihre betretenen Mienen, sein Herz krampft sich zusammen, er muß alle Kraft aufwenden, um sich aufrechtzuhalten.

»Ex?« Mehr als dieses eine Wort bringt er nicht heraus. Wie durch einen Schleier nimmt er wahr, daß sie die Köpfe senken, seine grauenvolle Ahnung bestätigen.

»Auf dem Tisch«, sagt der Kollege stockend, »er ist mir auf dem Tisch gestorben.« Er schluckt. Nur mit Mühe gelingt es ihm, nicht loszuheulen. »Plötzlich ... plötzlich war es aus. Mitten in der Arbeit. Ich hatte alles offen liegen ...«

Paul geht wortlos aus der Tür.

Im Keller findet er blindlings in einem der Räume die Leiche seines Jungen. Er ist seiner Gefühle nicht mehr mächtig. Ungestüm reißt er das Leintuch von dem toten Körper mit der noch offenen Wunde, wirft sich, hemmungslos schluchzend, über ihn, erleidet die ganze, unermeßliche Tiefe des von Gott gewollten, grausamen Schmerzes um den Tod eines heißgeliebten Menschen und der unsagbaren Trauer.

Elisabeth hat er vollständig vergessen.

Zu Hause, vor den beiden Zimmern des Hotel »Central«, trifft er auf Wischnu, der, von Weinkrämpfen geschüttelt, auf dem Fußboden hockt. Elisabeth hat ihm die schreckliche Nachricht gebracht.

Elisabeth trifft er nicht an.

Er sieht sie nie wieder. Weder am Abend dieses 18. April, noch am anderen Tag bei der Einäscherung.

Paul ist entschlossen, Karachi für immer zu verlassen. In der Woche nach Davids Tod sucht er das US-Konsulat auf. Mark Johnson empfängt ihn.

»Niklas, Sie? Seit wann sind Sie wieder hier in dem Drecknest?«

»Ich war nie weg.«

»Sie waren nie . . .? Soll das ein Witz sein?«

»Nehmen Sie es, wie Sie möchten. Ich wollte Sie um einen Gefallen bitten.«

»Sie waren wirklich die ganze Zeit hier? Die ganzen Jahre? Lassen Sie mich nachrechnen! Wann war das damals auf dem Flugplatz?«

»Verschwenden Sie keine Mühe. Es war vor genau drei Jahren, zwei Monaten und elf Tagen.«

»Drei Jahre?« Johnson ist beeindruckt. »Was haben Sie in den drei Jahren gemacht? Warum sind Sie nicht weg? Hatte ich denn nicht sogar schon das Flugticket für Sie?«

»Bitte stellen Sie keine Fragen. Sagen Sie mir, ob Sie etwas für mich tun können.«

»Drei Jahre! Einfach so! Ohne Fragen! Das muß ich erst mal verdauen. Und Ihr Paß? Ihre Aufenthaltsverlängerung?«

»Kein Hindernis.«

»Heißt das, Sie haben hier ohne Aufenthaltsgenehmigung gelebt?«

»Ja, das soll es heißen.«

»Aber Sie müssen doch irgendwie über die Runden gekommen sein! Drei Jahre sind doch kein Weekendausflug! Von was haben Sie . . .«

»Ich habe gearbeitet. Bitte stellen Sie keine weiteren Fragen.«

»Gearbeitet! Ohne Aufenthaltsgenehmigung! Ich habe ja schon immer gesagt, die Aufenthaltsgenehmigung ist absoluter Schwachsinn! Wer hier bleiben will, bleibt hier! Aber wer will schon hier bleiben in dem Drecknest! Außer Ihnen, Niklas. Okay. Welchen Gefallen erwarten Sie von mir?«

»Wie kann ich Verbindung mit Colonel McCrew aufnehmen?«

»Mit wem?«

»Colonel McCrew. Er war damals Leiter unserer medizinischen Einsatzgruppe.«

»McCrew! Jetzt erinnere ich mich. Hm. Der ist wohl längst wieder zu Hause.«

»Haben Sie eine Möglichkeit, ihn ausfindig zu machen?«

»Wird nicht leicht sein. Aber ich will es versuchen. He, haben Sie damals nicht einen Kleidersack zurückgelassen?«

»Sie können ihn behalten.«

Nach vier Wochen ist alles geregelt. McCrew wurde erreicht und erinnerte sich tatsächlich an das Angebot, das er Niklas vor drei Jahren gemacht hatte. Er setzte sich noch einmal für ihn ein, und die Klinik der Minnesota-Universität schickte ein Telegramm, »freuen uns auf Ihre Mitarbeit stop erwarten Sie so bald wie möglich stop« und legten ein Flugticket bei. Am Tag des Abflugs ringt sich Paul zum Entschluß durch, Abschied von Elisabeth zu nehmen. Er geht zur Distriktsverwaltung und geradewegs in ihr Büro.

Er sieht sich einer grauhaarigen Einheimischen gegenüber.

»Miß van der Heydt? Sie ist schon lange nicht mehr hier gewesen. Soviel mir bekannt ist, sind auch keine persönlichen Dinge mehr von ihr da. Nur eine Sonnenbrille und ein kleines Foto.«

Er fühlt sich wie vor den Kopf geschlagen. »Sie arbeitet nicht mehr hier?«

»Nein, Sir, Miß van der Heydt arbeitet nicht mehr bei der Distriktsverwaltung.«

»Hm. Wissen Sie, wie lange schon nicht mehr?«

»Da muß ich erst nachsehen. Wenn Sie sich einen Moment gedulden?«

»Ich habe Zeit.«

Sie geht in den Nebenraum, blättert in einem großen Kontobuch. »Genau seit dem achtzehnten April, Sir«, sagt sie und schlägt das Buch zu, »wir wissen leider nicht, wo sie geblieben ist. Das ist alles, was ich Ihnen sagen kann.«

»Haben Sie besten Dank.« An der Tür bleibt er stehen. »Ach, wäre es Ihnen möglich, mir noch das Foto zu zeigen?«

»Das Foto? Sind Sie ein Angehöriger von Miß van der Heydt, Sir?«

»Ja. Ja, so etwas Ähnliches.«

Aus einer Schublade holt sie die Sonnenbrille und das Foto und gibt ihm beides. »Sie können es mitnehmen. Dann nimmt es hier keinen Platz mehr weg.«

Das Foto zeigt einen Schnappschuß vor einem durch das Erdbeben zerstörten Haus in Dharmasala. Paul hält Elisabeth im Arm. Sie lachen sich aus vollem Herzen an.

17

Als Paul seine Erzählung beendet hatte, herrschte eine Weile Stille in dem Raum mit der niedrigen Decke aus Arvenholz. Nur die Wanduhr tickte leise und gleichmäßig.

Jan Voss, der Paul zugehört hatte, ohne ihn zu unterbrechen, nachdenklich zurückgelehnt an die Ofenbank, beugte sich vor in den Schein der Lampe.

Er war sichtlich bewegt.

»Ich kann mit dir fühlen«, sagte er, »ich weiß, wie das ist, wenn man einen Menschen verliert, einen, den man unserem Herrgott noch mit bloßen Händen entreißen möchte. Ich brauche dir das nicht zu sagen. Und ich sehe dein Problem jetzt natürlich in anderem Licht.«

»Danke, Jan. Ich glaube, das hilft mir.«

»Ob ich dir aber helfen kann«, ging Jan über die Antwort des Freundes hinweg, »wage ich im Moment nicht zu sagen. Was dir fehlt, ist vor allem Selbstvertrauen. Vertrauen in dein Können. In dein hundertfach bewiesenes Können. Vertrauen zum täglichen Leben. Zu deinem Leben! Und dies ist letzten Endes der Einklang mit dir selbst.«

»Du sagst mir nichts Neues.« Paul stützte den Kopf in beide Hände. »Hundertmal und öfter habe ich mich in diesen vierundzwanzig Jahren damit herumgequält.« Er hob den Kopf. »Was mache ich falsch? Wie muß ich mich verhalten, daß ich in Einklang mit mir komme?« Die letzten Worte sprach er voll Hohn gegen sich selbst.

Er griff zum Glas. Der Wein war noch unberührt. Jan hatte ihn eingeschenkt, ehe Paul mit seiner Schilderung begonnen hatte. Paul stürzte ihn in sich hinein.

»Soll ich mich etwa nicht mehr mit jeder Faser meines Herzens einsetzen? Soll ich die Verantwortung nicht mehr absolut ernst nehmen? Nicht mehr bedingungslos?« Er war aufgebracht.

»Die Alternative ist falsch«, sagte Jan begütigend, »daß du mit vollem Einsatz kämpfen mußt und daß dir keiner die Verantwortung abnehmen kann, steht wohl außer Frage. Nur solltest du unter anderem bedenken, ob ein allzu verbissen arbeitender Operateur seinem Patienten nützen oder womöglich auch schaden kann.«

»Bis jetzt konnte ich nützen. Bis jetzt!«

»Ich meine, was dir fehlt, ist der Ausgleich, das so oft verachtete ›gesunde Mittelmaß‹. Du solltest ausspannen. Deine Nerven zur Ruhe kommen lassen. Dich kritisch mit dir selbst auseinandersetzen. Wie gesagt, mit freiem Kopf! In völliger Entspannung.« Jan erhob sich.

Er lehnte sich mit dem Rücken an die Anrichte und sagte, als wollte er das Gespräch zum Abschluß bringen: »Das ist mein Rat. Als alter Freund. Und der Rat eines einfachen Landarztes, der ab und zu noch erstaunliche Erfolge erzielt.«

»Danke, Jan.« Auch Paul erhob sich. »Ich glaube, ich sehe jetzt klar. Ich kann nicht aus meiner Haut heraus.« Er stand Jan gegenüber mit dem Rücken zum niedrigen Fenster. »Wie viele Jahre bleiben mir noch? Ich meine die Zeit, in der ich die höchste mögliche Leistung bringen kann?« Er beantwortete sich im gleichen Atemzug die Frage selber: »Im Schnitt gibt man dem Chirurgen im Zenit zehn, zwölf Jahre. Du kannst dir also ausrechnen, wie viele mir noch bleiben. Wenn es hoch kommt, fünf.«

Er schwieg, als wollte er Jan Gelegenheit zu einer Entgegnung geben, doch Jan blickte ihn nur an und blieb stumm.

»Fünfundzwanzig Jahre habe ich mir die schärfsten Bedingungen auferlegt«, sagte Paul, »auch damals schon, als ich noch nicht der war, den du heute in mir zu sehen glaubst . . .«

»Du meinst, der große Niklas?«

»Ja. Fünfundzwanzig Jahre bin ich mit derselben Einstellung an den Tisch gegangen. Glaubst du denn wirklich, ich könnte in den paar Jahren, die mir vielleicht noch bleiben, diese Einstellung ablegen wie einen alten Mantel?«

»Warum nicht? Wenn du erkennst, daß der Mantel dich nicht mehr wärmt?«

»Nein, Jan. Du kennst mich zu gut. Für mich gibt es nur ein Entweder-Oder. Ein Chirurg mit halbem Herzen ist kein Chirurg! Für mich gibt es nicht den, der bereit ist, nur eine begrenzte Verantwortung zu übernehmen. Für mich gibt es keinen Mittelmäßigen oder fast großen. Entweder ein Chirurg ist sehr gut oder nicht gut. Halb gut ist tödlich. Und ich kann eben nur so sein, wie ich bin. Ich kann mir keine Zügel anlegen. Ich wäre dann nur noch die Hälfte wert.«

»Paul, du denkst am Problem vorbei. Haarscharf. Deine Einstellung hat nichts mit deinem Können zu tun.«

»Du irrst. Ohne diese meine Einstellung wäre ich nie zu meinem Können gekommen.«

»Eine andere Frage, Paul. Was ist aus Elisabeth geworden? Hast du jemals wieder etwas von ihr gehört?«

»Nein. Nie mehr.«

Das Telefon läutete.

»Entschuldige«, sagte Jan, ging hinaus auf die Diele, nahm das Gespräch an, rief Paul zu: »Für dich«, und hielt ihm den Hörer hin.

18

Paul meldete sich. Es war Kramer. Bei Andreas Werner war eine ernsthafte Komplikation eingetreten.

»Wir haben gehofft, daß wir es mit Erhöhung des Blutvolumens schaffen«, sagte Kramer, »es hatte sich auch alles wieder normalisiert.«

»Venendruck?«

»Jetzt normal.«

»Rhythmusstörungen?«

»Nein. Gott sei Dank, nein. Wir werden auf alle Fälle den Kreislauf stützen. Sie können uns wenig helfen. Ich rufe nur an, weil Sie darum gebeten haben.«

»Ich komme. Auch wenn ihr mich nicht braucht. In einer guten Stunde bin ich dort. Bis gleich, Herr Kramer.«

»Gute Fahrt, Herr Niklas.«

Paul hing ein.

Seine Gedanken waren bei dem Jungen Andreas.

»Schlimm?« Jan stand in der offenen Tür zum Wohnzimmer. Er hatte das Gespräch mitangehört.

»Das wird sich zeigen.«

»Soll ich dir noch schnell eine Tasse Kaffee machen?«

»Danke, nein. Ich habe ja fast nichts getrunken.«

»Du hast da etwas gesagt von ›Venendruck‹?«

»Ich wollte nur wissen, ob er eine Hypo- oder eine Hypervolämie hat. Also eine Überfunktion oder . . .«

»Schon verstanden. Ich wußte nur im Moment nicht, was du gemeint hast.«

Paul lächelte und sagte mit sanfter Ironie: »Du mußt dich nicht entschuldigen, Herr Doktor. So wie ich dich kenne, machst du dich jetzt noch auf den Weg zur Jagd. Da brauchst du nur den Druck deines Gewehrs zu berücksichtigen.«

»»Stoß, heißt das! Stoß, Herr Professor!« Endlich wieder der alte, vertraute Ton, dachte Jan, vielleicht hilft er Paul, sein Problem etwas weniger verkrampft zu betrachten, etwas objektiver.

Sie waren schon an der Gartentür, hatten sich verabschiedet und geschworen, sich nicht erst nach Monaten wiederzusehen, da fiel Jan seiner Meinung nach, ein passender Abschluß ein.

»War's nicht etwa doch gut«, sagte er, »daß ich dir meine Siebenfünfundsechziger-R so genau erklärt habe? Ich meine, falls du dich zu einem Gewehr entschließt?«

»Ein Gewehr? Ich? Wann?«

»Na, als Jäger. Wenn du aufhörst! Ab nächste Woche!«

19

Die Uhr über der Pforte zeigte einige Minuten nach zwei Uhr morgens, als Paul Niklas in der Klinik eintraf. Er war nach wie vor im Smoking, nur war die schwarze, selbstgebundene Schleife mittlerweile verrutscht und hing schlaff über der Hemdbrust.

Mit schnellen Schritten ging er hinauf in die Intensivstation. Nach der Autofahrt zog er die Treppe dem Lift vor. Er wollte den Kreislauf beleben.

Die Oberärzte Kramer und Wendeler erwarteten ihn am Bett von Andreas Werner. Schwester Christine hantierte am Medikamententisch. Paul nickte ihnen flüchtig zu und informierte sich mit wenigen Blicken über den letzten Stand der einzelnen Werte. Der Monitor zeigte eine kaum wahrnehmbare Rhythmusstörung der Herzschläge.

»Eine leichte Arrhythmie.« Paul wandte sich den beiden Ärzten zu.

»Ungefähr seit einer Viertelstunde«, bestätigte Kramer und drehte sich zu Schwester Christine um, »seit wann genau?«

»Genau seit siebzehn Minuten«, sagte Christine und kam heran.

»Eine Brady-Arrhythmie«, sagte Paul.

›Brady‹ steht für ›verlangsamte Herztätigkeit‹, unter 60 Schlägen, ›Systolen‹, in der Minute. Im Gegensatz zum ›Herzjagen‹, von dem man bei einem Puls von 150 bis 250 Systolen in der Minute spricht, und das als ›Tachykardie‹ bezeichnet wird.

»Aber keine Extrasystolen«, sagte Wendeler.

»Seien wir froh«, sagte Paul zu Wendeler, »ich will Ihnen nicht vorgreifen, aber ich meine, wir sollten kein Digitalis mehr geben.«

»Ich glaube auch«, sagte Wendeler, »wenn Extrasystolen eintreten, geben wir ihm Xylocain.«

»Versuchen wir es«, sagte Paul. Er rieb sich mit der Hand über die Augen. Er merkte, daß er einen langen Tag hinter sich hatte. Die Operation hatte länger als drei Stunden gedauert. Die nervliche Belastung war groß, ausnehmend groß gewesen. Dann der übliche Kleinkram in der Klinik, das Diktieren des Operationsberichts, Absprachen mit den Kollegen. Zu Hause nicht eine Minute Ruhe, Umziehen, Oper, die Fahrt zu Jan, die endlose Diskussion, die Rückfahrt. Er war müde.

Kramer sagte: »Ehe ich es vergesse, Ihre Frau hat angerufen.«

»Meine Frau? Eben?«

»Nein, schon am späten Abend. Sie schien in Unruhe zu sein, weil Sie nicht hier waren.«

»Danke, Herr Kramer, ist schon gut.« Er wandte sich zum Gehen.

»Ich werde wohl jetzt nicht mehr gebraucht.« Wendeler beeilte sich mit der Antwort: »Sie können sich auf mich verlassen. Das geht alles in Ordnung.«

»Wenn noch etwas sein sollte«, sagte Paul, »bin ich unten in meinem Büro.«

Er wollte sich die Couch ausziehen, Leintuch und Decke waren vorhanden. Er hatte schon öfter im Büro geschlafen, wenn es sich nicht mehr gelohnt hatte, nach Hause zu gehen.

Heute war so ein Tag. Denn heute war er nicht mehr gewillt, sich mit Helen noch in ein Gespräch einzulassen.

20

Als er erwachte, schien ihm die Sonne ins Gesicht. Es war acht Uhr. Er hatte einen ruhigen, tiefen Schlaf getan.

Mit einem Griff über den Tisch zog er sich die Sprechanlage heran und drückte die Taste:»Frau Gramm?« Aus dem Nebenzimmer meldete sich seine Sekretärin, munter und freundlich:»Guten Morgen, Herr Professor.«

»Frau Gramm, ich habe heute nacht hier . . .«

»Steht schon alles bereit. Rasierzeug, Rasierwasser, Zahnbürste, frisches Hemd. Und ein prima Kaffee!«

»Danke, Frau Gramm.«

Er betrat den kleinen Duschraum, der zum Büro gehörte und zwischen beiden Zimmern lag, schaltete die Leuchtröhre ein und begann mit der Morgentoilette.

Das frische Hemd empfand er als Wohltat. Die weiße Hose, die Arztschuhe, der weiße Arztkittel. Ausgeschlafen, rasiert, mit offenem Hemdkragen und guter Laune öffnete er die Tür zum Vorzimmer. »Guten Morgen, Frau Gramm. Der Kaffee kann kommen.«

»Nochmals guten Morgen, Herr Professor. Der Kaffee und zwei frische knusprige Hörnchen.«

»Wenn Sie darauf bestehen.«

»Unbedingt! Ohne Frühstück ist der Mensch nichts wert.«

Er lachte und ging zurück in sein Zimmer. Er mochte die vollschlanke, nicht mehr junge Frau, Mutter von zwei erwachsenen Kindern, die eine perfekte Sekretärin war. Sie war herzlich und offen heraus in ihren Reden, und ihre »allgemeingültigen Weisheiten«, ließ er schmunzelnd über sich ergehen.

Der Tag war ausgefüllt. Kurze Verständigung mit Dr. Hagenau, dem Anästhesisten. Mit Dr. Obermann als ›erster‹ und Dr. Saunter als ›zweiter Hand‹ eine Herzklappenoperation, eine Routinearbeit. Am Nachmittag Röntgenbesprechung. Gedankenaustausch mit Professor Jena über den Fall Andreas Werner. Herzkatheter- und Angio-Konferenz. Am frühen Abend Kolloquium mit einem Kollegen von der Universitätsklinik Heidelberg, Thema:»Erste Ergebnisse mit dem totalen Blutaustausch beim Schwein«.

Als Paul Niklas zu seinem Wagen ging, traf er auf Saunter, der gerade in sein Porsche-Cabrio stieg.

»Hello, Herr Niklas«, winkte Saunter, »Sie sind ja schon im Smoking!«

Paul trat heran. »Schon ist gut. Noch! Ich war gestern in der Oper.«

»Sie Ärmster! Ich höre Musik nur in Schwabing. Mit einer Biene im Arm.«

»Dann war es ja wenigstens bei Ihnen schön.«

»Man ist zufrieden. »Wenn's auch nicht immer mein Typ sein kann.«

»Und wie ist Ihr Typ?« sagte Paul, um irgend etwas zu sagen.

»Rothaarig. Zart. Schmal.«

»Ah?« Paul horchte auf. »In etwa wie . . .?«

»Genau! In etwa wie Ihre Tochter Katharine. Aber Sie brauchen keine Angst zu haben. Ich habe Ihnen ja gesagt, sie ist für mich tabu.«

Paul versuchte ein Lachen, doch es wollte ihm nicht recht gelingen. Er wechselte das Thema. »Ziemlich rostig, Ihre Mühle?« Er zeigte auf den Wagen.

»Rostig und klapprig!« lachte Saunter. »Hat ja auch an die zehn Jahre auf dem Buckel. Aber der Motor ist noch okay. Und die Mädchen sind begeistert vom offenen Fahren.«

»Dann viel Glück!« Paul ging seines Weges.

21

»Es gibt für mich nur einen Ausweg«, sagte Helen Niklas niedergeschlagen, »ich muß mich von dir trennen.«

Sie saß in einem der bequemen Gartensessel vor dem Kamin, der den Mittelpunkt des überdachten Sitzplatzes an der Gartenfront des Hauses bildete. Ihre Blicke folgten Paul, der sich mit den wild wuchernden Heckenrosen beschäftigte. Der Abend dunkelte. Der Garten wurde von kleinen Scheinwerfern erhellt, in deren Licht unzählige Insekten tanzten. Helen, die im Halbdunkel saß, zündete zwei dicke Räucherkerzen an. Sie sollten sie vor den Insekten schützen.

Paul richtete sich aus seiner gebückten Haltung auf und ließ die Gartenschere sinken. »Ich glaube, das Wetter schlägt um«, sagte er mehr zu sich selbst, »es gibt Regen.«

»Hörst du mir eigentlich zu«, sagte Helen, ohne die Stimme zu heben, »oder ist es dir egal, wie mir zumute ist?«

»Nein, es ist mir nicht egal«, antwortete er, »aber es fällt mir heute schwer, mich zu konzentrieren.«

»Sag ruhig, auf mich zu konzentrieren, das meinst du doch.«

»Zugegeben. Aber ich wollte dich nicht verletzen.«

»Genau das ist unser Problem.«

»Ich muß gestehen, daß ich nicht alles mitbekommen habe, was du gesagt hast. Das Klappern der Schere und . . .«

»Ist schon gut.« Sie stieß einen unhörbaren Seufzer aus. »Bitte setz dich zu mir, ich werde dir alles noch einmal erklären.« Sie rückte ihm einen Gartensessel zurecht, und er setzte sich.

»Mir ist es ernst damit, Paul. Sehr ernst. Und ich bin fest entschlossen, meinen Vorsatz auszuführen.«

»Du willst dich von mir trennen?« Er sprach leise und sah dabei ins Feuer.

»Ich will nicht. Ich muß. Wenn ich mir auch nur eine kleine Chance erhalten will, zu überleben, hier drin zu überleben«, sie zeigte auf ihr Herz, »dann muß ich mich von dir lösen. Ist dir eigentlich bekannt, wie viele Ärzte ich in den vergangenen Jahren konsultiert habe? Wie viele ich zur Zeit noch immer konsultiere? Ich werde von manchmal direkt unerträglicher Migräne geplagt. Ich hatte einen Hautausschlag bekommen. Und ich habe schon lange eine Entzündung der Magenschleimhaut. Daß ich deswegen oft nichts essen kann, weißt du nicht, da wir ja höchstens zweimal in der Woche zusammen essen. Muß ich dir sagen, daß alle diese Krankheiten auf ein gestörtes Seelenleben zurückzuführen sind? ›Vegetative Dysharmonie‹ diagnostizieren noch manche Ärzte, die den Begriff ›Psychosomatik‹ noch für unseriös halten. Das Verhältnis von Leib und Seele! Eine Verlegenheitsdiagnose, nichts weiter.«

»Und du bist ernsthaft der Meinung, daß unser Zusammenleben . . .?«

»Ich weiß es. Ich registriere deine geringste Nichtachtung. Ich registriere sie körperlich. Es hat lange gedauert, bis ich mir dessen bewußt wurde. Seit etwa einem Jahr ist jeder Zweifel ausgeschlossen.«

»Aber . . .«

»Nein, du merkst nicht, wenn du mich verletzt. Womöglich glaubst du sogar, daß du ein aufmerksamer, ein guter Ehemann bist.«

»Ja, das glaube ich.« Paul meinte, was er sagte.

»Paul, du bist weder ein guter noch ein schlechter Ehemann. Du solltest überhaupt nicht verheiratet sein. Wahrscheinlich bist du für eine Ehe nicht geschaffen.«

»Aber erlaube, du hast doch alles!«

»Spar dir deine Worte. Ich kann mir denken, was du meinst. Die Kleider, die Pelze, den Sportwagen, mein wunderschönes, ungebundenes Leben! Oder hast du an etwas anderes gedacht?«

Beide führten die Unterhaltung mit gedämpfter Stimme, ruhig und sachlich.

»Ja, ich hätte noch andere Bequemlichkeiten angeführt«, sagte er, »doch die ändern nichts.« Beinahe zaghaft setzte er hinzu: »Außerdem habe ich dich nie mit meinem Beruf belastet.«

»Ja, das hast du nie. Vielleicht war das ein Fehler. Du hast mich völlig links liegen lassen. Nicht nur, wenn wir schlafen gingen. Manchmal war mir, als liefe ich ohne irgendwelche Bindung neben dir her. Dann hat es mich innerlich gefroren.«

Mit dem Blasebalg fachte sie im Kamin das Feuer an. Ihr blasses Gesicht leuchtete im Widerschein der Flammen. »Ich fühle mich einsam. Für niemanden von Nutzen und auf mich allein gestellt. Ich rede mir Schuldkomplexe ein. Versuche unsere Beziehung zu ändern. Von mir aus zu ändern. Ich bemühe mich, mit dir ein Gespräch zu führen. Du reagierst nicht. Ich verzweifle. Ich habe Minderwertigkeitsgefühle. Du nimmst sie nicht wahr.«

Sie sah ihn an, offen und ehrlich: »Ja, Paul, manchmal habe ich sogar Angst, wenn ich weiß, du bist auf dem Weg nach Hause, du kannst jeden Moment hier sein. Ich fürchte mich vor dir. Ist das nicht schmerzlich?«

»Helen, du siehst Gespenster.«

»Paul, du verstehst mich nicht. Du verstehst mich nicht, weil du dich nicht in mich hineindenkst. Weil du nicht einmal den Versuch dazu machst. Der Begriff ›frustriert‹ ist zwar in den letzten Jahren zum Modebegriff geworden. Man hat ihn oft und arg mißbraucht. Aber ich bin ernstlich frustriert. Meine Enttäuschungen sind quälend. Oder finde ich etwa bei dir die Liebe, die jeder Mensch braucht? Oder Geborgenheit? Seelische Geborgenheit? Oder Anerkennung?«

»Helen, du gehst zu weit.« »Nein, Paul, gewiß nicht. Ich bin tiefer verwundet, als ich zugebe.«

»Viele Frauen wünschen sich ein Leben, wie du es führen kannst. Sehr viele!«

»Mag sein. Aber nur bis sie dieses Leben selbst durchstehen müssen.«

Paul zögerte, ehe er weitersprach. »Helen, mir will da etwas nicht aus dem Kopf. Ich frage mich, warum bringst du diese geballte Anklage ausgerechnet heute gegen mich vor? Warum nicht vor einem halben Jahr? Vor ein paar Wochen? Spielt dabei nicht doch gekränkte Eitelkeit mit? Hat nicht der gestrige Abend damit zu tun?«

»Wie wenig du mich kennst, Paul. Nein, der gestrige Abend beeinflußt meinen Entschluß nicht. Er ist weder Ausgangs- noch Endpunkt dafür. Nur war er beispielhaft für meine Situation. Nein, Paul, mein Entschluß reifte aus einem langen Prozeß. Warum ich ihn dir ausgerechnet heute mitteile, hat nur den Grund, weil dieser Prozeß seit einigen Tagen für mich abgeschlossen ist. Die Zukunft steht klar vor mir.«

»Hm. Ich bin wie vor den Kopf geschlagen.« Er hob den Blick: »Und was gedenkst du zu tun? Im einzelnen?«

»Seelisch bedingte körperliche Leiden können nur geheilt werden, wenn der Patient sich ein neues Lebensziel setzt. Ich werde wieder meinen Beruf ausüben. Es ist schon alles in die Wege geleitet.«

»Als Sprachlehrerin? An deinem alten Institut? Aber Helen!«

»Sei unbesorgt. Nicht hier. In Paris. Zu einem neuen Lebensziel gehört auch, daß man die alten Lebensumstände hinter sich läßt.«

Paul schwieg. Er überdachte Helens Gedankengänge in allen Einzelheiten. Es war seit Jahren das erstemal, daß er sich derart eingehend mit ihr beschäftigte.

»Helen, ich nehme es dir nicht ab. Du hast nicht den heutigen Tag ganz ohne Grund für dieses Gespräch gewählt. Ich vermisse den aktuellen Anlaß. Wenn es schon nicht meine Fahrt zu Jan ist, dann gibt es vermutlich noch etwas anderes.«

»Du magst recht haben, es kommt eins zum anderen. Da war auch das Gespräch gestern mit Kathy.«

»Du hast Kathy gesprochen? Und mir nichts davon gesagt?« Paul richtete sich im Sessel auf.

»Ich wollte dich nicht unnötig beunruhigen. Ich kenne ja dein Verhältnis zu Kathy. Ich hätte auch jetzt nichts davon erwähnt, wenn du nicht . . .«

»Ist Kathy hiergewesen?«

»Wir sind uns in der Stadt begegnet. Zufällig. Und haben zusammen einen Kaffee getrunken.«

»Und was hat sie gesagt? Kommt sie zurück?«

»Ich will es dir, so gut ich kann, wörtlich wiedergeben.«

22

Früher, schwüler Nachmittag. Die Fußgängerzone voller hastender Menschen. Plötzlich Kathy. Helen will auf sie zugehen, sie begrüßen, doch da schlägt Kathy mit schnellen Schritten eine andere Richtung ein.

Sie muß mich gesehen haben, denkt Helen, ich habe ihren Blick deutlich auf mir gespürt, ich habe ihr flüchtiges Erschrecken bemerkt. Sie läuft und holt sie ein. »Kathy!« Kathy geht schneller.

Doch Helen hat sie erreicht. »Kathy! Wie geht es dir?«

»Oh, Helen!« Sie gibt sich erstaunt.

»Hast du es sehr eilig, Kathy?«

»Sehr? Nein. Warum?« Mißtrauen in der Stimme.

»Ich möchte dich zu einem Kaffee einladen.« Helen hat vor, Kathy durch ein offenes Gespräch zu bewegen, wieder nach Hause zu kommen. »Zu einem Kaffee hier irgendwo in der Nähe. Ein kurzes Gespräch von Frau zu Frau, ja?«

»Okay. Dieses Gespräch steht schon lange aus.«

Sie ist gegen mich, denkt Helen, aber ich will darüber hinwegsehen.

Eine weiträumige Konditorei. Die lange Theke mit dem Angebot an Kuchen und Gebäck. Die kleinen runden Tische. Auf der Balustrade gerade noch zwei Plätze frei.

»Kathy, dein Vater vermißt dich sehr. Willst du dich nicht mit ihm versöhnen und wieder nach Hause kommen?«

»Wir wollen es kurz machen.« Ungeachtet der fremden Menschen am Tisch um sie herum, spricht Kathy laut und in hartem, gereiztem Ton.

»Ich werde mich erst mit meinem Vater versöhnen, wenn du aus dem Haus bist!«

Helen ist bestürzt. »Aber, Kathy, ich wußte ja gar nicht, daß deine

Ablehnung gegen mich so tief sitzt«, versucht sie beruhigend auf sie einzureden, »kannst du sie mir erklären?«

»Da gibt es nicht viel zu erklären. Du paßt einfach nicht zu Paps. Du kannst ihm nichts geben. Du hemmst ihn. Er braucht eine andere Frau. Eine, die für ihn da ist. Die Anteil an seinem Beruf nimmt. Mit der er seine Probleme besprechen kann. Eine, die mit ihm arbeitet . . .«

»Du meinst eine Kollegin . . .?«

»Egal. Jedenfalls nicht dich. Du bist und bleibst eine Fremde für ihn. Warum er dich genommen hat, ist mir schleierhaft.«

»Vielleicht ist doch etwas zwischen deinem Vater und mir? Etwas, wovon du nichts weißt?«

»Vielleicht hat er dir irgendwann mal gesagt, daß er dich liebt, na und? Diese Liebe ist bestimmt längst vorbei. Nein, du paßt nicht zu ihm, damit ist alles gesagt. Du repräsentierst, du führst ein schlaues Leben, aber damit ist Paps nicht geholfen. Er braucht eine richtige Frau, ein Muttertier! Und je früher du aus dem Haus gehst, desto eher kann er wieder atmen.«

»Kathy! Hat dein Vater das gesagt?«

»Nicht direkt.«

»Sondern?«

»Ich habe es ihm gesagt. Und er blieb stumm.«

»Vielleicht war er gerade mit seinen Gedanken woanders.«

»Quatsch! Versuch nicht, deine Haut zu retten. Hau ab!«

»Ich danke dir, Kathy.«

»Danken? Wofür?«

»Für deine Aufrichtigkeit. Hast du nicht vielleicht doch Zeit, morgen abend zu uns zu kommen? Wir könnten dann alles in Ruhe bereden.«

»Das könnt ihr auch ohne mich. Ich bin morgen abend schon verabredet.«

»Mit einer Freundin? Das könntest du doch absagen.«

»Nein«, entgegnet Kathy selbstgefällig, »nicht mit einer Freundin. Mit einem Mann. Mit einem, den du kennst«, und kränkend: »Vielleicht möchtest du ihn auch haben! Aber ich gehe mit ihm ins Bett!«

23

»Das war gestern«, sagte Helen und sah Paul bekümmert an. Mit der eisernen Feuerzange legte sie ein Scheit Buchenholz in den Kamin.

»Aber du darfst mir glauben«, fuhr sie fort, »das Gespräch hat meinen Entschluß nicht bestärkt und schon gar nicht ausgelöst.«

»Ich muß das, was Kathy gesagt hat, erst verdauen. Wie kommt sie nur dazu?«

Sie waren jetzt sehr nachdenklich und führten die Unterhaltung mit großen Pausen.

»Ich dachte, du kennst ihre Ansichten. Sie hat dir gegenüber doch nie ein Hehl daraus gemacht.«

»Nein, das nicht. Aber wie kommt sie dazu, dich so zu brüskieren?«

»Es ist ihr gutes Recht, ihre Meinung zu äußern. Obwohl sie mir diesmal sehr weh getan hat.« Sie schaute ins Feuer. »Du hättest mir das schon längst sagen sollen.«

»Ich habe keinen Weg gefunden.«

»Um so besser, daß ich mir einen gesucht habe.«

»Du meinst Paris?«

»Ja. Wenigstens für einige Zeit.«

»Hast du mal daran gedacht, daß auch ich Probleme haben könnte? Große Probleme?«

»Freilich, Paul. Ich mache mir sehr oft Gedanken deinetwegen.«

»Probleme im Beruf, meine ich. Probleme, die ich wahrscheinlich nicht allein bewältigen kann. Die dich von deinem Entschluß abbringen könnten.«

»Zwecklos, Paul. Du stehst ebenso vor einer Mauer wie ich. Nur vor einer anderen. Du bist nicht mit dir im reinen. Ja, ich spreche jetzt von deinem Beruf. Da gibt es etwas, das wie ein Druck auf dir lastet, das dich nicht frei atmen, nicht frei denken läßt. Was es ist, weiß ich nicht. Du hast nie eine Andeutung gemacht. Aber ich spüre es.«

»Sehr gut beobachtet. Da wäre also ein Grund vorhanden, deinen Entschluß rückgängig zu machen.«

»Nein, Paul, den gibt es nicht. Denn die Mauern, vor denen wir stehen, müssen wir ganz allein abbauen. Du mußt dir genau wie ich ein neues Ziel setzen. Ja, dein Problem bestärkt mich eher noch in meinem Entschluß.«

»Ich kann dich also nicht mehr umstimmen?«

»Nein. Wir trennen uns, Paul. Ohne Vorwürfe. Ohne Streit. Vernünftig wie zwei erwachsene Menschen.«

»Für immer?«

»Nicht unbedingt. Auf alle Fälle so lange, bis wenigstens einer von uns wieder festen Boden unter den Füßen hat.«

»Und du willst es dir nicht noch überlegen?«

»Ich glaube, es wäre falsch.«

»Wann willst du gehn?«

»Irgendwann. Ich will uns den Abschied ersparen.«

»Aber ich muß es doch wissen . . .! Du brauchst bestimmt Geld, du brauchst . . .«

»Ich brauche nichts, Paul. Ich habe alles geregelt. Außerdem . . .« Sie zögerte.

»Was?«

». . . wer weiß, ob du mich schon vermißt hast, wenn dir auffällt, daß ich nicht mehr da bin.« Sie erhob sich, gab ihm einen liebevollen Kuß auf die Stirn und ging ins Haus.

Eine Weile saß er unbeweglich da. So ernst ihre Aussprache auch war, er wollte nicht daran glauben, daß Helen ihr Vorhaben in die Tat umsetzen könnte. Selbst wenn sie ihn irgendwann ohne weitere Vorankündigung verlassen sollte, dann gewiß nur mit kleinem Gepäck und nicht länger als einige Wochen, nicht länger, als Ferien gewöhnlich dauern.

Und schon hatte er Helen vergessen. Seine Gedanken beschäftigten sich mit Kathy. Wollte sie sich wahrhaftig mit einem Mann treffen, um mit ihm zu schlafen? sagte Helen nicht sogar, heute?

Der Gedanke versetzte ihm einen Stich.

24

Zunächst wollte sie es nicht wahrhaben. Je länger sie jedoch am Tisch saß, um so deutlicher spürte sie in der Magengegend ein sanftes Schlingern. Als fahre ich behutsam Achterbahn, dachte sie, oder liege auf Deck eines mittleren Ozeandampfers.

Die Panoramafenster vermittelten einen Blick auf die Lichter der Stadt. Einzelne, miteinander verbundene Lichterketten, verschwommen der beleuchtete Dunst über der Innenstadt, grell die gleißenden Bänder der großen Straßen. Wenn man ein paar Minuten hinunterschaut, dachte sie, dann merkt man in der Tat, daß sich das Restaurant dreht. Sie wandte sich wieder der Mocturtlesuppe zu, nippte am Mosel und war bei allem, was sie tat, was sie sagte, nur darauf aus, auf den Mann, der ihr gegenübersaß, Eindruck zu machen.

Kathy hatte sich den Abend schon lange erhofft. Bewußt hatte sie den schwarzen, engen Pullover mit dem tiefen Ausschnitt gewählt, die Lidschatten um eine Spur grüner als sonst gezogen, die vollen, roten Haare wie einen Vorhang vor den Augen.

»Warum ich mit Ihnen sprechen wollte?« sagte sie zu ihrem Gegenüber, »das ist doch weiß Gott nicht schwer zu erraten. Sie haben mir eben gefallen. Vielleicht sogar ein bißchen mehr als nur gefallen. Und ich wollte Sie näher kennenlernen. Mit Ihnen zusammensein, ohne Bekannte, die einen angaffen und jede Bewegung verfolgen. So wie jetzt. Nur wir zwei. Unter fremden Menschen, die nicht stören. Ich wollte einfach wissen, wie Sie in Wirklichkeit sind.«

Sie schüttelte sich anmutig eine Haarsträhne aus dem Gesicht und sagte zweideutig: »Und ob Sie das auch halten, was Sie versprechen.«

»Verspreche ich denn was?« sagte Montgomery Saunter.

»Oh, ich glaube schon. Ich könnte mir vorstellen, daß ich nicht die einzige bin, die so denkt.«

»Und welchen Hintergedanken haben sie dabei?« sagte er lachend.

»Aber, Monty!« sagte sie mit gespielter Entrüstung, »ich darf Sie doch Monty nennen? Monty, Sie wissen doch genau, was ich von Ihnen will!«

Der Kellner enthob ihn einer Antwort. Er trug den Truthahn auf. Sie aßen eine Weile schweigend.

»Warum sagen Sie nichts?« fragte Kathy.

»Wenn Sie jetzt steil hinunterschauen«, sagte Montgomery Saunter, »sehen Sie genau das dunkle Loch des Olympiastadions. Und der Fackelzug daneben, das sind die Autos auf dem Mittleren Ring.«

»Lenken Sie nicht ab! Ich habe gesagt, Sie wissen sehr wohl, was ich von Ihnen will.«

»Ach? Weiß ich das? Wollen Sie mich als Patientin konsultieren?«

»So kann man es auch nennen.« Sie schloß halb die Augen und schob ihre Lippen unmerklich vor.

Sie ist zweifellos bemerkenswert, dachte er, und es gibt sicher nur wenige Männer, deren Typ sie nicht ist.

»Als Privatpatientin«, sagte sie mit einschmeichelnder Stimme, »so privat wie nur möglich. Monty!« »Habe ich falsch reagiert?«

»Sie haben überhaupt nicht reagiert. Sie schauen hinaus, als gäbe es mich gar nicht, als sei ich Luft für Sie.«

»Da tun Sie mir unrecht.« Er lachte. »Aber ich weiß noch immer nicht recht . . . ich glaube, Sie sind nicht ehrlich.«

»Wie offen soll ich Ihnen denn noch sein! Ich kann doch schlecht zu Ihnen sagen, bitte, lieber Monty, ich möchte, daß Sie mit mir schlafen!«

»Nein, das können Sie natürlich nicht«, sagte er ironisch.

»Kann ich das wirklich nicht? Warum eigentlich nicht?« Sie beugte sich über den Tisch, sah ihm fest in die Augen und sagte unbefangen: »Ich möchte mit dir schlafen, Monty. Heute noch.«

Er entzog ihr sanft seine Hand, aß seinen letzten Bissen, wischte sich mit der Serviette den Mund ab und lehnte sich zurück. »So einfach ist das heute, ja?« sagte er betont gelassen. »Ein Mädchen ruft einen Mann an, den es auf einer Abendgesellschaft flüchtig kennengelernt hat, und bittet ihn um ein Rendezvous. Wenn der Mann ihr sagt, er habe keine Zeit . . .«

». . . leider keine Zeit!«

»Okay, leider keine Zeit, dann ruft ihn das Mädchen noch einmal an. Und dann noch mal. Und dann noch mal. Wie viele Anrufe waren es?«

»Fünf. Genau fünf.«

»Dann ruft es ihn fünfmal an und sagt ihm beim fünften Mal, daß es ihn jetzt ganz dringend sprechen müsse. Der Mann sagt dem Mädchen, es soll ihn an seiner Arbeitsstelle aufsuchen. Das Mädchen lehnt ab. Es gibt sich geheimnisvoll und schlägt als Treffpunkt das Restaurant auf dem Fernsehturm vor. Der Mann zögert, will wissen, warum es ihn denn derart dringend sprechen muß. Das Mädchen sagt klar und unmißverständlich: Ich muß mit Ihnen über meinen Vater sprechen. Der Mann sagt, er lehne so ein Gespräch ab. Daraufhin sagt das Mädchen, der Mann könne ihm helfen, sein Verhältnis zu seinem Vater zu verbessern.«

Er schlug die Beine übereinander. »Ja, und jetzt kommt das Mädchen damit heraus, daß es mit dem Mann schlafen will.«

»So ist es.«

»Der Mann aber fragt sich, wie will das Mädchen durch eine Bettgeschichte mit ihm sein Verhältnis zu seinem Vater verbessern?«

»Monty, sei nicht kindisch! Wärst du gekommen, wenn ich es dir gleich am Telefon gesagt hätte?«

»Nein.«

»Na bitte! Irgendwas mußte ich doch sagen. Einen Fisch wie dich kriegt man nur mit Anschleichen an die Angel.« Sie trank ihren Wein aus. »Komm, wir gehen zu mir.«

»Ach? Und warum?«

»Warum? Um Murmeln zu spielen! Bitte, ruf den Kellner.«

»Darf ich auch mal etwas sagen?«

»Du sprichst ja die ganze Zeit.«

»Etwas entscheiden, meine ich. Etwas, was für mich von Anfang an entschieden war. Darf ich?«

»Alles darfst du. Nur nicht entscheiden, daß wir vorher noch woanders hingehen. Wir gehn zu mir.«

»Nein, wir gehn nicht.«

»Was?« Sie glaubte ihn nicht richtig verstanden zu haben.

»Ich habe gesagt, wir gehen nicht. Jetzt nicht und überhaupt nie.«

»Bist du noch zu retten?« Sie starrte ihn an. »Ich lege mich dir auf den Präsentierteller, und du sagst nein? Monty, du machst Spaß! Es kann nur Spaß sein! Für einen Moment habe ich allerdings geglaubt, dir sei es ernst. Aber der Spaß ist nicht gut, Monty, gib es zu!«

»Es ist kein Spaß. Es tut mir leid.«

»Es tut dir leid! Du spinnst!«

»Es tut mir leid, daß es so weit gekommen ist. Daß ich es so weit habe kommen lassen.« Er änderte den Tonfall und sagte nachsichtig: »Fräulein Niklas, ich . . .«

»Fräulein Niklas?« Sie lachte schrill auf.

»Okay, ich kann auch Katharina sagen. Katharina, ich muß einiges richtigstellen. Ich gebe zu, Sie sind ein sehr . . . sehr begehrenswertes junges Mädchen. Aber genauso muß ich Ihnen sagen, daß Sie für mich tabu sind. Und wenn ich gewußt hätte, wohin der Abend führt, dann . . .«

»Wohin der Abend führt! Das hast du genau gewußt! Und bist gekommen! Und plötzlich willst du es nicht mehr wahrhaben! Monty!« Sie beugte sich erneut vor, nahm seine Hand. »Monty, du brauchst keine Angst zu haben, daß du mit mir in eine blöde Affäre schlitterst. Monty, ich liebe dich, hörst du!«

»Katharina, Sie machen es sich und mir nur noch schwerer. Sie müssen mir glauben, ich wäre nicht gekommen, wenn . . .«

»Und warum bist du doch gekommen? Warum, he?«

»Weil ich Ihnen vertraut habe. Weil ich dazu beitragen wollte, daß Ihr Verhältnis zu Ihrem Vater . . .«

»Schwöre, daß du die Wahrheit sprichst! Schwöre!«

»Ich schwöre.«

»Du gemeiner Kerl, du! Du behandelst mich wie den letzten Dreck! Du wagst es, mir ins Gesicht zu sagen, daß . . .!« Sie stockte.

»Na, was denn? Was habe ich denn so Schreckliches gesagt?«

»Du hast dich lustig über mich gemacht! Hast auf meinen Gefühlen herumgetrampelt! Hast mich . . . gedemütigt! Ich werde es dir zurückzahlen, darauf kannst du dich verlassen!«

Sie knüllte die Serviette zusammen und warf sie wutentbrannt auf ihren Teller. »Und warum bin ich tabu für dich? Habe ich ein Gebrechen? Bin ich dem Doktor zu häßlich? Ah, jetzt weiß ich es! Mein Vater! Hab ich recht? Gib zu, es ist mein Vater! Mein Vater hat dir verboten, daß du mit mir . . .«

»Nein, Sie irren, Katharina.«

»Ich irre mich nicht, es ist mein Vater! Er allein hat die Schuld! Er hat mir die Tour vermasselt wie schon so oft!«

»Katharina, ich respektiere Ihren Vater. Und ich werde ihm nicht weh tun.«

»Na bitte! Er ist es! Er hat dir zu verstehen gegeben . . .!«

»Katharina! Sie tun ihm unrecht!«

»Oh, ich kenne ihn! Am liebsten möchte er mich einsperren! Nein, ich tue ihm nicht unrecht! Aber diesmal . . .!« Entschlossen schob sie ihren Sessel zurück und erhob sich. »Ich bin gleich wieder da!« Drängte sich an servierenden Kellnern vorbei und ging durch das Restaurant vor zur Garderobe.

Dort betrat sie eine der Telefonzellen.

25

Paul Niklas hatte sich in sein Arbeitszimmer zurückgezogen. Er saß im verstellbaren Liegesessel aus schwarzem Leder, hatte die Füße hochgelegt und blätterte in einem Buch. Aber es gelang ihm nicht recht, sich zu konzentrieren.

Draußen am Kaminfeuer hatte er noch eine Weile über sein Verhältnis zu Kathy nachgedacht. Er hatte eingesehen, daß vielleicht er derjenige war, der sich ändern mußte. In Zukunft wollte er ihr toleranter begegnen, sie nicht mehr bevormunden, sie als das nehmen, was sie war, ein junges, reifendes Mädchen von immerhin achtzehn Jahren.

Zufrieden mit dieser Erkenntnis war er in sein Arbeitszimmer gegangen. Dann hatte er nach Ovid gegriffen, was er schon lange nicht mehr getan hatte. Er liebte die ›Metamorphosen‹, die alten Mythen von der Verwandlung der Menschen in Tiere, Pflanzen und Gestein.

Da klopfte es an die Tür. Das Hausmädchen sagte ihm, daß er am Telefon verlangt werde, von seiner Tochter.

»Stellen Sie durch.«

»Sofort, Herr Professor.«

Er legte das Buch beiseite und nahm den Hörer ab. Daß Kathy ihn sprechen wollte, um diese Tageszeit, mußte einen besonderen Grund haben. Vielleicht brauchte sie seine Hilfe. Er wünschte, es wäre so, und er könnte ihr helfen. Er freute sich schon, ihre Stimme zu hören.

Daß sie heute abend ein Rendezvous hatte, war ihm schon wieder entfallen.

»Hier ist Kathy!« Ihre Stimme klang ihm merkwürdig verändert, beinahe fremd.

»Kathy, was ist?«

»Du bist doch nach wie vor darauf bedacht, daß ich in anständiger Gesellschaft verkehre, daß ich nichts mit Männern habe? Das sind zumindest deine Worte!«

»Kathy, was ist mit dir? Bist du . . . ?«

»Nein, ich bin nicht betrunken, wenn du das meinst. Ich bin stocknüchtern. So nüchtern wie noch selten.«

»Wo bist du, Kathy?«

»Das will ich dir gerade sagen. Ich bin auf dem Fernsehturm. Im

Restaurant. Und wenn es dich interessiert, mit wem ich hier bin, dann komm her! Du wirst Augen machen! Hallo, hörst du, was ich sage?«

»Ja, ich höre, Kathy. Und ich bitte dich, nichts mehr zu trinken. Ich schicke dir ein Taxi.«

»Ein Taxi! Daß ich nicht lache! Ein Taxi ist alles, was dir einfällt! Komm her und schau dir den Mann an, der es auf mich abgesehen hat! Komm her, wenn du Mut hast, den Tatsachen ins Auge zu schauen!«

»Kathy, bitte! Legst du es denn auf einen Skandal an?«

»Ja, ich lege es auf einen Skandal an! Auf einen Skandal, der sich gewaschen hat! Komm her und überzeuge dich! Mit dem Mann rechnest du sicher nicht! Du kennst ihn! Gut sogar! Und du hast ihm verboten, daß er mir zu nahe kommt!«

»Ich soll jemandem verboten haben . . .«

»Ja, du hast es ihm verboten! Gib es zu! Komm her und gib es zu!«
Die letzten Sätze schrie sie in die Membrane mit sich überschlagender Stimme, wartete seine Entgegnung nicht ab und hing ein.

Paul Niklas hörte das Knacken. Die Leitung war tot. Gedankenversunken behielt er den Hörer in der Hand.

Kathy war außer sich vor Erregung gewesen. Ihre scharfen Äußerungen, die versteckten und offenen Vorwürfe, hatten ihn völlig unvorbereitet getroffen. Er konnte sie sich nicht erklären. Sollte er zu ihr fahren? Wollte sie ihn wahrhaftig bei sich haben? Wollte sie ihn beschämen? Oder hatte sie doch nur zuviel getrunken? Was konnte er ändern, wenn er hinfuhr?

Er besann sich auf die Einsicht, die ihm vorhin am Kamin gekommen war.

Bedächtig legte er den Hörer auf die Gabel. Dann nahm er das Buch, setzte sich in den Sessel, legte die Füße hoch und begann zu lesen.

26

Als Kathy zum Tisch zurückkam, hatte Montgomery Saunter schon die Rechnung bezahlt. Er stand auf: »Wir können!«, nahm sie am Arm und verließ mit ihr das Lokal. Im Lift, der mehr als hundert Meter mit ihnen zur Erde schoß, sprachen sie kein Wort.

Erst im Wagen fragte er: »Was hat Ihr Vater gesagt?«

»Woher wissen Sie, daß ich mit meinem Vater telefoniert habe?«
Unwillkürlich war sie zum ›Sie‹ zurückgekehrt.

»Ich habe es Ihnen an der Nase angesehen. Wie hat er reagiert?«

»Auf was?«

»Auf die Eröffnung, daß ich mit Ihnen ausgegangen bin.«

»Er weiß nichts davon. Noch nicht.«

»Macht es Spaß, den Vater zu ärgern?«

»Ihr Gewäsch interessiert mich nicht mehr. Setzen Sie mich am Siegestor ab.«

»Okay.« Er bog nach links ab. An einer belebten Straßenecke stand eine Traube von Menschen. »Da muß was passiert sein«, sagte er, hielt den Wagen an und fragte den nächsten Passanten.

»Eine Sonderausgabe«, antwortete der aufgeregt, »die bisher größte Flugzeugentführung im Nahen Osten. Haben Sie denn keine Nachrichten gehört?«

»Nein«, sagte Montgomery, »heute noch nicht«, und halb zu sich selbst und halb als Erklärung für Kathy, »mein Bruder ist Jumbopilot«, und stieg aus.

Er drückte sich zwischen den Menschen durch, die einem Zeitungsverkäufer die Blätter geradezu aus der Hand rissen, und holte sich ein Exemplar. Mit einem schnellen Blick überflog er das Fettgedruckte.

Im Licht einer Straßenbeleuchtung entfaltete er die Zeitung und begann stumm zu lesen. »Ist Ihr Bruder dabei?« fragte Kathy. Er verneinte stumm. »Nun lesen Sie schon laut«, sagte sie, »ich will's auch wissen«, und er las vor.

»Einhundertsechsundachtzig Geiseln!«, sagte sie, »ein unlösbares Problem für die Attentäter.«

»Das würde ich nicht sagen. Das AWT hat die härtesten Kerle, die es gibt. Bei denen muß man damit rechnen, daß sie alle hundertsechsundachtzig in die Luft jagen.«

»Aber die Amis werden diesen Dschafar doch niemals ausliefern.«

»Eine kitzlige Sache. Ich bin auch für ein Nichtausliefern. Aber Sie sehen jetzt schon, wozu das AWT fähig ist! Von vornherein fünf Geiseln umgelegt, zur Abschreckung! Das hat es noch nie gegeben! Und in Abständen sollen die anderen dran glauben!«

»Wofür wären Sie also? Auslieferung oder nicht?«

»Vielleicht für eine Auslieferung mit einem Trick.«

»Trick?«

»Könnte dieser Dschafar nicht vorher gestorben sein?«

»Sie würden ihn töten!« Sie sah ihn erschrocken an.

»Ich habe kein Patentrezept. Ich weiß nur, daß ich den Kerlen des AWT die Hölle wünsche!« Er sagte es ungewöhnlich heftig.

»Sie könnten ihn also . . .?«

»Ja, ich könnte mir vorstellen, daß ich meinen Bruder räche.«

»Ihren Bruder? Ich denke, der ist . . .«

»Der andere. Einen haben sie schon auf dem Gewissen. Der war auch beim fliegenden Personal. Nein, ich glaube, ich wäre zu einer objektiven Entscheidung nicht fähig.«

Er hielt an, sie waren am Siegestor, und er griff über sie hinweg und öffnete die Tür.

Sie machte keine Anstalten auszusteigen. Die Diskussion hatte ihr Genugtuung bereitet. Sie glaubte sich ihm überlegen und wollte das Gefühl noch einige Zeit auskosten.

»Sie könnten also einen Menschen ermorden. Sie als Arzt!«

»Sie stellen Ihre Hypothese zu vordergründig, Mädchen?«

»Ich bin nicht Ihr Mädchen!«

»Pardon! Fräulein Niklas!«

»Sie als Arzt könnten also einen Menschen töten!«

»Hören Sie zu, es gibt zwei Möglichkeiten. Entweder wir brechen das Gespräch sofort ab. Oder ich muß ausführlicher werden. Wenn Sie allerdings auch danach noch derart einfältige Anschauungen vertreten, ist Ihnen nicht zu helfen.«

»Beten Sie Ihre Argumente vor!«

»Okay. Mein Bruder Seamus ist tot. Ermordet vom Arabian War Team. Kaltblütig ermordet! Grundlos ermordet! Nur weil sie einen Toten gebraucht haben! Der Tod meines Bruders hat ihnen keine Zinsen gebracht, aber sie haben ihn dennoch umgelegt. Nur so! Genickschuß! Bevor sie sich selbst in die Luft gejagt haben. Die PLO und alle anderen palästinensischen und arabischen Befreiungsorganisationen haben sich zwar davon distanziert, aber was hat mein Bruder davon? Oder seine Frau? Sein Junge? Meine Mutter? Mein Vater? Meine Schwester? Ich?«

Er holte Luft. »Auch Ryan, der Bruder meines Mädchens, wurde ermordet. Auch vom AWT! Wenn auch nicht von denselben Kerlen wie Seamus. Die sind ja zur Hölle gefahren. Ryan lebte in Israel. Er war Lehrer an einer Schule. Die Teufel vom AWT haben blindlings ins Klassenzimmer gefeuert! Einfach draufgehalten! Auf wehrlose Kinder! Einundvierzig Tote, darunter Ryan. Und alle diese Anschläge wurden von Dschafar ausgeheckt! Er allein hat dafür geradegestanden!«

Er sah sie durchdringend an: »Wollen Sie noch mehr hören?«

Sie gab keine Antwort. Ihr Blick ging an ihm vorbei. »Sie hatten ein Mädchen? Ein festes?«

»Ich habe es noch. In Connecticut. Wie sagt man hier? Ein bildsauberes Mädchen! Frisch, lustig, gescheit, sexy, alles was mein Herz begehrt. Neil ist ein Mädchen zum Heiraten. Genug erzählt?«

»Und . . . werden Sie sie heiraten?«

»Ja. Ich liebe sie nämlich.« Er sah ihr ins Gesicht. Unbefangen, als teile er ihr die natürlichste Sache der Welt mit.

»Es interessiert mich nicht!« Sie kochte. Sie stieß die angelehnte Tür mit dem Fuß auf und stieg aus.

Ohne ein Wort des Abschieds, ohne den Blick zu wenden, ging sie die breite Straße vor.

27

Am nächsten Morgen saß Paul Niklas allein beim Frühstück. Der Tisch war gedeckt wie gewöhnlich. Zwei Gedecke, Blumen, die drei Morgenzeitungen, die Kanne mit dem dampfenden Kaffee. Das Hausmädchen servierte die Ham and Eggs.

»Nur für mich allein? Kommt meine Frau nicht?«

»Die gnädige Frau läßt sich entschuldigen. Sie hat verschlafen. Sie frühstückt später.«

Er schenkte dem Vorgang keine Beachtung.

Er war gerade fertig mit dem Frühstück und blätterte eine der Zeitungen durch, da hörte er von der Tür her ein Räuspern. Er hob den Kopf.

»Kathy?« Er legte die Zeitung beiseite.

»Ja, Paps, ich. Bist du sehr in Eile?«

»Du kennst meine Zeiteinteilung. Was gibt's?«

»Hast du eine Viertelstunde Zeit für mich?«

»Für dich immer.« Er stand auf. »Gehn wir ins Arbeitszimmer, da sind wir ungestört.«

Im Arbeitszimmer setzten sie sich einander gegenüber in die tiefen Sessel. »Ich möchte mich entschuldigen«, begann Kathy, »für das Telefonat gestern abend. Ich weiß selbst nicht, was in mich gefahren war.«

»Die Entschuldigung ist angenommen. Die Sache ist vergessen.«

»Danke, Paps.« Sie warf ihm einen prüfenden Blick zu und sagte zögernd: »Das heißt, ich kann dir erklären, warum ich dich angerufen habe. Warum ich dich in dieser idiotischen Art angerufen habe.«

Sie achtete genau auf jede seiner Reaktionen. Sie wußte, daß sie das Gespräch äußerst überlegt führen mußte, wollte sie glaubwürdig erscheinen, wollte sie erreichen, was sie sich geschworen hatte. Sie mußte ihren Zorn beherrschen, ihre Rachegefühle unterdrücken. Nur dann konnte sie sowohl Montgomery Saunter als auch ihrem Vater vergelten, was beide, wie sie glaubte, ihr angetan hatten. Sie würde sie auseinanderbringen.

»War es wirklich der Alkohol?« fragte Paul im Scherz.

»Nein, Paps. Ich hatte kaum etwas getrunken. Ach, ich war ja so unglücklich. So schrecklich unglücklich. Und ich brauchte deine Hilfe.«

»Verzeih mir, Kleines, daß ich dich im Stich gelassen habe. Daß ich nicht gekommen bin. Daß ich dich im Stich lassen mußte. Ich konnte mit dem Anruf nichts anfangen.«

»Ich habe mir schon so etwas gedacht, Paps. Und ich habe es dann ja auch selber geschafft.«

»Geschafft?«

»Du darfst mir glauben, Paps, daß ich dir nicht deine Zeit stehlen würde, wenn ich nicht . . .« Sie preßte sich ein paar Tränen ab.

»Wer war der Mann, mit dem du zusammen warst?« Paul war davon überzeugt, daß Kathys Verwirrung im Zusammenhang mit einem Mann stand.

»Bitte, Paps, zwing mich nicht, seinen Namen zu nennen. Er hat gebettelt und gefleht, daß ich ihn nicht verrate.«

»Gebettelt und gefleht?« Er war verwundert.

»Mag sein«, beeilte sie sich zu sagen, »daß ich jetzt alles zu dramatisch sehe. Gebeten hat er mich auf jeden Fall. Denn er fürchtet . . .« Sie brach ab, als hätte sie zuviel gesagt.

»Was fürchtet er?«

»Bitte, Paps, nicht.«

»Kathy, nun sei mal vernünftig. Du verlierst dich in unklaren Andeutungen.«

»Ich habe vorher nicht gewußt, daß ich es nicht sagen kann.« Sie schluchzte lautlos.

»Kathy, komm her.« Paul setzte sich auf die Lehne ihres Sessels und nahm sie in den Arm. »Beruhige dich, Kleines. Und beantworte nur meine Fragen. Was fürchtet dieser Mann?«

»Daß du ihn . . . daß er durch dich seine Stellung verlieren könnte, daß du ihn aus der Klinik weisen läßt.« Sie gab sich entsetzt. »Paps, bitte vergiß, was ich eben gesagt habe, bitte, Paps, das wollte ich nicht . . .«

»Also Monty.«

Sie nickte. »Ja. Montgomery Saunter. Er stellt mir schon seit einiger Zeit nach. Seit dem Abend bei uns.«

»Er stellt dir nach?«

»Ja. Er ruft an. Schreibt mir Briefe, lauert mit auf.«

»Er schreibt Briefe? Kannst du mir die zeigen?«

»Ich habe sie nicht mehr. Es waren schmutzige Briefe. Ekelerregende Briefe. Ich hatte so etwas noch nie gelesen. Ich habe sie verbrannt.«

»Wie viele Briefe waren es?«

»Zwei.«

»Und wann hast du sie bekommen?«

»Vor zwei Wochen.«

»Beide nacheinander?«

»Ja. Glaub mir, Paps . . .«

»Waren sie mit der Post geschickt?«

»Nein, eingeworfen.«

»Hier bei uns?«

»Nein.« Sie merkte, daß sie einen Fehler begangen hatte, da sie ja seit mehr als zwei Wochen nicht mehr zu Hause wohnte, und Saunter nur durch ihr Zutun die Adresse ihrer Freundin hätte wissen können. »Nein, bei meiner Freundin«, sagte sie.

»Und wie kam er zu der Adresse?«

»Durch Zufall. Er hat uns beide in der Stadt getroffen. Wir haben ihm gesagt, daß wir zur Zeit zusammen wohnen. Er muß sich den Namen meiner Freundin gemerkt haben.«

»So könnte es gewesen sein. Eine andere Frage, Kathy. Was ist gestern abend überhaupt vorgefallen? Warum fürchtet Monty, ich könnte mich dafür verwenden, daß er die Klinik verlassen muß?«

»Bitte, Paps, erlaß mir das!«

»Nein, Kathy, das kann ich dir nicht erlassen.« Er erhob sich und durchschritt den Raum bis zur Bücherwand. »Ich will wissen, was vorgefallen ist. Wie Monty sich benommen hat.«

Erst jetzt wurde ihr bewußt, daß ihr Vater, ungeachtet ihrer Anschuldigungen, von Montgomery Saunter nach wie vor als von ›Monty‹ sprach. Sie sagte zögernd: »Gestern wollte er mit mir schlafen.« Aber ihr Vater zeigte weder eine Regung noch antwortete er.

»Er wollte mit mir schlafen«, wiederholte sie, »und als ich ihm zu verstehen gegeben habe, daß er sich das aus dem Kopf schlagen kann . . .« Sie tat, als sei sie unfähig, weiterzusprechen.

»Na, Kathy, heraus mit der Spache!«

»Na ja, er hat sich unschön benommen.«

»Wo? Im Lokal?«

»Auf der Heimfahrt. Im Wagen.«

»Aber du hast mich doch vom Lokal aus angerufen?«

»Ja, das schon . . .« Sie senkte den Blick.

Er trat zu ihr. »Bitte, schau mich an.« Sie gehorchte.

»Kathy, ich werde mit Monty sprechen. Gleich heute. Hast du mir vielleicht sonst noch etwas zu sagen?«

»Ich kann mir gar nicht denken, daß du mit ihm überhaupt noch sprechen kannst.«

»Was hast du dir denn vorgestellt? Daß ich darüber hinweggehe?«

»Kann sein. Ich habe versucht, mich in dich hineinzuversetzen. Und ich denke, die Sache muß dich sehr hart getroffen haben.«

»Nein, Kathy. Ich fühle mich nicht getroffen. Nicht, bis ich mit Monty gesprochen habe. Mach dir also keine unnötigen Gedanken.«

»Glaubst du mir denn etwa nicht?«

Er zögerte. »Kathy, hast du mir wirklich die Wahrheit gesagt?«

»Du glaubst mir nicht!«

»Ich frage dich und erwarte eine ehrliche Antwort.«

»Nein. Entweder glaubst du mir. Oder du läßt es bleiben.«

Er ging zur Tür. Für ihn war die Unterredung beendet. »Ich werde mit Monty sprechen. Wohnst du jetzt wieder hier?«

Sie schwieg verstockt.

28

Paul hatte die übliche Morgenbesprechung hinter sich. Jena, der Leiter der Kinderkardiologie, Hagenau, der Anästhesist, und Sils, der Leiter der Kardiologie, hatten mit ihm die Einzelheiten des Tagesprogramms abgestimmt.

Er setzte sich entschlossen an seinen Schreibtisch und drückte die Taste der Sprechanlage:

»Frau Gramm?«

»Herr Professor?«

»Sehen Sie doch bitte mal, ob Sie Herrn Saunter erreichen. Wenn es seine Zeit erlaubt, möchte er bitte zu mir kommen.«

»Sofort, Herr Professor.«

Wenig später trat Montgomery Saunter ein. »Guten Morgen, Herr Niklas.«

»Guten Morgen, Herr Saunter, bitte nehmen Sie Platz.«

»Wenn Sie mich für Ihre Operation im OP zwei brauchen, muß ich Ihnen zu meinem großen Bedauern sagen . . .« Saunter war guter Laune.

»Ist mir bekannt«, sagte Paul, »Sie sind für OP eins eingeteilt. Nein, ich will Sie nicht abwerben. Nehmen Sie ruhig Platz, wir brauchen womöglich ein paar Minuten länger.«

Saunter setzte sich und zog eine Packung Zigaretten aus der Tasche seines weißen Mantels. »Darf ich?«

»Aber bitte. Mich stört es nicht. Wenn es Ihre Lungen nicht stört.«

»Irgendein Laster hat wohl jeder. Sie etwa nicht?«

»Da muß ich direkt überlegen. Mein schlimmstes Laster ist offensichtlich meine seelische Verfassung.«

»Na, das ist ja noch zu ertragen!« Saunter entnahm der Packung eine Zigarette und zündete sie sich an. »Worum geht's?«

»Ich wollte Sie um eine Stellungnahme bitten.«

»Über Myocardinfarkte?« sagte Saunter im Scherz.

»Nein, diesmal ausnahmsweise nicht«, sagte Paul und übernahm den Ton eines Kollegen, »obwohl wir, meiner Ansicht nach, voll ausgelastet wären, wenn wir ausschließlich in diesem Punkt unterschiedlicher Anschauung wären.«

»Der Gerechtigkeit halber muß festgestellt werden«, sagte Saunter mit gespieltem Ernst, »daß wir in der Frage der Übersäuerung schon eine gewaltige Annäherung vollzogen haben.«

»Dennoch, Monty, wir stehen da an entgegengesetzten Ufern. Und auch in den Staaten haben Sie ja nicht allzu viele Anhänger.«

Unwillkürlich sprach Paul den Kollegen an, wie ihn nur Freunde ansprechen, sagte ›Monty‹ zu ihm. Saunter nahm es mit unmerklichem Lächeln zur Kenntnis.

»Seit wann spielt die Menge eine Rolle?« sagte er, »Verzeihung, ich beiße mich schon wieder fest.«

Er stutzte.

»Habe ich eben richtig herausgehört, daß Sie von mir eine Stellungnahme erwarten, die sich möglicherweise nicht mit Ihrer Meinung deckt?«

»Ganz richtig. Aber es muß nicht zutreffen. Im Gegenteil. Ich hoffe und wünsche, wir sind in dieser Sache einer Meinung.« Paul lehnte sich zurück. »Monty, wie war das gestern abend mit Kathy?«

»Ach, das ist es! Ich hätte es mir beinahe denken können. Nichts war. Gar nichts. Wir haben miteinander gegessen. Miteinander gesprochen. Miteinander . . . sagen wir, gestritten.«

»Es interessiert mich im einzelnen.«

»Okay.« Saunter erzählte den Abend aus seiner Sicht, erwähnte die fünf Anrufe und den wortlosen Abschied.

»Kathy stellt die Sache anders dar«, sagte Paul und deutete mit einigen Stichworten die Version seiner Tochter an.

An der Sprechanlage leuchtete das Lichtzeichen auf. »Sekunde«, sagte er zu seinem Gegenüber, drückte die Taste und beugte sich über die Membrane. »Frau Gramm?«

Die Stimme der Sekretärin ertönte: »Professor Sils läßt fragen, ob man die Katheterbesprechung um eine halbe Stunde auf sechzehn Uhr dreißig verschieben kann.«

»Ja, kann man«, sagte Paul, »Frau Gramm?«

»Herr Professor?«

»Die nächsten zehn Minuten bitte kein Gespräch. Außer es ist dringend.«

Er nahm den Finger von der Taste und wandte sich Saunter zu. »Sie wissen, daß mir meine Tochter sehr nahesteht. Daß ich ein inniges Verhältnis zu ihr habe. Wissen Sie auch, daß so ein Verhältnis Schwierigkeiten mit sich bringt? Ungeahnte Schwierigkeiten?«

»Ich habe zum Beispiel vermutet, daß Sie eifersüchtig über Ihre Tochter wachen.«

»Sie haben ziemlich genau vermutet. Aber ich habe mich davon freigemacht. Das heißt nicht, daß sich meine Gefühle für Kathy verändert haben. Sie füllt nach wie vor den gleichen Raum in mir aus. Auch wenn sie Dinge tut, mit denen ich nicht einverstanden bin. Nicht einverstanden sein kann. Ich werde ihr helfen, wo ich nur kann. Ich werde immer zu ihr stehen.«

Er schlug einen leichten Ton an: »Eine Tasse Kaffee?«, und als Saunter dankend verneinte, fuhr er fort: »Ich lehne es ab, mich als Richter aufzuspielen. Ich werde Kathy nichts nachtragen. Sie ist noch jung. Sie wird sich ändern. Sie muß zu sich selbst finden. So ein Reifeprozeß ist nicht einfach. Er hinterläßt Spuren. Er schmerzt. Aber sie muß ihn allein durchstehen. Ich kann ihr dabei nur Hilfestellung leisten.«

Saunter hörte aufmerksam zu. Wollte Niklas sich verteidigen? Fühlte er sich etwa verantworlich, daß Kathy gemein gehandelt hatte? Wollte er sie in Schutz nehmen?

Er drückte die Zigarette aus und sagte: »Unter Umständen vollbringt eine Gegenüberstellung Wunder. Eine Lehre könnte ihr nicht schaden.«

»Ich bin nicht ganz davon überzeugt«, sagte Paul, »Kathy legt es womöglich nur darauf an. Und eine Lehre? Ich glaube, sie muß ganz von allein zur richtigen Erkenntnis kommen. Nicht von außen. Nicht unter Druck.«

»Sie hatten recht«, sagte Saunter lächelnd, »wir haben nicht nur beim Myocardinfarkt gegenteilige Meinungen«, und dachte: Schade um Niklas. Wie kann er Kathy nur derart verblendet sehen? Aber wie kann man ihm helfen?

»Noch eins«, sagte Paul, »damit Sie meine Meinung zu diesem Thema uneingeschränkt kennenlernen. Ich hätte nichts gegen Sie als Freund meiner Tochter. Nicht einmal als ihr Liebhaber. Und schon gar nicht als ihr Mann. Aber ich muß gestehen, daß ich ihr das Los meiner Frauen gerne ersparen möchte. Sie wissen ja, Monty, ein Arzt, oder sagen wir deutlicher, ein Chirurg auf unserem Posten ist nicht unbedingt der ideale Partner für eine Frau.«

Er lachte befangen. »Ich glaube, da haben sogar die Frauen der Matrosen mehr von ihren Männern. Nicht nur zeitlich. Vor allem, was das ›Aufeinander-Eingehen‹ betrifft. Matrosen sind doch mal an Land. Und dann richtig frei vom Beruf. Wir sind nie an Land. Hab ich recht, Monty?«

»Mag sein. Diese Erfahrung muß ich erst machen.«

»Das wär's«, sagte Paul und erhob sich, »was macht eigentlich unser kleiner Andreas?«

»Gleichbleibend.«

»Wie viele Tage hängt er jetzt schon an der künstlichen Beatmung?«

»Heute ist der dritte Tag.«

»Glauben Sie, wir schaffen es?«

»Es sieht so aus.«

»Der Fall geht mir näher, als ich dachte«, sagte Paul mehr zu sich.

29

Es war gegen Mittag. Zusammen mit Kramer und Obermann kam Paul vom Operationssaal in die Umkleideräume der Sterilisationsschleuse. Sie streiften Handschuhe, Mundschutz und Kopfbedeckung ab und begannen sich auszuziehen.

»Kaum mehr als eine Stunde«, sagte Obermann, »das ging ja glatt.«

Sie hatten eine Herzklappenoperation gehabt, die für sie häufigste Aufgabe, diesmal bei einem jungen Mädchen. Duschen, Arztkleidung, ein paar persönliche Worte, man ging auseinander, Obermann zum Mittagessen ins Casino, Kramer für zwei Stunden nach Hause, und Paul wollte Frau Gramm noch vor dem Essen den Bericht diktieren.

Auf dem Flur fing Jena ihn ab. »Gut, daß Sie gerade da sind«, sagte der untersetzte Mann in seiner ruhigen Art, »ich glaube, wir bekommen Schwierigkeiten mit dem kleinen Andreas.«

»Mit Andreas Werner?« Paul spürte, wie es ihn heiß durchlief.

»Ja. Ich habe eben den Funkspruch erhalten. Kommen Sie, wir gehen zu ihm.« Jena nahm Paul kollegial beim Arm. Sie gingen zum Treppenhaus vor.

»Und was ist es?« fragte Paul.

»Kammerflimmern«, sagte Sils und nahm zwei Stufen auf einmal.

»Verdammt!« entfuhr es Paul. Er hetzte Sils nach. »Bei dem Fall mußten wir mit allem rechnen.«

Außer Atem kamen sie auf der Intensivstation an. Bei Andreas Werner hatte das sogenannte Kammerflimmern eingesetzt. Ein ungleichmäßiges und ungleichzeitiges Zusammenziehen der Herzmuskelfasern. Ein rhythmischer Herzschlag wird dadurch unmöglich.

»Ich bin ratlos«, sagte Jena, »am dritten Tag nach der Operation. Keine Rhythmusprobleme. Nichts. Und jetzt auf einmal . . .«

»Der Befund war nicht allzugut«, sagte Paul nachdenklich.

»Haben Sie etwa wirklich mit einer solchen Komplikation gerechnet?« sagte Sils.

»Nein. Wenn ich ehrlich bin, nein.« Paul holte tief Luft. »Ich habe nur mit einem gerechnet: daß wir es schaffen.«

Der diensthabende Arzt hielt den Defillibrator bereit. Paul fragte ihn: »Ist er schon handbeatmet?«, und der Arzt nickte.

»Externe Herzmassage?« Paul sah Sils an.

Sils antwortete: »Schon gemacht. Xylocain wird vorbereitet.«

Eine der Schwestern hielt ihm die Spritze mit Xylocain hin.

Schwester Christine stand im Durchgang zum Vorraum: »Soll nicht die Mutter benachrichtigt werden?«

Jena war einen Augenblick nicht im Bild.

»Die Mutter des Jungen«, sagte Christine, »sie ist ja seit der Operation in der Stadt. Extra hiergeblieben.«

»Ich weiß nicht«, sagte Jena zu Paul, »sollen wir die arme Frau wirklich in Schrecken setzen?«

»Ich würde noch warten«, sagte Paul, »noch haben wir nicht verloren.«

30

Der kleine Ort Mehlem galt früher als Vorort von Bad Godesberg, heute gehen die beiden Orte ineinander über, und auch die Häuser von Bad Godesberg berühren längst die Häuser von Bonn.

Die schwarze Mercedes-Limousine mit dem Stander der deutschen Bundesregierung, die in Mehlem in die Diechmanns Aue einbog, die einmal Mehlemer Aue hieß, war vom Bundesinnenministerium bis hierher nicht länger als 15 Minuten unterwegs gewesen.

Die Diechmanns Aue grenzt an einen weiten Park. Der Wagen des Bundesinnenministeriums bog in den Park ein und hielt vor dem Gebäude der Botschaft der Vereinigten Staaten von Amerika. Es liegt in direkter Nachbarschaft des Bundesministeriums für Wohnungswesen und Städtebau, unweit des Rheins.

»Bitte, Herr Regierungsdirektor!« Der Chauffeur hielt den Schlag auf, und Anspach stieg aus. Er beugte sich noch mal hinein in den Fond, nahm die schwarze, schwere Aktentasche an sich, dann ordnete er sich den Anzug, sommerlich beige mit braunen Nadelstreifen, nickte dem Chauffeur flüchtig zu: »Es wird einige Zeit dauern«, und verschwand im Inneren des Gebäudes.

Dr. Richard Anspach war das, was der Volksmund einen ›Erfolgsmenschen‹ nennt. Neununddreißig Jahre alt, groß, wuchtig, glattes Haar, Brille aus dunklem Horn, verheiratet, zwei Kinder im schulpflichtigen Alter. Er war in Gera geboren und vor jetzt zwölf Jahren, noch als Junggeselle, von Thüringen über Ostberlin in den Westen gekommen.

Anspach war Jurist. Er hatte sich sofort einer der großen politischen Parteien angeschlossen, hatte als politischer Flüchtling nach kurzer Zeit eine Anstellung bei einer staatlichen Wohlfahrtsorganisation in Westberlin gefunden, wechselte schon bald danach, auf Empfehlung eines Parteifreundes, zum Verbindungsbüro des Berliner Senats nach Bonn und gehörte seit fünf Jahren dem Bundesinnenministerium an. Vor einem halben Jahr hatte er seine Ernennung zum Regierungsdirektor erhalten.

»Ich bin mit Mister Newley verabredet.«

Der Mann an der Pforte griff zum Hörer. »Ihr Name bitte?«

Anspach nannte seinen Namen und wartete ungeduldig, bis der Mann ihn angemeldet hatte. Der Mann legte den Hörer auf. »Sie können dort drüben Platz nehmen«, er zeigte auf eine Sitzgarnitur aus braunem Leder, »Sie werden abgeholt.«

Keine Minute später wurde Anspach von einem höflichen jungen Mann gebeten, ihm zum Konferenzzimmer zu folgen.

Das Konferenzzimmer war ein mittelgroßer Raum mit zwei Zugängen, zwei in dunkelgrünem Leder schalldicht gepolsterten Doppeltüren. Die in gleichem Ton gehaltene Tapete, das dunkle Mobiliar, der schon am Vormittag geschlossene schwere dunkelrote Vorhang, der mit grünem Tuch überzogene Tisch in der Mitte des Raumes, das starke Licht, das aus einem dunkelgrünen Schirm konzentrisch auf den Tisch prallte, die gedämpfte Wandbeleuchtung, Anspach hätte sich ebenso in einem privaten Spielsaal befinden können.

Zwei Männer traten ein und schlossen die Tür hinter sich. Der eine, sehnig schlank, ein intellektueller Typ, stellte sich als John Newley vor.

Anspach verbiß sich ein spöttisches Lächeln. John Newley, dachte er, first secretary und political councillor of embassy!, in Wirklichkeit John Newley, chief of the field-station of Germany der Central Intelligence Agency, kurz CIA genannt.

Newley zeigte auf seinen Begleiter: »Das ist Stanley Martindale. Er ist, wenn Sie so wollen, Leiter unserer Außenstelle. Er behandelt den Fall.«

Mir braucht ihr nichts vorzumachen, dachte Anspach, dieser vierschrötige Martindale ist nichts anderes als ›chief of the south base of Germany‹ und ehemaliger Captain beim sechsten Regiment des Marine-Korps.

Er deutete eine knappe Verbeugung an, und sie setzten sich.

»Ich hoffe, der geschlossene Vorhang stört Sie nicht«, eröffnete Newley das Gespräch, und Anspach verneinte herablassend.

»Wir wollen jedes Risiko vermeiden«, setzte Newley erklärend hinterher, »die Presse ist schon wild genug. Sie sprechen für Ihren Minister?«

»Ja«, sagte Anspach, hob seine Aktentasche hoch, die er neben sich auf den Teppich gestellt hatte, und entnahm ihr zwei Schnellhefter. »Ja, ich spreche für meinen Minister, solange sich keine unerwarteten Fakten ergeben. Dann müßte ich natürlich noch mal mit ihm . . .«

»Okay.« Newley war ein Mann, der keine langen Reden vertrug. Das Gespräch führten nur er und Anspach. Martindale begnügte sich damit, stumm und aufmerksam zuzuhören. »Wir haben uns mit Washington abgestimmt«, sagte Newley, »wir brauchen Dschafar noch zwei, drei Tage hier in der Bundesrepublik.«

»Zwei, drei Tage?«

»Ja. Es besteht die Aussicht, daß wir über ihn hier in der Bundesrepublik eine weitverzweigte Organisation ausheben können.«

»Wollen Sie damit sagen, daß die Bundesrepublik von einer Organisation des AWT durchsetzt ist?«

»Nicht allein des AWT, Herr Anspach. Das AWT hat eine Menge

Querverbindungen. Sagen wir, eine weitverzweigte Organisation aller arabischen Interessen, die sich gegen die Interessen unseres Landes richten.«

»Aber Sie können Dschafar doch nicht länger hier festhalten! Die Weltöffentlichkeit . . .!«

»Die Weltöffentlichkeit vertritt nicht die Interessen unseres Landes. Wir aber vertreten sie.«

»Nein, nein, Mister Newley, so kommen wir nicht weiter. Der Vorfall hat sich hier bei uns, auf dem Boden der Bundesrepublik abgespielt. Dabei wurden internationale Rechte verletzt.«

»Okay. Aber ist die Bundesrepublik nicht genauso wie unsere Regierung an Dschafar interessiert?«

»Ich bin zu keiner Stellungnahme berechtigt. Und wenn, würde ich mich dennoch einer Stellungnahme enthalten.«

»Okay. Das ist Ihre Sache. Unsere Sache ist es, daß wir Dschafar noch mindestens zwei, drei Tage brauchen. Hier in der Bundesrepublik.«

»Und die Geiseln?«

»Dafür muß eine Lösung gefunden werden.«

»Unter den Geiseln sind auch Bürger der Bundesrepublik.« Anspach schlug einen der Schnellhefter auf und las ab, was jeder von ihnen ohnehin wußte: »Insgesamt sechzehn Bürger der Bundesrepublik. Neun Männer. Fünf Frauen. Und zwei Kinder. Die Kinder im Alter von . . .«, er blätterte um, ». . . im Alter von drei und zehn Jahren!«

»Okay. Daran können wir nichts ändern.«

»Doch. Nur Sie können etwas ändern. Sie in Verbindung mit Washington. Der Innenminister der Bundesrepublik Deutschland besteht darauf, daß Dschafar auf dem schnellsten Weg ausgeliefert wird, das heißt . . .« Anspach korrigierte sich, da er merkte, daß ihm im Überschwang seiner konsequenten Haltung ein Trugschluß unterlaufen war. Natürlich konnte die Bundesrepublik den Amerikanern keine politische Handlung aufzwingen.

Er fuhr fort: »Das heißt natürlich, der Innenminister der Bundesrepublik Deutschland besteht darauf, daß Dschafar auf dem schnellsten Weg das Territorium der Bundesrepublik verläßt, und der Innenminister würde es begrüßen, wenn die verantwortlichen Stellen der Regierung der Vereinigten Staaten von Amerika zum Schutz der noch lebenden Geiseln zu einer schnellen Entscheidung kämen im Sinne der Forderungen des AWT.«

Um Anspachs Mundwinkel zeigte sich ein flüchtiges, verlegenes Lächeln, doch sein Gesicht wurde sofort wieder undurchdringlich. »Wir sind bereit, diese Version auch gegenüber der Presse zu vertreten.« Newley grinste: »Da ist eine Lücke, Herr Anspach.«

»Die Sache kann so über die Bühne gehen.«

»Was ist, Herr Anspach, wenn wir Dschafar hierher bringen? Hierher in die Botschaft? Ist er dann noch immer auf dem Territorium der Bundesrepublik? Na, sehen Sie! Ist das etwa keine Lücke?«

»Ich glaube, wir sollten versuchen, in Zusammenarbeit zu einer positiven, schnellen Lösung zu kommen«, sagte Anspach kühl.

»Unsere Interessen gehen da leider auseinander. Dschafar ist ein einmaliger Fall. Ist das nicht auch Ihre Meinung?«

»Es ist kein gewöhnlicher Fall, ja. Gewöhnlich dabei ist nur die Erpressung durch Geiselnahme. Bis jetzt allerdings rangierten in aller Welt die Leben der Geiseln vor den Interessen der jeweiligen Staaten.«

»Das soll auch in diesem Fall so bleiben.«

»Ich dachte . . .?«

»Nur wollen wir einen Trick anwenden, um diese Leben nicht zu gefährden. Und Dschafar trotzdem nicht ausliefern.« Newley schlug die Beine übereinander. »Es gibt da verschiedene Tricks.«

»In diesem Falle nicht, Mister Newley. In diesem Fall ist das AWT der Gegner. Da könnte ein Trick leicht ins Auge gehen. Was darf ich also meinem Minister vortragen?«

»Wir können unseren Standpunkt nicht ändern. Dschafar bleibt vorläufig in unserer Hand. Hier in der Bundesrepublik.«

»Wie viele Geiseln sind inzwischen tot? Sieben! Und wie viele Menschen will die amerikanische Regierung noch opfern?«

»Keine mehr, Herr Anspach. Und die sieben Toten gehen auch nicht auf unser Konto.«

»Ich habe da noch . . .«, Anspach blätterte in einem der Schnellhefter, bis er die richtige Seite gefunden hatte, ». . . noch den Text für eine Information an die Presse.« Er sah hoch. »Wir haben die Möglichkeit von starren Fronten einkalkuliert.«

»Okay. Und wie lautet Ihre Presseinformation, wenn wir Dschafar weiterhin in der Bundesrepublik halten und ihn nicht ausliefern?«

»Wenn Dschafar nicht innerhalb von zwei Stunden, ab jetzt gerechnet, die Bundesrepublik Deutschland verlassen hat, wohlgemerkt einschließlich des Territoriums Ihrer Botschaft, werden wir die Presse wahrheitsgetreu informieren.«

»Kann man das eine Art Erpressung nennen?«

»Wenn Sie die Wahrheit als Erpressung empfinden«, sagte Anspach ungerührt, »dann ist es wohl so eine Art Erpressung.« Er merkte, daß er an Boden gewann.

Newley schlug die Beine voneinander, stemmte die Ellenbogen auf den Tisch und verschränkte die Hände. Seine Stimme klang nachdenklich. »Es wäre vielleicht angebracht, daß wir uns an Washington wenden.«

»Tun Sie es«, sagte Anspach, »der Zeitplan wird dadurch nicht berührt.«

Newley warf Martindale einen fragenden Blick zu, und Martindale gab stumm zum Ausdruck, daß er mit dem Vorgesetzten einer Meinung sei.

»Dürfen wir Sie für kurze Zeit allein lassen?« fragte Newley, erhob sich und gab Martindale einen Wink mitzukommen, »wir hoffen, daß wir Ihnen in wenigen Minuten Antwort geben können. Darf ich Ihnen in der Zwischenzeit etwas zu trinken bringen lassen? Whisky? Wein? Cognac?«

»Wenn Sie ein Glas Sekt bieten können, wäre ich nicht abgeneigt«, antwortete Anspach und stellte seine Tasche wieder auf den Teppich zurück, »ein Glas Sekt und, wenn es nicht zuviel verlangt ist, einen Aschenbecher.«

»Aber selbstverständlich«, sagte Newley, schloß die Tür hinter sich und Martindale, und dachte, wie ist es nur möglich, daß in diesem verdammten Konferenzraum nie ein Aschenbecher steht!

Nach einer knappen halben Stunde kamen Newley und Martindale zurück. Anspach hatte in der Zwischenzeit zwei Gläser Champagner getrunken, drei Zigaretten geraucht und war auf und ab gegangen, um, wie er meinte, in der stickigen Luft einen klaren Kopf zu behalten.

»Tut mir leid«, sagte Newley, »daß wir Sie so lange haben warten lassen.«

»Keine Ursache, wenn Sie ein für uns befriedigendes Ergebnis bringen.«

»Ich denke ja. Ich habe die Einwilligung, daß wir Dschafar in den nächsten Stunden an einen Ort außerhalb der Bundesrepublik bringen, und ich habe die Einwilligung, ja sogar den Auftrag, Dschafar bereitzuhalten für seine Übergabe an das AWT. Die Verhandlungen darüber führt Washington direkt über die Botschaft in Damaskus.«

»Ich gratuliere.«

»Danke«, sagte Newley mit unbewegter Miene, »Sie sehen, wir wollen alles vermeiden, was die Leben der Geiseln in Gefahr bringen könnte.«

»Der Minister wird Ihre Entscheidung begrüßen«, sagte Anspach und konnte den Triumph in seiner Stimme kaum unterdrücken, »nur habe ich aus Ihrer Antwort herausgehört, daß Sie Dschafar erst in den nächsten Stunden . . .«

»Das ist der einzige Punkt, den wir noch klären müssen«, sagte Newley und bedeutete Anspach, der schon stand, daß er sich noch einmal setzen möge.

Unwillig ließ Anspach sich wieder nieder, rückte die Aktentasche auf dem Teppich griffbereit in die Nähe, nahm das Glas und trank den Rest Champagner aus. »Um wie viele Stunden handelt es sich?«

»Wir stehen noch in Verhandlung mit einem Ihrer Nachbarländer.«

»Österreich?«

»Österreich, Schweiz, Frankreich. Aber auch Italien und Spanien kommen in Frage.«

»Und wann fällt die Entscheidung?«

»Wir hoffen, jede Minute. Kann sein, daß wir sogar Ihr, hm, Ihr Ultimatum einhalten können. Nur, wenn nicht, dann bitten wir um eine mögliche Verlängerung der Frist.«

»Im Höchstfall . . .?«

»Im Höchstfall bis heute abend. Können wir so verbleiben?«

»Ich kann nichts versprechen.« Anspach erhob sich und nahm die Tasche auf. »Ich könnte es mir aber vorstellen. Auf Wiedersehen, meine Herren.«

31

Bis zum späten Nachmittag hatte Schwester Christine Bern vergeblich versucht, die Mutter von Andy Werner zu erreichen. Mittlerweile hatte sie die Nummer der Pension in Obermenzing im Kopf. Sie wählte. Es läutete durch.

»Hauser hier.«

»Guten Tag, Frau Hauser«, sagte Christine, »ich bin es noch mal, Schwester Christine, Herzklinik.«

»Ah, Sie wollen Frau Werner.« Zuvorkommend, freundlich.

»Ja. Ist sie jetzt da?«

»Ist es denn etwas Ernstes? Ich meine, weil Sie so oft anrufen?«

»Wir wollten... Frau Hauser, ich muß Frau Werner sprechen.«

»Handelt es sich um ihren Sohn?«

»Bitte sagen Sie Frau Werner, daß ich sie sprechen möchte.«

»Ich werde nachschauen. Einen Moment bitte.« Frau Hauser fühlte sich übergangen. Sie hätte allzu gerne Genaueres erfahren, hätte gerne Anteil genommen. Ihre Stimme klang frostig.

Sie legte den Hörer auf die kleine Konsole mit dem Deckchen aus Klöppelspitze, ging mißmutig die enge, steile Treppe hoch, die bei jedem Tritt knarzte, und klopfte an Frau Werners Zimmertür. »Frau Werner!«

Von drinnen kam ein müdes »Ja, Frau Hauser?«

»Sie werden am Telefon verlangt. Von der Herzklinik.«

»Die Herzklinik?« Sylvie Werner drehte mit zitternden Händen den Schlüssel und riß die Tür auf. In ihren Augen stand Entsetzen. »Was ist mit Andy?«

»Ich weiß es nicht«, antwortete Frau Hauser und strich sich die Schürze glatt, »eine Schwester Christine will Sie sprechen. Sie hat heute schon ein paarmal angerufen.«

»Ich komme.« Sylvie Werner lief mit schnellen Schritten vor Frau Hauser die Treppe hinunter zu der Konsole. Sie nahm den Hörer. »Ja? Hier Frau Werner.«

»Frau Werner, hier ist Schwester Christine. Gut, daß ich Sie erreiche.« Christine bemühte sich, gelassen zu wirken, sich nicht anmerken zu lassen, wie es um Andy stand, und seine Mutter dennoch zu bewegen, so schnell wie möglich in die Klinik zu kommen.

»Ist was mit Andy?«

»Sie brauchen sich nicht zu beunruhigen, Frau Werner. Der Professor möchte Sie nur gerne sprechen. Er ist noch im Hause und wartet auf Sie. Aber er muß weg. Wenn Sie also bitte so schnell wie möglich . . .?«

»Der Herr Professor? Hat das nicht bis morgen Zeit? Ich komme eben aus der Stadt zurück. War seit heute morgen unterwegs.«

»Nein, Frau Werner, das hat leider nicht Zeit. Sie müssen sofort kommen.« Sie setzte hinzu: »Mehr weiß ich leider auch nicht.« Christine griff zur Lüge, es schien ihr der einzige Ausweg.

»Na schön, ich komme. In einer halben Stunde.«

»Nein, Frau Werner. Sofort. Haben Sie einen Wagen?«

»Nein. Ich fahre zur Klinik immer mit der Straßenbahn.«

»Bitte nehmen Sie ein Taxi, Frau Werner. Sie bekommen es vergütet.« Christine überschritt ihre Befugnis. Notfalls wollte sie das Taxi aus eigener Tasche bezahlen. »Können Sie also in spätestens fünfzehn Minuten hier sein?«

»Ich will es versuchen.«

32

Paul Niklas streifte sich im Gehen den weißen Mantel über und nahm mit großen Schritten gleich mehrere Treppenstufen auf einmal. Der Anruf hatte ihn zu Hause erreicht. Als er aus dem Wagen stieg, da hatte er das Telefon gehört. Er hatte die Absicht gehabt, sich wenigstens eine Stunde ungestört auszuruhen. Das Herz des Jungen hatte seinen Eigenrhythmus gefunden. Nach menschlichem Ermessen hatte der Junge die Krise überstanden. Paul hatte die Tür aufgesperrt, nach dem Mädchen gerufen, nach Helen, niemand hatte sich gemeldet, nur das Telefon läutete weiter. Er hatte den Anruf entgegengenommen, das Haus stehenden Fußes verlassen und war zur Klinik zurückgefahren.

Er stieß die Schwingtür zur Intensivstation auf. Ihm genügte ein Blick. Die Atmosphäre war hektisch.

Jena kam auf ihn zu. »Eine Chance?« fragte Paul.

Jena zuckte die Achseln: »Wir kommen nicht aus dem Kammerflimmern heraus«, sagte er mit belegter Stimme.

»Wie lange schon?«

»Fast eine halbe Stunde.«

»Nichts?«

»Nichts. Wir haben alles versucht.«

»Aber das Herz hatte seinen Eigenrhythmus wieder.«

»Aber mit vielen Extrasystolen.«

»Und Sie haben alles versucht?«

»Alles. Defibrillator. Massage. Beatmung. Xylocain. Ohne Erfolg.«

»Das heißt also . . .«, sagte Paul undeutlich.

»Es bleibt uns nur noch die Hoffnung«, sagte Jena, wandte sich den anderen zu und ging voran in die Kabine.

Paul blieb eine Weile nachdenklich stehen. Die Schrittmacher-Elektroden! schoß es ihm durch den Kopf. Hätte er die Elektroden vorsorglich eingenäht, hätte ein Herzblock abgefangen werden können! Dann hätte es aller Voraussicht nach auch kein Kammerflimmern gegeben.

Er ging den anderen nach. Er wußte, daß er im Augenblick hier nicht helfen konnte, daß er so gut wie überflüssig war. Trotzdem blieb er.

Er ging in die Kabine, wo die Kollegen um das Kind bemüht waren.

Er sah, daß sich die Pupillen von Andreas maximal erweitert hatten und so den Hirntod anzeigten.

Die Kollegen versuchten noch zwanzig Minuten lang, das Kind ins Leben zurückzubringen.

Paul sagte zu Kramer: »Hören Sie auf. Es ist sinnlos.«

Er verließ den Raum. Aus! dachte er. Aus! Ich habe verloren. Ich habe verloren, wie ich damals vor fünfundzwanzig Jahren verloren habe. Ich habe verloren, weil ich noch einmal gegen meine Überzeugung gehandelt habe. Ich habe in Karachi verloren, weil ich David nicht selbst, nicht mit meinen Händen, den Händen seines Vaters, der ihn über alles liebte, operiert habe, obwohl ich wußte, daß mir der Kollege in allen Belangen unterlegen war, und ich habe heute und hier verloren, weil ich die Operation nicht abgegeben habe, obwohl unverkennbare Anzeichen mich dazu hätten veranlassen müssen. Ich habe beide Male verloren, weil ich nicht genug Kraft aufgebracht hatte, mich zu überwinden.

Er wartete Jenas Kommentar nicht ab und ging hinaus auf den Flur, durch die Schwingtür, die Treppe hinunter in sein Zimmer.

Als Sylvie Werner eintraf, abgehetzt und völlig verstört, als sie versucht hatte, sich durchzufragen zu Schwester Christine, sie jedoch weder in der Ambulanz noch sonst irgendwo im Haus gefunden hatte, als sie auch Professor Jena und Professor Niklas nicht hatte erreichen können, als sie dann, verzweifelt entschlossen, allein und ohne Anmeldung die Intensivstation betreten hatte, da schoben zwei Pfleger eben die Lafette mit ihrem toten Sohn an ihr vorbei.

33

Richard Anspach stemmte seinen massigen Körper mit den Händen von der Tischplatte hoch, gähnte ungeniert, kam um den Schreibtisch herum, rückte in Gedanken seine Hornbrille zurecht und sagte mit lauter Stimme, so daß ihn seine Sekretärin durch die offene Tür hören konnte: »Wenn was ist, ich bin im Casino.«

Im gleichen Augenblick summte im Vorzimmer das Telefon. Die Sekretärin meldete sich. Gleich darauf sagte sie eilig: »Einen Moment bitte!«, hielt die Hand vor die Membrane und rief ihrem Chef zu: »Für Sie, Herr Regierungsdirektor!«

Anspach hatte schon die Klinke heruntergedrückt. Er kam mißmutig zurück ins Zimmer. Er meldete sich. Er dachte an das Bier, das er im Casino hatte trinken wollen.

»Regierungsdirektor Anspach?«

»Ja.« Anspach hielt die Membrane zu und rief ins Vorzimmer hinüber: »Verdammt noch mal, wer ist denn da dran?«, und die Sekretärin rief mit pflichteifriger Stimme zurück: »Die amerikanische Botschaft, Herr Regierungs...«

»Schließen Sie die Tür!« fuhr Anspach sie an, und sie drückte die Tür betont hart zu.

Anspach gab die Membrane frei: »Jetzt kann ich sprechen.«

»Einen Augenblick, ich verbinde mit Mister Newley.«

Das übliche Knacken in der Leitung, Newley war am Apparat.

»Herr Anspach?«

»Ja. Was gibt's?«

»Es eilt. Wir müssen zu einer neuen Absprache kommen.«

»Neue Absprache?« Anspach vergaß das Bier. »Ich kann mir nicht denken, wieso?«

»Es ist ein Umstand eingetreten, der eine neue Absprache unumgänglich macht.«

»Nun sagen Sie schon!«

»Nicht jetzt. Wir müssen uns sehen.«

»Ich glaube nicht«, sagte Anspach, »daß wir von unseren Bedingungen abgehen können.«

»Es wird Ihnen keine andere Wahl bleiben, Herr Anspach. Es ist ein nicht voraussehbares Ereignis eingetreten. Es macht alle unsere Überlegungen hinfällig. Unsere Überlegungen und auch Ihre Überlegungen.«

»Gut, wir setzen uns noch mal zusammen. Ich muß nur vorher den Herrn Minister konsultieren.«

»Okay. Sagen wir in dreißig Minuten? Hier in der Botschaft?«

»Ich werde mich beeilen. Bis gleich.«

»Herr Anspach, hören Sie noch?«

»Ja, noch was?«

»Ich glaube, es ist am besten, Sie bringen den Minister gleich mit.«

34

Paul Niklas fuhr den Wagen in die Garage. Es dämmerte. Er schloß von innen das Tor und ging durch die eiserne Tür direkt ins Haus. Seinen zusammengeknüllten Regenmantel warf er gleichgültig auf einen Sessel der Diele. Die Post, die für ihn wie gewöhnlich auf der Barockkommode lag, beachtete er nicht.

Im Wohnzimmer nahm er eine Flasche Martell aus der Bar, nahm ein Glas und goß sich ein. Wie abwesend schwenkte er den Cognac im Glas. Seine Gedanken waren in der Klinik. Er hatte sich von Jena nicht verabschiedet. Er hatte Frau Gramm nicht gefragt, ob die Mutter des Jungen noch gekommen war. Er hatte Kramer nicht mehr gesprochen und nicht nach der Ursache für das akute Herzversagen gefragt.

Wie um die Gedanken zu vertreiben, kippte er den Cognac mit einer schnellen Bewegung herunter. Er horchte. Es schien niemand im Haus zu sein. Er hatte plötzlich das Bedürfnis, Leben um sich zu haben, mit einem Menschen zu sprechen. Er ging zurück in die Diele, von der aus die Treppe in das obere Stockwerk führte. Er rief nach

Helen. Keine Antwort. Er rief noch mal. Da hörte er in seinem Rücken ein unterdrücktes Lachen.

Er drehte sich um. »Kathy, du?«

»Bist du überrascht?«

»Ich habe nicht mit dir gerechnet. Bist du seit heute morgen hier?«

»Seit ein paar Stunden.«

»Komm herein.« Sie gingen ins Wohnzimmer und setzten sich in die Ecke bei der Bücherwand, er auf das Sofa, sie in einen der Sessel.

»Du bleibst jetzt bei uns?« Er schlug die Beine übereinander und verschränkte die Arme vor der Brust.

»Die Fragestellung ist nicht exakt. Ja, ich habe mich entschlossen, wieder hier zu wohnen. Aber ich bleibe nicht bei euch, sondern nur bei dir.«

Er überhörte den feinen Unterschied. »Wo ist das Mädchen?«

»Ausgang.« Sie rutschte in den Sessel hinein.

»Ausgang? Schon wieder? Hat sie denn jeden Tag Ausgang?«

»Heute habe ich ihn ihr gegeben.«

»Du? Und wo ist Helen?«

»Das wollte ich dir ja gerade damit sagen.«

»Mit was?«

»Daß deine Fragestellung nicht exakt genug war, wie du mich gefragt hast, ob ich jetzt bei euch bleibe. Bei euch«, sie betonte das Wort ›euch‹ und sah ihn eindringlich an, »kann ich nämlich gar nicht bleiben. Auch wenn ich wollte. Aber ich hätte nie gewollt.«

»Kathy, sprich vernünftig. Wo ist Helen?«

Ihr Gesichtausdruck erhellte sich. »Weg«, sagte sie leise, als gäbe sie ein Geheimnis preis, »sie ist weg für immer.«

»Was sagst du da? Kathy, mach keine Witze!«

»Das ist kein Witz. Oder doch! Ein ganz ungeheurer Witz sogar! Wir sind sie los, Paps! Endgültig los!«

Abrupt stand er auf. Er fühlte sich von seiner Tochter nicht ernstgenommen. Er war ärgerlich. »Gib mir endlich eine klare Antwort! Ist Helen oben? In ihrem Zimmer?«

»Sie ist weg! Glaub mir doch endlich!« Sie kauerte ungerührt in ihrem Sessel und grinste ihn vergnügt an.

»Ah!« Er machte eine wegwerfende Handbewegung, ging hinaus in die Diele, rief Helens Namen, ging die Treppe hinauf, öffnete alle Türen und kam nach einiger Zeit zurück ins Wohnzimmer.

Kathy saß noch da, wie er sie verlassen hatte. »Hatte ich recht?«
sagte sie und konnte ihre Freude nicht verbergen.

»Hast du mit ihr gesprochen?« sagte er und blieb vor ihr stehen.

»Nein. Ich habe meine Weisheit von unserem lieben Mädchen.«

»Sprich endlich!«

»Die gnädige Frau hat heute vormittag gepackt. Vier Koffer. Eine
Tasche. Ein Beauty-case. Und das übliche Zeug. Kurz nach Mittag hat
sie ein Taxi gerufen und sich zum Flughafen fahren lassen. Das ist
alles.«

»Und woraus schließt du, sie sei für immer fort?« Seine Frage war
drohend.

»Sie hat sich verabschiedet. Vom Mädchen. So, wie man sich nur
für immer verabschiedet. Ach, noch etwas! In deinem Arbeitszimmer
liegt ein Brief. Ich glaube, auf der Schreibmappe. Aber auch diese
Weisheit habe ich nur . . .«

Er hörte nicht mehr hin. Er ging ins angrenzende Arbeitszimmer,
machte Licht und trat an den Schreibtisch. Der Brief war nicht zu
übersehen.

Er nahm ihn auf, überlegte kurz, ging mit dem Brief in der Hand
zur noch offenen Tür, sagte zu Kathy, die ihre Stellung nicht verändert hatte: »Ich möchte nicht gestört werden.« Dann schloß er die Tür
hinter sich.

Er setzte sich an den Schreibtisch. Das schmale Kuvert, fliederfar-
ben, auf der Rückseite die in Blau gedruckten Initialen H. N., auf der
Vorderseite in ihrer steilen, klaren Schrift die Worte: Für Paul.

Er riß es auf.

»Lieber, von Herzen geliebter Paul!

Bitte sei nicht traurig, daß ich ohne Abschied gehe. Ich versuchte
gestern, Dir alles zu erklären. Für mich war der Abschied schon gestern abend gegeben, als ich Dich nach unserem Gespräch noch einmal
küßte. Ich hoffe aufrichtig, Du hast in dieser flüchtigen Geste alle
meine tiefe Liebe zu Dir empfunden, alle meine guten Wünsche, die
Dich auf Deinem Weg begleiten mögen, auf dem beruflichen und dem
privaten. Sehnsüchtig habe ich auf eine Reaktion von Dir gewartet,
auf einen lieben Blick, auf Wärme. Nicht, daß ich dann meinen Entschluß rückgängig gemacht hätte, nein, Paul, ich wollte nur diesen
letzten Eindruck von Dir in Erinnerung behalten.

Vielleicht wollte ich damit zu viel. Aber immerhin: Mir war, als hattest Du mir noch nachgeschaut. Die Erinnerung allein daran wird mich beglücken.

In diesen Zeilen noch einmal die Beweggründe für meine Entscheidung darzulegen, halte ich für müßig und unangebracht. Ich bin sicher, daß Du meine Argumente gelten läßt, daß Du mich verstehst, vielleicht zum erstenmal in unserem gemeinsamen Leben, wenn auch vielleicht nicht sofort, sondern erst nach genauem Durchdenken.

Ich will Dir noch einmal sagen, wie schwer mir der Entschluß fiel, Dich zu verlassen, wie lange und quälend ich mich damit beschäftigte, wie sehr ich mich dagegen sperrte, mit welchem Herzklopfen ich unser gestriges Gespräch eröffnete.

Dann aber, als wir uns freundschaftlich wie zwei wirklich reife Menschen unterhielten, als wir vorurteilsfrei und ohne Groll miteinander debattierten, fühlte ich mich auf einmal frei und meiner Entscheidung sicher. Dafür danke ich Dir.

Ich danke Dir auch für das großzügige Leben, das Du mir geboten hast, für alle materiellen Dinge, an denen es mir bei Dir nie fehlte. Und ich danke Dir, daß Du mir wenigstens manchmal für wenige Augenblicke das Gefühl vermittelt hast, uneingeschränkt bei Dir sein zu dürfen, auch wenn dieses Gefühl mich vielleicht getrogen haben sollte.

Paul, eigentlich bist Du der Mann, den ich mir schon in meiner Jugend gewünscht hatte. Der Mann, der, als er mir dann plötzlich gegenüberstand, damals auf dem Treffen der Medizinjournalisten, Du erinnerst Dich?, der dann meine Knie bedenklich ins Wanken brachte. Du bist der Mann, der mir zum erstenmal bewußt werden ließ, daß ich ein Herz habe. An Deiner Seite klopfte es mir tatsächlich manchmal ›bis zum Hals‹, ungestüm und vernehmlich, vor einer Aufregung, die man meiner Ansicht nach Liebe nennt.

Und wohl mein Leben lang werde ich an einen Vormittag im Gebirge denken. Hatten wir nicht bei Jan übernachtet? Ich sehe uns zu zweit allein auf einer sonnenüberfluteten Wiese sitzen, einer steilen weiten Wiese unter einer Felswand, mitten im hohen Gras zwischen Blumen und Unkraut, umsummt von Insekten, entrückt der Zivilisation, und ich hatte meinen Kopf an Deine Schulter gelehnt. Wir sprachen kein Wort. Wir träumten, miteinander vertraut, mit offenen Augen, eine gute Stunde lang. Es war unsere schönste Stunde.

In Paris werde ich mich in ein neues, fremdes Leben stürzen. Ich werde mich bemühen, wieder zu mir selbst zu finden. Sollte es mir gelingen, lasse ich es Dich wissen. Leb wohl, Paul, und grüße Kathy von mir. Vielleicht sieht sie mich einmal in anderem Licht.

PS. Bitte versuche nicht, mich zu erreichen. Du würdest nur alles zerstören.«

Paul faltete den Brief und verschloß ihn im Schreibtisch. Er war müde und wollte allein sein. Er löschte das Licht, verließ den Raum durch die Tür, die auf den Flur führte, und ging nach oben.

Er schloß sich im Schlafzimmer ein und ging zu Bett. Er nahm sich vor, morgen, wenn er ausgeschlafen war und einen freien Kopf hatte, über sich nachzudenken, unvoreingenommen und schonungslos.

Mit dem Gedanken schlief er ein.

35

Lange nach Paul Niklas hatte an diesem Tag Montgomery Saunter die Klinik verlassen. Mit gesenktem Kopf war er über den Parkplatz gegangen, auf seinen Wagen zu. Die Ereignisse der letzten Stunden hatten ihn stärker berührt, als er geglaubt hatte. Das Gespräch mit Paul Niklas, die Enttäuschung des anderen über seine Tochter, der verzweifelte, aussichtslose Kampf um das Leben des Jungen Andreas.

Er fuhr sich mit der Hand über den Nacken. Ein Tag, der einen in die Knie zwingen konnte, ein häßlicher Tag, dachte er, und warf seine Mappe auf den Rücksitz.

Er wollte den Tag so schnell wie möglich vergessen. Der Trubel in Schwabing sollte ihm dabei helfen. Musik, Leben, andere Gesichter, das sollte ihm die belastenden Gedanken vertreiben.

Er zwängte sich hinter das Lenkrad und startete den Motor.

»Hallo, Monty! Können Sie mich mitnehmen?«

»Hello, Schwester Christine.«

»Ich habe heute keinen Wagen. Ist in der Werkstatt. Fahren Sie in Richtung Stadt?«

»Nach Schwabing.«

»Um so besser. Ich wohne in der Kaiserstraße. Darf ich?«

»Wenn Sie keine Angst vor mir haben.« Er stieß ihr die Tür auf, und sie stieg ein.

In der Kaiserstraße hielt er vor dem grünen Haus an. »Danke fürs

Mitnehmen«, sagte Christine beim Aussteigen, »ich habe dadurch viel Zeit gespart.«

»Ist doch selbstverständlich.«

Sie zögerte und stellte ihre Tasche auf den Kotflügel. »Und Sie machen also jetzt Schwabing unsicher?«

»Ja«, lachte er, »ich stürze mich in die Fluten der Sünde.«

»Haben Sie da ein bestimmtes Aquarium?«

»Das wäre langweilig.«

»Sie haben recht. Viel Spaß! Und wo essen Sie?«

»Essen? Ich weiß gar nicht, ob mir was bekommt.«

»Aber Sie müssen doch etwas essen! Wie wär's, wenn ich Sie zu Fleischhappen einlade? Fürs Mitnehmen. Sie reichen für zwei.«

»Nehmen Sie es mir übel, wenn ich nicht spontan zusage? Das geht nicht gegen Sie und Ihre sicher vorzügliche Kochkunst.«

»Sondern? Gegen wen?«

»Gegen mich. Ich bin heute nicht sehr geistreich.«

»Ich habe es Ihnen schon beim Einsteigen angesehen. An der Nase. Sie haben Ihren Moralischen, stimmt's?«

»So was Ähnliches, ja.«

»Okay. Wir essen stumm. Dann gehen wir in irgendein Bumms, stumm. Tanzen, stumm. Und das wär's dann.«

»Wenn Sie sich unbedingt mit mir belasten wollen. Ich parke den Wagen und komme.«

Christine Bern bewohnte ein Atelier. Das hohe, schräge, unterteilte Fenster nach Norden. Die Wände bis an die Decke voll Bilder, Ölgemälde, Aquarelle, Kreideskizzen. Die Staffelei, an der zwei Kleider von ihr hingen. Der abgetretene Teppich. Die durchgesessene Couch. Der kniehohe Tisch mit den Papierblumen. Die Kiste, auf der ein altes Kissen lag. Der elektrische Plattenspieler. Das kleine Radio. Zwei Koffer. Schuhe, einzeln über den Fußboden verstreut. Sitzkissen. Die Büste des Königs Ludwig in Gips, mit aufgeklebtem Schnurrbart. Der Vorhang, der die Küche vom Raum trennte. Der Paravent aus Japan.

»Und wie kommen Sie an die Pracht?« Montgomery blieb an der Tür stehen.

»Wie kommt man an eine Wohnung?«

»Sind Sie Malerin?« »Nein. Aber der Besitzer der Bude ist für zwei Jahre weg. Asien. Afrika. Motivsuche, wie er sagt. Und die Bude liegt günstig. Ich bin nämlich ein Schwabing-Fan.«

»Ein Bekannter von Ihnen?«

»Der Besitzer? Keine Spur. Stand in der Zeitung. Gefällt's Ihnen?«

»Man muß sich vielleicht erst daran gewöhnen. Aber ich finde es stinkgemütlich. Und wohin führt die Tür?«

»Ins Bad.«

»Und was verdeckt der Paravent?«

»Das Bett. Ich brauche ein Nest.«

Der Abend verlief, wie Christine ihn sich vorgestellt hatte. Nicht langweilig, nicht von seelischem Ballast überschattet, nicht stumm.

»Und wie nennen sich diese Happen?« Montgomery aß mit Genuß.

»Das sind Bocados de Carne. Ganz einfach. Gibt's in Peru.«

»Nicht schlecht. Sogar ausgezeichnet. Und warum schmecken sie so gut?«

»Das Rinderfilet liegt ungefähr sechs Stunden in der Marinade. Ganz bedeckt.«

»Marinade? Und woraus besteht die?«

»Olivenöl. Pfeffer. Eine halbe Tasse gewürfelte Zwiebeln. Ein Lorbeerblatt. Und, wenn man mag, Knoblauch in jeder Menge.«

»Und Sie mögen«, sagte er, »und ich auch.«

»Gott sei Dank.« Sie waren vergnügt.

»Zum Nachtisch gibt's eine Spezialität aus einem anderen südamerikanischen Land.« Sie trug den Auflauf auf.

»Stop! Sie wollen mich mästen!« Er hob abwehrend die Hände.

»Flan de Bananas«, sagte sie unbeeindruckt, »kommt aus Venezuela.«

»Ein Teufelszeug! Morgen bin ich um drei Kilo schwerer.« Er probierte. »Mit Butter, habe ich recht?«

»Mit Butter. Mit Sahnequark. Mit süßer Sahne. Mit Zimt und Zucker. In Caracas konnte ich davon nicht genug kriegen.«

»Wann waren Sie dort?« »Vor zwei Jahren. Mit meinen Eltern. Sie machen jedes Jahr eine große Reise.«

»Und der Papa kann es sich erlauben«, fragte er, »zeitlich und hier?« Mit Daumen und Zeigefinger deutete er an, daß er an Geld dachte.

»Er erlaubt es sich einfach«, sagte sie, »er gönnt es sich und seiner Familie.«

»Wenn sein Beruf es ihm ermöglicht, warum nicht?«

»Er ist Kollege.«

»Mediziner?« Er konnte sein Erstaunen nicht verbergen.

»Ja. Komisch, was? Praktischer Arzt. In Freiburg.«

»Und natürlich sind Sie das einzige Kind.«

»So ist es. Man hat mich nach München geschickt, um einen Nachfolger für die Praxis zu angeln. Das wollten Sie doch sagen?«

»Sie sind Hellseherin. Und wie steht's um den Nachfolger?«

»Quark. Ich will keinen. Ich bin zwar gerne in der Klinik. Aber ich will keinen Arzt zum Mann.«

»Dann passen wir ja großartig zusammen«, sagte er, und als sie nicht gleich begriff, fügte er hinzu: »Ich suche nämlich auch keine Frau, die mit unserem Beruf zu tun hat. Ich suche überhaupt keine. Wollten wir nicht zum Tanzen gehen?«

»Ich habe noch einen Calvados. Direkt aus Caen. Eisgekühlt. Wie wär's damit?«

»Einen, das geht.«

Sie holte die Flasche aus dem Kühlschrank. »Und mehr? Das geht nicht?«

»Ich muß morgen schon nach sieben in der Klinik sein.«

»Ich auch.«

»Aber ich habe um halb neun Operation. Mit Kramer.«

Sie tranken. Christine legte eine Platte auf. Joe Cocker. Sie sprachen über die Arbeit, über Kollegen, erzählten sich belanglose Neuigkeiten, die sie im Haus gehört hatten.

Von der Platte tönte ein Blues. »Wir können auch hier tanzen.« Sie forderte ihn auf, und sie schoben mit den Füßen den Teppich zur Seite, und sie tanzten.

Am Anfang tanzten sie ohne körperliche Berührung mit gestreckten Armen, dann umschlossen sie sich, und nach und nach enger, sie schmiegte sich an ihn, und er spürte die Wärme ihrer Brüste und Schenkel.

Die Platte war zu Ende. »Gleich elf«, sagte er, »ich muß leider gehen.«

»Noch einen Calvados.«

»Den letzten.« Er nahm das Glas aus ihrer Hand entgegen. Ihre Augen baten und sie sagte: »Ich habe eine Bitte.«

»Wenn sie mir nicht zuviel Zeit nimmt.«

»Gleich geschehen. Meine Dusche tut's nicht. Das heißt, sie tut's nur, wenn ein zweiter . . . kommen Sie, ich zeige es Ihnen.« Sie ging voran ins Badezimmer.

»Sehen Sie, so!« veranschaulichte sie ihm den Defekt. »Ein zweiter muß dort die Kette bedienen. Gefühlvoll. Dann funktioniert das Ding.«

»Eine phantastische Konstruktion!«

»Nur mühsam. Würden Sie also bitte die Kette übernehmen?«

»Jetzt? Wollen Sie etwa jetzt duschen?«

»Irgendwann muß ich ja. Und wenn ich allein bin und dann zuerst die Kette ziehe und festmache, ich meine, bevor ich mich unter die Dusche stelle, dann gibt's entweder eine Sintflut oder nur ein Getröpfel. Würden Sie also bitte die Kette . . . .?«

»Aber Sie wollen doch nicht wirklich jetzt duschen?«

»Es dauert nicht lange. Sie kommen noch rechtzeitig ins Bett. Hier, nehmen Sie!« Sie drückte ihm das Ende der Kette in die Hand und verschwand.

Er war sprachlos. Er hielt die Kette. Ehe er zum Nachdenken kam, war Christine schon wieder da. Nackt mit einem vorgehaltenen zyklamfarbenen Badetuch, das ihre Blößen nur notdürftig verdeckte.

Sie muß sich die Kleider förmlich vom Leib gerissen haben, schoß es ihm durch den Kopf, sie muß die Schuhe von sich geschleudert, in der Bewegung den Reißverschluß der Hose aufgezerrt und die Hose fallen gelassen, das Hemd und den Pulli in einem über den Kopf gezogen haben. Aber die Strümpfe! Wie hatte sie die Strümpfe herunterbekommen? Und außerdem: Was hatte sie unter dem Badetuch an?

Sie ließ das Tuch auf die Kacheln des Fußbodens gleiten. Nichts! dachte er und wandte den Blick ab, sie hat nichts drunter an.

»Jetzt die Kette!« rief sie ihm zu. »Vorsichtig ziehen! Wenn Sie herschauen, merken Sie selber, wann es genug ist. He, Monty! Fürchten Sie sich etwa vor der Anatomie?«

Er sah zu ihr hin und betrachtete sie unbefangen. Sie war von ebenmäßiger Schönheit. Ihr langes, blondes Haar fiel bis über die Schultern. Ihre Haut, braungebrannt von der Sonne, schimmerte selbst im fahlen Licht der Neonröhre. Ihre Brüste, voll und straff, mit einem breiten Hof um die Spitzen, vollendet modellierten Hügeln gleich, fügten sich wie Taille, Hüften und Schenkel zu einer sanft geschwungenen Figur.

Sie band sich mit einem Handtuch das Haar hoch. »Jetzt!« Er zog an der Kette. Das Wasser prallte auf sie nieder, auf ihr Gesicht, das sie dem Strahl entgegenhob, auf die Schultern, auf denen kleine Kristalle zu tanzen schienen.

»Trocknen Sie mich auch ab?« Es hatte der versteckten Ermunterung nicht mehr bedurft. An Christine troff das Wasser herunter, da griff er sie schon bei der Hand und zog sie in den Wohnraum und hinter den Paravent. Eng verschlungen sanken sie auf die mit einem hellblauen Leintuch überzogene Matratze des eisernen Bettgestells.

Als sie voneinander ließen, zeigte der kleine Wecker auf der Kiste neben dem Bett weit nach Mitternacht. »Bleib noch.« Sie legte ihren Kopf gegen seine Brust. »Es ist schön mit dir.«

Sie schwiegen eine Zeitlang. Er verschränkte seine Arme im Nakken. »Irgendwann muß ich trotzdem gehen.«

»Du kannst auch hier schlafen. Zum Frühstück gibt's frische Semmeln. Bringt die Nachbarin. Wie wär's mit einem Calvados?«

»Damit kannst du mich jetzt jagen. Hast du Sprudel?«

»Ja. Kannst du noch warten?«

»Okay. Hatte dein Trick mit der Kette heute Premiere?«

»Ja. Hast du es gemerkt?«

»Du warst perfekt. Aber ich habe der Sache nicht getraut.«

»Muß ich mich jetzt bedanken, weil du doch geblieben bist?«

»Ich bin sicher nicht der erste, der dir nicht wiederstehen konnte.«

»Nein, der erste bist du nicht. Aber ein besonders netter. Einer, der mir gefährlich werden könnte.«

»Haben wir nicht ein Übereinkommen getroffen?«

»Daß wir niemanden aus demselben Beruf suchen?«

»Daß ich gar niemanden suche? Niemanden gebrauchen kann?«

Sie gab keine Antwort. Sie küßte den Ansatz seines Halses. »Aus welcher Ecke der Staaten kommst du?«

»Aus Kansas. Attica. Kennt hier kein Mensch. Liegt an der Straße hundertsechzig. Mehr ist darüber nicht zu sagen.«

»Saunter. Heißt das nicht soviel wie Bummler?«

»Hat aber mit mir nichts zu tun.«

»Kommt der Name aus dem Deutschen?«

»Ich weiß nicht. Aber mein Großvater, also der Vater meines Vaters, der war in Schwäbisch Gmünd geboren. Max Schlender. War ein Baum von einem Kerl. Und gutmütig bis über die Ohren. Ich habe ihn noch gekannt. Mit achtundzwanzig ist er eingewandert. War Bierbrauer. Hat gutes Geld gemacht. Nur seinen Namen konnten sie schlecht aussprechen. Schlendern heißt ja soviel wie bummeln. Also haben sie ihn Saunter genannt.«

»Und dein Vater? Hat der auch mit Bier zu tun?«

»Nein. Mein Vater heißt auch Max und ist jetzt immer noch bei der Telegrafenstation. Mit zweiundsechzig. Hört aber bald auf. Mußte sein Leben lang hart schuften. Eine Frau und fünf Kinder wollen ernährt werden. Na, und mich hat er studieren lassen!«

»Bist du der Älteste?«

»Der Jüngste. Mit dreiunddreißig. So, jetzt weißt du alles.«

»Und deine . . . laß mal sehen!« Sie kam mit ihrem Gesicht nahe an seines heran und versuchte im Halbdunkel die Farbe seiner Augen zu erkennen. »Sind sie nicht grünblau?«

»Je nach dem Stand der Sonne.«

»Hast du sie von deinem . . .«

»Nein, von der Mutter. Sie war mal bildhübsch. Und ich bin ihr Liebling. Hört auf den Namen Tuesday. Genug?«

»Ja.« Sie glitt aus dem Bett, stellte das Radio an, lief in die Küche und kam mit einer großen Flasche Sprudel zurück.

Er setzte die Flasche an den Mund und trank, bis ihm die Augen tränten. »Ein Genuß! Willst du?« Er hielt ihr die Flasche hin.

»Nein, danke.« Sie wartete darauf, daß er die Flasche auf den Fußboden stellte, damit sie ihn umarmen konnte.

Nach einer Weile liebten sie sich von neuem.

Als sie endlich vor Erschöpfung einschliefen, brannte im Raum vor dem Paravent noch die volle Beleuchtung. Es war einige Minuten nach drei Uhr morgens.

36

»Mister Newley, please! Mister Newley, please!« Gedämpft übertrugen die Lautsprecher in den einzelnen Büros den Ruf.

»Verzeihung, Mister Newley, Sie werden über Lautsprecher verlangt!« Newley stand gerade in der Toilette und wusch sich die Hände, als ihn ein hereinkommender Angestellter auf den Ruf aufmerksam machte.

»Danke, Warren«, sagte Newley. Er zog ein Papierhandtuch und trocknete sich in aller Gemütsruhe die Hände ab. Dann ging er gemessenen Schrittes in sein Büro.

»Wo brennt's?«

»Telefon. Schon wieder Mister Anspach.«

»Stellen Sie rüber.«

Im Zimmer nebenan nahm er den Hörer ab. Nach zwei Sätzen waren sie beim Thema.

»Okay, Herr Anspach, Sie waren vorhin verhindert. Nicht weiter schlimm. Ich hoffe, Sie haben heute abend die Nachrichten gehört?«

»Tagesschau?«

»Egal, was immer. Da habt ihr uns ein verdammt heißes Ding eingebrockt!«

»Mister Newley, ich muß doch sehr bitten!«

»Ich weiß, was ich sage, Herr Anspach. Die Meldung kann nur aus Ihrem Ministerium kommen. Wir haben sie jedenfalls nicht herausgegeben.«

»Ich . . . ich hatte heute leider noch keine Zeit, um Nachrichten zu hören.«

»Nur heute abend, meine ich. Vor einer knappen halben Stunde. Wissen Sie, was da gebracht wurde? Nein, Sie können es ja nicht wissen. Da wurde doch wahrhaftig in alle Welt hinausposaunt, unser Freund wechsle noch heute nacht die Position! Können Sie sich so ein Ding vorstellen, Herr Anspach?«

»Ich weiß von der Meldung.« Die Stimme aus dem Bundesinnenministerium klang mit einemmal sehr weit entfernt.

»Sie wissen davon?«

»Ja. Die Meldung ist in der Tat von uns. Wir haben sie schon heute vormittag hinausgelassen. Nach unserer ersten Unterredung. Heute nachmittag dann, nach unserer zweiten Unterredung, haben wir sie nur nicht widerrufen. Absichtlich nicht widerrufen. Denn wir vertraten die Ansicht, daß die Meldung mehr nutzen als Schaden bringt.«

»Nutzen? Wem denn, um Himmels willen, soll sie nützen?«

»Wir dachten, damit die Öffentlichkeit zu beruhigen.«

»Die Öffentlichkeit! Die gottverdammte Öffentlichkeit! Wir versuchen Politik zu machen, und Ihnen geht's um nichts anderes als um die idiotische Öffentlichkeit!«

»Und wir glaubten, damit auch das AWT zu beruhigen.«

»Das AWT! Herr Anspach, das durfte jetzt nicht kommen! Das AWT ist in diesem Fall allein unsere Angelegenheit. Das nächstemal, wenn Ihr Land davon betroffen sein sollte, überlassen wir Ihnen gerne die Beruhigung der AWT-Bestien. Jetzt nicht!« Newley hatte sich in Erregung hineingesteigert. Er holte tief Luft und wurde sachlich: »Die verantwortlichen Stellen unserer Regierung verlangen, daß diese Meldung bei der nächsten Nachrichtensendung widerrufen wird. Meinetwegen sagen Sie, Sie seien einer voreiligen, falschen Information aufgesessen, das ist uns egal. Kann ich Ihr diesbezügliches Einverständnis weitergeben?«

Anspach schluckte hörbar. »Ja, wir werden widerrufen.«

»Danke, Herr Anspach.«

»Bitte, Mister Newley.«

Das Gespräch war beendet. Anspach legte zögernd den Hörer auf. Wie wird die Presse und die Öffentlichkeit reagieren, dachte er, wenn sie erfahren wird, daß Dschafar nun doch nicht ausgeliefert wird?

37

Um Viertel nach sieben in der Frühe klopfte an der Schlafzimmertür von Paul Niklas das Hausmädchen Sturm. »Herr Professor, Telefon! Es ist dringend!«

Paul, der noch geschlafen hatte, brauchte einige Zeit, bis er bei sich war. Schlaftrunken beugte er sich zum Nachttisch und nahm den Hörer ab. »Niklas.«

»Guten Morgen, Herr Niklas. Hier ist Kramer. Entschuldigen Sie bitte die frühe Störung, ich weiß, Sie haben heute Ihren freien Tag.«

»Ja, das hab' ich wohl. Morgen, Herr Kramer.«

»Es tut mir leid, aber Sie müssen einspringen.«

»Notoperation?«

»Nein. Normale Klappe. Aber Saunter scheint auszufallen. Er ist noch nicht da. Und alle anderen sind blockiert. Und nur mit einer Hand ist mir das Risiko zu groß.«

»Ich bin in zwanzig Minuten dort.« Niklas legte auf.

Zwanzig Minuten später lenkte er seinen Wagen auf den Parkplatz hinter der Klinik. Er war froh gewesen um den freien Tag, der Tod des Jungen hatte ihn sehr getroffen, ein Ausspannen war ihm gelegen gekommen. Doch er konnte Kramer nicht im Stich lassen. Auch wenn er sich nicht in bester Verfassung fühlte.

»Guten Morgen, Herr Professor.« Frau Gramm sah von der Schreibmaschine hoch. In ihrer Stimme schwang Mitgefühl. »Doktor Kramer wartet schon drinnen.«

Kramer stand am Fenster. »Herr Niklas, gut, daß Sie da sind. Monty ist zwar inzwischen eingetroffen, aber . . .«

»Aber was?«

»Ich glaube, es ist besser, wenn er pausiert.« Und wohlgesinnt: »So kenne ich ihn gar nicht.«

»Ist er krank?«

»Sagen wir, nicht hundertprozentig fit.«

»Welchen Fall haben wir?«

»Das sind die Unterlagen.« Er zeigte zum Schreibtisch. »Wir haben den Fall ja gestern durchgesprochen. Keine große Angelegenheit. Aber nur mit dem Obermann allein . . .?«

»Ich bin ja nun da.« Paul überflog die Berichte und Röntgenbilder. »Mit Hagenau ist alles klar?«

»Hagenau ist in OP zwei. Wir haben Eilers. Er ist schon beim Patienten.«

»Dann gehn wir doch auch mal hin. Paul wechselte sein Jackett gegen den weißen Mantel und verließ mit Kramer das Büro.

38

Die Operation war in vollem Gang. Der Schwächeanfall trat ein, als Paul gerade das Operationsfeld ›säubern‹ wollte und die Fettstränge des Brustfells mit der Schere beiseite schob.

Der Anfall traf ihn unvergleichlich stärker als beim erstenmal. Er spürte die Leere im Gehirn, glaubte, er verliere das Bewußtsein, sah einen Augenblick lang nur eine schwarze Wand vor sich, spürte heftig die Stiche in der Herzgegend und das Würgen im Hals.

Mit aller Kraft zwang er sich zur Ruhe, zur Konzentration. Er mußte den Herzbeutel öffnen. Er gab Kramer, der ihm als ›erste Hand‹ zur Seite stand, das Zeichen.

Kramer und Obermann faßten mit ihren Pinzetten den Beutel, ›lupften‹ ihn an, und Paul schnitt ihn am Steg er Länge nach auf.

»Pericat«, sagte er, und seine Stimme gehorchte ihm nur schwer.

Kramer und er ›nähten das Herz hoch‹, das hieß, sie nähten den Beutel mit dem Schnittrand am Operationstuch fest, knoteten unter Zug, so daß das Herz ›hochgeliftet‹ wurde.

Paul war schweißüberströmt. »Herr Kramer.« Mit einer Kopfbewegung bat er den Kollegen zur Seite. »Ich glaube, ich muß abgeben.«

»Ich habe schon bemerkt«, sagte Kramer leise, »daß Sie sich nicht ganz wohl fühlen.«

»Ja. Es hat keinen Sinn. Aber wer ist dann ›zweite Hand‹?«

»Bis Monty fertig ist, verlieren wir Zeit.« In Kramers Blick lag die Frage, die Paul betraf.

»Ich will es versuchen«, sagte Paul, »als ›zweite Hand‹ wird es noch reichen.«

»Die einzige Lösung«, sagte Kramer und: »Ist aber auch ein starkes Stück, daß heute ausnahmslos alle anderen blockiert sind.« Er nahm Pauls Platz ein, Obermann übernahm die Arbeit der ›ersten Hand‹, und Paul trat an die Stelle von Obermann.

Die Operation wurde erfolgreich zu Ende geführt.

In seinem Büro schloß Paul die Tür hinter sich und drehte leise den Schlüssel. Frau Gramm sollte nicht wissen, daß er sich einschloß.

Er setzte sich an den Schreibtisch und stützte den Kopf schwer in beide Hände. Das also ist der letzte Tag, dachte er, der Abschluß einer verhältnismäßig erfolgreichen chirurgischen Tätigkeit. Der Gedanke ging ihm nahe. Er kämpfte mit der Erregung.

Er saß unbeweglich. Zehn Minuten. Eine halbe Stunde. Seine Gedanken erschlafften. Die Arme wurden ihm allmählich steif und schmerzten.

»Herr Professor! Sind Sie da?«

Wie ein Donnerschlag prallten die Worte an sein Ohr.

Er fuhr hoch.

Die Stimme von Frau Gramm, verzerrt über die Sprechanlage. Er preßte mit den Fingern kurz die Nasenwurzel, um zu sich zu kommen, und beugte sich zur Membrane vor: »Ja?« Er räusperte sich. »Ja, Frau Gramm?«

»Ich wußte nicht, ob Sie da sind, Herr Professor. Aber weil die Tür abgeschlossen ist, dachte ich . . .«

»Schon gut. Irgendwas Besonderes?«

»Ich wollte Sie nur auf die Röntgenbesprechung aufmerksam machen.«

»Die Röntgenbesprechung? Ist es schon so spät?«

»Es ist gleich ein Uhr. Nur damit Sie nicht zu spät kommen.«

»Danke, Frau Gramm. Aber . . .« Er überlegte. Er wollte ihr sagen, daß die Röntgenbesprechung ab heute ohne ihn stattfinden müsse, daß Frau Gramm auch ab sofort nicht mehr ihn zu betreuen habe, daß er eigentlich schon gar nicht mehr hier in der Klinik sei.

Er unterließ es. Er wollte sie nicht unnötig beunruhigen.

»Sie wollten noch etwas sagen, Herr Professor?« kam ihre Stimme über die Sprechanlage.

»Ist schon gut. Danke, Frau Gramm.«

Er ging zur Röntgenbesprechung. Er wickelte das Programm des Tages voll ab. Aber am Spätnachmittag nach der Herzkatheter- und Angiokonferenz räumte er im Büro seine persönlichen Sachen in die große Tasche aus dunklem Leder.

Er gab Frau Gramm die Hand. »Auf Wiedersehen.« Sie sah ihn entgeistert an. Noch nie hatte er ihr die Hand gegeben. Nicht einmal, wenn einer von ihnen in Urlaub gegangen war. »Auf Wiedersehen, Herr Professor«, sagte sie zögernd und setzte hinzu: »Sie wissen, daß Sie mir erlaubt haben, morgen früh eine Stunde später zu kommen, weil ich zum Zahnarzt muß?«

»Ja, ja. Geht in Ordnung.« Paul war schon halb auf dem Flur.

Er ist verstört, dachte sie, völlig abwesend, er hat mir bestimmt nicht zugehört und wird sich morgen Gedanken machen, wo ich bleibe.

Sie schrieb mit großen Buchstaben auf ein Blatt Papier: »Lieber Herr Professor. Sie haben mir gestattet, daß ich endlich zum Zahnarzt gehe. Ich komme eine Stunde später. Ihre F. Gramm.«

Sie legte das Blatt mitten auf seinen Schreibtisch, damit er es morgen in der Frühe finden sollte.

39

Bei der Ausfahrt ›Holzkirchen‹ bog Paul von der Autobahn ab. Sekunden später überlegte er es sich anders. Er nahm nicht den Weg nach Rottach, sondern fuhr über die Brücke, unter der an diesem frühen Sommerabend der Verkehr dicht in beiden Richtungen rollte, zurück und wieder auf die Autobahn in Richtung Stadt.

Nein, er wollte jetzt nicht mit Jan reden. Auch wenn er es sich eben noch gewünscht hatte. Er wollte jetzt den Lärm der Stadt um sich haben.

Er schaltete das Radio ein, suchte sich rhythmische Musik und drehte nach ein paar Takten wieder ab. Nein, er wollte jetzt doch keine Ablenkung, wollte doch keinen Lärm, wollte mit niemandem reden, auch nicht zu Hause nichtssagende Worte mit dem Mädchen.

Am Hofoldinger Forst ließ er die Autobahn hinter sich. Er fuhr über die Landstraße, hatte auf seiner Seite das Fenster heruntergekurbelt und fing den Geruch der Natur ein. Eine Wiese, Kartoffelfelder, ein kurzes, kühles Stück durch den Forst. Am Ende des Waldstückes fuhr er einige Meter in einen Feldweg hinein und hielt an.

Er stieg aus. Er warf sich das Jackett über die Schulter und ging den Weg entlang. Tief pumpte er die klare Luft in seine Lungen, roch die Erde, die wild wuchernden Kornblumen, die Minze.

Er suchte einen Platz, auf den er sich setzen konnte. An einer Furche, in der das Gras kniehoch stand, fand er ihn. Er breitete sein Jakkett aus und setzte sich darauf. Er lehnte sich halb zurück, sah in den Abendhimmel, den die untergehende Sonne am Horizont glutrot gefärbt hatte, und war für Augenblicke seiner Welt entrückt.

Er schloß die Augen. Die Vergangenheit stand vor ihm. Die erste Zeit mit Lance. Seine bisher ungewöhnlichste Zeit.

Nach vier Jahren in Minnesota war er, zusammen mit seinem Kollegen George Sutherland, nach Kalifornien gegangen, an das Medical Center der Leland-Stanford-Universität in Palo Alto.

Die kleine Stadt, nur 40 Meilen von San Francisco entfernt, hatte nicht allzuviel Abwechslung geboten.

Er hatte der Forschungsabteilung angehört, und sie hatten oft bis tief in die Nacht gearbeitet. »Paul, du brauchst Ferien!« Sutherlands Worte klangen ihm noch heute im Ohr.

George hatte ihn zu einem Weekendflug auf die Bermudas überredet. Als sie in Hamilton landeten, goß es in Strömen. Die Einheimischen sagten, es seien die schlimmsten Gewitter seit Jahrzehnten.

Sie zogen in den Mid-Ocean-Club, ließen Gewitter Gewitter sein und hielten sich jeder an einer Flasche Kings Ransom fest. Und am Abend waren sie die Könige der Bar.

Paul sah sich plötzlich Boogie-Woogie tanzen, eine vollbusige Brünette vor sich, die ihn auf die Tanzfläche gezogen hatte.

»Sie sind medizinischer Forscher?«

»Ich bin Boogie-Woogie-Meister!«

»Ihr Freund sagt, Sie seien ein medizinischer Top-man?«

»Und ich sage, daß Sie drei Kilo Schmuck zuviel mit sich herumtragen.«

Das war der erste Dialog zwischen ihm und Lance Walsh. Bis zu seinem Rückflug nach San Francisco wich sie nicht mehr von seiner Seite. Am Wochenende darauf stand sie vor seinem Zimmer auf dem Universitätsgelände. Und noch mal eine Woche später hörten sie zusammen in San Francisco ein Leopold-Stokowski-Konzert.

Das war der Abend, an dem er zum erstenmal mit ihr schlief. Drei Monate danach eröffnete sie ihm, daß sie ein Baby erwarte. Kurzfristig wurde die Hochzeit angesetzt.

Vincent Ronald Walsh war an mehreren Eisenhütten beteiligt. Er glaubte, sich und seinem einzigen Kind ein überdimensionales Miami-Beach-Fest zu schulden.

Das Hochzeitskleid wurde im ersten Salon von New York angefertigt. Es war aus gletscherblauem, fast weißlichem Crêpe de Chine, und eine der Näherinnen, eine Französin, nähte ein Haar von sich mit ein, das der Braut Glück bringen sollte.

14 Köche hatten 19 Gänge zubereitet. 2400 Flaschen französischer Champagner lagen auf Eis, acht für jeden Gast. Ein 30-Mann-Orchester spielte zum Tanz. Der Hochzeitskuchen wog 50 Kilo und wurde von sechs weißgekleideten Dienern in den Hotelsaal gerollt. Auf dem Swimming-pool, durch Scheinwerfer in grünes Licht getaucht, schwammen die aus weißen Rosen geflochtenen ›L‹ und ›P‹. Lance bekam von ihrem Vater einen silbernen Cadillac, ein Reitpferd und den Schlüssel zu einer Villa in Palo Alto sowie einen Scheck über eine Million Dollar.

Als sie um vier Uhr morgens endlich allein waren, entspann sich in etwa folgender Dialog:

»Lance, du sollst wissen, daß ich diesen Tag nur aus einem Grund habe über mich ergehen lassen.«

»Was willst du damit sagen?«

»Daß wir nur Mann und Frau sind, weil du ein Baby von mir erwartest. Und daß ich diesen ganzen Zirkus zum Kotzen finde!«

»Weißt du, daß du damit meinen Vater beleidigst?«

»Dein Vater ist lieb und naiv. Um den geht es nicht. Es geht um uns. Und wir können nur zusammenbleiben und das Kind großziehen, wenn du gewillt bist, dich meinem Lebensstil anzupassen.«

Lance war einsichtig. Sie brachte den Scheck zur Bank, rührte das Geld nicht an, verzichtete auf die Villa, zog mit ihm in einen Reihenbungalow und wies alle weiteren übertriebenen materiellen Zuwendungen ihres Vaters zurück.

Kathy wurde geboren. Paul schenkte ihr die Liebe, die er David nicht mehr hatte geben können.

Kathy war noch kein halbes Jahr alt, da erhielt George Sutherland eine Berufung an das Cornell Medical Center in New York.

»Wir gehen selbstverständlich mit«, sagte Lance, »ich habe das Leben hier allmählich satt!«

Es hätte ihrer deutlichen Worte nicht bedurft. Paul war schon vorher entschlossen, denn George hatte ihm angeboten, als sein Assistent mit ihm zu kommen.

In New York lebten er und Lance sich nach und nach auseinander. Sie sahen sich immer weniger, er war von seinem Beruf erfüllt, sie genoß das reichhaltige Angebot des Gesellschaftslebens. Kathy wurde von einer Nurse betreut.

Es kam der Weihnachtsabend 1958. Als er das ›Cornell‹ verließ, brannten schon die Lichter. Er hatte einen anstrengenden Tag hinter sich.

Er öffnete die Wohnungstür. Es war wie jeden Abend. Die Nurse hatte sich zurückgezogen. Kathy schlief. Lance war nicht da.

Nichts in der Wohnung deutete auf Weihnachten hin. Er schlug sich ein paar Eier in die Pfanne und nahm sich eine Büchse Bier aus dem Kühlschrank.

Kurz vor Mitternacht sperrte ein Schlüssel. Lance grinste ihn mit glasigen Augen an.

Er flößte ihr einen starken Mokka ein und zwang sie, ihn anzuhören.

»Lance, mein Entschluß steht schon einige Zeit fest. Der heutige Abend gibt mir nur die Gelegenheit, dich mal wieder zu sehen.«

»Was für ein Entschluß, Honey?«

»Ich gehe zurück nach Deutschland.«

»Du gehst . . .?« Sie lachte schrill auf.

»Ich gehe schon in vier Wochen. Ende Januar. Wenn du mit mir zusammen bleiben willst, mußt du mitkommen. Kathy nehme ich auf jeden Fall mit.«

»Kathy? Du willst Kathy mitnehmen?«

»Ja. Davon kannst du mich nicht abbringen.«

Am darauffolgenden Morgen fragte ihn Lance: »Und warum gehst du zurück?«

»Weil ich Verbindung mit drüben aufgenommen habe. Sie haben mir ein Angebot gemacht.«

»Ist das der ganze Grund? Sei ehrlich, Paul.«

»Nein, es gibt noch einen Grund. Ich sehe keine andere Möglichkeit mehr, Kathy zu einem normalen, gesunden Leben zu verhelfen.«

Am 26. Januar flogen sie zu dritt von Idlewild ab, Kathy, Lance und er. Lance hatte ihren Entschluß mit dem Satz begründet: »Ich glaube, Old Germany mit seinen Schlössern kann mir allerhand geben.«

Er arbeitete an der Universitätsklinik in Erlangen. Lance hielt die Kleinstadt nicht aus. Sie lebten noch keine vier Monate dort, da verließ sie ihn Hals über Kopf. Allein, ohne Kathy.

Nach einigen Wochen kam ein Telegramm: »Lieber Paul, gib mich bitte frei. Es ist das Beste für uns.« Er willigte in die Scheidung ein. Das Gericht unter dem Vorsitz einer Frau sprach Kathy der Mutter zu. Mit dieser Wendung hatte er nicht gerechnet. Er war verzweifelt.

An Pfingsten erhielt er eine Einladung, auf Bütten gedruckt. Überglücklich zeigen wir hiermit unsere Vermählung an. Baron Raoul Phillip von Merheim. Lance Alice Niklas, geb. Walsh. Königstuhl/ Odenwald. San Clemente/Kalifornien-USA. Wir bitten Sie zum Hochzeitsmahl am 5. Juni 1958, 11 Uhr, auf Schloß Königstuhl.

Er hörte von Freunden, daß der Zufall Lance und ihren Mann schon in Erlangen zusammengeführt hatte, und daß der Mann erster Vorstand einer deutschen Großbank sei.

Er kam der Einladung nicht nach. Er wollte seiner Tochter Kathy in diesem Zusammenhang nicht begegnen.

Er fühlte sich frei und doch, da ihm Kathy fehlte, unendlich allein.

Er sagte einem Angebot nach München zu. Die große Stadt sollte ihm das Vergessen erleichtern. Ein Jahr später erfuhr er, daß Lance und ihr Mann nach München gezogen waren. Sie hatten sich eine Villa in Grünwald als ihren zweiten Wohnsitz genommen.

Das war vor nun sechzehn Jahren. Seither war er ihr nur zweimal begegnet. Einmal, vor vielen Jahren, auf einem Empfang der Staatsregierung. Das andere Mal, vor noch nicht allzu langer Zeit, zusammen mit Helen, in der Oper. Beide Male hatten sie sich nur von weitem flüchtig zugenickt, doch beide Male war er das Gefühl nicht losgeworden, als sei ihm Lance nicht wohlgesinnt gewesen, als hätten ihre Augen feindselig aufgeblitzt.

Wenn er Kathy alle vier Wochen hatte sehen wollen, so war er gezwungen gewesen, sich vorher telefonisch anzukündigen. Dann durfte er sie abholen und mußte sie am Abends wieder zurückbringen. Doch sowohl am Telefon als auch im Haus war er immer nur auf ein Hausmädchen getroffen. Lance war für ihn nie in Erscheinung getreten.

Allmählich war das Abendrot verblaßt und der Dämmerung gewichen. Paul lag wie ein Junge mit dem Rücken gegen die kleine Böschung, die entlang der Furche verlief. Er dehnte sich voller Wohlbehagen. Das Leben ist manchmal verdammt unberechenbar, aufreibend und grausam, dachte er, es stößt einen in Abgründe, läßt die Seele verdorren, den Geist sich verhüllen, zerreißt einem das Herz im Leib, zertritt den letzten Funken Hoffnung und zeigt sich doch im gleichen Atemzug so unsagbar schön, so herrlich ohnegleichen.

Er nahm sein Jackett auf und ging zurück zum Wagen. Jetzt war er erfüllt von dem Verlangen, mit Jan zu reden.

40

Frau Reiter schaltete die Lampe vor dem Haus ein. »Ach, Sie sind's, Herr Professor! Tut mir leid, aber der Herr Doktor ist nicht da.« Sie hielt die Haustür auf und rief Paul die Nachricht über den Gartenzaun zu. Freundlich forderte sie ihn auf: »Wollen Sie nicht hereinkommen, Herr Professor?«

»Nein, danke, Frau Reiter. Wissen Sie zufällig, wo er ist?«

»Leider nicht, Herr Professor. Das ist ja das Kreuz mit ihm, er sagt mir ja nie, wohin er geht. Ich weiß nur, daß er nicht auf der Jagd ist, denn die Gewehre sind alle da. Vielleicht ist er ins Krankenhaus, einen Patienten besuchen. Vielleicht aber auch in ein Gasthaus, auf ein Viertel Wein. In Gmund oder in Tegernsee. Ich kann's Ihnen leider nicht sagen. Tut mir leid, Herr Professor.«

»Nicht weiter schlimm, Frau Reiter. Dann fahre ich eben nach Hause. Einen schönen Abend.«

»Guten Abend, Herr Professor. Soll ich dem Herrn Doktor nichts ausrichten? Wollen Sie ihm keine Nachricht hinterlassen?«

»Sagen Sie ihm nur, daß ich hier war, das genügt. Und einen schönen Gruß.«

Er stieg in den Wagen und startete. Sein Hochgefühl war wie weggeblasen.

Zu Hause überfielen ihn wieder die Gedanken, die ihn schon den ganzen Tag lang gequält hatten.

Das Mädchen hatte heute seinen freien Tag, und auch Kathy war nicht im Haus. Dennoch schloß er sich in seinem Arbeitszimmer ein. Er zog am Schreibtisch die untere Schublade auf und nahm einen Bogen Briefpapier mit seinem Namen heraus. Er legte den Bogen vor sich auf die Schreibunterlage, rückte sich den breiten Stuhl mit den Armlehnen zurecht und öffnete den Füllfederhalter.

In großer, männlicher Schrift setzte er das Wort: ›Entlassungsgesuch‹.

Unvermittelt war er von neuem bei George Sutherland. An das Gespräch im Memorial Museum hatte er sich schon wiederholt erinnert.

Ein strahlend schöner Frühlingstag. Sie haben frei und fahren nach San Francisco. Im Golden Gate Park besuchen sie das Memoiral Museum.

»Paul, ich habe dir schon lange etwas sagen wollen.«

»Dann sag es.«

»Paul, du weißt, ich bin völlig normal. Zumindest was mein Geschlecht anbetrifft.«

»Mach dir darüber keine Gedanken, George.«

»Okay. Aber – nun, ich muß dir eine Art Liebeserklärung machen.«

»Schon manche haben aus heiterem Himmel umgeschwenkt.«

»Keine Sorge, ich nicht.«

»Dann bin ich aber gespannt.«

»Ich wollte nur, daß du erfährst, wie dankbar ich bin.«

»Dankbar? Wem? Wofür?«

»Dem Zufall. Daß er uns zusammengeführt hat. Daß ich neben dir arbeiten darf. Daß ich von dir lernen kann.«

»George, bist du noch bei Trost?«

»Paul, du wirst einmal eine ganz große Karriere machen! Denk an meine Worte! Du hast das Zeug dazu, ganz vorne zu stehen! Du bist nicht irgendein Kollege. Irgendein Bauchaufschneider. Wenn man neben dir arbeitet, spürt man, daß man neben einem Kollegen mit glanzvoller Zukunft steht.«

»George!«

»Paul, ich weiß es! Und nicht nur ich.«

»Laß den Blödsinn, George!«

»Ich werde recht behalten, Paul. Denk an diesen Tag! Du wirst die Chirurgie revolutionieren. Deine Hände arbeiten anders als die der anderen. Du bist ein Künstler, Paul. Deine Leichtigkeit, deine Nervenkraft und sicher auch deine Konzentration sind wohl nicht mehr zu überbieten. Deine Herzklappenmethode!«

»Nun reicht's aber, George!«

»Du kannst mich nicht beirren, Paul. Wenn man dir den Nobelpreis verleiht, dann denk daran, was der Kollege George Sutherland gesagt hat!«

»Du Witzbold! Keine Angst, ich fall nicht auf dich rein!«

»Du verdammter Idiot, ich meine es ernst! Ernster als alles, was ich jemals zu dir gesagt habe!«

Das war das Gespräch im Memorial Museum von San Francisco gewesen.

Paul wischte die Gedanken daran beiseite. Er setzte die Feder auf das Papier.

»Die Bitte, mich von meiner Aufgabe zu entbinden, entspringt einer langfristigen Überlegung. Hohes Verantwortungsgefühl, prüfende Selbsterkenntnis und eine umfassende Achtung vor meinem Beruf haben mich zu diesem Schritt veranlaßt.

Ich bitte Sie, sehr geehrter Herr Minister, mich mit sofortiger Wirkung aus unserem Dienstverhältnis freizugeben. Nehmen Sie als Grund eine nicht mehr von mir zu vertretende körperliche und geistige Inaktivität.

In der Gewißheit, daß Sie meinem Wunsch entsprechen werden, zeichne ich hochachtungsvoll . . .«

Paul setzte seine Unterschrift unter das Schriftstück. Einen Augenblick dachte er an die Feierstunde zu Ehren seines Nobelpreises. Seither waren noch keine drei Wochen vergangen. Noch vor drei Wochen ein Höhepunkt seiner Laufbahn. Heute das Ende. Ihn mutete es wie eine Ironie des Schicksals an.

Er wartete, bis die Tinte getrocknet war, faltete den Bogen zusammen und steckte ihn in ein Kuvert, das er verschloß. Er schrieb die Adresse, frankierte den Brief und nahm ihn an sich.

Der Abend war mild und still. Auf den Straßen in der Umgebung des Hauses war kaum noch Verkehr. Paul ging vor bis zum Park und warf den Brief in den nächsten Postkasten.

41

Das Läuten des Telefons drang bis auf die Straße. Als er in der Diele den Hörer abhob, war er außer Atem. Es war Jan.

»Paul, du alte Flasche, warum hast du nicht auf mich gewartet! Ich war nur mal schnell bei einem alten Freund. Ich glaube, du kennst ihn. Wagner. Hatte mal das Sägewerk. Jetzt hat er es seinem Sohn übergeben und ist Privatier. Wir tauschen Briefmarken. Schade, daß du nicht gewartet hast.«

»Du tauschst Briefmarken? Was tust du eigentlich sonst noch alles außer praktizieren?«

»Grad kreuznotwendig habe ich es. Ja, Briefmarken tausche ich schon lange. Warum? Hast du mir welche anzubieten? Warst du deswegen gekommen?«

»Bestimmt nicht. Ich wollte dich nur mal wieder sehen.«

»Das ehrt mich. Hattest du wieder was auf dem Herzen?«

»Jetzt nicht mehr.«

»Jetzt nicht mehr? Heißt das, daß du jetzt nicht mehr auf meinen Anruf erpicht bist?«

»Jan, werde nicht kindisch. Ich freue mich wirklich, deine Stimme zu hören. Viel lieber würde ich dich natürlich auch sehen.«

»Dann komm her! Ich bin jetzt zu Haus. Und ein paar Flaschen Terlaner habe ich auch noch. Verzeihung, Herr Professor! Ich habe natürlich nicht daran gedacht, daß du morgen wieder der Menschheit dienen mußt und auf meinen Terlaner pfeifst!«

»Ich muß morgen gar nicht der Menschheit dienen. Aber ich komme trotzdem nicht. Ich bin einfach zu müde.«

»Ah, du hast morgen frei! Dann sehn wir uns eben morgen.

Wenn's geht, schon am Mittag. Sonst kommst du beim Terlaner mit übermorgen ins Gedränge.«

»Übermorgen habe ich auch frei.«

»Mann, Paul, hast du etwa sogar Urlaub genommen? Das finde ich goldrichtig!«

»Nein.«

»Was heißt nein?«

»Nein heißt, ich habe keinen Urlaub genommen. Ich habe für immer frei.«

»Du hast . . .?« Für Sekunden war es still in der Leitung. Jan Voss brauchte einige Zeit, um die Tragweite der eben gehörten Worte voll zu erfassen.

»Ja, ich habe meinen Dienst quittiert«, drang die Stimme des Freundes an sein Ohr, »quittiert, so sagt man doch?«

»Mann, Paul! Du machst vielleicht Sachen! Dich darf man aber wirklich nicht allein lassen! Du hast wahrhaftig aufgegeben?«

»Ja, Jan. Ich hatte keine andere Wahl.«

»Keine andere Wahl! Humbug! Es bleibt einem immer eine andere Wahl! Man muß sie nur erkennen! Man muß sie wollen! Paul, ich bin erschüttert! Fast möchte ich sagen, mir zittern die Knie! Und warum hast du nun doch aufgegeben?«

»Es kam vieles zusammen.«

»Vieles! So einfach kannst du es dir doch gegen mich nicht machen!«

»Das tu ich auch nicht. Ich weiß, daß ich richtig gehandelt habe.«

»Vieles! Vieles kam zusammen! Mann, Paul, ich kenne dich doch! Ein Exitus. Eine seelische Krise. Ein vermeintlicher Mißerfolg! Ich kenne doch die Dinge, die bei dir zusammenkommen können! Und du? Was machst du? Du wirfst das Handtuch! Paul, hör mir jetzt genau zu! Hörst du?«

»Ich höre.«

»Wenn wir jetzt auflegen, rührst du dich nicht von der Stelle! Du kannst dich in einen Sessel setzen, meinetwegen. Aber du unternimmst nicht das Geringste, verstehst du? Ich bin in spätestens vierzig Minuten bei dir!«

»Zwecklos, Jan, die Sache ist gelaufen. Der Brief steckt schon im Kasten. Morgen früh ist er im Ministerium.«

»Du hast schon . . .? Und heute abend, als du bei mir warst . . .?«

»Da hatte ich noch nicht.«

»Hm. Da hast du mit mir reden wollen?«

»Ja, Jan. Aber nicht, um mir von dir Rat zu holen. Mein Entschluß stand fest, Bombenfest.«

»Bist du sicher, Paul? Bist du dir wirklich sicher, daß er so bombenfest war? Nein, das nehme ich dir nicht ab! Ich könnte mir die Haare ausraufen! Briefmarken tauschen! Hast du den Brief tatsächlich schon in den Kasten geworfen?«

»Ja.«

»Wann?«

»Eben. Ich kam eben davon zurück.«

»Eben? Paul, ich komme trotzdem! Wir müssen noch mal darüber sprechen! Und den Brief kriegen wir wieder! Und wenn ich bis morgen früh vor dem Kasten auf den Postmenschen warten muß! Und wenn er ihn schon abgeholt hat, ist es auch nicht schlimm. Dann holen wir ihn uns aus dem Ministerium! Paul, in vierzig Minuten bin ich bei dir! Das einzige, was ich dir bis dahin zu tun gestatte: Hol deine beste Flasche aus dem Keller!«

»Nein, Jan. Bleib. Tu mir den Gefallen und bleib. Du kämst umsonst. Völlig umsonst. Zumindest in dieser Sache. Du bist mir immer herzlich willkommen, das weißt du! Aber heute möchte ich gern allein sein.«

»Quatsch! Ich komme. Ich lege jetzt auf und komme!«

»Jan, du machst den Weg umsonst. Bis du kommst, schlafe ich längst. Ich bin hundemüde. In ein paar Minuten schlafe ich. Das Mädchen ist nicht da. Niemand wird dich hören. Sei vernünftig, Jan!«

»Es gibt Augenblicke, in denen man besser nicht allzu vernünftig ist, in denen es nur auf das Gefühl ankommt. Und mein Gefühl läßt mich nicht im Stich. Nicht jetzt! Bis gleich, Paul.«

»Jan!« Paul nahm den Hörer vom Ohr. Jan hatte aufgelegt.

42

»Zum Büro Anspach. Ich bin angemeldet«, sagte der junge Mann grußlos. Er hatte schütteres, blondes Haar, einen kräftigen Bart um das Kinn, und trug eine dunkelbraune kurze Lederjacke mit Reißverschluß. Sein Blick war voll Ungeduld auf den Mann in derPortiersloge gerichtet. Der Portier hielt dem Blick stand. »Sie müssen sich etwas gedulden«, sagte er gemächlich, »mal sehen, ob noch jemand da ist.«

»Hören Sie, ich bin angemeldet!«

»Ich muß trotzdem erst telefonieren.« Der Portier warf einen flüchtigen Blick auf die runde Uhr, die hinter ihm an der Wand hing. »Schon nach zehn. Um sechs ist hier im allgemeinen Schluß. Auch die Leute vom Bundesinnenministerium haben schließlich ein Recht auf einen Feierabend. Nicht wahr?« Er wählte eine dreistellige Nummer, hielt den Hörer ans Ohr und sagte zu dem Mann in der Lederjacke: »Wie war noch Ihr Name? Kattwitz?«

»Krafzik. Karlheinz Krafzik.«

»Und Sie kommen vom Rundfunk?«

»Vom Fernsehen. ARD. Tagesschau.«

»Ah, vom Fernsehen . . . Sekunde!« Der Portier zeigte durch eine Geste an, daß er Verbindung hatte, und sprach in die Membrane: »Hier ist der Empfang. Ein Herr Krafzik ist bei mir. Ist er bei Ihnen gemeldet? Ja, vom Fernsehen. Geht in Ordnung. Sie holen ihn ab? Danke.« Er legte auf und sah den Besucher mißbilligend an. »Sie werden abgeholt. Kann ein paar Minuten dauern.«

Der Lift kam herunter, ein Mann trat heraus und ging auf Krafzik zu, der neben der Loge stand. »Herr Krafzik?«

»Ja.« Krafzik wandte sich ihm zu.

Der Mann war nur um wenige Jahre älter als er, hochgewachsen, und trug einen dunkelgrauen Anzug aus Gabardine mit weißem Hemd und Krawatte. Er wies mit der Hand auf die Sitzgruppe in der Ecke der Halle. »Wenn wir uns vielleicht dort . . .?« Er ließ Krafzik den Vortritt.

Sie setzten sich. »Mein Name ist Zeller«, stellte sich der Mann im Gabardineanzug vor. »Regierungsdirektor Anspach hat mich informiert.«

»Ich komme vom Bonner Büro der ARD-Tagesschau«, begann Krafzik, doch Zeller unterbrach ihn sanft: »Ich bin unterrichtet.«

Krafzik ließ sich nicht beirren und sagte: »Wir haben vor ungefähr einer halben Stunde mit Ihrem Büro telefoniert.«

»Ich bin über alles informiert«, sagte Zeller, »und Regierungsdirektor Anspach hat mich beauftragt, Ihre Wünsche und Fragen entgegenzunehmen.«

136

»Die Fragen haben wir schon telefonisch gestellt, aber darauf keine Antworten erhalten. Es geht darum, daß . . .«

Zeller unterbrach ihn erneut: »Verzeihung, Herr Krafzik, ich war der Ansicht, Sie übergeben mir einen schriftlichen Fragenkatalog. Wenn wir die Sache aber mündlich behandeln müssen, dann können wir das verständlicherweise nicht hier tun.« Er warf einen Blick in die Halle. »Da muß ich Sie bitten, mit in mein Büro zu kommen.« Er erhob sich und ging voran zum Lift.

Zellers Büro war nur halb so geräumig wie das von Anspach. Die beiden Männer saßen sich am schmucklosen Schreibtisch gegenüber.

»Bitte, Herr Krafzik.« Mit einer Handbewegung forderte Zeller den anderen auf, das Gespräch zu eröffnen.

»Es geht um die Präzisierung der Information, die unsere Redaktion vom Bundesinnenministerium im Fall der Jumbo-Geiselnahme heute am Spätnachmittag erhalten hat. Zum einen besagt die Information, daß Dschafar plötzlich nicht mehr ausgeliefert wird. Zum anderen, daß die Verhandlungen abgebrochen sind. Und zum dritten, daß die Terroristen sich bereit erklärt haben, die Erschießung der Geiseln ab sofort auszusetzen, die Geiseln aber immer noch weiter festhalten. Unser Büro sieht darin sich widersprechende Angaben und bittet um Aufklärung der Fehlerquelle.«

»Da braucht es keine Aufklärung, Herr Krafzik. Die Informationen sind ohne Fehlerquellen.«

»Aber das gibt's doch nicht! Oder sind vielleicht die Leute vom AWT plötzlich der Heilsarmee beigetreten?«

»Nein, Herr Krafzik, das leider nicht. Ich kann Ihnen nicht mehr sagen, als Ihr Büro ohnehin schon weiß.«

»Na schön.« Krafzik atmete hörbar aus und schüttelte ungläubig den Kopf. »Vielleicht können Sie mir dann wenigstens sagen, warum die Terroristen sich bereit erklärt haben . . .?«

»Nein, das kann ich leider nicht, Herr Krafzik. Über den Fall ist ab sofort totale Nachrichtensperre verhängt.«

»Oder warum die Verhandlungen abgebrochen sind?«

»Die Verhandlungen sind nur unterbrochen, nicht abgebrochen. Ich nehme an, Sie sind in diesem Punkt von Ihrer Redaktion nicht genau ins Bild gesetzt worden.«

»Und warum wird Dschafar auf einmal nicht mehr ausgeliefert?«

»Tut mir leid.« Zeller hob bedauernd die Schultern.

»Zuerst waren die Amis stur. Dann waren sie bereit. Und jetzt gibt's wieder eine Kehrtwendung. Was hat das deutsche Innenministerium damit zu tun? Steht das Ministerium mit den Amis überhaupt noch in Verbindung?«

»Tut mir leid. Kein Kommentar.«

»Und wie lange wollen Sie die Nachrichtensperre aufrechthalten? Tagelang? Wochenlang?« sagte Krafzik zynisch.

»Kein Kommentar.«

»Und warum wird der Fall so hochgespielt? Wer ist dafür verantwortlich?«

»Der Fall wird überhaupt nicht hochgespielt. Höchstens von der Presse.«

»Die Presse hat ein Recht auf Information. Auf eine wahrheitsgetreue und umfassende Information!«

»Nicht in jedem Fall. Herr Krafzik. In diesem Fall nicht. Ich bedauere, Ihnen nicht mehr sagen zu können.« Zeller erhob sich. Das Gespräch war für ihn beendet.

43

Die Straße zwischen Bad Wiessee und Gmund war gegen Mitternacht nur wenig befahren. Ein offener Volkswagen mit jungen Leuten, die ausgelassen krakeelten und weiterfuhren. Ein Mittelklassewagen mit dem Kennzeichen YU, Jugoslawien, der zwar anhielt, mit dessen Insassen er sich aber nicht verständigen konnte. Ein Kombi-Bus, den er zu spät gesehen hatte. Mehr Wagen waren in zwanzig Minuten nicht vorbeigekommen.

Johannes Voss schaltete die Scheinwerfer ab und ließ nur die Notleuchte brennen. Er entschloß sich, sein Glück zu Fuß zu versuchen.

Kurz vor ein Uhr erreichte er in Gmund die Tankstelle mit der Reparaturwerkstatt. Bis er sich bemerkbar machen konnte, bis auf sein Klingeln und Rufen jemand erschien, verstrich weitere Zeit.

»Mein Wagen steht auf der Straße nach Wiessee.« Er zog sein Taschentuch und wischte sich über den Nacken. Er war erleichtert, endlich Hilfe gefunden zu haben.

»Mann, Sie sind gut! Glauben Sie, ich brauch keinen Schlaf? Glau-

ben Sie, ich arbeite Tag und Nacht durch?« Der Mann, der sich notdürftig seine Hose übergezogen hatte, schlüpfte in die Hosenträger.

»Ich kann es Ihnen nachfühlen«, sagte Jan, »aber ich muß heute
nacht noch nach München. Ich bin Arzt.«

»So, Arzt? Und was ist mit dem Wagen? Unfall?«

»Lachen Sie mich bitte nicht aus. Benzin. Mein Reservekanister ist
leer. Ich habe das letztemal vergessen, ihn füllen zu lassen.«

»Benzin! Mann!«

»Haben Sie ein Einsehen. Ich bin auf Sie angewiesen.«

»Mannomann!« Der Mann brummte unverständlich vor sich hin.
Er schlurfte zur Tür des Kassenraums, holte umständlich die Schlüssel aus seiner Hosentasche und sperrte auf. Ein Griff an den Schalter,
und an der ganzen Tankstelle flammte die Neonbeleuchtung auf.

»Wieviel Liter?«

»Zwanzig«, sagte Jan.

»Und die Fahrt«, sagte der Mann und rechnete im Geiste den Verdienst aus.

»Und die Fahrt, selbstverständlich«, sagte Jan.

Der Mann füllte einen Kanister, drehte die Beleuchtung aus und
schloß die Tür des Kassenraums ab. »Es dauert noch etwas«, sagte er,
»ich muß noch meine Jacke holen. Die Autoschlüssel. Wenn Sie vielleicht schon mal bezahlen können?« Er nannte den Preis.

Jan zog die Brieftasche und reichte ihm zwei Scheine. Er hatte die
Summe um sechs Mark aufgerundet.

»Danke«, sagte der Mann, »besten Dank.« Er beeilte sich jetzt und
ging zurück ins Haus. Kurz darauf erschien er wieder mit der Jacke
überm Arm und sagte zu Jan: »Kommen Sie mit.«

Er ging über den Hof zu den rückwärts liegenden Garagen und
schloß eine davon auf. Er fuhr den Wagen heraus und ließ Jan einsteigen.

Sie hatten den Bahnübergang noch nicht erreicht, da fiel Jan ein,
daß er Paul telefonisch über seine Verspätung hätte benachrichtigen
sollen.

»Hätte ich bei Ihnen telefonieren können?«

»Vorhin schon«, sagte der Mann und gähnte, »jetzt ist es zu spät.
Ich muß wieder ins Bett.«

Von Bad Wiessee her schlug eine Uhr die zweite Morgenstunde.
Das Benzin war eingefüllt. Jans Wagen war wieder fahrbereit.

»Nochmals besten Dank«, sagte er zu dem Mann, der ihm jetzt aus dem Wagenfenster die Hand hinstreckte und ausgesprochen freundlich war.

»Schon gut«, sagte der Mann, »hoffentlich kommen Sie noch rechtzeitig zu Ihrem Patienten«, und startete.

Jan war allein. Er schob seinen Bauch hinter das Steuer. ». . . hoffentlich kommen Sie noch rechtzeitig zu Ihrem Patienten . . .«

Es war sonst nicht seine Art, den Beruf für irgendwelche Vorteile zu mißbrauchen. Er schämte sich ein wenig vor sich selbst.

Er stieß zurück und wendete den Wagen in Richtung Rottach. Es schien ihm sinnlos, jetzt noch in die Stadt zu fahren. Paul schläft bestimmt schon tief, der Briefkasten ist längst geleert. Nein, es war richtiger, jetzt nach Hause zu fahren und den Freund auch nicht mehr durch einen Anruf aus dem Schlaf zu reißen.

Gleich nach dem Frühstück wollte er sich mit ihm in Verbindung setzen. Der Morgen würde die Probleme vielleicht auch in anderem Licht zeigen.

44

Paul Niklas konnte nicht einschlafen. Er lag im Bett, hatte das Licht abgeschaltet, sich auf die Seite gedreht und die Augen geschlossen. Er fühlte sich hundemüde. Seine Sinne aber waren hellwach. Er wartete auf das Klingeln an der Haustür, auf Jan Voss.

So lag er eine Stunde lang. Jan schien nun doch nicht zu kommen. Paul warf sich herum, knipste die Nachttischlampe an, ging ins angrenzende Badezimmer und zog sich den Morgenmantel über.

In der Küche fand er eine halbe Zitrone und die Pfeffermühle. Er holte eine Flasche Wodka aus dem Kühlfach, schenkte sich daraus ein Wasserglas halbvoll, träufelte den Saft der Zitrone hinein und drehte etwas Pfeffer darüber.

Auf einen Zug trank er das Glas leer.

Seine ›Radikalkur‹ nannte er das. Es hatte ihm bisher noch immer geholfen. Er löschte alle Lichter, legte sich wieder ins Bett und schloß die Augen. Nach einer Weile schlief er.

Das Läuten glaubte er zu träumen. Doch drang es stärker und stärker in sein Bewußtsein, ließ nicht nach, tönte unaufhörlich. Stufe um

Stufe stieg er an die Oberfläche des Schlafs empor, bis er erwachte. Das Läuten war noch da.

Er machte Licht. Die Uhr auf dem Nachttisch zeigte zehn Minuten nach drei. Jan! dachte er, und das Denken fiel ihm schwer, Jan hatte von Rottach bis hierher mehr als drei Stunden gebraucht! Er schlüpfte in den Morgenmantel, in die Pantoffeln und ging in die Diele. Das Läuten verstummte.

Er schaltete das Licht auf dem Vorplatz des Hauses ein und öffnete die Tür. Niemand war zu sehen. »Jan?« Mit verhaltener Stimme rief er den Namen des Freundes. Keine Antwort. Auf der dunklen Straße war kein Wagen zu sehen und kein Laut zu hören.

Erneut setzte das Läuten ein. Ärgerlich über sich selbst schloß er die Haustür. Das Läuten kam aus dem Arbeitszimmer; natürlich, das Telefon! Wäre er wacher gewesen, hätte er es sofort merken müssen.

»Niklas.« Er meldete sich.

»Herr Professor Niklas?«

»Ja, das bin ich. Wer spricht?«

»Entschuldigen Sie bitte, Herr Professor, wenn ich Sie um diese Zeit störe. Hier spricht Hermann. Niels Hermann. Sie erinnern sich?«

»Sind Sie der Polizeipräsident Doktor Hermann?« Paul erkannte die Stimme.

»Ganz recht. Wir haben uns ja noch vor ein paar Tagen getroffen. Anläßlich Ihrer Ehrung zum Nobelpreis. Sie erinnern sich?«

»Ja, natürlich. Ich erinnere mich.« Pauls Schlaftrunkenheit war jählings verflogen. Wenn der Polizeipräsident zu nachtschlafener Zeit um drei Uhr morgens hier anrief, mußte er einen gewichtigen, Paul persönlich betreffenden Grund haben. Und über diesen Grund gab sich Paul keinen Illusionen hin.

Er merkte, wie seine Hand zitterte, und umspannte den Hörer fester. »Rufen Sie wegen meiner Tochter an? Ist etwas mit ihr? Ist ihr etwas passiert?«

»Ihre Tochter?« fragte Hermann, anscheinend auf das äußerste erstaunt. »Nein, ich kann Sie beruhigen, Ihre Tochter ist nicht der Grund meines Anrufs«, sagte er sachlich, »ich mußte Sie stören, weil ich Sie bitten muß, mich um diese Stunde zu empfangen, so leid es mir tut. Den Grund dafür kann ich Ihnen am Telefon nicht sagen.«

»Es geht nicht um Kathy?«

»Sie meinen Ihre Tochter?«

»Ja, Kathy ist meine Tochter.«

»Nein, Herr Professor, glauben Sie mir, mit Ihrer Tochter hat die Sache nichts zu tun. Sind Sie bereit, mich zu empfangen?«

»Aber was kann es sonst sein, wenn es nicht Kathy betrifft? Geht es um einen Unfall?«

»Bitte, Herr Professor, keine weiteren Fragen. Es geht auch nicht um einen Unfall.«

»Einen Autounfall, meine ich, den ein Freund von mir gehabt haben könnte?«

»Nein, Herr Professor, auch das nicht. Ich rufe von meinem Büro im Präsidium aus an. Wenn Sie einverstanden sind, bin ich in einer Viertelstunde bei Ihnen.«

»Eine ungewöhnliche Situation«, erwiderte Paul kühl, »aber wenn Sie darauf bestehen?«

»Ja, Herr Professor, ich muß leider darauf bestehen. Also in einer Viertelstunde?«

»Na gut, ich erwarte Sie.« Paul legte auf. Hermann hatte ihn nicht überzeugt. Natürlich war Kathy der Grund für seinen Anruf. Er wollte ihn nur nicht unnötig in Schrecken versetzen, Paul kannte diese Spielregeln nur zu gut aus eigener Anschauung von der Klinik her. In welche Sache aber war Kathy verwickelt? Eine große Sache, es mußte sich um eine sehr große Sache handeln, sagte er sich, sonst hätte sich nicht der Polizeipräsident mitten in der Nacht persönlich bemüht.

Er ging ins Badezimmer. Auf seiner Stirn stand kalter Schweiß. Was auch geschehen war, er wollte Kathy alles verzeihen. Er hatte sie in sein Herz geschlossen, hatte jahrelang den Tag herbeigesehnt, an dem sie sich für ihn entscheiden würde. Nun endlich war sie ganz und gar seine Tochter, mit der er unter einem Dach wohnen, für die er sorgen, die er verwöhnen konnte.

Freilich war ihm nicht verborgen geblieben, wie kindlich sie trotz ihrer achtzehn Jahre noch war, wie unbeherrscht und unüberlegt in ihrer Handlungsweise, wie schroff und vorschnell in ihrem Urteil, wie empfänglich für die verschiedenartigsten Einflüsse.

Welches Delikt mochte Hermann ihr vorwerfen? Umgang mit obskuren Personen? Trunkenheit am Steuer? Hatte sie jemanden angefahren? Oder war es etwa mehr? Etwa Rauschgift?

Er streifte den Morgenmantel ab und ging unter die Dusche. Eiskalt prallte der Strahl auf seinen Körper. Er wollte frisch sein, wenn er dem erfahrenen Polizisten gegenübertrat.

Er nahm das flauschige, große Badetuch und rieb sich trocken. Ob Kathy jetzt wohl festgehalten wurde? Auf einer Polizeiwache? Im Präsidium? In einer Zelle?

Er zog sich an und dachte an Lance. Sie ganz allein machte er verantwortlich für Kathys Unreife. Sie war ihr nie eine echte Mutter gewesen, hatte sie viel zu sehr sich selbst überlassen, hatte ihr kein Wissen ums Leben, keinen Halt vermittelt.

Er ging in die Küche, setzte Wasser auf und brühte sich einen starken Kaffee. Nein, dachte er, Kathy trifft keine Schuld, Kathy muß zuerst einmal zu sich selbst finden.

Zu sich selbst finden? Waren das nicht Jans Worte gewesen, mit denen der Freund ihn gemeint hatte? Sollten sich in der Tat zwischen seinem derzeitigen Tief und Kathys Unreife irgendwelche Parallelen ziehen lassen? Er fühlte sich ihr noch enger als schon bisher verbunden.

An der Haustür läutete es.

Er setzte die Tasse ab. Mit wenigen Schritten war er an der Tür und öffnete.

»Herr Doktor Herrman? Sie und . . .?«

Er prallte zurück.

Zweites Buch

Die Frage

Jede Lösung eines Problems
ist ein neues Problem.
Johann Wolfgang von Goethe

1

Paul Niklas hatte die Haustür geöffnet, um Dr. Niels Hermann, den Polizeipräsidenten der Stadt, einzulassen. Doch als er im Halbdunkel gesehen hatte, wer vor ihm stand, war er zurückgeprallt, hatte den Weg nicht freigegeben und gesagt: »Herr Doktor Hermann? Sie und . . .?«

»Es mußte sein, Herr Professor«, entschuldigte sich Hermann, »ich wollte am Telefon nicht darüber sprechen.«

»Die Sache wird immer mysteriöser«, sagte Paul, »aber Sie werden Ihre Gründe haben, Herr Hermann«, und wandte sich an die beiden anderen Männer, »kommen Sie herein, meine Herren.«

Einen Atemzug lang stand Paul den drei Männern in der Diele unschlüssig gegenüber. Der einzige, den er kannte, war Niels Hermann.

Hermann war einige Jahre jünger und einen guten Kopf kleiner als er, untersetzt, sportlich, hatte helle, wache Augen und fast immer ein leichtes Lächeln um die Mundwinkel. Seine Kollegen nannten ihn den ›Terrier‹, Paul hatte darüber in der Zeitung gelesen.

Als Hermann jetzt vor ihm stand, voll konzentriert, und mit schnellen unmerklichen Blicken die Umgebung aufnahm, das Gesicht gespannt, als gelte es, eine Fährte zu wittern, hatte er für Paul wirklich etwas von einem Terrier, der zum Sprung bereit war.

Hermann trug ein sportliches Sakko, ein blaues Hemd mit offenem Kragen, sah frisch aus und war glattrasiert, als käme er nicht von der Nachtarbeit im Präsidium, sondern geradewegs von der Morgentoilette.

Von den beiden anderen Männern fiel der eine durch seine gewichtige Erscheinung auf. Etwas größer als Paul und wesentlich jünger als er, wirkte er auf ihn herablassend, beinahe überheblich.

Das volle unbewegte Gesicht, die heruntergezogenen Mundwinkel, das glatte Haar mit dem messerscharfen Scheitel, die Brille mit dem aufdringlich breiten, dunklen Horngestell, das alles verstärkte diesen Eindruck.

Sein Anzug, dunkelblau, aus sommerlichem Material, das weiße Hemd mit dem festen Kragen und der korrekt gebundenen dunklen Krawatte, das Einstecktuch, die gewienerten Schuhe, die Aktentasche in seiner Hand, ließen Paul auf einen Beamten der gehobenen Gehaltsklasse schließen, auf einen Staatsanwalt etwa oder einen Ermittlungsrichter.

Den dritten Mann konnte Paul nicht einordnen. Er war im Alter etwa wie der andere, war groß und kräftig, sein Gesicht hatte derbe Züge, der Mund war häßlich breit, die Nase anscheinend einmal gebrochen, das schwarze Haar schütter und ungekämmt.

Mit seiner sportlichen Figur glich er Niels Hermann, nur waren seine Schultern breiter und seine Hände muskulöser. Wie Hermann trug er ein weiches Sakko, doch seine Hose war zerknittert, das offene Hemd nicht mehr frisch. Wären nicht seine Augen gewesen, hochintelligente, flinke Augen, so hätte Paul ihn als »primitiv« bezeichnet. Die Augen aber sprachen für ihn, machten aus einem grobschlächtigen, nichtssagenden Mann einen Menschen, den er beachtete, der sich in der Welt auszukennen schien, der jeden Beruf ausüben konnte, und sei es nur den eines Abenteurers.

Dieser dritte Mann war Stanley Martindale, ehemaliger Captain beim sechsten Regiment des Marine-Korps und zeitweiliger Boxmeister der Armee im Mittelgewicht, jetzt Leiter der deutschen Außenstelle der CIA im Stab für ›verdeckte Aktionen‹.

»Darf ich Sie mit Regierungsdirektor Doktor Anspach vom Bundesinnenministerium bekannt machen«, sagte Hermann zu Paul, und die beiden Männer nickten sich flüchtig zu. »Und das ist Mister Martindale«, sagte Hermann, »von der amerikanischen Botschaft in Bonn.« Martindale gab ein kurzes »Hello« von sich.

Paul führte die seltsame Gesellschaft in sein Arbeitszimmer. Als sie saßen, ergriff Hermann das Wort.

»Wir haben nicht viel Zeit, Herr Professor. Ich darf mich deshalb kurz fassen. Bevor ich Ihnen allerdings unser Problem darlege, muß ich Sie darauf hinweisen, daß dieses Gespräch streng vertraulich zu behandeln ist, daß kein Wort davon an die Öffentlichkeit dringen darf.«

»Es wird immer geheimnisvoller«, sagte Paul, »ich bin zwar durch meinen Beruf allerhand gewöhnt, aber . . .« Er hob die Schultern.

»Wenn ich mich auch kurz fassen möchte«, sagte Hermann, »so muß ich doch zum besseren Verständnis ein wenig ausholen. Damit wir aber möglichst wenig Zeit verlieren, darf ich Ihnen vielleicht einige Fragen stellen?«

»Fragen Sie.«

»Herr Professor, Sie haben sicher gehört, daß vor kurzem der Führer der aggressivsten palästinensischen Befreiungsgruppe, des sogenannten Arabien War Teams, also des AWT, bei uns in der Bundesrepublik festgenommen wurde.«

»Sie meinen diesen . . . nein, ich komme nicht auf den Namen.«

»Dschafar. Abu Dschafar.«

»Ach ja, richtig, Dschafar. Ich kann mich dunkel erinnern. Ich glaube, ich habe irgendwann durchs Autoradio darüber . . . ich bin mir aber über die Zusammenhänge nicht im klaren.«

»Der Mann, der Dschafar aufgespürt hat und seine Festnahme veranlaßte, sitzt hier.« Hermann deutete auf Martindale, der den Hinweis ungerührt hinnahm und seinen Blick nicht von Paul wandte.

»Interessant«, sagte Paul kühl, »nur weiß ich nicht, was ich damit zu tun haben sollte. Wenn Sie meine Tochter damit in Zusammenhang bringen, so bitte ich Sie, ohne Umschweife zur Sache zu kommen.«

»Ihr Tochter, Herr Professor, hat nichts damit zu tun«, sagte Hermann, »darüber habe ich Ihnen am Telefon die Wahrheit gesagt. Wenn es Sie aber beruhigt, kann ich Ihnen noch versichern, daß ich Ihr Fräulein Tochter weder kenne noch je von ihrer Existenz gehört habe. Ich meine bis vorhin durch Sie selbst am Telefon.«

»Danke, Herr Hermann, das beruhigt mich in der Tat. Aber es macht mich nicht klüger.«

»Ich will Sie nicht unnötig auf die Folter spannen. Vor einigen Tagen nun wurde ein Jumbo-Jet der PAN AM von Leuten des AWT gekapert. Wissen Sie davon?«

»Nur ungenau. Sie müssen entschuldigen, wenn ich über derartige Vorkommnisse nicht auf dem laufenden bin, so schrecklich sie sind. Aber mein Beruf . . .«

»Der Jumbo-Jet wird nahe dem Flugplatz von Damaskus in der Wüste vom AWT festgehalten. Einhundertvierundachtzig Geiseln sind in der Hand der Terroristen. Sieben von den ursprünglich einhunderteinundneunzig sind schon tot. Ermordet durch Genickschuß. Und weitere Erschießungen wurden angedroht.«

»Unfaßbar.«

»Ja. Aber es ist so. Herr Professor, hatten Sie Gelegenheit, in den letzten Tagen oder heute die Nachrichten zu verfolgen?«

»Nein, leider nicht.«

»Die Nachrichten besagten zunächst, daß das AWT als Gegenleistung für die Freilassung der Geiseln die Auslieferung von Dschafar fordert. Später wurde gemeldet, daß die amerikanische Regierung auf die Forderung eingeht. Und seit gestern nacht weiß die Welt, daß keine weiteren Geiseln getötet wurden, daß verhandelt wird, die Geiseln jedoch noch in der Hand der Terroristen bleiben und daß Dschafar trotz allem nicht ausgeliefert wird.«

»Ach? Und wie ist das zu erklären?«

»Die Welt hat nicht die volle Wahrheit erfahren. An diesem Punkt hat die Geheimhaltung eingesetzt.«

Anspach schaltete sich ein: »In Absprache mit den zuständigen amerikanischen Stellen haben wir eine totale Nachrichtensperre verhängt.«

»Ja«, sagte Hermann, »das ist die offizielle Bezeichnung. Das, was die Welt nicht erfahren soll, ist nur den unmittelbar Beteiligten bekannt. Zu diesen wenigen Personen werden jetzt auch Sie zählen, Herr Professor, wenn Sie jetzt hören, warum Dschafar nicht ausgeliefert wird.«

»Herr Hermann, ich glaube, ich ahne, worauf Sie hinauswollen. Aber bei mir sind Sie nicht an der richtigen Adresse.«

»Ich bin hier nur Vermittler«, sagte Hermann, »ich habe nur die beiden Herren bei Ihnen eingeführt. Die Schilderung der Details sollen Sie aus berufenerem Mund hören. Mister Martindale bearbeitet offiziell den Fall.«

Stanley Martindale räusperte sich, bevor er zu sprechen begann. »Dschafar wird nicht ausgeliefert«, sagte er mit der rauhen Stimme des starken Rauchers, »weil er nicht ausgeliefert werden kann. Er ist nämlich nicht transportfähig.«

»Hat er einen Unfall gehabt?« Paul sah ihn gleichmütig an.

»Nein, keinen Unfall. Einen Infarkt. In die Fachsprache übersetzt, einen Myocardinfarkt.«

149

»Das ist bedauerlich. Mehr kann ich dazu nicht sagen. Sie sind bei mir tatsächlich an der falschen Adresse.«

»Nein«, sagte Martindale, »das sind wir nicht.« Er griff mit spitzen Fingern in die Außentasche seines Jacketts, zog eine Packung Phillip Morris hervor und klopfte sich eine Zigarette heraus. »Darf ich?«

Paul bejahte, und Martindale zündete sich die Zigarette an, nahm voll Genuß den ersten Zug und fuhr fort: »Ich werde Ihnen genau auseinanderlegen, warum wir bei Ihnen nicht an der falschen Adresse sind.«

2

»Ich sehe«, sagte Paul und wandte sich an alle drei, »Sie lassen sich nicht davon abbringen und wollen Ihre wertvolle Zeit unbedingt mit mir vergeuden. Darf ich Ihnen dann wenigstens etwas zu trinken anbieten? Whisky? Gin? Kognak? Oder Wein? Na, Mister Martindale, wie wär's mit einem Chivas Regal? Herr Hermann? Herr . . . ich habe leider Ihren Namen vergessen.«

»Anspach«, sagte Hermann, »Regierungsdirektor Anspach.«

»Richtig. Herr Anspach, einen Kognak?«

»Wenn es Ihnen keine Mühe macht«, sagte Anspach gekränkt, »ich würde gerne ein Glas Wein nehmen.« »Und ich einen Whisky pur«, sagte Martindale, und Hermann schloß sich ihm an.

»Sie müssen sich nur einen Moment gedulden, meine Herren.« Paul ging in den Nebenraum zur Bar, holte Gläser und Flaschen und rief durch die offene Tür: »Wir sind nämlich allein im Haus.«

Er verteilte die Getränke, nahm sich selbst auch einen Whisky und sagte zu Martindale: »Ohne Ihrer Begründung vorgreifen zu wollen, muß ich Sie noch mal darauf aufmerksam machen, daß ich für Ihren Fall als Mitarbeiter mit Sicherheit nicht in Frage komme.«

»Mister Niklas«, sagte Martindale und nahm einen kräftigen Schluck Whisky, »Sie haben bei der Behandlung des Herzinfarkts sehr große Erfolge erzielt.«

»Nein«, widersprach Paul, »ich habe keine größeren Erfolge erzielt als die Herzchirurgie im allgemeinen. Abgesehen davon, daß der Chirurg erst an zweiter Stelle für die Bekämpfung eines Infarkts eingesetzt wird. Der zuständige Facharzt ist der Kardiologe.«

»Das wissen wir«, sagte Martindale, »und trotzdem sind wir hier bei Ihnen. Man kann sagen, wir sind gezwungenermaßen bei Ihnen. Erstens, weil Sie unbestreitbar als einer der führenden Experten gelten. Zweitens, weil der Krankheitsfall – wie sagt man so schön? – in den geographischen Bereich Ihres Wirkungskreises fällt. Das heißt, der Zufall hat gewollt, daß der Transport mit Dschafar gerade hier in der Nähe war, als . . .«

»Ich verstehe«, sagte Paul, »und drittens? Oder gibt es kein Drittens? Dann wäre Ihre Begründung äußerst mager.«

»Doch, Mister Niklas, es gibt ein Drittens. Dazu müssen Sie wissen, daß wir Dschafar zunächst ins hiesige amerikanische Militärlazarett geschafft haben.«

»Wann war das genau?«

»Beginnt der Fall Sie etwa zu interessieren?« Martindale verzog keine Miene. Er trank und behielt Paul dabei im Auge.

»Nicht sonderlich«, sagte Paul, »ich will Ihnen nur die Erklärung erleichtern.«

»Okay. Der Infarkt trat vor jetzt genau fünfunddreißig Stunden ein.«

»Also haben wir den sogenannten zweiten Tag. Da müßte eine gewisse Besserung im Zustand des Patienten eingetreten sein. Wenn auch nur eine unter Umständen trügerische Besserung. Drücke ich mich verständlich aus?«

»Absolut.«

Martindale und Paul konzentrierten sich voll aufeinander. Es schien, als hätten sie die Anwesenheit der beiden anderen Männer vergessen.

»Wurde im amerikanischen Militärlazarett ein ›Zwölfkanal-EKG‹ geschrieben?« fragte Paul.

»Ja.«

»Und wie ist der Blutdruck?«

»Ich habe hier einige Notizen«, sagte Martindale, zog aus der Innentasche seines Jacketts einen zerknüllten Zettel und reichte ihn seinem Gegenüber, »der dortige Arzt hat mich auf solche Fragen von Ihnen vorbereitet. Ich glaube, da ist auch der Wert des Blutdrucks notiert.«

Paul sah flüchtig auf den Zettel und sagte: »Blutdruck ist verdammt niedrig. Und der Urin wenig. Wann wurden die Werte gemessen?«

»Vor zwei, drei Stunden.«

»Was ich den Notizen entnehmen kann, ist . . .« Paul überlegte.

». . . der Patient hat anscheinend eine schwere Rhythmusstörung.«

»Ja. Das hat man mir auch gesagt.«

»Kühle, schwitzige Haut«, sagte Paul mehr zu sich, »Angina pectoris. Durchblutung der Organe nicht ausreichend«, und zu Martindale: »Eine Dauerinfusion? Ein Venenschlauch eingeführt?«

»Ich bin überfragt. Ich weiß nur eins, und das ist mitentscheidend für unseren Entschluß.« Martindale griff erneut in die Innentasche seines Jacketts, holte einen zweiten Zettel hervor und sagte: »Das Lazarett bietet keine Möglichkeit, die . . .«, er las vom Zettel ab: ». . . die assistierte Zirkulation auszuführen.«

»Aorten-Ballonpumpe«, sagte Paul.

»Ja. Und außerdem keine . . .«, Martindale las erneut ab: ». . . keine selektive Koronar-Angiographie.« Er hob fragend den Blick.

»Man stellt über einen Herzkatheter fest«, klärte Paul ihn auf, »ob chirurgisch etwas zu machen ist.«

»Richtig«, erinnerte sich Martindale, »so ähnlich hat sich auch der Militärarzt ausgedrückt.«

»Mister Martindale«, sagte Paul mit Nachdruck, »gewiß, in der Herzklinik bestehen diese Voraussetzungen. Aber ist diese Tatsache etwa Ihre dritte, Ihre besonders schwerwiegende Begründung, daß Sie zu mir gekommen sind? Wenn ja, steht Ihre Aktion auf tönernen Füßen.«

Martindale kniff die Augen zusammen, als wollte er Paul noch schärfer fixieren. »Mister Niklas, ich habe Ihnen schon gesagt, die Verlegung des Patienten war mitentscheidend für unseren Entschluß.« Er wiederholte: »*Mit*entscheidend! Nicht allein entscheidend! Oder alles entscheidend!«

»Moment mal«, sagte Paul. »Die Verlegung des Patienten? Soll das heißen, daß . . .«

»Ich hätte Sie auch schon zu Beginn unserer Unterredung davon in Kenntnis setzen können. Aber ich wollte Sie nicht sofort unter Druck setzen. Sie haben richtig gehört, Mister Niklas. Wir haben den Patienten schon verlegt.«

»In die Herzklinik?«

»Ja. In Ihre Klinik.«

»Es ist nicht meine Klinik. Ich war nur einer der Ressortleiter.«

»Was heißt, war?«

»Das heißt, daß ich es nicht mehr bin.« Paul hob die Schultern. »Schicksal. Zufall. Egal, wie Sie es nennen wollen. Aber seit einigen Stunden bin ich nicht mehr der ausübende Chirurg. Sie können sich über das zuständige Ministerium informieren.« Als er sah, daß Martindale, wenn auch nur für den Bruchteil eines Augenblicks, verblüfft war, setzte er mit einem Hauch von Ironie hinzu: »Ich habe Sie von Anfang an darauf hingewiesen, daß ich mit Sicherheit nicht Ihr Mann bin.«

Martindale hatte sich sofort wieder gefangen und setzte seine steinerne Miene auf. »Sie irren, Mister Niklas. Sie kennen nämlich meinen dritten Grund noch nicht.«

»Ach ja«, sagte Paul schmunzelnd, »der ominöse dritte Grund. Ich bin gespannt, ihn zu erfahren.«

»Sie haben Damaskus außer acht gelassen. Die PAN-AM-Maschine. Die einhundertvierundachtzig Geiseln. Den Druck, unter dem unsere Entscheidung steht. Die eisenharten Burschen vom AWT.«

»Ich höre.«

»Natürlich haben wir das AWT sofort über die neue Situation informiert. Ich weiß nicht, ob Sie sich vorstellen können, mit welchem Gegner wir es zu tun haben?«

»Nein.«

»Die Leute der Führungsspitze sind hochintelligent. Scharf intelligent. Rücksichtslos intelligent. Knochenhart beim Durchsetzen ihrer Bedingungen. Ausgebuffte Profis. Und . . .« Martindale setzte betont hinzu: ». . . und von geradezu unerträglichem Mißtrauen.« Er beugte sich etwas vor und sagte ruhig: »Hatten Sie schon jemals mit Menschen dieser Art zu tun?«

»Nein, nie.«

Martindale nahm einen Schluck Whisky und stellte das Glas hart auf die gläserne Tischplatte. »Aber ich, Mister Niklas! Ich habe oft mit solchen Typen zu tun! Zu oft! Diese Typen kotzen mich an, man müßte sie einfach wie giftige Fliegen zerquetschen!« In der Erregung unterlief ihm eine entsprechende Bewegung seines Daumens. »Einfach so! Mehr sind sie nicht wert!« Er atmete tief durch. »Aber ich muß mich mit ihnen arrangieren. Ich muß auf sie eingehen. Ich muß mich höchst diplomatisch benehmen. Und falls sie am längeren Hebel sitzen, muß ich sie sogar bei Laune halten. Ein idiotischer Job! Finden Sie nicht auch?« Er war aufgebracht.

»Sie wollten mir den dritten Grund nennen, Mister Martindale.«

»Ich bin gerade dabei. Und in diesem, in unserem Fall sitzen diese Kerle nicht nur am längeren, sondern am überlangen Hebel! Es geht um den Kopf ihrer Mörderorganisation! Und dieser Kopf ist ihnen zunächst einmal einhunderteinundneunzig Menschenleben wert! Und sieben davon sind ihm schon geopfert worden, ihrem Kopf! Und wenn es ihnen darauf ankommt, dann opfern sie noch einmal sieben und dann noch mal sieben und dann noch mal, oh, diese Gangster opfern ohne mit der Wimper zu zucken zweihundert, fünfhundert, ganz egal wie viele Leben!«

Er beruhigte sich. »Sehen Sie, Mister Niklas, das ist unsere Position. Eine beneidenswerte Position.«

»Ich dachte, Sie seien bereit, diesen Mann freizulassen?«

»Wir waren, Mister Niklas. Jetzt sitzen wir fest. Fest wie in einem Schraubstock. Wir haben zwei Möglichkeiten.«

»Wieso zwei?«

»Wir nehmen das Risiko auf uns und transportieren Dschafar mit seinem akuten Infarkt. Bringen wir ihn lebend zu den Seinen, dann haben wir Glück gehabt. Großes Glück. Unwahrscheinliches Glück. Nur, todkrank ist er trotzdem. Wie, glauben Sie, nehmen seine Genossen diese Tatsache auf? Wem, glauben Sie, geben sie an seinem Infarkt die Schuld? Dem lieben Gott etwa? Oder doch vielleicht eher uns, den bösen Amerikanern?«

»Ein Infarkt läßt sich nicht manipulieren.«

»Wirklich nicht? Kann man tatsächlich nicht mit Spritzen nachhelfen? Kann man das Herz wirklich nicht so in Aufruhr bringen, daß es umkippt? Aber, Herr Professor!«

»Ich habe in derlei Dingen keine Erfahrung.«

»Aber Sie kennen sich doch aus, Mister Niklas. Und Sie können sich inzwischen vielleicht auch vorstellen, wie die Brüder vom AWT reagieren.«

»Ich muß Ihrer Erfahrung glauben.«

»O ja, das müssen Sie, Mister Niklas! Wenn Sie meinen Worten keinen Glauben schenken, dann spielen wir jetzt mit einhundertvierundachtzig Menschenleben!«

Martindale schenkte sich selbst ein und tat einen tiefen Zug.

»Okay. Nehmen wir aber einmal an, wir haben Pech. Und Dschafar stirbt uns auf dem Transport. Und wir bringen als Geschenk seine Leiche nach Damaskus. Ein toter Dschafar gegen einhundertvierundachtzig lebende Menschen. Ein tolles Geschäft, was? Na, ich brauche Ihnen das im Detail nicht erst zu schildern. Was dann passiert, weiß heute jedes Kind.«

»Ich bin gespannt auf die zweite Möglichkeit.«

»Die zweite Möglichkeit ist die, für die wir uns entschieden haben. Notgedrungen entscheiden mußten. Sie sehen, das Ganze ist so simpel wie ein Schachspiel. Für den größtmöglichen Erfolg gibt es im Endeffekt nur einen einzigen Zug.«

»Sie haben sich für den Zug entschieden, diesen Mann hier auszukurieren.«

»Falsch.«

»Diesen Eindruck haben Sie mir wenigstens bis jetzt vermittelt.«

»Nein, Mister Niklas. Wir haben uns nur entschlossen, Dschafar nicht einem lebensgefährlichen Transport auszusetzen. Auskuriert, wie Sie das nennen, soll er nicht hier werden. Das dauert zu lange. Darauf lassen sich die Gangster vom AWT nicht ein. Da lachen sie Ihnen nur ins Gesicht.«

»Sie wollen diesen Mann also hier einem, sagen wir, Schnellverfahren unterziehen.«

»Na also, jetzt sind wir auf demselben Dampfer!«

»Und wie stellen Sie sich so ein, hm, Schnellverfahren vor?«

»Da müssen wir erst wieder einmal die Psychologie des AWT berücksichtigen.«

»Sie haben wirklich einen schwierigen Job, Mister Martindale.«

»Danke. Für Mitgefühl bin ich immer empfänglich.«

»Und wie zeigt sich nun die Psychologie dieser Leute?«

»Das ist doch wohl nicht schwer zu erraten. Ich darf Ihnen unsere bisherige Verhandlungsführung kurz wiedergeben. Das heißt von dem Augenblick an, als wir gewußt haben, daß Dschafar nicht mehr transportfähig war.«

»Wo wurden die Verhandlungen geführt?«

»In Damaskus. Sozusagen am Tatort. Über unsere Botschaft. Also, wir sagen, hört mal her, Leute, euer Oberboß kann nicht ausgeliefert werden, so gern wir ihn euch auch zukommen lassen würden. Sie sagen, was soll das? Wir sagen, er hat einen Infarkt, und wenn wir ihn transportieren, spielen wir mit seinem ach so wertvollen Leben. Sie sagen, was soll das, wollt ihr uns für dumm verkaufen? Wir sagen, o nein, wir schwören beim Leben unserer Mutter. Sie sagen, noch so ein Scherz, und die nächsten sieben gehen übern Jordan. Wir sagen, es tut uns leid, aber es ist so, ihr könnt euch überzeugen. Sie sagen, liefert uns den Beweis. Wir lassen Dschafar ins Mikrofon röcheln. Sie sagen, das erkennen sie als Beweis nicht an. Wir sagen . . .« Martindale beugte sich erneut vor. »Soll ich die Litanei noch weiter beten?«

»Das überlasse ich Ihnen.«

»Okay. Wir sagen also, wenn ihr der Stimme eures Herrn nicht vertraut, dann müßt ihr seinem Phonem glauben, ihr müßt herkommen und euch Aug in Aug vergewissern.«

»Und? Sind sie tatsächlich gekommen?«

»Sie sind gekommen. Sie sind da. Was blieb ihnen schon anderes übrig?«

»Ach? Sie nahmen das Risiko auf sich . . .?«

»Das ist kein Risiko. Alle Trümpfe liegen bei ihnen. Wir müssen sie sogar sehr zuvorkommend behandeln. Daß wir keinen roten Teppich ausgebreitet haben, ist alles.«

»Und was hat der Besuch ergeben? Darauf wollen Sie doch hinaus, Mister Martindale?«

»Sehr richtig. Darauf will ich hinaus. Unsere Freunde vom AWT haben nämlich genauso reagiert, wie wir erwartet hatten.«

»Und wie?«

»Sie haben zwei Leute geschickt. Einer davon ist Fachmann.«

»Fachmann?«

»Arzt. Das war auch nicht anders zu erwarten. Er nennt sich Irbid. Er hat sogar einige Jahre hier in Deutschland studiert. Merken Sie jetzt allmählich, mit welchen Leuten wir es zu tun haben, Mister Niklas?«

»Doch, ja. Eine erstaunliche Geschichte.«

»Das Erstaunlichste kommt aber noch.

»Es gelingt Ihnen wahrhaftig, mich neugierig zu machen, Mister Martindale.«

»Das ist kein Kunststück. Daß sie nämlich in so kurzer Zeit . . . es blieben ihnen ja nur ein paar Stunden . . . daß sie es da geschafft haben, einen sogar äußerst gut vorbereiteten Mann zu schicken . . . keiner konnte damit rechnen.«

»Wollen Sie etwa sagen, dieser Arzt ist schon auf den Infarkt seines Mannes eingestellt gewesen?«

»Nicht nur das.«

»Wie? Sie wollen doch nicht sagen, daß ich recht habe?«

»Doch, Mister Niklas. Dieser Doktor Irbid war schon auf Dschafars Infarkt programmiert. Jetzt, da wir mehr wissen, ist die Erklärung sehr einfach.«

»Dieser Arzt ist sozusagen der Leibarzt seines Mannes.«

»Mein Kompliment, Mister Niklas.«

»Und der Mann . . . wie heißt er noch mal?«

»Dschafar. Abu Dschafar.«

»Dieser Dschafar war offenbar infarktgefährdet.«

»Bravo, Mister Niklas. Sie haben ins Schwarze getroffen. Dschafar hat sogar schon einen Infarkt hinter sich.«

»Er hat schon . . .? Aber das haben Sie bisher nicht erwähnt.«

»Ich muß Ihnen ja die Sache der Reihe nach erzählen. So ersparen wir uns unnötige Rückfragen.«

»Und wissen Sie auch, welcher Art der erste Infarkt war? Wie schwer?«

»Nein, das wissen wir nicht. Aber sicher wird es uns dieser Irbid liebend gern sagen.«

»Dieser Arzt hat sich also vergewissert, daß der Patient nicht transportfähig ist?«

»Ja. Und diesem Zustand haben wir zu verdanken, daß uns eine Zeitspanne bleibt. Daß die Geiseln vorerst nicht bedroht sind. Daß die Verhandlungen stocken.«

»Mister Martindale.« Paul lehnte sich im Sessel zurück und verschränkte die Arme vor der Brust. »Mister Martindale, Sie vergessen doch nicht die dritte, die entscheidende Begründung?«

»Nur keine Sorge, Mister Niklas. Ich will gerade darauf zu sprechen kommen. Dieser Irbid war nicht nur auf einen möglichen Infarkt seines Obergangsters vorbereitet, er scheint darüber hinaus auch sehr gut über die Verhältnisse in der medizinischen Fachwelt informiert zu sein. Er kennt zum Beispiel Sie, Mister Niklas.«

»Mich? Er kennt mich? Na ja, das ist vielleicht möglich. Mein Name taucht immer wieder mal in irgendeinem Zusammenhang in der Fachpresse auf. Da kann es unter Umständen schon sein, daß . . .«

»Er kennt Sie persönlich, Mister Niklas.«

»Persönlich?« Paul sah von Martindale zu Hermann und zu Anspach. »Das kann freilich nur ein Irrtum sein.«

»Nein, das ist kein Irrtum, Mister Niklas«, sagte Martindale, dieser Irbid hat Sie sehr genau beschrieben.«

»Nach einer Fotografie wahrscheinlich. Die Fachzeitschriften haben auch schon Fotos von mir gebracht.«

»Nicht nach einem Foto, Mister Niklas. Er hat Sie nicht nur vom Äußeren her beschrieben. Er behauptet, er habe bei Ihnen studiert.«

»Bei mir studiert?« Paul warf Hermann einen nachdenklichen Blick zu.

»Es stimmt, Herr Professor«, sagte Hermann, »das hat er jedenfalls behauptet.«

»Aber, meine Herren!« Paul erhob sich und ging ein paar Schritte hin und her. »Behaupten kann man alles mögliche. Bei mir studiert? Ich halte das für unwahrscheinlich.«

»Und warum?« Martindale griff wieder zum Glas.

»Warum? Weil er meiner Ansicht nach nicht . . . ich räume natürlich ein, daß er als Gasthörer . . . alle Gasthörer sind mir natürlich nicht bekannt . . . wie, sagten Sie noch, ist sein Name?«

»Irbid. Aber der Name bringt uns nicht weiter. Wir sind uns darüber im klaren, daß es sich um einen Decknamen handelt.«

»Na schön. Er behauptet, bei mir studiert zu haben.« Paul setzte sich wieder. »Aber welche Bedeutung hat das für Sie?«

»Auf den ersten Blick besagt das nicht allzuviel, da gebe ich Ihnen recht. Bei näherer Betrachtung zeigt es immerhin, daß dieser Kerl Sie offenbar besser kennt, als Sie für möglich halten. Vielleicht hat er Ihre Gewohnheiten studiert. Vielleicht Ihren Charakter. Ihre Arbeitsweise. Ihre ganz persönliche, private Verhaltensweise.«

»Und? Mister Martindale!«

»Ja, und diese Erfahrung und die unbestreitbare Tatsache, daß Sie in der medizinischen Fachwelt als absolute Kapazität betrachtet werden, das alles hat ihn offenbar dazu gebracht, daß er in seiner Forderung unerbittlich ist.«

»In welcher Forderung?«

»Er stellt die Bedingung, daß Sie den Fall übernehmen.«

Paul war einen Augenblick fassungslos. Sein Gehirn arbeitete fieberhaft. Er setzte sich aufrecht und sah Martindale abwartend an.

»Ja, Mister Niklas, dieser Mann. So unscheinbar er auch wirkt. Er fordert, daß nur Sie den Patienten behandeln dürfen. Daß Sie alle Entscheidungen für ihn treffen müssen. Daß nur Sie die Verantwortung übernehmen dürfen.«

»Nur ich . . .? Der Mann ist verrückt!«

»Nein, Mister Niklas. Dieser Mann weiß sehr gut, was er will. Der geht kein Risiko ein. Der weiß genau, daß wir es zum Beispiel in der Hand hätten, ihn ohne weiteres zu überspielen. Oder kann etwa einem Patienten beim Infarkt nicht nachgeholfen werden? Er traut uns nicht über den Weg. Mit Recht. Und ich muß Ihnen sagen, ich an seiner Stelle würde nicht anders handeln.«

»Mister Martindale, was Sie da sagen, ist . . .«

». . . es ist nichts anderes als die Wirklichkeit. Die nackte, brutale Wirklichkeit.«

»Vielleicht. Aber es ist ungeheuer.«

»Mister Niklas, um es kurz zu machen, der Patient liegt schon in Ihrer Klinik. Ich weiß, was Sie sagen wollen, aber wir wollen uns nicht mit Kompetenzfragen aufhalten. Ich bitte sie, mit uns zu kommen und den Fall zu übernehmen.«

»Nein.« Paul stand auf. »Nein, das muß ich Ihnen abschlagen.«

»Aber, Mister Niklas! Sind Sie sich der Tragweite einer solchen Entscheidung bewußt?«

»Absolut. Nur: Ich kann nicht anders. Nicht aus politischen Gründen. Oder welche Sie auch immer meinen. Das einzige, wozu ich mich zur Verfügung stelle, ist ein Gespräch mit dem Arzt dieser Organisation.«

»Mit Irbid?«

»Ja. Mit diesem Doktor Irbid. Sie werden sehen, nach diesem Gespräch wird er nicht mehr auf seiner Forderung beharren.«

»Kann sein, daß Sie recht behalten. Aber ist da nicht auch noch ein anderer Punkt zu berücksichtigen?«

»Nein. Von mir aus nicht.«

»Ich bin zwar kein Mediziner, Mister Niklas. Aber muß der Patient nicht versorgt werden?«

»Wenn Sie ihn in die Herzklinik gebracht haben, wird er versorgt.«

»Vielleicht routinemäßig, zugegeben. Wir sind aber nach dem jetzigen Stand der Dinge dem Zwang ausgesetzt, daß der Patient unter allen Umständen am Leben bleiben muß. Daß wir ihn möglichst schnell risikolos transportieren können. Er darf uns sozusagen unter Aufsicht dieses Irbid auf keinen Fall abkratzen! Es sei denn . . .« Martindale sah Paul herausfordernd an.

»Es sei denn?« Paul hielt seinem Blick stand.

»Es sei denn, Sie übernehmen die Verantwortung. Sie behandeln den Fall. Dann sind wir nämlich aus dem Schneider, verstehen Sie, Mister Niklas?«

»Gut. Ich komme mit in die Klinik. Ich sehe mir den Fall an. Zusammen mit Professor Sils. Professor Sils ist der Kardiologe unseres Hauses. Ich bin bereit, mich so lange mit dem Fall zu befassen, bis ich das Gespräch mit Doktor Irbid geführt habe, bis er von selbst meine Ablösung verlangen wird. Einverstanden?« Paul sah von einem zum anderen.

»Okay«, sagte Martindale und leerte sein Glas mit einem kräftigen Schluck.

»Einverstanden«, sagte Anspach, und Hermann nickte zustimmend. Die Männer erhoben sich.

»Ich will nur Professor Sils verständigen lassen«, sagte Paul, wartete keine Antwort ab und wählte die Nummer der Klinik.

Wenig später, als sie in der Diele standen und bereit waren, das Haus zu verlassen, sagte Paul plötzlich: »Eines interessiert mich noch, Mister Martindale. Dieser Dschafar wurde doch hier in Deutschland verhaftet?«

»Ja, ganz recht.«

»War er allein?«

»Warum fragen Sie?«

»Ich meine, war er in Begleitung seines sogenannten Leibarztes?«

»Nein.«

»Ist das nicht sehr eigenartig? Der Arzt, der von dem ersten Infarkt seines Patienten weiß. Der mit der Möglichkeit eines zweiten rechnen muß. Er läßt ihn allein. Über eine solche Entfernung hinweg! Wie erklären Sie sich das, Mister Martindale?«

»Ich glaube, das fragen Sie am besten diesen Irbid selber.«

Sie traten auf die Straße hinaus. Die Straßenlampen brannten noch. Am Horizont wurde der Himmel allmählich hell.

Hermann winkte seinen Dienstwagen heran, der Chauffeur riß die Türen auf, und die Männer stiegen ein.

Sie hatten sich noch kaum zurechtgesetzt, als in der Nähe das Singen von bremsenden Reifen zu hören war, dann das aufheulende Geräusch eines Motors und das Donnern eines Auspuffs, als nehme jemand eine Kurve in der Art eines Rennfahrers, und gleich darauf wurde der Wagen sichtbar. Ein offener MG. Er kam mit weit überhöhter Geschwindigkeit in Richtung des Wagens gefahren, in dem die Männer sich gerade zurechtsetzten, und bremste hart vor Pauls Haus.

Am Steuer saß ein junger Mann in Blue jeans, offenem Hemd und mit wehenden Haaren. Neben sich hatte er ein Mädchen. Er sprang heraus, stieß mit einem Fußtritt die Tür hinter sich zu, rannte um den Wagen herum, packte das Mädchen bei den Hüften, hob es auf die Straße, gab ihm einen flüchtigen Kuß auf die Wange, nahm es bei der Hand und rannte mit ihm zum Hauseingang.

Das alles vollzog sich in Sekundenschnelle.

»Ein Verrückter!« sagte Hermann und ließ offen, ob er die Fahrweise oder den stürmischen Umgang mit dem Mädchen meinte, und gab dem Chauffeur das Zeichen zum Anfahren.

»Meine Tochter«, sagte Paul mehr zu sich selbst, »meine Tochter, die endlich nach Hause kommt.«

3

Kaum hatte Kathy die Haustür geöffnet, da stürmte der Junge ins Haus, in die Diele, ins Wohnzimmer, ins Arbeitszimmer, in die Küche, in die Schlafzimmer von Paul und Helen. Kathy rannte hinter ihm her: »He, das kannst du nicht machen!«, doch als sie merkte, daß sich im Haus nichts rührte, daß ihres Vaters Schlafzimmer verlassen war, rief sie erleichtert: »Ich glaube, wir sind allein!« Ohne ihr zu antworten, lief der Junge hinauf ins obere Stockwerk, in ihr Schlafzimmer, ins Zimmer des Mädchens, in die beiden Bäder, kam wieder herunter in den Wohnraum und sank neben der Bar wie erschöpft in einen der Sessel und warf seine Beine über die Lehne.

»Wie heißt du eigentlich?«

»Kathy. Und du?«

»Frank. Wohnst du hier?«

»Ja. Was dachtest du denn?«

»Könnte ja auch sein, daß du nur 'n Schlüssel von der Bude hast. Von 'ner Freundin. Oder 'nem Kerl. Hübsches Haus. Viele Bücher. Wohnst du bei deinen Alten?«

»Nur beim Vater.«

»Ist der Ingenieur?«

»Wie kommst'n darauf?«

»Irgendwas muß er ja sein. Also?«

»Er verdient sein Geld. Genügt das nicht?«

»Er verdient klotzig, was?«

»Ich hab mir das noch nicht überlegt.«

»Und du? Was machst du?« Er trank.

»Nichts. Vorläufig nichts.«

»Das ist das beste. Die Alten sollen blechen, bis sie schwarz werden.«

»Und du«, sagte sie und kuschelte sich auf der Couch zusammen, »von was lebst du? Auch von deinen Alten?«

»Nee. Die gibt's nicht mehr.«

»Tot?«

»So gut wie. Wenigstens für mich.«

»Also, was machst du?«

»Das übliche. Uni.«

»Welche Sparte?«

»Hier ein bißchen, da ein bißchen. Zur Zeit Soziologie.«

»Und wovon lebst du?«

»Davon lebe ich.«

»Vom Studieren?«

»Na klar. Der Staat blecht. Achthundert Piepen im Monat. Ist das nichts?«

»Aber die Miete?«

»Die Miete! Die Miete kann mich mal!« Er änderte den Ton, wurde sachlich. »Ich wohne mit 'n paar Kumpels zusammen. Da entfallen auf jeden nur siebzig Emm. Das ist zu verkraften. Und sonst brauche ich ja nichts. Eine Hose hab ich. Und ich brauche sie nicht mal immer!« Er lachte, als habe er einen umwerfenden Witz gemacht.

»Und das Essen?«

»Das bißchen Essen? Man wird auch mal eingeladen. Wie zum Beispiel jetzt von dir zu irgendwas Gebrutzeltem. Hast 'n Steak?«

»Und der Wagen?«

»Gehört 'nem Freund. Prima Kumpel. Ich beweg ihn nur. Schon ein paar Wochen. Er ist zur Zeit weg.«

»Wo?«

»In Israel. Interessiert er dich?«

»Bist du Jude?«

»Weil mein Freund zur Zeit in Israel ist?«

»Bist du nun Jude oder nicht?«

»Hast du also 'n Steak?«

»Weich mir nicht aus!«

»Jaaa, ich bin Jude! Jaaa! Bist du nun zufrieden?«

»Zufrieden? Wieso soll ich zufrieden sein?«

»Weil du endlich gescheiter bist.«

»Du machst das Theater! Nicht ich. Und wo wohnen deine Eltern?«

»Jetzt fängt der Käse von vorne an!«

»Also, wo wohnen sie?«

»In Jaffa. Genug?«

»Und du hast Geschwister?«

»Sechs. Hast du nun ein Steak?«

»Und alle liebt ihr euch?«

»Jaaa! Laß mich endlich mit der blöden Fragerei in Frieden!«

»Ihr liebt also auch eure Eltern?«

»Du kannst einem gewaltig auf 'n Wecker fallen!«

»Dann war das alles nur ein blödes Gerede von dir.« Sie streckte die Hand nach seinem Glas aus, er überließ es ihr, und sie nahm einen Schluck.

»Beim Tanzen bist du ja ganz brauchbar«, sagte er gedehnt, »aber sonst . . .«

»Dann lebst du also auch nicht von unserem Staat.«

»Aber viele tun es. Alle, die ich kenne!«

»Und die Miete? Und der Wagen?«

»Erstunken und erlogen. Na und? Ist dir jetzt wohler?«

»Ich weiß es nicht.« Sie dachte nach. »Nein, ich weiß es wirklich nicht. Ich weiß nicht einmal, warum ich gefragt habe. Bestimmt nicht, weil du mich besonders interessierst. Jedenfalls nicht mehr als die anderen. Aber wenn ich es mir recht überlege, dann ist mir wahrhaftig wohler. Nur anders, als du glaubst.«

»Und wie?«

»Schwer zu beschreiben. Vielleicht, weil ich ernsthaft war. Weil ich gefragt habe, ob du deine Eltern magst.«

»Willst du das denn sein, ernsthaft?«

»Die anderen sagen, ich sei es nie.«

»Und? Schlimm?«

»Schlimm nicht. Und trotzdem habe ich mich jetzt gerade ganz wohl gefühlt. Und jetzt mach ich dir ein Steak.« Sie glitt von der Couch. »Das heißt, wenn ich eins finde.« Sie lief hinauf ins obere Stockwerk, kam kurz darauf zurück, in einen weißen Morgenmantel gehüllt, und ging in die Küche.

Er stellte sich hinter sie. »Kathy, du bist 'ne Wucht!«

»Weil ich ein Steak gefunden habe?«

»Nein. Weil du 'ne Wucht bist.«

Sie aßen und tranken und waren zärtlich zueinander. Gegen sechs Uhr früh sagte sie: »Du mußt jetzt gehen.«

»Kommt dein Alter?«

»Ja, mein Vater. Und vielleicht auch unser Hausmädchen.«

»Ihr habt 'n Hausmädchen? Wohnt die etwa auch hier?«

»Ja. Oben neben mir. Sie hat Ausgang.«

»Ist sie hübsch?«

»Jung. Nicht unbedingt hübsch.«

»Egal. Wir verführen sie! Hast du Lust?«

»Nein!«

»He, was ist denn plötzlich mit dir?«

»Nichts. Was soll sein? Nur weil ich keine Lust auf unser Hausmädchen habe? Du mußt jetzt wirklich gehen!«

»Na gut. Ich nehme mir noch 'ne Flasche Whisky mit, ja?«

»Wenn's dir weiterhilft.«

»Auf jeden Fall.« Er nahm sich eine Flasche vom Regal und ging zur Haustür. »Übrigens war nicht alles erstunken und erlogen.«

»Ach? Was du nicht sagst!«

»Ich heiße wirklich Frank. Und studiere wirklich Soziologie. Und lebe wirklich von der Studienbeihilfe. Und zahle wirklich nur siebzig Mark Miete. Und bin wirklich scharf darauf, daß ich eingeladen werde.«

»Aber du bist Jude.«

»Nein. Und meine Eltern leben auch nicht in Israel, sondern hier.«

»Wo?«

»In Berlin.«

»Und . . . bist du gut mit ihnen . . . liebst du sie?«

»Ja. Aber der Alte hat nicht allzuviel Moos.«

»Und der Wagen?«

»Ach so, den habe ich vergessen.«

»Gehört er dir?«

»Nein.«

»Also einem Freund.«

»Auch nicht.«

»Dann eben einer Mieze. Ist ja egal.«

»Ich habe keine Ahnung, wem er gehört. Ich habe ihn mir heute nacht ausgeborgt.«

»Du hast ihn gestohlen?«

»Das ist ein hartes Wort. Aber ist ja egal. Ich fahre ihn zurück. Jetzt gleich. Und daran bist nur du schuld. Du mit deiner ewigen Fragerei!«

Er verließ das Haus, und sie sah ihm nach, wie er zum Wagen ging.

»Meldest du dich mal?«

»Wenn du willst«, rief er. Dann sprang er über die geschlossene Tür des Wagens und fuhr mit Vollgas los.

An der Ecke startete ein metallic-grüner Volkswagen und folgte dem MG.

4

Der Wagen mit den fünf Männern bog auf den Parkplatz ein und hielt. Der Chauffeur riß die Türen auf. Niels Hermann stieg als erster aus, Anspach, Paul und Martindale folgten ihm.

Der Morgen dämmerte zusehends mehr.

Am rückwärtigen Eingang der Klinik standen zwei Männer in unauffälligem Zivil. Hermann nickte ihnen im Vorübergehen zu.

»Keine Vorkommnisse?« fragte er sie, und sie antworteten wie aus einem Mund: »Nein, keine Vorkommnisse.«

Im Lift wandte sich Hermann an Paul und erklärte mit einem leichten Lächeln: »Ich bin hier nämlich für die Sicherheit verantwortlich.«

»Für die Sicherheit des Patienten?« fragte Paul.

»Ja.«

»Ist er denn von außen gefährdet?«

»Sobald sein Aufenthaltsort bekannt wird, unbedingt. Es gibt genug Fanatiker, die seinen Kopf fordern.«

Die Schwingtür zur Intensivstation flankierten zwei Polizisten in Uniform. Sie trugen Pistolen. Sie rissen für Hermann und seine Begleiter die Tür auf.

»Ist das nicht zuviel?« meinte Paul im Gehen.

»Sie meinen die Pistolen?«

»Eher die Uniformen.«

»Sie sollen abschrecken. Wir wollen hier keine Schießerei. Jeder, der auf einen dummen Gedanken kommen könnte, soll gleich sehen, daß er es mit der Polizei zu tun hat.«

Sils, der Kardiologe, groß, stattlich, schon in seinem weißen Mantel, begrüßte die Männer und sagte dann zu Paul: »Ich bin seit fünf Minuten hier. Ich habe mir den Fall schon kurz angesehen. Ein typischer Zweitinfarkt. Aber Näheres kann ich noch nicht sagen.«

»Haben Sie mit dem Patienten gesprochen?« fragte Paul.

»Nein. Ich wollte auf Sie warten.«

»Dann gehen wir zu ihm.«

»Er liegt auf eins. Hat den ganzen Raum für sich allein.« Sils ging voran.

Die Lafette mit dem Bett stand in der Ecke, wo auch sonst das Bett eins stand. Die übrigen Betten waren aus dem Raum entfernt.

Dschafar hatte die Augen geschlossen. Er sah sehr krank und geschwächt aus, und seine von Natur bräunlich gelbe Hautfarbe war jetzt fahl und zeigte einen ins Violette gehenden Ton.

Das Gesicht war großflächig, umrahmt von kurzen, tiefschwarzen, enganliegenden Haaren, die Nase kräftig, die Haut großporig. Auf der Oberlippe hatte er ein schmales Bärtchen, und vom linken Mundwinkel zum Kinn zog sich eine breite Narbe.

Schwester Christine hielt Paul den Bericht hin: »Bitte, Herr Professor.«

»Christine? Haben Sie Nachtdienst oder hat man Sie etwa auch hierher befohlen?«

»Ich habe Nachtdienst.«

»Um so besser. Dann wollen wir uns die Sache mal anschauen.« Er hielt den Bericht so, daß Sils mitlesen konnte.

Nach einer Weile sah er hoch. »Er sollte an die Pumpe angeschlossen werden. Was meinen Sie?« Die Frage galt dem Kollegen.

»Es bleibt uns wohl keine andere Möglichkeit«, sagte Sils, »wenn wir kein unnötiges Risiko eingehen wollen.«

»Also Pumpe und Katheter. Sie wissen ja Bescheid, Christine, veranlassen Sie bitte alles Nötige«, sagte Paul und wandte sich an die drei Männer, die abseits standen: »Bevor überhaupt etwas zu machen ist, müssen Vorkehrungen getroffen werden, daß er nicht wegsackt«, und fügte mit leichter Ironie hinzu: »Nicht ›übern Jordan geht‹, wie Mister Martindale so treffend sagt.«

Martindale nahm die Anspielung unbewegt auf. »Wie viele Stunden werden diese Vorkehrungen in Anspruch nehmen?«

»Stunden«, sagte Paul, »Sie meinen Tage? Wenn er Glück hat und sich überhaupt wieder fängt, dann können Sie zunächst einmal getrost mit vier Tagen rechnen. Und wenn er Pech hat, dann hat er zusätzlich eine Woche lang Rhythmusstörungen. Und wenn er ganz großes Pech hat, dann . . . na, Sie wissen schon.«

»Hören Sie, Mister Niklas, das mag der Normalfall sein. Hier haben wir es mit dem absoluten Ausnahmefall zu tun. Wir können es uns nicht leisten, vier Tage oder gar noch länger untätig herumzusitzen und zu warten, ob wir den Burschen überhaupt hinkriegen. Wir dürfen die Lage der armen Menschen in dem Jumbo nicht vergessen. Mister Niklas, Sie können die Sache nicht nur von hier aus, von der Klinik aus, beurteilen.«

»Gut, Mister Martindale, dann mache ich Ihnen einen Vorschlag. Sie kümmern sich ab sofort persönlich um den Patienten. Auf meine Mitwirkung werden Sie ja dann wohl endgültig verzichten.«

»Mister Niklas, ich bitte Sie wirklich dringend, nicht derart schwarzweiß zu urteilen«, lenkte Martindale ein, »Sie vertreten natürlich Ihre Interessen. Aber ich vertrete meine. Und diese beiden Interessen müssen unter einen Hut gebracht werden. Müssen! Dazu sind wir gezwungen!« Martindale holte einen Kaugummi hervor, wickelte ihn umständlich aus der silbernen Folie und schob ihn wie nebenbei in den Mund. Da ihm niemand antwortete, fuhr er fort: »Was schlagen Sie als erste Maßnahme vor, Mister Niklas?«

»Das habe ich schon gesagt. Professor Sils ist einverstanden, daß wir den Patienten an die Aorten-Ballonpumpe anschließen, um das Schlimmste zu verhüten.«

»Und danach?«

»Gleichzeitig, das heißt wenig später, sobald es die Konstitution des Patienten zuläßt, machen wir einen Herz-Katheter.«

»Und was bedeutet das?«

»Dabei machen wir eine Coronar-Angiographie. Sagt Ihnen das etwas?«

»Nein. Aber Sie werden es mir erklären.«

»Über den Katheter wird Kontrastmittel eingespritzt. In die Herzkranzgefäße. So kann man am Röntgenbildschirm feststellen, wo und wie stark eine Arterie verschlossen ist.«

»Und dann?«

»Nach diesem Bild und nach dem Krankheitsverlauf gilt es zu entscheiden, ob am Patienten eine Operation vorgenommen werden kann und soll.«

»Ist das die einzige Möglichkeit, diesen Kerl wieder, na, sagen wir, wieder auf die Beine zu stellen?«

»Um bei Ihrem Beispiel zu bleiben, Mister Martindale«, sagte Paul, »für Ihren Fall ist das meines Erachtens die schnellste Methode, da Sie ja nichts anderes wollen, als daß er auf den Beinen steht. Wenn auch nur für eine kurze Zeit ohne Risiko.«

»Wenn uns keine andere Wahl bleibt«, sagte Martindale, »dann bitte ich Sie, so schnell wie möglich zu handeln.«

»Professor Sils wird das übernehmen«, sagte Paul zu Martindale und wandte sich an den Kollegen: »Einverstanden?«

»Einverstanden«, sagte Sils.

Mittlerweile hatte Dschafar die Augen aufgeschlagen. Ohne den Kopf zu bewegen, schaute er einen nach dem anderen an.

Paul bemerkte seinen Blick. Er zog Martindale in den Vorraum hinaus und sagte leise: »Noch eins zu Ihrer Geheimhaltung ...«

»Ich weiß«, winkte Martindale ab, »Sie sind hier nicht mehr der einzige Eingeweihte.«

»Wir haben über vierhundert Angestellte.«

»Ich dachte ja auch nur an seinen Zustand. Den müssen wir doch nicht hinausposaunen?«

Sie standen jetzt beide so, daß sie durch die wandhohe gläserne Scheibe Dschafar in ihrem Blick hatten.

»Hinausposaunen nicht«, sagte Paul, »aber Ärzte, Pflegepersonal, Schwestern ... so vielen Leuten können Sie nicht verbieten, im Casino oder sonstwo darüber zu reden, sich mit Bekannten, mit anderen Menschen zu unterhalten.«

»Ich sah so etwas auf mich zukommen«, seufzte Martindale, »verdammt! Da kann man wirklich nur noch beten!«

»Ich werde jetzt mit ihm sprechen«, sagte Paul und ließ keinen Blick von Dschafar, »allein mit ihm sprechen! Ganz allein, Mister Martindale!«

»Ich habe verstanden«, sagte Martindale, »aber warum kann zum Beispiel ich nicht dabeisein?«

»Niemand soll dabeisein«, sagte Paul, »niemand außer einem Dolmetscher.«

»Den brauchen Sie nicht«, sagte Martindale, »unser Freund versteht jedes Wort. Er spricht brauchbar deutsch und englisch.«

»Um so besser.«

»Und warum kann ich nicht . . .?«

»Weil ich Ihnen zugesagt habe, daß ich mich um ihn kümmere, bis sein Arzt, dieser . . .«

»Irbid.«

». . . dieser Doktor Irbid, mich ganz von selbst aus der Verantwortung entlassen wird. Und wenn ich mich um ihn kümmern soll, dann muß ich ihn in voller Ruhe sprechen können. Jede andere anwesende Person würde die Ruhe des Patienten gefährden. Und für einen Infarktkranken kann sich auch die kleinste Erregung schädlich auswirken. Also?«

»Okay. Sie können ihn allein sprechen.«

5

Alle hatten den Raum und den Vorraum verlassen, Anspach, Hermann, Martindale, auch Sils und die Schestern. Die Tür war geschlossen.

Man hörte nur noch die unmerklichen Geräusche der Apparaturen, das leise, regelmäßige Ticken des Computers, das schwache Blubbern der Pumpe. Durch die Fenster drang die Helligkeit des Morgens.

Paul zog sich einen Hocker ans Bett. »Ich bin Paul Niklas«, sagte er zu Dschafar, »Sie sind hier in völliger Sicherheit.« Er sprach mit gedämpfter Stimme, sachlich, wohlwollend.

Dschafar sah ihn aus glanzlosen Augen an, stumm, doch sein Blick ließ Paul erkennen, daß er ihn verstanden hatte. »Sie brauchen nicht die geringste Angst zu haben«, sagte Paul, »Sie sind hier in guter Obhut. In einigen Tagen wird es Ihnen bessergehen. Glauben Sie, daß Sie imstande sind, mir einige Fragen zu beantworten?«

»Ich kenne Sie«, sagte Dschafar mit kleiner Stimme, »ich kenne Ihren Namen. Und ich vertraue Ihnen.«

»Ich danke Ihnen. Sie wissen, daß auch einer Ihrer Freunde hier ist?«

»Ja. Irbid. Ich habe gesprochen mit ihm. Kurz. Aber nicht allein.« Er versuchte, sich aufzurichten. »Hören Sie, Professor, ich muß ihn sprechen allein.«

Mit sanfter Gewalt drückte Paul ihn ins Kissen zurück. »Es liegt an Ihnen«, sagte er, »zum großen Teil an Ihnen, wie Ihre Krankheit verlaufen wird. Sie müssen ruhig liegen. Sollen sich mit gar nichts belasten. Ein Gespräch mit Ihrem Freund unter vier Augen könnte für Sie einen großen Rückschlag auslösen. Und das wäre alles andere als das, was wir uns jetzt wünschen sollten. Sie hatten schon einmal einen Infarkt?«

»Ja.«

»Einen leichten?«

»Ja.«

»Wie lange haben Sie ihn auskuriert? Vier Wochen? Sechs?«

»Zwei.«

Nur zwei Wochen, dachte Paul, das war mehr als fahrlässig gewesen, doch er ließ sich seine Gedanken nicht anmerken. »Waren Sie danach wieder völlig hergestellt?«

»Ja.«

»Hat Doktor Irbid diesen Infarkt behandelt?«

»Nein. Arzt in Tripolis.«

»Aber Doktor Irbid kennt den Fall?«

»Ja.«

»Mister Dschafar, ich stelle Ihnen jetzt Fragen, die Sie mir wahrheitsgetreu beantworten müssen, damit ich Ihnen helfen kann.«

»Fragen Sie.«

»Hat diese jetzige Attacke Sie erst überfallen, als Sie schon in amerikanischen Händen waren, oder hat sie sich schon vorher angekündigt? Ich meine mit Symptomen, die Ihnen ja bekannt sind?«

Dschafar suchte nach Worten. »Ich habe noch nicht überlegt. Aber jetzt fällt mir etwas ein.« Er machte eine Pause.

»Lassen Sie sich ruhig Zeit, Mister Dschafar. Es eilt nicht. Lassen Sie mich lieber fragen. Spürten Sie schon vor Ihrem Zusammenbruch irgendwelche Symptome, ich meine, haben Sie sich nicht wohlgefühlt?«

»Ja.«

»Übelkeit?«

»Ja.«

»Wie viele Tage vorher? Ungefähr, meine ich. Einen Tag? Zwei? Drei? Oder mehr?«

»Mehr.«

»Auch Schmerzen im linken Arm?«

»Ja, auch.«

»Auch mehr als drei Tage vorher?«

»Ich glaube ja.«

»Waren die Schmerzen stark? Ich meine so stark, daß Sie Ihren Arm nicht mehr bewegen konnten?«

»Ich bin sehr zäh, Sie müssen wissen.«

»Ja, das nehme ich an. Mister Dschafar, wir wollen das Gespräch beenden. Kann ich Ihnen einen Wunsch erfüllen?«

»Ja. Ich muß Irbid sprechen allein.«

»Wollen Sie gesund werden, Mister Dschafar? Schnell gesund?«

»Professor, ich vertraue Ihnen. Und deshalb werde ich gehorchen.«

»Es wäre für Sie noch besser, wenn Sie diesen Vorschlägen ganz von sich aus nachkämen, wenn Sie alles andere vergessen könnten.«

Paul sprach mit ruhigem Nachdruck. Auf dem erschöpften Gesicht des Arabers, der matt in seinem Krankenbett lag, zeigte sich ein flüchtiges Lächeln. »Sie meinen Politik?« sagte Dschafar tonlos.

»Ja«, antwortete Paul, »es wäre gut, wenn es diese Gedanken für Sie einige Tage nicht gäbe. Er erhob sich. »Und jetzt schlafen Sie. Durch Schlaf können Sie jetzt viel erreichen. Sehr viel.«

6

Der Fahrer wollte das Taxi auf die andere Straßenseite lenken, doch Paul, der im Fond saß, tippte ihm auf die Schulter:»Fahren Sie bitte noch bis zur nächsten Ecke.«

Er fand sich selber lächerlich. Wahrhaftig, auch er spielte jetzt ›Räuber und Gendarm‹! Martindale hatte ihn schon angesteckt.

Er drückte dem Fahrer einen Schein in die Hand,»der Rest ist für Sie«, und stieg aus.

Die Maximilianstraße war nicht sehr belebt. Die Menschen, die schon um diese frühe Vormittagsstunde die Auslagen der exklusiven Geschäfte betrachteten, waren noch überschaubar. Ob sich wohl einer von ihnen gerade Gedanken über die Geiseln in Damaskus machte, über das zähe Feilschen zwischen den Amerikanern und dem AWT? Ob sich auch nur einer vorstellen konnte, daß wenige Schritte von hier einer der am meisten gehaßten und gefürchteten AWT-Leute im vornehmen Hotel ›Vier Jahreszeiten‹ wohnte? In allen Ehren und unter polizeilichem Schutz?

Paul überquerte die Straße und verschwand in der messingumrahmten Glastür. Er ging an den schwarzbefrackten Angestellten beim Empfang vorüber und wandte sich nach rechts zum Lift. Zimmer Nummer 321, hatte Martindale gesagt.

Der Lift kam, die Türen öffneten sich. Zusammen mit Paul trat ein älteres Ehepaar in den Lift, beide, Mann und Frau, waren elegant gekleidet. Sie unterhielten sich leise auf englisch. Amerikaner, dachte Paul, amerikanische Juden auf einem Trip durch Deutschland. Die würden Augen machen, wenn sie wüßten, wen ich hier aufsuchen muß.

Die beiden verließen den Lift im zweiten Stockwerk. Paul fuhr weiter ins dritte. Bei Zimmer 321 öffnete er die äußere Tür und klopfte schnell hintereinander fünfmal an die Innentür.

Ein schlanker junger Mann öffnete ihm. Er hatte die bronzefarbene Haut der Orientalen, sein schwarzes Haar streng gescheitelt, und seine Augen verbargen sich hinter sehr starken Brillengläsern. Er trug einen hellen Sommeranzug mit weißem Einstecktuch, weißem Hemd und einer nachlässig gebundenen Krawatte aus weißer Seide.

»Mister Irbid?«

»Ja, der bin ich«, sagte der junge Mann in flüssigem Deutsch,»und

Sie sind Mister Niklas. Sie haben sich nicht verändert, Professor. Bitte treten Sie ein.«

Er bot Paul höflich Platz an. Auf dem niedrigen Tisch standen ein Krug mit Orangensaft, eine Flasche Sodawasser und eine Schale voll Eiswürfel. »Darf ich Ihnen eine Erfrischung anbieten?« Irbid spielte den vollendeten Gastgeber, doch Paul lehnte dankend ab.

»Wir wollen gleich zum Thema kommen«, sagte er gelassen, »Mister Irbid, Sie haben hier meine Vorlesung gehört?«

»Ich hatte das Glück, bei Ihnen als Gast hören zu dürfen. An der Uni. Leider nur wenige Male. Dann war Semesterschluß.«

»Ich muß Sie also nicht kennen?«

»Nein, das nicht. Dafür kenne ich Sie um so besser. Ich meine Ihr Wissen, Ihr Können, Ihre Ausnahmestellung.«

Paul ging nicht darauf ein. »Ich komme eben aus der Klinik.«

»Mister Martindale hat mich unterrichtet.«

»Hat er Ihnen auch gesagt, daß ich mit . . . mit Ihrem Freund gesprochen habe?«

»Er hat mir gesagt, daß Sie es getan haben, aber er konnte mir keine Details mitteilen.«

»Das wichtigste Detail ist, daß es Ihrem Freund sehr schlecht geht. Es ist mir nicht ganz klargeworden, ob er sich dessen bewußt ist. Seine Reaktionen lassen den Schluß jedoch zu.«

»Das war auch mein Eindruck, Mister Niklas. Meine Frage lautet: Können Sie ihm helfen?«

»Ich bin nur hierher gekommen, Mister Irbid, um Ihnen die volle Wahrheit zu sagen. Die Wahrheit, die auf zwei Beinen steht. An Ihnen liegt es, diese Wahrheit anzuerkennen, sie zu respektieren und dementsprechend zu handeln.«

»Auf zwei Beinen . . .? Und das erste Bein?«

»Das betrifft Ihr Verhalten gegenüber Ihrem Freund. Weiß er zum Beispiel, unter welchen Voraussetzungen Sie nach Deutschland gekommen sind, respektive überhaupt kommen konnten?«

»Sie meinen die Geiselnahme?«

»Ja. Weiß er davon?«

»Wir konnten nicht direkt darüber sprechen. Aber ich nehme an, er macht sich so seine Gedanken. Bei uns heißt es: ›Gedanken sind stärker als Worte.‹ Ein altes arabisches Sprichwort.«

»Und bei uns heißt es: ›Aus bösen Gedanken entspringen böse Taten.‹ Und die böse Tat, die der Körper Ihres Freundes vollbringen könnte, wäre, daß sein Herz für immer aussetzt.«

»Ich danke Ihnen für Ihre Offenheit, Mister Niklas.«

»Wenn Sie also in Ihrem Freund jetzt nur den Patienten sehen, und zwar einen Patienten, der um sein Leben kämpft, und nicht den Mann, der einer politischen Organisation vorsteht, wenn Sie ihn also so sehen, dann helfen Sie ihm sehr.«

»Unbedingt sehe ich in ihm einen Patienten, Mister Niklas«, sagte Irbid zustimmend, doch dann wurden seine Lippen schmal, und er setzte mit gepreßter Stimme hinzu: »Ich sehe ihn aber vor allem anderen als meinen politischen Kampfgenossen, der unsere Organisation anführt und sein Leben für die Freiheit seines unterdrückten Volkes einsetzt! Und im Auftrag meines unterdrückten Volkes bin ich hier in Ihrem Land, spreche ich hier in diesem Zimmer mit Ihnen, kämpfe unbarmherzig und mit glühendem Herzen für das Leben unseres politischen Führers!«

»Genau das erwarte ich von Ihnen, Mister Irbid. Kämpfen Sie bitte um das Leben Ihres Führers. Tragen Sie Ihren Teil für die Erhaltung seines Lebens bei, und sprechen Sie in seiner Gegenwart nicht von Politik, egal wie.«

»Mister Niklas, ich habe nicht in das Gespräch mit Ihnen eingewilligt, um mich von Ihnen belehren zu lassen!« sagte Irbid laut. Sein Gesicht war verzerrt.

»Sondern?« antwortete Paul betont zurückhaltend. »Warum haben Sie eingewilligt, wenn nicht aus Sorge um Ihren Freund?«

Irbid verlor für einen Augenblick die Fassung. »Äh!« Mit einer wegwerfenden Handbewegung deutete er an, wie er über Paul dachte. »Äh! Sie verdrehen einem die Worte im Mund!«

»Und wenn Sie sich wirklich aus Sorge um Ihren Freund mit mir unterhalten«, fuhr Paul unbeirrt fort, »dann haben Sie nur eines zu tun. Und zwar das, was ich sage. Und sonst nichts! Völlig egal, ob Sie meine Vorschläge als belehrend abtun oder nicht. Wenn Ihnen am Leben Ihres Freundes auch nur das Geringste liegt, dann haben Sie meine Anweisungen zu befolgen!«

»Sie wagen es, daran zu zweifeln, daß mir am Leben unseres Führers etwas liegt? Sie wagen es tatsächlich!«

»Und wenn Sie sich noch so ungebärdig benehmen und noch lauter schreien, auf mich machen Sie damit keinen Eindruck. Sie erreichen höchstens, daß ich nicht erst in ein paar Stunden, nicht erst wenn mein Kollege Kramer oder ein anderer den Fall übernommen hat, die ärztliche Behandlung Ihres Freundes abgebe, sondern jetzt in dieser Minute.«

Paul erhob sich und machte einen Schritt auf die Tür zu. Er wußte, daß er dem anderen eine Art Knockout versetzt hatte.

»Mister Niklas!« Irbid stand regungslos und verzog keine Miene, obwohl er vor Wut kochte.

»Ich weiß nicht, was wir uns noch zu sagen hätten. Es sei denn, Sie richten sich nach meinen Weisungen.«

»Mister Niklas, Sie haben um dieses Gespräch nachgesucht. War das alles, was Sie mir zu sagen hatten?«

»Nein. Ich habe eben schon angedeutet, daß ich den Fall als solchen nicht übernehmen kann. Ich habe mich nur bereit erklärt, ihn zu betreuen, bis Sie sich für einen anderen Kollegen entschieden haben. Für einen, dem Sie vertrauen.«

In wenigen Worten setzte Paul ihm seine Situation auseinander.

»Mister Niklas, ich habe Sie bisher immer als Ehrenmann betrachtet. Ihre Untadeligkeit und Ihr unbestreitbares Können haben für mich den Ausschlag gegeben, Ihnen in unserem speziellen Fall mein volles Vertrauen entgegenzubringen.«

Irbid setzte sich aufatmend. Er hatte sich weitgehend beruhigt. Paul stand nach wie vor an der Tür, als wollte er das Zimmer verlassen.

»Wenn Sie nicht gewesen wären, hätten wir uns niemals in eine derartige Verhandlungsführung eingelassen«, sagte Irbid.

Paul setzte sich ebenfalls wieder, doch nur halb auf einen Sessel, als sei er weiterhin zum Aufbruch bereit. »Wie hätten Sie denn sonst gehandelt, Mister Irbid? Hätten Sie die schwere Erkrankung Ihres Freundes etwa ignoriert?«

»Ich will ehrlich sein: Wir hätten die Erkrankung überhaupt nicht geglaubt. Wir hätten sie als ein Manöver der Amerikaner angesehen. Erst nachdem die Amerikaner davon sprachen, daß sie meinen Freund in Ihre Klinik verlegen, Mister Niklas, habe ich das Bulletin ernstgenommen. Das ist die Wahrheit.«

»Ich glaube Ihnen«, sagte Paul, »Sie wissen also jetzt, wie es um ihn steht. Wenn ich mich jetzt zurückziehe, das heißt zurückziehen muß, dann habe ich Ihnen wenigstens reinen Wein eingeschenkt.«

»Ich sehe nicht, daß Sie sich zurückziehen. Wenn Sie es aber wirklich wahr machen, dann gefährden Sie mindestens das Leben aller Geiseln, wenn nicht das von noch mehr Menschen.«

»Ich nehme Ihre Drohung nicht auf die leichte Schulter«, sagte Paul und beherrschte nur mühsam seinen Unwillen. »Aber gerade Sie als Arzt, als ein Mann, der vorgibt, mich zu kennen, Sie müßten mich begreifen. Was nützt Ihnen der Name Niklas, wenn der Mann Niklas versagt? Wenn er nicht mehr die Leistung vollbringt, die Sie von ihm erwarten? Wenn er sich nicht als der Mann erweist, der das Risiko weitgehend ausschaltet, sondern als einer, der es geradezu herausfordert?« Er machte eine Pause, aber Irbid sah ihn nur abwartend an.

Paul sprach weiter: »Nützt Ihnen etwa ein Mann, der nicht mehr an sich selbst glaubt? Nützt Ihnen einer, dessen Nerven jeden Moment versagen können? Einer, der Angst vor dem Morgen hat, vor dem nächstenmal? Was haben Sie davon, wenn der für Sie ›große Niklas‹ die mögliche Operation leitet und mitten in der Operation abgeben muß? Abgeben an einen Mann, den Sie nicht kennen, mit dem Sie vielleicht nicht einmal gesprochen haben? Einen Mann, dem Ihr Freund dann rettungslos ausgeliefert wäre?«

Irbid zog sein Einstecktuch aus der Brusttasche, wischte sich damit über die Stirn und steckte es zurück. »Mister Niklas, ich lasse Ihre Einwände gelten.«

Paul erhob sich. Er war erleichtert. »Ich danke für Ihr Verständnis, Mister Irbid, und wünsche Ihnen . . .«

». . . ich lasse Ihre Einwände gelten«, wiederholte der andere mit gefährlich leiser Stimme, »soweit sie Ihre persönliche Zukunft betreffen. Ich lasse sie aber nicht gelten für unseren speziellen Fall.« Er erhob sich ebenfalls.

Die beiden Männer standen sich Auge in Auge gegenüber. Von der Maximilianstraße drang die gleichbleibende Geräuschkulisse des Verkehrs herauf, gedämpft durch die geschlossenen Fenster.

»Mister Irbid, Sie machen es mir nicht leicht«, sagte Paul maßvoll, »Sie erwecken in mir Zweifel an Ihrem Verantwortungsgefühl als Arzt. Sie spielen mit einem Leben, nur weil Sie Ihre Auffassung durchsetzen wollen. Sie setzen das Leben des, wie Sie sagen, Führers Ihres unterdrückten Volkes aufs Spiel, nur weil Sie nicht beweglich genug sind, sich von einer festen Konzeption zu lösen und eine neue Situation als neu zu erkennen. Lassen Sie mich ausreden! Das, was ich eben sagte, betrifft nur Sie. Nur Sie und Ihr unterdrücktes Volk. Und natürlich Ihren Freund. Was ich aber jetzt sage, betrifft mich!«

Paul ging zur Tür und ergriff die Klinke. »Hören Sie mir gut zu, Mister Irbid! Sie können mich weder bitten, noch können Sie mich zwingen, diesen Fall zu übernehmen! Sie können mich nicht in meinem Entschluß wankend machen! Mein Entschluß steht fest. Er gründet sich auf etwas, das Sie anscheinend nicht verstehen können. Nämlich auf der Ethik meiner Berufsauffassung. Guten Tag, Herr Kollege Irbid!«

Er trat hinaus, schloß die Tür hinter sich und ging den langen Flur vor bis zum Lift. Er stieg ein und drückte auf »Erdgeschoß«.

Der Zufall wollte, daß im zweiten Stockwerk jenes Ehepaar zustieg, das auch mit ihm nach oben gefahren war. Die beiden alten Menschen lächelten ihn wiedererkennend an. Er lächelte zurück. Als der Lift hielt, nickten sie sich zum Abschied einen stummen Gruß zu.

Die tiefen Teppiche. Der Flur ohne Tageslicht. Die Hotelgäste. Die Satzfetzen in vielen Sprachen, die an sein Ohr drangen. Die paar Stufen zur Rezeption. Die breite Glastür.

Paul stand auf der Straße. Er ging in Richtung Oper davon. Auf seinem Gesicht lag noch unmerklich das Lächeln aus dem Lift. Er hatte Irbid und seine Probleme vergessen. Er dachte an das alte Ehepaar. Ihm waren sie als zwei glückliche Menschen erschienen.

7

»Aber, Kollege Niklas! Muß das denn wirklich sein?« Lorenz Sils saß Paul am Schreibtisch seines Büros gegenüber. Er strich sich mit der flachen Hand nachdenklich über seinen kahlen, glänzenden Kopf.

Professor Doktor Lorenz Sils war aufgeschlossen für die außergewöhnlichen Seiten, die das Leben manchmal bot, wie er von sich selbst sagte. Er stammte aus Südtirol. Viele gute Eigenschaften des Menschenschlags, der dort lebt, zeichneten ihn aus und machten ihn beliebt, nicht zuletzt seine Offenheit, seine Lebensfreude, sein Humor. Als Arzt war er nachhaltig mit den Aufgaben gewachsen, die sich ihm gestellt hatten. Wenn er wirklich einmal aus der Haut fuhr, dann nur aus Wut gegen sich selbst oder gegen die Sache, mit der er sich auseinandersetzte.

An der Herzklinik stand er der Kardiologie vor und galt auf seinem Gebiet als Kapazität.

»Wollen Sie es sich nicht noch mal überlegen?« sagte er, doch Paul schüttelte den Kopf.

»Aber, Herr Kollege!« Sils verschränkte die Hände auf dem Tisch.

»Ich wollte Sie nur davon unterrichten«, sagte Paul und erhob sich.

»Ich kann Ihnen natürlich nicht Ihr Problem abnehmen«, sagte Sils und stemmte sich mit einem Seufzer hoch, »aber ich kann Sie verstehen. Und ich wünsche Ihnen, daß Sie es bewältigen. Was die Arbeit hier betrifft, so muß ich Ihnen nicht sagen . . . ach was, das wissen Sie selbst! Kommen Sie recht bald wieder! Sie wissen, wie gern ich mit Ihnen zusammenarbeite.«

»Herr Sils, Sie werden doch jetzt nicht sentimental werden!«

»Keine Spur! Aber man darf ja wohl jemandem sagen, daß man ihn vermissen wird!«

»Was den Ausnahmefall auf der Intensivstation angeht . . .«, begann Paul, doch Sils unterbrach ihn: »Alles klar. Machen Sie sich darüber keine Gedanken. Den behandeln wir wie einen ganz normalen Fall. Entweder sind die anderen damit einverstanden oder sie nehmen den Fall von hier weg.«

»Ich habe Kramer in alles eingeweiht.« Paul streckte dem Kollegen die Hand entgegen.

»Gut. Dann viel Glück! Oder sagen wir lieber, genug Kraft!« Sils drückte die ihm dargebotene Hand und begleitete den Kollegen zur Tür.

Paul ging die breite Treppe hinunter und durch den rückwärtigen Ausgang hinaus auf den Hof. Er war schon auf dem Weg zu dem Platz, auf dem er gewöhnlich seinen Wagen abstellte, als ihm einfiel, daß er ja heute morgen im Dienstwagen des Polizeipräsidenten hierher gekommen war. Ein wenig irritiert änderte er die Richtung und verließ den Hof durch das große eiserne Tor, das offenstand und auf die Straße führte. Er wollte sich ein Taxi nehmen.

Er hatte die Ecke, an der die Taxis standen, noch nicht erreicht, da rief hinter ihm jemand seinen Namen. Mehrmals, laut und lebhaft. Er erkannte die Stimme. Sie klang heiser und schwer, die Stimme eines Mannes, der zuviel raucht.

Ohne sich umzudrehen, blieb er stehen und ließ den anderen herankommen. Bremsen quietschten. »Hello, Mister Niklas! Der Zufall ist das Brot des Agenten! Wie gut, daß ich Sie treffe. Das erspart mir Zeit.«

Stanley Martindale streckte den Kopf aus dem offenen Fenster seines Chevrolets. Sein verknittertes Gesicht sah jetzt auch noch bleich und abgehetzt aus.

»Mister Martindale! Das nenne ich eine echte Überraschung!«

»Wenn ich Sie nicht zufällig gesehen hätte, wäre ich jetzt zu Ihnen nach Hause gefahren.«

»Da wollte ich gerade hin.«

»Dann steigen Sie ein, Mister Niklas.« Martindale hielt einladend die Tür auf.

Paul stieg ein. »Und was wollen Sie noch immer von mir?«

»Die Frage ist berechtigt«, sagte Martindale und fuhr an. »Ich will mich mit Ihnen unterhalten. Von Mann zu Mann. Aber nicht hier im Wagen. Ich muß meinen Partner sehen können. Und wenn möglich auch nicht bei Ihnen zu Hause. Da gibt es eine Tochter und ein Hausmädchen, habe ich recht?«

»Ja. Das ist das Risiko der Geheimniskrämerei.«

»Ich habe Sie noch gar nicht gefragt, ob Ihre Zeit überhaupt erlaubt, daß wir uns . . .«

»Sie kommen mir nicht gerade gelegen, das muß ich einräumen.«

»Okay. Wo also schlagen Sie vor! Sie kennen die Stadt besser als ich. Wir brauchen nichts weiter als einen Ort, an dem Sie nicht sofort jemand kennt.«

»Ein Restaurant?«

»Aber, Mister Niklas! Einen Park! Einen Wald! Wenn es gar nicht anders geht auch eine Kirche!«

»Wie Sie meinen. Biegen Sie da vorne nach links ab.«

»Und wohin fahren wir?«

»Nicht weit. Zum Nymphenburger Schloß.«

8

Wer die beiden Männer beobachtete, die in der Mittagssonne gemächlich den endlos weiten, gepflegten Schloßpark durchquerten, hätte nicht vermutet, daß sie sich in einem erbitterten Streitgespräch befanden.

Die beiden fast gleich großen Männer schienen zuweilen besinnlich die Natur zu betrachten, wenn auch der eine von ihnen, der robustere, ab und zu stehenblieb und seinen Worten mit Gesten den nötigen Nachdruck verlieh.

»Als ich Ihnen das Zugeständnis gemacht habe, daß Sie mit diesem Irbid sprechen können, dann bestimmt nicht unter der Voraussetzung, daß Sie noch mehr Porzellan zerschlagen, als ohnehin schon kaputt ist.« Martindale hatte die Hände in den Hosentaschen vergraben. Eingehend sah er auf den Kies des Spazierweges.

»Sie können mir nicht vorwerfen, daß ich Sie über meine Absichten im unklaren gelassen habe«, sagte Paul, »Sie sollten mein Gespräch mit Doktor Irbid so schnell wie möglich vergessen. Sonst laufen Sie Gefahr, daß Sie überspielt werden. Sie müssen sich mit der veränderten Situation abfinden, ob sie Ihnen paßt oder nicht. Mehr kann ich Ihnen nicht sagen. Aber wenn Sie schon mal hier sind, sollten Sie den Park genießen.«

Paul sah seinen Begleiter von der Seite an. Martindales Pokergesicht zeigte zum erstenmal, daß in dem Mann etwas vorging. Seine Backenknochen traten noch stärker hervor als bisher.

»Ich weiß nicht, ob Sie Cuvilliés kennen«, sagte Paul, »ob Sie ihn schätzen. Dort drüben, das kleine Schlößchen, das Sie zwischen den Bäumen sehen, das ist eine seiner schönsten Schöpfungen. Die Amalienburg. Rokoko in Vollendung. Sehen Sie oben auf dem Dach die Altane mit dem Gitter aus Schmiedeeisen? Von dort aus schoß die Kurfürstin Maria Amalie auf Fasanen. Aber Sie hören mir ja gar nicht zu. Fahren Sie mich bitte nach Hause. Das heißt, ich kann mir natürlich auch ein Taxi nehmen.«

»Konsequent! Unbeugsam im Entschluß! Medizinisches Gewissen!« Martindale blieb stehen und legte seine ganze Verachtung in die Worte. »Wissen Sie, wie ich das nenne? Deutsche Sturheit! Deutschen Starrsinn! Deutsche Idiotie!«

»Sie können es nennen, wie Sie wollen. Das Gespräch ist für mich zu Ende.«

»Ich weiß nicht, ob Sie jemals im Dreck gelegen haben, Mister Niklas? So richtig unten in der Gosse? Im gottverdammten letzten Krieg meinetwegen. Oder beruflich. Oder privat. Daß Sie gedacht haben, jetzt ist es aus! Jetzt hilft auch kein Beten mehr! Jetzt ist alles verspielt. Nicht nur mein kleines, beschissenes Leben! Auch das, was die Menschen so hochtrabend Ehre nennen. Oder Achtung vor sich selbst. Ich weiß nicht, ob Ihnen jemals danach war, daß Sie am liebsten mit Ihren Fäusten auf die bloße Erde getrommelt hätten? Am liebsten vor sich ausgekotzt hätten?«

Martindale hatte den Spaziergang wiederaufgenommen. Er hatte die Hände jetzt auf dem Rücken verschränkt und steigerte sich mehr und mehr in Erregung hinein.

»Ich weiß nämlich nicht, Mister Niklas, ob Sie überhaupt fähig sind, ein echtes Gefühl zu entwickeln. Ja, ich zweifle sogar daran, daß Sie human sind.«

»Dann zweifeln Sie eben, Mister Martindale«, sagte Paul unbeeindruckt.

»Schon wieder so eine hirnverbrannte deutsche Eigenschaft! Anstatt sich mit mir auseinanderzusetzen, mit mir zu fighten, offen und ehrlich, mit ganzem Herzen, da zieht man sich zurück in sein Schnekkenhaus! Hugh, ich habe gesprochen! Was ein anderer meint, ist mir scheißegal! Oh, wie ich diese Germans hasse!«

»Nichts liegt mir ferner, als meine Landsleute zu verteidigen, Mister Martindale«, sagte Paul heiter, »es sind gewiß keine Engel, und sie haben Fehler mehr als genug. Aber das, was Sie hier vorbringen, das kann auf jeden Menschen dieser Erde zutreffen, wenn er es nur mit einem Gesprächspartner zu tun hat, der so unbelehrbar ist wie Sie. Weil er nämlich nicht zuhört. Weil man ihm dreimal dasselbe erklären kann, ohne daß er es begreift!«

»Unbelehrbar! Typisch deutsch! Die deutschen Oberlehrer!«

»Ich verstehe Ihre Vorgesetzten nicht, Mister Martindale.«

»Was verstehen Sie denn nicht an ihnen, Mister Niklas?« Martindale meinte es ironisch, doch es mißlang ihm.

»Ich verstehe nicht, wie es möglich ist, daß ein Mann wie Sie mit derart heiklen Aufgaben betraut wird. Mit einer Verantwortung für – nur um bei einer festen Zahl zu bleiben, spreche ich davon –, für einhundertvierundachtzig Menschenleben. Ein Mann mit derart geringem diplomatischem Einfühlungsvermögen. Mit derart nicht vorhandenen Sachkenntnissen. Mit derart plumpen Anschauungen. Und mit einer derart hanebüchenen Menschenkenntnis.«

Jetzt war es Paul, der stehenblieb, um seinem Ärger Luft zu machen. Er hob den Blick zum wolkenlosen blauen Himmel und sog die sommerliche Luft tief in seine Lungen.

»Wie lange sind Sie eigentlich schon in Deutschland, Mister Martindale?«

»Seit drei Jahren. Viel zu lange!«

»Mag sein. Auf jeden Fall sind Sie bis obenhin vollgepackt mit schlechten Erfahrungen.«

»Darauf können Sie die Bank halten!«

»Hatten Sie viel mit Deutschen zu tun?«

»Nicht hier.«

»Wo denn?«

»Wollen Sie mich examinieren?«

»Tun Sie dasselbe nicht auch mit mir? Also, wo haben Sie Ihre schlechten Erfahrungen her?«

»Das geht Sie gar nichts an.«

»Das stimmt nicht ganz. Sie haben mich angegriffen. Und nicht nur mich. Die Deutschen insgesamt. Kollektivbeschuldigen nennt man so etwas, stimmt's, Mister Martindale? Also woher stammen Ihre Erkenntnisse?«

»Waren die Deutschen vielleicht nicht schuld am Krieg? Nicht schuld am Tod von Millionen von . . .«

»Halt, Mister Martindale! Wenn ich richtig vermute, haben Sie Ihre Erfahrungen aus dem Geschichtsbuch. Oder vom Hörensagen.«

»Nicht nur. Mein Vater ist in Deutschland gefallen. Aber das ist hier unwesentlich. Wesentlich ist, daß Sie nicht bestreiten können, daß Millionen von Juden . . .«

»Ich bestreite nichts, Mister Martindale. Die Zahlen des Krieges wollen wir hier nicht untersuchen. Sie stehen fest. Wie waren Sie als Junge, Mister Martindale? Groß, stark, unbeherrscht?«

»Im Gegenteil. Ich war jahrelang ein schmales Handtuch. In jeder Beziehung. Meine Eltern haben schon geglaubt, ich wäre reif für igend'ne Sekte. Bis dann . . .«

»Sehen Sie, Mister Martindale, der Mensch ändert sich. Auch Sie! Und das ist gut so. Und wer nicht zugeben will, daß Menschen sich ändern, sich entwickeln, der ist entweder ein Menschenfeind oder ein Schwachkopf. Alle Menschen müssen sich ändern, alle machen eine Entwicklung durch, auch die Menschen in Deutschland. Ich habe zum Beispiel unmittelbar nach dem Krieg einen Freund gefunden. Einen sehr, sehr guten Freund. Hier in Deutschland. Einen Amerikaner, der hier als Besatzungssoldat seinen Dienst tat. Und der vorher allem, was deutsch war, skeptisch gegenübergetreten war. Und ich war nicht der einzige, dem es so erging. Ich glaube, Mister Martindale, Sie sollten sich einmal eine gewisse Zeit zum Nachdenken gönnen. Denn ich habe Sie wesentlich intelligenter eingeschätzt, als Sie sich jetzt geben. Ich hoffe, daß ich Ihnen damit nicht zu nahe getreten bin. Wollen Sie den Schloßpark noch weiter erforschen oder gehen Sie mit mir zurück?«

»Okay. Ich komme mit.«

Sie gingen schweigend bis zum Ausgang.

»Steigen Sie ein«, sagte Martindale, »ich fahre Sie nach Hause.« Er hatte zwar auch jetzt noch seinen rauhen, bärbeißigen Ton, aber Paul hörte heraus, daß er bereit war, einzulenken, ja, daß er vermutlich sogar begann, über sich nachzudenken.

»Wenn Sie mich bis zur Brücke mitnehmen, bin ich Ihnen dankbar«, sagte Paul, »ich gehe gern noch ein paar Schritte zu Fuß.«

Martindale startete. »Sind Sie nicht müde, Mister Niklas? Immerhin mußten wir Sie schon mitten in der Nacht aus dem Schlaf reißen.«

»Nein, ich bin nicht müde. Ich bin daran gewöhnt.«

Die Unterhaltung verstummt wieder. An der Brücke hielt Martindale an und ließ Paul aussteigen.

»Im Krieg habe ich gelernt«, sagte Martindale, »daß man ohne Hoffnung nicht über die Runden kommt. Jetzt hoffe ich, daß Sie sich doch noch anders besinnen, Mister Niklas.«

»Wenn man nur auf die Hoffnung setzt«, sagte Paul, »verliert man leicht den Bezug zur Wirklichkeit.«

9

Alle Türen standen offen. Laute, grelle Musik in hämmernden Rhythmen erfüllte das Haus. Von der Küche her roch es angenehm stark nach Kaffee.

Paul ging ins Schlafzimmer. Er holte einen Koffer aus dem Schrank, legte ihn offen aufs Bett, nahm wahllos Wäsche aus den Fächern und begann zu packen.

»Willst du verreisen?«

»Guten Morgen, Kathy.«

»Guten Morgen ist gut. Kommst du aus der Klinik?«

»In etwa. Sag bitte dem Mädchen, sie soll mir Ham and eggs machen.«

»Das geht nicht. Die ist abgehauen. Für immer. Es hat ihr nicht mehr gefallen, weil Helen nicht mehr da ist. Nehme ich ihr aber nicht ab. Mit Sicherheit steckt ein Kerl dahinter. Ich hab's ihr angesehen heute morgen. Ich kenn mich darin aus.«

»Sie ist weg? Ohne zu kündigen?«

»Du brauchst aber auf deine Ham and eggs nicht zu verzichten. Wie willst du die Eier? Mit Kruste?«

»Moment mal, Kleines! Soll das heißen, daß du mir . . .?«

»Zweifelst du an meinen Fähigkeiten?«

»So kenne ich dich gar nicht. Nicht in der Küche.«

»Dann mußt du mich eben kennenlernen. Also mit Kruste?«

»Mit leichter Kruste und den Schinken im Stück. Außerdem riecht es nach Kaffee.«

»Da ist für dich noch eine Tasse übrig.«

»Kleines, komm mal her.«

Sie kam, und er zog sie ganz zu sich heran, nahm sie in seinen Arm und drückte sie an sich. So standen sie eine Weile, sprachen kein Wort, und er fühlte, wie sich sich weich und liebevoll an ihn schmiegte. Er schloß die Augen, als wollte er den Augenblick festhalten.

»Paps, was ist?«

»Ich freue mich, daß du da bist.« Er ließ sie los und nahm sie bei den Schultern. »Schau mich an, Kathy. Du siehst einen glücklichen Vater. Und ich? Was sehe ich?«

»Ich bin auch glücklich, Paps. Eigentlich noch mehr als das. Ich habe eingesehen, daß ich mich unschön benommen habe.«

»Ach? Du hast dich unschön benommen?« Er lächelte verständnisvoll.

Sie setzte sich aufs Bett. »Ich meine die Sache mit dir. Und die Sache mit Monty. Und die mit . . .« Sie stockte.

»Selbsterkenntnis?«

»Ausgelöst.«

»Durch was?« Er schob den Koffer weg und setzte sich neben sie.

»Durch ein Erlebnis.«

»Mit einem Mann?«

»Ja, mit einem Mann. Wie kommst du darauf?«

»War er . . . nett?«

»Er war zumindest eigenartig. Ich fand ihn prima.« Sie schmiegte sich in Pauls Arm und hob ihr Gesicht zu ihm empor. Noch nie hatte er sie so vertrauensvoll gesehen. Sie erzählte ihm ihre Begegnung mit dem Jungen, der Frank hieß, wie sie ihn kennengelernt, wie sie ihn mit nach Hause genommen hatte, worüber sie mit ihm gesprochen hatte.

»Und er hat zunächst gesagt, seine Eltern seien für ihn gestorben?« fragte Paul.

»Ja, das hat er.«

»Und als du weitergebohrt hast, hat er zugegeben, daß er zu seinen Eltern ein gutes Verhältnis hat?«

»So hat er es nicht gesagt. Er hat nur zugegeben, daß er sie liebt.«

Er nahm sie erneut in den Arm. Sie ließ es wortlos geschehen.

»Du hast vorhin einen Gedanken nicht zu Ende gebracht«, sagte er einfühlsam.

»Vorhin?« Nachdenklich leise.

»Du hast aufgezählt, wem gegenüber du dich unschön benommen hast. Du hast gesagt, die Sache mit mir, die Sache mit Monty und die Sache . . .«

». . . mit Helen. Ich glaube, ich habe ihr großes Unrecht getan.« Sie lehnte ihren Kopf an seine Schulter. »Vielleicht war ich nur eifersüchtig, ich kann es nicht sagen. Aber ich glaube, ich habe sie falsch gesehen. Ich glaube, ich habe sie sehr gekränkt.«

»Helen ist nicht nachtragend.«

Sie überlegte. »Wird sie wiederkommen?«

»Ich weiß es nicht.«

»Vermißt du sie?«

»Ich hatte noch keine Zeit, darüber nachzudenken.«

»Und wenn du darüber nachdenkst?«

»Ich weiß nicht. Das wird die Zeit ergeben. Aber ich bin froh, daß du da bist. So, und jetzt . . .!« Er stand unvermittelt auf.

»Jetzt mache ich dir deine Ham and eggs!« Sie lief aus dem Zimmer.

Er hatte den Koffer eben gepackt, da rief sie aus der Küche: »Es wird serviert!« Sie trug das Tablett mit den Ham and eggs, zwei Tassen Kaffee, zwei Sets und einer Serviette zur Eßecke. Mit gespielten, übertrieben großen Bewegungen breitete sie das Set vor ihm aus und stellte den Teller und die Tasse Kaffee darauf. »Ich hoffe, Sie sind mit unserem Restaurant zufrieden, mein Herr?«

»Das steht außer Frage bei einer so charmanten Bedienung!«

Er aß, und sie leistete im Gesellschaft.

»Paps, darf ich dich etwas fragen? Hast du Ärger gehabt?«

»Sehe ich so aus?«

»Ja. Und zwar deutlich.«

»Ich habe nur wenig geschlafen, das ist alles.«

»Keinen Ärger in der Klinik? Oder mit sonst jemandem?«

»Nein, Kleines, mach dir keine Sorgen um mich. Mir geht es gut.«

»Und warum hast du den Koffer gepackt?«

»Ich fahre ein paar Tage weg. Ich brauche Luftveränderung.«

»Wohin?«

»Nach . . . ich bin mir noch unschlüssig.«

»Hast du denn Urlaub?«

»Ich habe mir frei genommen.«

»Ganz plötzlich?«

»Frag nicht, es ist alles in Ordnung. Nur . . .«

»Ja?«

»Wenn ein Anruf kommen sollte von einem gewissen Martindale, einem Amerikaner, dann sage ihm, daß du nicht weißt, wohin ich gefahren bin.«

»Ich weiß es ja auch nicht.«

»Eben. Und das ist gut so.«

»Also doch Ärger?«

»Nein, mach dir keine Gedanken.«

»Okay. Und bei anderen Anrufen? Was soll ich da sagen?«

»Du hast recht. Am gescheitesten ist, du sagst allen das gleiche.«

»Du kannst dich auf mich verlassen.« Sie zögerte. »Paps, du sagst mir nicht die Wahrheit.«

»Doch, Kathy. Es ist wirklich nichts. Mach dir keine Sorgen. Ich rufe dich an. Dann kannst du mir ja berichten.«

»Berichten? Etwas Bestimmtes?«

»Nein, nur was du so treibst, wie es dir geht, wie du allein zurechtkommst.«

»Und wer angerufen hat, ja?«

»Du mußt mir einfach glauben, Kleines. Es ist wirklich alles in

Ordnung.« Er versuchte es ihr mit einem Lächeln zu beweisen, doch das Lächeln gelang ihm nicht.

»Also gut, Paps. Ich tue, was du sagst. Wenn ich dir helfen kann, dann melde dich.«

»Ja. Die Ham and eggs waren große Klasse. In der Richtung werde ich dich noch öfter bemühen.« Er wischte sich den Mund ab.

Er holte sich den Koffer aus dem Schlafzimmer und ging in die Garage.

»Auf Wiedersehen, Paps! Mach's gut!« Und leise: »Ich drücke dir die Daumen.« Sie stand in der Tür und sah ihm nach, wie er zum Tor hinausfuhr.

10

Ein ohrenbetäubender Lärm von Rattern und Poltern, Rufen und Hämmern, geräuschvollem Zischen von abgelassenem Dampf und über allem die übersteuerte Durchsage aus den dröhnenden Lautsprechern: ». . . der fahrplanmäßige D-Zug vierhundertvierundfünfzig aus Dortmund, über Köln, Frankfurt am Main, Würzburg, Nürnberg, Ankunft achtzehn Uhr sieben, fährt in wenigen Minuten auf Gleis dreiundzwanzig ein.«

Die Menschen hasteten scheinbar ziellos durch die Halle, standen sich im Weg, schoben sich aneinander vorbei, aufgelöst, abgehetzt, kleine Gepäckwagen voll Koffer und Taschen vor sich her schiebend. Kinder schrien und weinten und wurden von nervösen Eltern zur Ruhe gemahnt. Eine Gruppe Jugendlicher sang brüllend gegen die lärmende Geräuschkulisse im Chor: »So ein Tag, so wunderschön wie heute . . .!« Gastarbeiter aus der Türkei, dem Balkan, aus Italien und Spanien bestimmten die Szene, hockten teilnahmslos auf ihren Gepäckstücken und schauten stumpf vor sich hin oder drängten sich an den Erfrischungsständen, an den Ausgängen zur Schalterhalle und an den Zugängen zu den Bahnsteigen.

Niemand beachtete den schlanken jungen Mann im hellen Sommeranzug mit der hellbraunen fremdländischen Hautfarbe, den Mann mit den überaus starken Brillengläsern.

Er durchquerte die Halle. Er ging an den Restaurants vorbei, an den hohen Schwingtüren zur Schalterhalle, an den Läden und hinüber auf

187

den Bahnsteig, von dem aus eine Verbindung zum angrenzenden Starnberger Bahnhof bestand.

Vor der großen Ankunftstafel blieb er stehen. Er tat, als interessiere ihn ein bestimmter Zug. So stand er nur wenige Sekunden, da löste sich von einer der eckigen Zementsäulen ein Mann und trat neben ihn. Es war Stanley Martindale. »Was gibt's?« sagte er zwischen den Zähnen hindurch und ohne den Blick von der Tafel zu wenden.

»Das will ich von Ihnen wissen«, antwortete in gleicher Manier der Mann mit den sehr dicken Brillengläsern, Doktor Irbid.

»Nichts. Unser Freund bleibt dabei«, sagte Martindale.

»Er lehnt ab?«

»Ja.«

»Das kommt Sie teuer zu stehen!«

»Wir können nichts machen. Uns sind die Hände gebunden.«

»Darauf können wir keine Rücksicht nehmen. In zwei Stunden werden die nächsten sieben daran glauben.«

»Mein Wagen steht draußen. Wollen wir uns nicht etwas eingehender besprechen?«

»Ich wüßte nicht, was dabei herauskommen sollte.«

»Hier können wir nicht ewig stehen. Okay?«

»Ich weiß nicht . . .«

»Aber hier kommen wir nicht weiter. Also okay?«

»Okay.«

»Sie folgten mir mit Blickabstand.« Martindale wendete sich ab von der Tafel und ging wie unbeteiligt vor zur Treppe, die auf die Straße hinunterführte. Hundert Meter weiter stieg er in den Fond seines geparkten Chevrolets. Es dauerte keine halbe Minute, da öffnete Irbid die Tür und setzte sich neben ihn.

»Machen Sie es kurz«, sagte er, nahm die Brille ab und wischte sich mit den Fingern über die Augen.

Er hat müde, glanzlose Augen, dachte Martindale, Augen ohne jegliches Feuer. Doch solche Augen konnten täuschen, das wußte er zur Genüge, hinter solchen Augen verbarg sich manchmal ein um so wacherer Geist, ein geschliffener, eiskalter, gefährlicher Verstand.

»Ich wollte Ihnen vorschlagen«, sagte er, »die Situation als völlig neu zu betrachten und dementsprechend auch neu zu überdenken«, und dachte: Ob er wohl spürt, daß ich nicht hinter dem stehe, was ich sage?

»Wenn das alles ist, kann ich sofort aussteigen«, sagte Irbid und setzte die Brille wieder auf. Er legte die Hand auf den Türgriff.

»Ich habe mich davon überzeugen müssen«, sagte Martindale lebhaft, »daß Niklas tatsächlich nicht mehr in Frage kommt.«

»Ach? Das sind ja ganz neue Töne!«

»Er ist nervös. Übernervös. Unkonzentriert. Ein müder Mann. Er ist nichts mehr wert. Ich weiß nicht, warum Sie immer noch darauf beharren, daß ausgerechnet er . . .«

»Verkaufen Sie mich nicht für dumm, Martindale! Ich bestehe auf Niklas! Davon bringen auch Sie mich nicht ab. Und ich habe meine Gründe, auf ihm zu bestehen.«

»Vielleicht sind es Überlegungen, die auch ein Kollege von ihm erfüllen könnte? Professor Sils zum Beispiel?«

»Er ist nur Kardiologe. Kein Chirurg.«

»Ich bin zwar kein Fachmann, aber auch mir ist bekannt, daß ein Herzinfarkt von einem Internisten behandelt wird. Oder täusche ich mich?«

»In unserem Fall täuschen Sie sich. Und die Sache mit dem Internisten ist schon längst nicht mehr aktuell. Heutzutage zählt nur der Spezialist. Und der Spezialist für Herzerkrankungen ist zwar – da haben Sie recht – der Kardiologe. Nur . . .« Irbid schob das Kinn vor. »Nur baue ich in unserem Fall nicht auf den Kardiologen, kann nicht auf ihn bauen.« Sein Mund wurde schmal. »Oder wollen Sie mir etwa einreden, wir könnten die Geiseln vier Wochen und länger festhalten?« Er verzog sein Gesicht zu einem breiten Grinsen. »Na also! Sie wissen nur zu gut, in welcher Lage wir uns befinden. Wir beide!«

»Es gibt aber noch andere Kapazitäten auf dem Gebiet der Herzchirurgie. Noch andere Kliniken.«

»Aber keine, die so gut ausgerüstet ist wie die Herzklinik hier.«

»Unterliegen Sie da keinem Irrtum?«

»Die Herzklinik ist in ihrer Art die führende Klinik auf der ganzen Welt. Dem ist nichts hinzuzufügen.«

»Okay. Aber gerade an dieser Klinik gibt es dann wohl außer Niklas noch andere sehr gute Leute. Ich habe mich nämlich auch belehren lassen. Doktor Kramer zum Beispiel. Der Meisterschüler von Niklas.«

»Seit wann nimmt man einen Schüler, wenn man seinen Lehrer bekommen kann? Nein, Martindale, Sie vertun Ihre Zeit.«

»Und Schollhof? Obermann? Saunter?«

»Martindale, machen Sie sich nicht lächerlich! Schollhof mag zwar ein guter Mann sein, aber ich kenne ihn nicht.«

»Und Obermann?«

»Ja, als zweite Hand oder als dritte. Und von Saunter brauchen Sie erst gar nicht zu sprechen.«

»Er vertritt die neuesten Erkenntnisse bei der Bekämpfung des Infarkts.«

»Zwecklos. Sein Bruder ist . . .« Irbid sprach den Satz nicht zu Ende. Er hielt es doch nicht für angebracht, seinen gerissenen Gegner im Detail zu unterrichten.

»Er ist aber ein sehr guter Mann«, sagte Martindale, »kommt von der Mayo-Klinik.«

»Sie vergeuden Ihre Zeit. Saunter ist abgelehnt! Er darf in unserem Fall nicht einmal assistieren. Oder glauben Sie vielleicht, Martindale, wir setzen uns offenen Auges eine Ratte in den Pelz? Saunter ist uns bekannt als glühender Gegner unserer Politik. Als fanatischer Gegner.«

»Gratuliere. Ihre Informationen sind top!«

Irbid sagte gelassen: »Saunter betritt ab sofort die Klinik nicht mehr! Bis der Fall zu Ende gebracht ist.« Es war ein Befehl. »Das Thema ist damit erledigt.« Irbid prüfte den Sitz seines Einstecktuches.

»Okay. Fest steht aber, daß Niklas ausfällt. Wollen Sie Ihren Mann etwa opfern?«

»Ich kenne Niklas. Ich kenne ihn als einen der ganz Großen. Und ich kenne auch seine kleinen menschlichen Schwächen, seine lächerliche Sensibilität, seine Überempfindlichkeit, sein oft introvertiertes Verhalten. Deshalb kann ich mir eine Beurteilung erlauben. Eine klare Beurteilung der Lage. Eine wesentlich bessere Beurteilung als Sie, Martindale. Und meine Beurteilung lautet: Entweder Niklas simuliert. Oder seine Gefühle spielen ihm zur Zeit tatsächlich einen Streich. Keine der beiden Theorien schließt aus, daß er den Fall nicht doch übernehmen könnte.«

»Sind Sie sich so sicher?«

»Unbedingt. Unterliegt er zur Zeit zum Beispiel tatsächlich einer kleinen nervlichen Krise, so wird sie sich legen. Ganz abgesehen davon, daß mir ein nervöser Niklas immer noch hundertmal lieber ist als jeder völlig intakte andere Kollege. Ich sehe, Martindale, Sie haben die Sache nicht im Griff!«

»Sie machen einen Fehler, Irbid. Einen geradezu unverzeihlichen Fehler! Was ist zum Beispiel, wenn Niklas zur Zeit nicht nur einer kleinen, sondern einer ganz massiven Krise erliegt? Wenn er einfach außerstande ist, hundertprozentige Arbeit zu leisten? Ja vielleicht nicht mal fünfzigprozentige, nicht mal zwanzigprozentige? Wo bleiben dann Ihre Theorien. Irbid? Sind Sie sich dann auch noch so sicher?«

»Wir wollen die Sache abkürzen, Martindale. Wir halten hier kein psychologisches Kolleg. Wir machen harte Politik. Wenn Niklas sich nicht bis heute abend bereit erklärt, den Fall in unserem Sinn zu übernehmen, gebe ich Anweisung nach Damaskus, daß die nächsten sieben liquidiert werden. Und Sie werden sehen, Niklas wird auf einmal seine sogenannte Krise überwunden haben.« Irbid setzte voller Hohn hinzu: »Ob Sie, Martindale, eine solche Politik allerdings verantworten können, kann ich nicht beurteilen. Haben Sie schon die heutige Presse studiert? Die Nachrichten gehört? Die Kommentare?«

»Die Presse kann mich mal!«

»Sie persönlich vielleicht, das mag sein. Aber Ihre Regierung wird sich darüber ihre eigenen Gedanken machen. Die Aktien der Vereinigten Staaten stehen nicht mehr auf allzu festen Füßen. Also bis Punkt vierundzwanzig Uhr.«

»Ich verstehe nicht.«

»Aber, Martindale! Stecken Sie etwa auch schon in einer kleinen nervlichen Krise? Bis vierundzwanzig Uhr hat Niklas Zeit, sich zu entscheiden. Dann werden wir handeln.«

»Sagen wir zwölf Uhr mittags.«

»Ich feilsche nicht.«

»Ich brauche Zeit, damit ich ihn mit Sicherheit erreichen kann. Oder nützt Ihnen Ihr Starrsinn, wenn Sie mir vielleicht so die Möglichkeit nehmen, noch einmal mit ihm zu reden?«

»Vierundzwanzig Uhr!«

»Zwölf Uhr mittags! Keine Stunde früher. Und keine Minute später. Sie wissen genau, daß Sie mit diesen paar Stunden nichts gewinnen, aber unter Umständen alles verlieren können.«

»Verlieren können wir gar nichts. Dazu habe ich Niklas zu genau studiert. Okay, morgen Punkt zwölf Uhr. Wie höre ich von Ihnen?«

»Übers Hotel halte ich es nicht für ratsam. Wenn wir die Presseheinis erst mal am Hals haben, kleben sie wie Kletten. Können Sie nicht Ihren zweiten Mann einschalten?«

»Schihan?«

»Es wäre ein neues Gesicht. Wohnt er nicht mit Ihnen zusammen?«

»Nein. Außerdem bringt es nichts. Er ist kein Mediziner. Er wäre nur Bote. Und obendrein . . .« Er stockte. Der Gegner sollte nicht wissen, daß er Schihan im Hintergrund halten wollte als möglichen Trumpf für später.

»Also wie?« Martindale klopfte sich eine Zigarette aus der Packung. Jetzt, da das Gespräch im wesentlichen abgeschlossen war, hatte er großes Verlangen zu rauchen, sich abzulenken.

»Wie wäre es mit einem Boten?«

»Das möchte ich genausowenig wie Sie.« Martindale lächelte in sich hinein und dachte: Da mußt du Mohrenkopf schon früher aufstehen, wenn du mich aufs Kreuz legen willst!

Denn wie Irbid wollte auch er sich die Möglichkeit offenlassen, durch ein persönliches Gespräch zu retten, was noch zu retten war.

»Wie wär's denn wieder hier?« sagte er. »Hier in der Bahnhofsgegend ist immer am meisten los. Ich stehe mit meinem Wagen hier, wo ich jetzt stehe. Wenn wir wollen, können wir ja eine kleine Tour machen. Okay?«

»Okay. Morgen mittag um zwölf hier vor dem Bahnhof.« Grußlos stieß Irbid die Tür auf und stieg aus.

11

Sie saßen auf den eisernen Stühlen eines Straßencafés an der Leopoldstraße, eingezwängt zwischen vergnügten jungen Menschen. Hart am Bürgersteig floß der abendliche Verkehr geräuschvoll vorüber.

Sie hatten die Köpfe zusammengesteckt, um einander besser verstehen zu können.

Christine Bern legte ihre Hand eindringlich auf Saunters Arm. »Monty, du mußt mir glauben!«

»Quatsch! Du bist viel zu hübsch, um freiwillig zu sterben.«

»Du nimmst mich nicht ernst. Erst wenn es zu spät ist.«

»Blödsinn!« Montgomery Saunter hatte von dem Thema genug. »Ein Röhrchen Miltaun. Zwei Glas Kognak. Und alles ist ausgestanden.«

»Du bist verrückt!«

»Es wäre nicht das erstemal, daß ich es wollte. Bis jetzt hatte ich nur Pech. Ich hatte den Alkohol vergessen. Das passiert mir nicht noch einmal.«

»Schluck doch gleich je ein Röhrchen Phanodorm, Luminal und Medinal hinterher. Dann gehst du auf Nummer Sicher! Ich kann den Stumpfsinn nicht länger mit anhören. Hallo, zahlen!« Da die Bedienung nicht reagierte, legte er einen Schein auf den Tisch, erhob sich ärgerlich und ging im Strom der auf dem Bürgersteig vorbeiflutenden Menschen davon. Bei der nächsten Nebenstraße hatte sie ihn eingeholt. Er wollte gerade in seinen Wagen steigen.

»Monty, du bist gemein!«

»Ich bin auch nur ein Mensch. Ich habe nicht die Haut eines Elefanten.«

»Soll ich gehen?«

»Das überlasse ich dir.« Er setzte sich ans Steuer und drehte den Zündschlüssel.

»Ich komme mit!« Sie setzte sich neben ihn und warf die Tür zu. Er startete.

»Wohin?« Er wandte flüchtig den Kopf.

»Wohin? Das ist mir egal. Wohin willst du?«

»Ich brauche Luft, das ist alles. Luft fürs Gemüt.«

»Dann fahr zum Aumeister. Da sitzen wir mitten im Englischen Garten.«

»Du verstehst mich falsch.« Er bog nach rechts ab. »Ich brauche keine Luft für meine Lungen. Da hätten mir auch die Abgase auf der Leopoldstraße genügt. Ich muß zu mir kommen. Aufatmen können. Nicht noch mehr belastet werden. Es genügt mir, was ich eben in der Klinik erlebt habe.«

»Davon hast du mir noch gar nichts gesagt.«

»Hausverbot.«

»Waas?«

»Hausverbot! Ich habe Hausverbot! Diese palästinensischen Gangster können hier jetzt schon bestimmen, welcher Arzt praktizieren darf und welcher nicht. Hier mitten in Deutschland! Das muß man sich vorstellen! Einfach unfaßbar!«

»Hausverbot? Du?«

»Ja, ich! Ich, Doktor Montgomery Frederic Saunter! Meine Nase paßt den Gangstern nicht! Sie bestimmen, Doktor Saunter darf die Klinik vorläufig nicht mehr betreten!«

»Das kann ich nicht glauben!«

»Es ist aber so!« Er trat hart auf die Bremse und hielt an. Christine wurde nach vorne gedrückt und stützte sich mit den Händen am Armaturenbrett ab.

Sie waren beim Eingang zum Englischen Garten nahe dem Haus der Kunst. »Und jetzt?« fragte sie.

»Jetzt machen wir einen Spaziergang. Ich brauche Bewegung. Auslauf!«

Sie gingen über die Wiese in den dunklen Park hinein und nahmen einen Weg, an dem in weiten Abständen Laternen standen, die ihn spärlich erhellten. »Monty, der Romantiker!« Sie nahm seinen Arm und klammerte sich an ihn. Er ließ es unbeteiligt geschehen. »Erzähl!« sagte sie. »Wer hat das Hausverbot ausgesprochen? Niklas?«

»Quatsch. Niklas war seit heute morgen nicht mehr in der Klinik. Ich wollte ihn zu Hause erreichen. Da hat sich keiner gemeldet. Er scheint weg zu sein. Irgendwohin. Keiner hat das Hausverbot ausgesprochen. Jedenfalls nicht offiziell. Sils hat mir die Situation geschildert und mir nahegelegt, vorläufig dem ›Ersuchen‹ der Gangster nachzukommen. Dem ›Ersuchen‹! Der Erpressung! Der hundsgemeinen Erpressung!«

»Und warum? Warum ausgerechnet du?«

»Die sind mit allen Wassern gewaschen!« Erregt sprach er von seiner Einstellung zu den palästinensischen Terrororganisationen, vom Schicksal seines Bruders, vom Tod von Neils Bruder.

»Ein niederträchtiges, dreckiges Pack!« Er war außer sich. »Und dann kommst auch noch du daher und drohst mir!«

»Ich habe dir nicht gedroht. Ich wollte dich nur darauf aufmerksam machen . . .«

»Aufmerksam machen! Du hältst mich wohl für saublöd! Was du gewollt hast, war nichts anderes als genauso eine hundsgemeine Erpressung! Ja, eine Erpressung! Bloß unter dem Deckmantel der Liebe!«

»Monty, sei gescheit!«

»Oh, ich bin gescheit! Ich sehe völlig klar! Du bist für mich nichts als ein Klotz am Bein. Ein Klotz, der mich erpressen will!«

»Monty!« Für sie war es offensichtlich, daß er ein Ventil brauchte, um seinen aufgestauten Ärger über die Demütigung in der Klinik loszuwerden.

Doch nach und nach steigerte er sich in eine Erregung hinein, die er nicht mehr beherrschen konnte. »Laß mich endlich allein!« schrie er wütend.

»Monty, ich ...« Ihre Augen füllten sich mit Tränen. Sie schluchzte.

»Auch das noch!«

»Monty, ich liebe dich. Das weißt du doch.«

»Verdammt noch mal, ich will es nicht wissen!«

»Als du bei mir warst ... den ersten Abend, meine ich ... da warst du ganz anders ...«

»Na und? Wir haben zusammen geschlafen! Was heißt das schon! Ich habe dir schon damals gesagt, daß ich weder jemanden suche noch jemanden finden will und am wenigsten jemanden fest haben will! Daß ich meine Freiheit haben muß! Begreif doch endlich!«

»Ich liebe dich wirklich, Monty. Und ich gehe jetzt. Ich sehe ein, daß du jetzt allein sein mußt. Aber ich gehe nicht für immer. Ich werde um dich kämpfen. Egal was du tust.«

»Aber ich liebe dich nicht! Das ist der große Unterschied.« Langsam beruhigte er sich. »Merkst du nicht, daß es keinen Sinn hat mit uns?«

»Ich merke nur, daß du aufgebracht bist. Mit Recht aufgebracht. Daß man dir Unrecht getan hat. Großes Unrecht. Ich möchte dir helfen. Möchte dich verteidigen. Gegen alle Welt. Mit meinen bloßen Händen.«

Er sagte nichts. Er ging einige Schritte voraus und blieb dann stehen. »Entschuldige«, sagte er, »ich war gereizt.«

»Sprechen wir nicht mehr davon.«

»Doch. Denn etwas kann ich nicht zurücknehmen.«

»Ich weiß«, sagte sie, »du liebst mich nicht.«

»Ja.«

»Ich habe es von Anfang an gespürt. Als du mich zum erstenmal umarmt hast, nachdem wir wieder bei Sinnen waren.«

»Was ändert das?«

»Nichts.« Sie hing sich bei ihm ein. »Aber ich kann warten. Denn ich liebe dich. Und das genügt mir. Wenigstens vorläufig. Und irgendwann liebst du mich dann auch.« Nachdenklich setzte sie hinzu: »Es gibt ein altes römisches Sprichwort: Wenn du geliebt werden willst, liebe!«

»Mach dir keine Hoffnung. Mehr kann ich dir nicht sagen. Mehr wäre unfair.«

»Du sollst mir gar nichts sagen. Du sollst nur ab und zu Zeit für mich haben.«

»Das kann ich dir nicht versprechen. Nein, ich will ehrlich sein. Ich möchte keine feste Bindung. Jedenfalls nicht auf diese Weise.«

»Auf welche dann?«

»Wenn ich nicht hundertprozentig daran beteiligt bin, hat es keinen Sinn. Ich möchte dir nicht weh tun. Bitte, Christine!« Er schob sacht ihren Arm weg. »Bitte laß mich jetzt allein.«

»Und morgen? Und übermorgen? Und wenn wir uns in der Klinik begegnen?«

»Wir hätten es nicht tun dürfen. Aber nun ist es mal geschehen. Und wir sind erwachsene Menschen. Wir wollen uns doch nicht quälen.«

»Klischees, Monty! Nichts als Klischees!«

»Und unser Schlafen, war das mehr?«

»Für mich schon. Und für dich?«

»Sagen wir, ich bin mir nicht im klaren. Quatsch! Natürlich weiß ich es. Wahrscheinlich hast du recht, und es war von mir aus nicht mehr als ein Klischee-Verhalten.«

»Wichtig ist nur, daß ich dich liebe. Dagegen kannst du nichts machen!«

»Sei vernünftig, Christine!«

»Vernünftig!«

»Bitte, Christine, du darfst nicht auf mich zählen! Versprichst du mir das?«

»Das kann ich nicht.«

»Und wenn ich dich sehr bitte? Deinetwegen?«

»Auf mich kann ich selber aufpassen. Und was dich betrifft . . .« Sie schwieg.

Sie hatten wieder den Ausgang des Parks erreicht, in dessen Nähe der Wagen stand. Ein miteinander verschlungenes Liebespaar bewegte sich im Schatten eines Baumes. Beide noch jung. Sie küßten sich hingebungsvoll.

Am Wagen sagte Christine: »Wie lange das wohl halten wird? Die Sache mit den beiden? Mit denen dort am Baum?«

»Kommt es denn immer nur darauf an, wie lange etwas hält? Kann man nicht auch nur den Augenblick genießen?«

Er hielt ihr die Tür auf. Wenige Minuten später bremste er vor ihrem Haus. »Sei nicht traurig, Christine. Ich wäre nicht der Richtige für dich.« Er stieg aus und ging mit ihr bis zur Haustür. »Schlaf gut. Und wenn wir uns in der Klinik begegnen, dann werde nicht sentimental!«

»Sag nicht so etwas.«

»Und warum sollten wir auch nicht hin und wieder zusammen weggehen? Meinetwegen auch zu dir?«

»Nein, Monty. Unter dieser Voraussetzung nicht.« Sie küßte ihn auf die Wange und ließ die Tür hinter sich ins Schloß fallen.

12

Das Hochhaus zählte zu jenen zweifelhaften Gebäuden, die im Rausch des großen Baubooms erbaut worden waren. Fünfzehn Stockwerke mit einhundertdreiundzwanzig Wohnungen stempelten es zur perfekten, modernen Mietskaserne.

Zu jeder Wohnung gehörte ein kleiner, kastenförmiger Balkon, der den Bewohnern im allgemeinen als Abstellplatz für Gerümpel, Geräte, Kästen mit Bier oder zum Trocknen der kleinen Wäsche diente.

Die Außenwände waren schlecht verputzt und ursprünglich sandfarben gestrichen. Im Laufe weniger Jahre war die Farbe verblichen oder abgeblättert, hatte sich der Verputz an vielen Stellen gelöst. Das Haus sah heruntergewohnt aus.

Als Stanley Martindale durch den verglasten Vorplatz ins schäbige Treppenhaus trat, zeigte seine Uhr wenige Minuten vor Mitternacht.

Er hatte einen Tag hinter sich, den er vergessen wollte. Angefangen beim nächtlichen Gespräch im Haus Niklas über die unaufhörlichen, aber vergeblichen Versuche, den Professor umzustimmen, bis zu der entmutigenden Auseinandersetzung mit Irbid; jetzt hatte er eine stundenlange Fahndung nach Niklas hinter sich, ohne Erfolg.

Er stieg in den Lift und fuhr ins zwölfte Stockwerk. Rechts der halbdunkle, unfreundliche Flur, die fünfte Tür links mit dem Namensschild ›R. Müller‹. Er schloß auf.

Ein 29-m²-Ein-Zimmer-Appartement. Winzige Diele mit Kleiderablage für zwei, drei Mäntel, daneben das Badezimmer mit Sitzwanne und WC, dann der Wohnraum. Abgetretener, grauer Auslegeteppich. Eine Bettcouch. Ein häßlicher runder Tisch aus heller Eiche. Zwei harte Stühle. Auf dem Fußboden die Koffer. An der Innenseite der Tür zwei Haken, an denen auf Kleiderbügeln ein Anzug und ein Hemd hingen. In der Nische eine elektrische Kochplatte, darüber der Abzug. Und auf der Bettcouch das wichtigste Requisit: das Telefon.

Eine über die Bonner US-Botschaft gekaufte Eigentumswohnung, derzeit Unterkunft für Stanley Martindale.

Er setzte sich auf die Couch mit dem Rücken an die Wand und zog sich den Apparat heran. Zero, two, two, two, one, sagte er stumm für sich und wählte, und dann: one, nine, five, six, two. Er hörte, daß der Ruf ankam, doch es meldete sich niemand. Er wählte erneut, nur diesmal statt der beiden letzten Ziffern sechs und zwei nur eine fünf.

Nach wenigen Sekunden vernahm er eine verschlafene Männerstimme: »Embassy of the United States.«

»Hier ist die deutsch-amerikanische Kulturgemeinschaft. Ich muß Mister Newley sprechen.«

»Meinen Sie Mister John Newley, den first secretary?«

»Genau den.«

»Das ist leider nicht möglich.«

»Aber ich muß ihn dringend sprechend. Dringend!«

»Jetzt mitten in der Nacht?«

»Zerbrechen Sie sich deshalb nicht Ihren wertvollen Kopf. Verbinden Sie mich endlich!« Er wurde ungehalten.

»Ich werde es versuchen, Sir.«

Das übliche, mehrmalige Knacken in der Leitung, und dann ertönte die ihm wohlbekannte, feste Stimme. »Was gibt's?«

»Nichts Gutes«, antwortete ihm Martindale.

»Will unser Freund das Engagement nicht übernehmen?«

»Er weigert sich.«

»Auch wenn wir ihm ein höheres Angebot machen?«

»Bis jetzt bin ich nur so weit gegangen, wie abgesprochen war.«

»Okay, dann leg noch etwas drauf.«

»Das ist nicht das Problem.«

»Sondern?«

»Es geht um weitere sieben.«

»Bist du sicher?«

»Ich habe mit ihrem Abgesandten gesprochen. Einem hochgebildeten Mann.«

»Ja, ich weiß von ihm. Und wie hat er sich verhalten.«

»Unzugänglich. Er hat einen Termin gesetzt.«

»Für wann?«

»High noon.«

»Also in zwölf Stunden. Und was sagt dazu unser Mann, der das Engagement bisher abgelehnt hat?«

»Nichts. Ich kann ihn nicht finden.«

»Du kannst ihn nicht . . .« Newley war aus der Fassung gebracht.

»Er ist weg. Ist nicht in seinem Büro. Nicht zu Hause. Einfach weg. Er ist vielleicht in Ferien gefahren.«

»Und niemand weiß, wo er sein könnte?«

»Ich habe seine Sekretärin gefragt und seine Kollegen. Ohne Erfolg.«

»Und bei ihm zu Hause?«

»Da ist niemand. Mir unverständlich, aber es ist so. Kein Mädchen. Keine Frau. Keine Tochter.«

»Hm.« Newley dachte nach. Martindale hörte ein unterdrücktes »Verdammte Scheiße!«, dann war der andere wieder voll da: »Hörst du?«

»Wie ein Luchs.«

»Es muß noch andere Bezugspersonen geben. Nachbarn. Bekannte. Verwandte.« Newley sprach stockend, als ginge er in Gedanken die einzelnen Möglichkeiten durch.

»Hab ich alles schon versucht.«

»Und dem hochgebildeten Abgesandten die nächsten sieben abhandeln, das geht nicht?«

»Nein. Der läßt sich auf nichts mehr ein.«

»Auch nicht, wenn du ihm sagst, daß du unseren Freund nicht erreicht hast?«

»Aber, John!«

»Man darf nichts unausgesprochen lassen.«

»Ich bin zu müde, um dich komisch zu finden.«

»Also bleiben nur Nachbarn, Bekannte oder Verwandte. Auch wenn du sie schon gecheckt hast. Wirklich schon alle Verwandten?«

»Verwandte noch nicht, das gebe ich zu.«

»Dann klemm dich hinter unseren Freund, den Präsidenten. Der soll dir weiterhelfen. Zehn Minuten von deinen zwölf Stunden sind schon weg.«

»Es gibt noch einen Weg. Den über deinen Kanal durch die Botschaft.«

»Ziemlich undeutlich. Über die Botschaft? Ein Weg zu unserem Freund?«

»Ein Ausweg, um Zeit zu gewinnen. Ich meine die Verhandlungen unten an Ort und Stelle.«

»Da sollten wir uns keine falschen Hoffnungen machen. Nein, das ist kein Weg. Setz dich mit dem Präsidenten in Verbindung, mit dem du heute am frühen Morgen bei unserem Freund warst. Vielleicht hast du Glück. Es müssen ja nicht unbedingt Verwandte sein. Freunde! Bekannte! Neue Namen!«

»Ich bin jetzt seit dreißig Stunden auf den Beinen!«

»Na und? Du hast verdammt kräftige Beine. Zuerst mußt du einmal unseren Feund zu einem Engagement überreden. Und wenn du ihn zwingen mußt! Einen anderen Weg sehe ich nicht. Gib mir Nachricht, wenn du es geschafft hast. Bis dann!« Für Newley war das Gespräch beendet.

Stanley Martindale tippte mit dem Finger auf die Gabel, bis das Freizeichen kam, und wählte die Nummer von Niklas. Mittlerweile kannte er sie auswendig. Er ließ den Ruf lange durchläuten.

Mit einer unwilligen Gebärde legte er den Hörer auf: »Zum Kotzen!« Er zündete sich hastig eine Zigarette an. Dann warf er die Tür hinter sich zu und fuhr mit dem Lift wieder nach unten.

13

Montgomery Saunter konnte sich kaum noch aufrecht halten. Stufe um Stufe bewegte er sich mit schweren Schritten die ebenso steile wie enge, düstere Treppe hinauf. Ein paar blaue und grüne Glühlampen waren die einzige Beleuchtung. Sie warfen ihr fahles Licht gegen die nackten Kellerwände. Von unten drängten lärmende Menschen nach. Von oben kamen ihm lärmende Menschen entgegen.

Nach dem Abschied von Christine war er ins Zentrum von Schwabing gefahren. An Schlaf wollte er nicht denken, er war zu aufgewühlt.

Die Ohnmacht gegenüber der vermeintlichen Demütigung in der Klinik, die Auseinandersetzung mit Christine, das ergebnislose Bemühen, mit Niklas in Verbindung zu treten, das plötzliche Gefühl, völlig allein zu stehen, hatten ihn zu dem Entschluß gebracht, sich irgendwo im Trubel zu betäuben.

Er hatte sich an einer der zahlreichen Theken niedergelassen und dem Whisky ergeben. Er war verhältnismäßig schnell betrunken gewesen, denn er hatte den Tag über außer einer Tasse Kaffee und einem halben Brötchen mit Butter nichts zu sich genommen.

Als er jetzt die halbdunkle steile Treppe emporstieg und sich bei jeder Stufe mit einer Hand gegen die Wand abstützte, flimmerte es ihm vor den Augen.

Er hatte genug.

Er wollte sich ein Taxi winken und so schnell wie möglich heim. Doch er hatte den Ausgang des Lokals noch nicht erreicht, spürte gerade von der Straße her einen Schwall frischer Nachtluft, da riß er die Augen auf.

»Katharina Niklas!« Seine Zunge war schwer. »Sieh an, Katharina Niklas. Hello, Mädchen, Moment mal! Bleib stehen!«

Kathy war mit einer Gruppe ausgelassener Jungen und Mädchen durch die Tür gekommen. Ihre Freunde wollten sie mit sich die Treppe hinunterziehen. Montgomery Saunter aber bekam Kathy am Arm zu fassen. Er hielt sie fest.

Sie erkannte ihn. »Hallo, Monty! Was machst du hier?« Sie bemerkte nicht, daß er betrunken war.

»Ich habe hier auf dich gewartet, Katharina Niklas.« Er drückte sie an sich. Sie ließ es sich gefallen.

»Kommst du mit uns, Monty? Wir sind ein lustiger Haufen.«

»Ich muß dich sprechen, Katharina Niklas! Allein! Unter eins, zwei, drei, vier Augen!«

»Monty, du hast ja voll geladen!« Sie lachte und machte sich von ihm frei. »Los, komm mit! Wir machen einen drauf!«

»Stop it! Ich habe zwar voll geladen, aber noch bin ich fit! Ich will mit dir allein sein! Jetzt auf der Stelle! Komm, wir fahren irgendwo hin, wo wir allein sind! Unter uns!« Er packte sie erneut am Arm und schob sie vor sich her auf die Straße hinaus.

»Monty, was sollen meine Freunde denken?«

»Das ist scheißegal. Ich muß mit dir reden!« Er winkte ein Taxi und öffnete für sie die Tür. »Komm schon!«

Sie kletterte in den Fond, er hinterher, warf die Tür zu, und der Fahrer fragte über die Schulter hinweg: »Wohin soll's geh'n?«

Saunter warf Kathy einen fragenden Blick zu: »Zu dir oder zu mir?«

»Zum Herzogpark!« bestimmte Kathy, und der Fahrer startete.

Sie wandte sich Saunter zu: »Nun erzähle! Was willst du mir sagen? Oder willst du warten, bis wir da sind? He!« Sie stieß ihn in die Seite, und er fuhr hoch. Er war für Sekunden eingenickt. »Um was geht es, Monty? Sag schon!«

»Es geht um . . . kannst du mir einen starken Mokka machen?«

»Okay. Vertagen wir die Unterhaltung.«

Sie traten gerade ins Haus, als das Läuten des Telefons einsetzte. »Telefon!« sagte Saunter, als höre Kathy nicht.

»Wir nehmen nicht ab«, sagte sie, »wir wollen jetzt unter uns sein, ja?«

»Sehr gut. Wir gehen einfach nicht ran. Und wenn der andere schwarz wird vor Ärger!«

Auch wenn sie gewußt hätten, daß der Anrufer der CIA-Agent Stanley Martindale war, der den Aufenthaltsort von Paul Niklas unter allen Umständen ausfindig machen mußte, wären sie nicht an den Apparat gegangen.

Sie ließen die Diele im Dunkeln liegen, damit kein Lichtschein nach draußen drang, und gingen ins Wohnzimmer. »Einen doppelten Mokka!« Montgomery Saunter sank in einen der Sessel. Er spürte seine Beine schwer wie Blei.

»Sofort!« sagte Kathy lachend und lief in die Küche.

Nach einer Weile, er war erneut eingenickt, stand sie in der Tür. »Hallo, Monty, der Kaffee!« rief sie laut, und er schrak zusammen.

»He, Katharina!« Seine Augen wurden groß. »He, was machst du?«

Sie trug das Tablett mit dem Kaffee vor sich her. Ihr Haar war geöffnet und fiel ihr leuchtend rot auf die nackte Schulter. An ihrem festen Busen zeigten sich groß und rund die Höfe und fest die Knospen.

Er traute seinen Augen nicht. Sie war nicht nur obenherum nackt. Sie bot sich ihm bis zu den Zehenspitzen hüllenlos dar.

Der Anblick ließ ihn zu sich kommen. »Katharina, so war das nicht gemeint! Katharina, das ist nicht fair!«

Sie gab ihm keine Antwort. Sie stellte das Tablett auf den Tisch, schenkte ein und schob ihm die Tasse hin. Sie kam um den Tisch herum, setzte sich auf die Lehne seines Sessels, nahm seine Hand und führte sie an ihre Brust.

Er sperrte sich. »Nein, Katharina, so haben wir nicht gewettet!«

Sie sagte noch immer nichts. Sie beugte sich mit dem Gesicht zu ihm hinab und küßte ihn anhaltend auf den Mund.

Er gab seinen Widerstand auf. Sie nahm ihn bei der Hand, zog ihn hoch und mit sich zur Tür hinaus, die Treppe hoch und in ihr Zimmer.

Das Telefon läutete abermals. Sie ließen es läuten.

Den Höhepunkt erreichten sie schnell. Danach lagen sie stumm nebeneinander wie zwei Fremde. Sie zog sich seinen ausgestreckten Arm unter ihren Kopf. Ihre Blicke gingen geradeaus.

Nach einer Weile sagte er: »Und jetzt?«

»Nichts«, sagte sie.

»Jetzt hast du deinen Willen gehabt. Darum ging's dir doch?«

»Ja. Erstaunt dich das?«

»Nein. Ich habe nur nicht mehr damit gerechnet.«

»Ich auch nicht. Ich habe nur meine Chance wahrgenommen. Jetzt sind wir quitt.« Sie glitt vom Bett und war mit einem Satz im Badezimmer.

Sie saßen sich, wieder angezogen, im Wohnzimmer gegenüber. Der Kaffee war inzwischen kalt. »Soll ich dir einen frischen machen?« Sie lächelte zweideutig.

»Nein, danke. Kalt trinke ich ihn sehr gern.«

»Ärgerst du dich jetzt?«

»Warum sollte ich mich ärgern?«

»Ich meine über mich? Oder über dich? Oder über uns?«

»Wir hatten unseren Spaß. Na und? Auch wenn der Spaß nur kurz war. Muß es immer gleich Liebe sein?«

»Du weißt genau, was ich meine. Du warst nicht für mich. Bis zuletzt warst du nicht für mich. Ein kalter Spaß. Ein eiskalter.«

»Das tut mir leid für dich, Kathy. Hätte ich dir was vormachen sollen?«

»Vielleicht. Immerhin besser als so.«

»So behältst du mich wenigstens nicht in guter Erinnerung. Das ist auch etwas wert.«

»Nur daß es für mich kein Spaß war.« Sie rutschte in den Sessel hinein, als suche sie Schutz. Ihre Stimme war klein. »Nicht mal ein eiskalter. Für mich war es nur Befriedigung. Innere Befriedigung.«

»Ist das oft so?« Er trank die Tasse auf einen Zug leer.

»Manchmal. Dann friert mich hinterher.«

»War es auch schon mal schön? Richtig schön?«

»Nein. Nein, das war es noch nie. Irgend etwas funktioniert nicht. Entweder liegt es an mir oder . . .« Sie biß sich auf die Unterlippe.

»Vielleicht unterscheidest du nicht?«

»Bei den Männern?«

»Bei deinen Gefühlen. Vielleicht solltest du immer eine Nacht darüber schlafen, ehe du dich für einen entscheidest.«

»Das allein ist es nicht. Die Männer sind anders, als ich mit dreizehn geträumt habe. Direkt. Kühl. Gemütsarm. Ichbezogen. Man könnte fast sagen roh.«

»Und mit dreizehn hast du deinen ersten . . .?«

»Ich war schon vierzehn. Ein paar Tage. Ich war damals im Internat.«

»Und war er für dich auch nur eine Art Genugtuung? Ich meine eine innere? Hinterher?«

»Es war auf einem Schulausflug. Ein Aushilfslehrer. Er war den letzten Tag bei uns. Er war alles das, was ich gerade gesagt habe. Es war widerlich.«

»Und seither . . .«

»Seither räche ich mich. Natürlich kommt es vor, daß ich immer wieder mal glaube, jetzt habe ich den Richtigen. Aber bis jetzt: Fehlanzeige. Liegt es also wirklich nur an mir?«

»Ich gebe zu, daß die wenigsten Männer eine Frau verstehen können, sich in sie hineinversetzen, Rücksicht auf sie nehmen. Aber sicher liegt es auch an dir.«

»Wie soll ich mich denn bloß verhalten?«

»Normal. Ganz normal. Warte, bis du einen findest, den du magst. Prüfe dich. Und versuche ihn dir ... mag sein, daß es dumm klingt ... versuche, ihn dir aufzubauen.«

»Aufbauen?« Sie dachte nach. »Das ist gar nicht so schlecht. Das hat mir noch niemand gesagt. Monty, ich glaube, unser Zusammentreffen hat sich für mich schon gelohnt.«

»Okay, ich überreiche dir diese großartige Erkenntnis statt Blumen.«

»Und warum bist du überhaupt mitgekommen?«

»Nicht deinetwegen. Auch wenn ich dir damit weh tun muß.« Er erzählte in wenigen Worten von seinen Erlebnissen am Vortag.

»Aus der Klinik verwiesen?« Sie setzte sich entrüstet auf.

»Sagen wir, höflichst gebeten.«

»Und was willst du tun?«

»Bevor ich etwas unternehme, will ich mit deinem Vater sprechen. Mit ihm verstehe ich mich sehr gut.«

»Das ist mir bekannt«, sagte sie vieldeutig, »aber leider ist er nicht hier.«

»Ja, ich habe schon x-mal angerufen. Weißt du, wo er ist?«

»Nein. Ich weiß nur, daß er weg ist. Mit dem Wagen und einem Koffer.«

»Einem Koffer«, sagte er, »das heißt, daß er für längere Zeit ...?«

»Es sieht so aus. Willst du ihn wirklich nur sprechen, um dir von ihm Rat zu holen?«

»Du bist noch klüger, als ich vermutet habe. Ich will keinen Rat von ihm. Ich wollte mich mit ihm unterhalten. Wollte sehen, wie es ihm geht.«

»Wie es ihm geht? Wie soll es ihm denn gehen? Gut geht es ihm. Sehr gut.«

»Ich nehme dein Angebot an. Was einen frischen Kaffee betrifft, meine ich. Denn ich muß etwas ausführlicher werden. Komm, ich helfe dir.« Er stand auf und ließ sie vorangehen in die Küche.

Bis das Wasser kochte, schilderte er ihr die Situation ihres Vaters aus seiner Sicht. Er sprach von Vermutungen, die unter den Kollegen schon seit Tagen kursierten und die sich jetzt anscheinend bestätigten. Er erzählte von der letzten Operation, bei der Paul Niklas an Kramer übergeben hatte, wie sichtbar niedergeschlagen er war, wie eigenartig er sich von Frau Gramm, seiner Sekretärin, verabschiedet hatte.

205

Montgomery Saunter saß dabei auf der Anrichte, und seine Beine baumelten in der Luft. Kathy stand mit dem Rücken gegen die Geschirrspülmaschine. Aus ihrem Gesicht war das Unbefangene gewichen.

»Er hat mir nichts davon gesagt.« Sie sah ihn fragend an.

»Er hat auch in der Klinik mit niemandem darüber gesprochen.«

»Und du glaubst, daß an der Vermutung etwas dran ist?«

»Es scheint so. Immerhin hält sich in der Klinik hartnäckig das Gerücht, daß er nur noch mit halbem Herzen bei der Sache sei!«

Sie brühte den Kaffee auf, und sie trugen Kanne und Tassen hinüber in den Wohnraum. »Soll ich uns auch ein paar Brote machen?« fragte sie und war schon auf dem Weg dazu.

»Könnte nicht schaden«, rief er hinter ihr her, »mein Magen ist dafür.«

Sie brachte die Brote, und er aß mit Heißhunger. »Erzähl!« sagte sie und versuchte, seine Reaktionen zu deuten.

»Da gibt es nicht mehr viel zu erzählen«, sagte er und schluckte den letzten Bissen hinunter, »man sagt, daß sie deinen Vater gezwungen haben, den Fall Dschafar zu übernehmen.«

»Wer sagt das?«

»In der Klinik. Da bleibt nichts geheim.«

»Sie hätten ihn gezwungen?«

»Ja. Aber anscheinend hat er sich geweigert. Sonst wäre er ja wohl nicht weggefahren.«

»Unvorstellbar. Einfach unvorstellbar, diese ganze Sache.«

»Hast du wirklich keine Ahnung, wo er sein kann? Ich habe das Gefühl, ich könnte ihm helfen.«

»Du?«

»Ja. Und wenn es nur durch ein Gespräch wäre.«

»Durch ein Gespräch? Wie meinst du das?«

»Allein schon fachlich. Über den Myocardinfarkt sind wir beide gegensätzlicher Anschauung. Er vertritt mehr oder weniger die These, die hierzulande vertreten wird. Ich stehe mehr auf der Seite der International Study Group for Research in Cardiac Metabolism.« Er zögerte, aber sie sah ihn aufmunternd an und fragte: »Ja, und weiter?«

»Dieser Dschafar soll meines Wissens so rasch wie möglich ausgeliefert werden können. Und das ist jetzt in der Hauptsache eine Frage der Behandlung seines Infarkts. Die Beachtung der komplizierten

Stoffwechselentgleisungen könnte dabei eine nicht unerhebliche Rolle spielen. Das heißt, wenn man sich nicht für einen Bypass entscheidet.«

»Einen Bypass? Was ist das?«

»So etwas wie eine Umleitung.«

»Wäre es nicht auch vorstellbar, daß ihr euch gegenseitig helfen könntet?« Sie fand zu ihrer unbeschwerten Art zurück.

»Warum nicht? Sag mir, wo er sich aufhält, und ich fahre sofort zu ihm.«

»Da gibt es zu viele Möglichkeiten. Zum Beispiel kann er in Paris sein.«

»In Paris? Was soll er in Paris?«

»Vielleicht sucht er dort jemanden? Ein Gespräch?« Sie weihte ihn in das Problem zwischen ihrem Vater und ihrer Stiefmutter Helen ein. »Na, zweifelst du noch, daß er auch in Paris sein könnte?«

»Ich gebe mich geschlagen. Ich muß deinen Vater wohl abschreiben. Wenigstens vorläufig. Ich fahre jetzt nach Hause.« Er erhob sich.

»Ich komme mit. Bis zu deiner Haustür. Das heißt, wenn es dir recht ist?«

»Okay. Aber nur bis zur Haustür.«

»Ich schwöre.« Sie ging zum Apparat und bestellte ein Taxi.

Sie verließen das Haus und warteten auf den Wagen. Sie hörten, daß im Haus das Telefon klingelte.

»Ein zäher Anrufer«, sagte er anzüglich.

»Falsch, Honey«, antwortete sie, »ich tappe absolut im dunkeln. Meine Liebhaber rufen um diese Zeit nicht an.«

Sie saßen im Fond des Taxis. Sie lehnte ihren Kopf an seine Schulter. »Nur zum Ausruhen«, sagte sie leise.

Der Wagen hielt direkt vor seiner Haustür. »Schlaf gut, Kathy«, sagte er, gab ihr einen flüchtigen Kuß auf die Stirn und ging auf das Haus zu. »Warten Sie noch«, sagte sie dem Fahrer, »warten Sie!« Ihr Blick ging durchs geschlossene Wagenfenster zu Saunter. Sie sah seinen Rücken, die Bewegung, wie er den Schlüssel ins Schloß steckte, wie er öffnete und im Haus verschwand.

Er hatte sich nicht mehr umgedreht.

»Sie können fahren«, sagte sie und sank enttäuscht in die Polsterung zurück.

14

Obwohl die Uhr schon einige Minuten nach Mitternacht zeigte, war die Party noch voll im Gang. Die Diener, einheitlich in hellblauer Livree, reichten auf silbernen Tabletts immer wieder frisch gefüllte Gläser mit Champagner, mit Whisky, mit erlesenen Weinen.

Die Türen zu den Zimmern standen offen, die Gäste bewegten sich in allen Räumen, saßen oder standen beieinander und unterhielten sich angeregt. Die Herren trugen durchweg dunkle Anzüge, die Damen abendliche Kleider nach der neuesten Mode.

Man kannte sich. Durch berufliche Verbindungen, durch gesellschaftliche Kontakte, von unzähligen offiziellen Anlässen her. Angesehen waren sie alle, die Architekten, Anwälte, Wirtschaftsbosse, Staatsbeamte, die Angehörigen des Hochadels, die Bankiers, die Professoren der verschiedenen Fakultäten, die Herausgeberin einer auflagenstarken Zeitung, die umschwärmte Schauspielerin, der erfolgreiche Opernkomponist, der Polizeipräsident.

Niemand von ihnen war heute zum erstenmal bei Lance und Raoul Phillip von Merheim. Sie alle wußten eine Einladung ins Haus des Bankiers zu schätzen und kamen ihr jedesmal besonders gern nach.

Eine von Lance von Merheim aufgezogene Party bürgte für einen vollendeten Rahmen, für eine ausgewählte Gästeliste und für nicht zu übertreffende kulinarische Genüsse.

Lance war als Gastgeberin vollkommen. Zur heutigen Party trug sie ein locker fallendes Kleid aus cremefarbener Wildseide mit blusiger Weite, schwingendem Rock und klassisch enger Taille.

Wie immer vermittelte sie jedem Gast das Gefühl, daß sie ihn ganz persönlich betreue, daß sie den Abend nur für ihn arrangiert und ihr Kleid nur nach seinem ureigenen Geschmack ausgewählt hatte.

Doch sie blieb bei jedem nur für kurze Zeit, ging von Gruppe zu Gruppe, flocht hier einen Gedankengang ein und dort ein charmantes Lächeln, war darauf bedacht, daß alle sich wohl fühlten, und verlor in keiner Phase die Übersicht über das Geschehen.

Als ihr Diener diskret hinter sie trat und ihr zuflüsterte: »Pardon, Madame, Sie werden in der Küche verlangt«, blieb sie unbewegt, obwohl sie wußte, daß etwas Außergewöhnliches vorgefallen sein mußte. Sie führte ihre Unterhaltung beherrscht zu Ende, erhob sich und ging in die Küche.

Sie hatte nicht gehört, daß vor einer Weile die Glocke an der Haustür geläutet hatte, fünfmal mit Nachdruck kurz-lang-kurz-lang.

Das Hausmädchen hatte geöffnet. An der Straßenpforte im Schein des Strahlers hatte ein Mann gestanden. »Gehören Sie zu den Chauffeuren? Möchten Sie irgend etwas?« hatte das Hausmädchen gerufen. »Nein«, hatte der Mann mit lauter Stimme geantwortet, »aber ich muß Frau von Merheim dringend sprechen.«

»Um was handelt es sich?«

.»Privat. Sagen Sie ihr nur, es handelt sich um Paul, dann weiß sie Bescheid.«

Der Mann war groß und kräftig und erschien dem Mädchen nicht gerade vertrauenerweckend. Trotzdem betätigte sie den Türöffner. »Kommen Sie bitte mit!« sagte sie und führte ihn in die Küche.

15

Als Lance den Vorraum zur Küche betrat, kam ihr das Mädchen aufgeregt entgegen, schloß schnell hinter sich die Tür und stieß leise hervor: »Gnädige Frau . . .!«

»Was gibt es?« Lance ließ keinen Zweifel daran, daß sie ungehalten war, weil man sie aus einer interessanten Unterhaltung gerissen hatte.

»Ein Mann«, sagte das Mädchen eingeschüchtert, »ein fremder Mann. Er will Sie unbedingt sprechen.«

»Mich? Um diese Zeit? Ein Fremder? Machen Sie einen Scherz?« Ihre Stimme klang drohend.

»Nein, gnädige Frau. Er sagt, es sei dringend.«

»Wo ist er? Draußen?«

»Nein.« Das Mädchen warf einen flüchtigen Blick über die Schulter. »Drinnen.«

»In der Küche?«

»Ja.«

»Sie haben ihn ins Haus gelassen? Nachts! Einen Fremden! Was haben Sie sich eigentlich dabei gedacht?«

»Er hat gesagt, ich soll Ihnen nur das Wort ›Paul‹ sagen, dann wüßten Sie Bescheid.«

»Paul? Was für ein Paul?«

»Ich kann nur wiederholen, was er gesagt hat. Er hat nur ›Paul‹ gesagt, sonst nichts.«

»Kommen Sie mit!«

Lance verließ den Vorraum auf dem Weg, auf dem sie ihn betreten hatte. Sie ging mit dem Mädchen über die Diele, an den Gästen vorbei, denen sie lächelnd zunickte. In ihrem Schreibsalon war sie mit dem Mädchen ungestört. Hier brauchte sie keine Rücksicht darauf zu nehmen, ob man sie in der Küche hören konnte oder nicht.

Der Schreibsalon lag im Trakt der Schlafräume, Bäder und Ankleidezimmer und war für die Partygäste nicht zugänglich. »Nun erzählen Sie mir alles noch einmal ganz genau!« forderte Lance das Mädchen auf, aber es wiederholte nur, was es schon vorher gesagt hatte.

»Paul«, sagte Lance, »wie sieht der Mann aus? Groß?«

»Ja«, sagte das Mädchen, »groß, sehr kräftig, ungefähr fünfzig.«

Paul? Je länger Lance über die Angelegenheit nachdachte, desto stärker wurde ihr Verdacht, daß der fremde Mann nur Paul Niklas sein konnte.

Sie hatte Paul seit 16 Jahren nicht mehr gesprochen. Seit dem Tag, an dem sie ihn verlassen hatte. Sie war ihm all die Jahre bewußt aus dem Weg gegangen. Die beiden Male, wo sie ohne ihr Zutun auf ihn gestoßen war, bei dem Staatsempfang und in der Oper, hatte ihr sein Anblick jedesmal einen Stich versetzt. Einen unangenehmen, feindseligen Stich.

Sie haßte Paul. Warum, das wußte sie sich lange Zeit nicht zu sagen, das heißt, sie wollte es sich nicht eingestehen. Vordergründig haßte sie ihn wegen seiner Erfolge, wegen seiner Unabhängigkeit. In der Tiefe ihres Herzens aber haßte sie ihn, weil er ihren Abschied völlig unberührt hingenommen hatte, weil er ihr gezeigt hatte, daß sie nie ein Bestandteil seines Lebens war, daß er ihre Nähe nie gebraucht hatte, ja daß er in Wirklichkeit über die Entwicklung froh war und daß er nie zur Kenntnis genommen hatte, daß sie neben ihm in derselben Stadt lebte, daß er nie versucht hatte, in irgendeiner Form mit ihr Verbindung aufzunehmen. Sie haßte ihn zutiefst.

Was konnte er wohl jetzt von ihr wollen? Nach sechzehn Jahren des Schweigens, unangemeldet, plötzlich mitten in der Nacht? So, wie sie ihn kannte, ernsthaft, konsequent in seiner Haltung und nie einer Laune nachgebend, gab es für sie nur eine Erklärung: Er befand sich in einer Zwangslage.

Doch im gleichen Augenblick wies sie den Gedanken wieder von sich. In welcher Zwangslage hätte Paul sich befinden sollen? Erfolgreich, berühmt, gefestigt im Beruf und einer neuen Ehe, geliebt von seiner Tochter ... Sie erstarrte. Es überlief sie heiß vor Erschrecken. Seine ... ihre gemeinsame Tochter! Kathy! Daß sie nicht sofort an Kathy gedacht hatte! Es mußte ihr etwas passiert sein! Nur das konnte der Grund sein, daß Paul sich soweit überwunden hatte, mitten in der Nacht persönlich zu ihr zu kommen. Er hatte es ihr nicht telefonisch sagen wollen, daß ...

Ihr Herz klopfte bis zum Hals. Sie hatte zwar nie eine wirklich enge Beziehung zu Kathy gehabt, aber in diesem Augenblick spürte sie, daß es ihr Kind war, das vielleicht Hilfe brauchte. Sie richtete sich auf und zwang sich zu Haltung und Ruhe.

»Führen Sie den Herrn herein!«

»Sehr wohl, gnädige Frau.« Das Mädchen zögerte. »Über die Diele oder hintenherum?«

»Über die Diele. Hierher.«

16

Der Schreibtisch war ein wertvolles Möbelstück aus der Zeit der Renaissance. Auf ihm standen in goldenen Rahmen je ein großes Foto von ihrem Mann und von Kathy.

Lance bemühte sich, ihre Erregung zu verbergen. Paul sollte sie ruhig und überlegen finden. Sie nahm eine in Leder gebundene Ausgabe von Shakespeares Sonetten vom Bord, setzte sich an den Schreibtisch und tat, als lese sie. Es klopfte. Sie hob den Blick. »Ja bitte?«

Das Mädchen öffnete die Tür. »Gnädige Frau, der Herr, der Sie sprechen möchte.«

»Bitte.« Lance behielt das Buch in der Hand, gab dem Mädchen einen Wink, daß sie verschwinden möge, und sah dem eintretenden Mann nervös entgegen.

Es war nicht Paul.

Sie war verwirrt. Doch ehe sie etwas sagen konnte, kam der Mann ihr zuvor. »Entschuldigen Sie bitte, daß ich Sie um diese Zeit störe«, sagte er, »mein Name ist Martindale. Ich bin Mitglied der Botschaft der Vereinigten Staaten in Bonn. Die Angelegenheit ist dringend.«

Stanley Martindale hatte nach Newleys Anweisung gehandelt und versucht, mit dem Polizeipräsidenten Dr. Niels Hermann Verbindung aufzunehmen. Zwar hatte er ihn selbst nicht erreicht, seine Dienststelle aber hatte ihm weitergeholfen und die einzig greifbare Verwandtschaft von Paul Niklas ausfindig gemacht. So war er auf Lance gestoßen und hatte ihre Grünwalder Adresse ermittelt.

»Sie sind . . .?« Sie brauchte einen Augenblick, um sich zu fassen. »Aber Sie haben gesagt, daß Sie . . .?« Sie überlegte krampfhaft, wie sie sich verhalten sollte, und war erleichtert, als ihr der Einfall kam, den Mann zu fragen: »Können Sie sich ausweisen?«

»Aber selbstverständlich.« Stanley Martindale kramte in der Innentasche seines Jacketts, bis er den Ausweis fand. »Hier bitte.« Er hielt ihn ihr hin.

»Danke«, sagte sie und fühlte sich nach wie vor unbehaglich. »Sie haben sich dem Mädchen gegenüber als ›Paul‹ ausgegeben?«

»Das habe ich nicht. Ich habe nur gesagt, ›Paul‹ sei das Stichwort, auf das hin Sie mich wahrscheinlich empfangen werden. Und es war anscheinend richtig, daß ich den Namen genannt habe.«

»Hm.« Ihr kam ein Gedanke. »Entschuldigen Sie mich bitte einen Moment«, sagte sie, »ich bin gleich wieder da«, und verließ den Raum. Sie war erleichtert. Warum nur hatte sie nicht gleich an Doktor Hermann gedacht, der unter ihren Gästen war?

Sie fand ihn im Rauchsalon in ein Gespräch mit ihrem Mann vertieft. »Darf ich die Herren stören?« fragte sie, nahm sich zusammen, damit man ihr die Unruhe nicht ansah, und sagte zu Niels Hermann: »Ich habe eine Frage an Sie. Eine ganz persönliche Frage.« Sie warf ihrem Mann einen Blick zu, den er verstand.

»Wenn eine Dame einen Kriminalisten interviewen will, darf sie durch nichts abgelenkt werden«, scherzte er, »ich lasse euch also allein«, und wandte sich einer anderen Gruppe zu.

Lance bat Hermann hinaus auf die Diele und schilderte ihm ihre Situation. »Martindale!« Er lachte. »Ja, den kenne ich! Aber was der von Ihnen will, kann ich mir nicht denken.«

Sie war beruhigt. »Wenn ich Hilfe brauche, rufe ich Sie«, sagte sie, und er nickte ihr mit einem beruhigenden Lächeln zu.

Martindale hatte sich unterdessen eine Zigarette angesteckt. Als Lance zurückkam, wollte er die Zigarette ausdrücken. »Rauchen Sie ruhig«, sagte sie, »mich stört es nicht«, und er bedankte sich für ihre

Nachsicht und begann: »Ich will Sie nicht lange aufhalten. Sie haben Gäste.«

»Ja. Unter anderem unseren Polizeipräsidenten, Herrn Doktor Hermann. Er kennt Sie.«

»Das trifft sich ausgezeichnet und erspart mir eine lange Vorrede. Ich muß Sie nämlich nur belästigen, um ein paar Auskünfte über Ihren ersten Mann einzuholen.« Er klopfte die Asche ab und dachte, wie eigenartig, daß Niklas einmal mit so einer Frau verheiratet war.

Nicht, daß er übersah, wie attraktiv und gepflegt sie war, nicht, daß er ihre Vitalität unterschätzte, doch sie wirkte auf ihn eher überheblich als selbstsicher, eben wie jene begüterten Frauen von fünfzig, deren Leben sich in Äußerlichkeiten erschöpft. Nein, eine Frau von Paul Niklas hatte er sich intellektueller, überlegener und auch edler und rassiger vorgestellt. »Fragen Sie!« Lance setzte sich wieder auf den Stuhl an ihrem Schreibtisch. Sie neigte den Kopf leicht zur Seite, wie um ihn zum Reden zu ermuntern.

»Wann haben Sie Paul Niklas zum letztenmal gesehen?«

»Oh, das ist schon lange her. Das bringt Sie ganz sicher nicht weiter. Das ist mindestens fünf Jahre her.«

»Okay. Kennen Sie sein jetziges Leben? Ich meine seinen Bekanntenkreis! Oder irgend jemanden, der dazugehört?«

»Nein. Da kann ich Ihnen nicht nützen. Ich kenne nur Doktor Saunter von der Klinik.«

»Wie gut kennen Sie ihn?«

»Wir haben gesellschaftlichen Kontakt.«

»Und wie gut steht Saunter mit Ihrem ersten Mann?«

»Sie sind Kollegen. Mehr nicht.«

»Das wissen Sie genau?«

»Ja. Das weiß ich genau. Jedenfalls hat Doktor Saunter bisher noch keine einzige Andeutung gemacht, daß er irgend etwas über das Privatleben meines geschiedenen Mannes wüßte.«

»Hm.« Martindale war niedergeschlagen, obwohl er nicht ernsthaft erwartet hatte, hier eine Spur zu finden. Und doch – da war die gemeinsame Tochter. Beharrlich fragte er weiter: »Ich brauche nur einen Fingerzeig. Einen Ansatzpunkt. Können Sie mir wirklich nicht . . .?«

»Leider, Mister Martindale. Dafür bin ich die denkbar schlechteste Quelle.«

»Haben Sie jemals gehört, daß er ein Wochenendhaus hat? Oder ein Landhaus?«

»Nein, ich habe weder so etwas gehört noch kann ich auch nur das Geringste dazu sagen. Es tut mir leid, Mister Martindale.« Sie erhob sich.

Er drückte die Zigarette aus. »Ich kann Ihnen die Sache leider nicht im Detail erklären. Aber es geht um Stunden. Und die Zeit drängt. Und Mister Niklas ist nicht aufzufinden. Weder in der Klinik noch zu Hause. Könnte es nicht sein, daß vielleicht einer Ihrer Gäste . . .?«

»Natürlich könnte das sein. Aber wie stellen Sie sich das vor, Mister Martindale? Soll ich etwa meinen Gästen im Studio eine kurze Ansprache halten? Das geht doch wohl zu weit.«

»Das ist gar keine schlechte Idee. Sie brauchen nur eine einzige Frage zu stellen: Weiß vielleicht zufällig jemand von Ihnen, wo sich Paul Niklas aufhält, wenn er nicht in der Klinik und auch nicht zu Hause ist?«

»Diese Frage würde wohl mehr als befremden. Alle würden annehmen, daß ich mich plötzlich wieder für meine Vergangenheit interessiere!« Sie lachte verlegen.

»Ich verstehe. Dann wollen wir die Frage von Doktor Hermann stellen lassen. Gestatten Sie mir, daß ich mit ihm spreche?« Er machte einen Schritt auf die Tür zu. Aber Lance ließ sich nicht überrumpeln.

»Mister Martindale! Nicht nur, daß Sie mich über Gebühr ziemlich lange meinen Gästen entzogen haben, jetzt wollen Sie auch noch meine Party sprengen!«

»Wenn es darauf hinausliefe, täte es mir leid. Aber es geht um das Leben von sehr vielen Menschen!«

»Es geht um . . .?«

»Ja. Und dafür ist eine Frist gesetzt. Und diese Frist rückt immer näher. Nun habe ich Ihnen schon mehr gesagt, als ich darf. In Anbetracht der Umstände ist mir aber keine andere Wahl geblieben. Sie haben einen englischen Akzent?«

»Ja, ich bin Amerikanerin.«

»Aus Kalifornien?«

»Warum? Hört man das?«

»Ich habe ein geschultes Ohr. Frisco?«

»San Clemente. Nicht sehr berühmt.«

»Ich bitte Sie als Amerikaner. Helfen Sie mir! Und damit unserem Land!«

»Eine Frage, Mister Martindale. Die Menschenleben, die in Gefahr sind . . . hat die mein erster Mann auf dem Gewissen, wenn er nicht rechtzeitig auftaucht?« Sie war fest entschlossen, Paul Schaden zuzufügen. Sollte Martindale ihre Frage bejahen, würde sie es zu verhindern wissen, daß er unter ihren Gästen einen Hinweis auf Paul finden konnte.

»Nein«, sagte Martindale, »die Zusammenhänge sind anders.«

»Okay. Ich gebe Ihnen Gelegenheit, mit Doktor Hermann zu sprechen.«

Hermann war einverstanden. Er wandte sich in einer kurzen Rede an alle Gäste. Das Ergebnis war mager. Der eine oder andere hielt es für möglich, daß Paul zum Ausspannen aufs Land gefahren sei, nach Salzburg, Kitzbühel oder Tirol. Zwei meinten scherzhaft, er habe womöglich eine Freundin. Einer sagte, daß Paul ihm gegenüber einmal von einem alten Freund gesprochen habe, der in der näheren Umgebung als Landarzt sitze. Leider konnte er sich weder an seinen Namen noch an einen Ort erinnern.

Lance begleitete Martindale bis zum Vorplatz. »Es tut mir leid, daß ich Ihnen keine große Hilfe war.«

»Nicht schlimm. In meiner Lage muß man für alles dankbar sein.«

»Good-bye, Mister Martindale.«

»Bye, Madam.«

Er stieg in seinen Chevrolet. Mit gedrosseltem Motor fuhr er auf der Grünwalder Straße in Richtung Stadt. Am Himmel stand hell der Mond. Die Uhr am schwach erleuchteten Armaturenbrett zeigte wenige Minuten vor ein Uhr morgens. Er gab sich seinen Gedanken hin. Wahrscheinlich hatte er eine ganze Stunde nutzlos vertan. Es sei denn, die Bemerkung über den Landarzt sollte sich irgendwie als brauchbar erweisen.

Er überlegte, ob er zu seinem Appartement fahren sollte, um sich ein paar Stunden Schlaf zu gönnen. Er hätte ihn nötig gehabt. Ein übermüdeter Agent ist nicht einmal die Hälfte wert, sagte er sich. Doch dann entschloß er sich anders.

Er fuhr zum Haus Niklas und parkte den Wagen unmittelbar vor dem Eingang. Nachdem er ein paarmal Sturm geläutet hatte, ohne daß ihm jemand geöffnet hätte, setzte er sich in seinen Wagen. Er wollte hier so lange warten, bis sich einer der Hausbewohner blicken ließ.

Er verstellte die Lehne zum Liegesitz, streifte seine Schuhe ab und suchte sich eine bequeme Lage zum Ausruhen.

17

Die Morgensonne tastete über sein Gesicht und erfaßte sein linkes Auge. Er erwachte.

Im ersten Augenblick wußte er nicht, wo er war. Dann fiel sein Blick auf das Armaturenbrett, die Lenksäule, das Steuerrad. Er lag in unbequemer Stellung auf dem zurückgeklappten Sitz. Mit dem Arm über der Lehne, das Knie gegen den Schalthebel gepreßt.

Mühsam raffte er sich hoch. Seine Muskeln schmerzten. Er sah auf die Armbanduhr. Er hatte länger als eine Stunde in dieser verkrampften Stellung gelegen.

Er rekelte sich und versuchte sich zu strecken, so gut es ging. Gleich sieben Uhr! Nur noch fünf Stunden bis zum Treffpunkt mit Irbid, und er hatte noch nichts erreicht!

Er stieß die Tür auf und schwenkte seine Beine nach draußen. Er bewegte die Zehen, bis er spürte, daß sie wieder durchblutet waren. Dann zog er seine Schuhe an, stieg aus und machte ein paar schnelle Kniebeugen.

Er ging zum Haus und drückte anhaltend auf den Klingelknopf. Nichts rührte sich. Er stieg wieder in den Wagen und fuhr zur nächsten Telefonzelle.

Er wählte die Nummer von Niklas, wartete, bis es zehnmal geläutet hatte, und hing ein. Eine Viertelstunde später hielt er vor dem Hochhaus, in dem er wohnte. Er rasierte sich, machte sich frisch und wechselte das Hemd. Ehe er wieder wegging, versuchte er es ein neues Mal mit der Nummer von Niklas, doch wie bisher ohne Erfolg.

Er fuhr zur Klinik. Wenn er überhaupt noch weiterkommen konnte, dann hier.

Er fragte nach Saunter und erhielt die Auskunft, daß Saunter vorläufig nicht mehr in die Klinik komme. Er wollte Sils erreichen, doch Sils war gerade bei der Morgenbesprechung.

Kurzerhand entschloß er sich, wenigstens zu frühstücken. Er ging in den Anbau, in dem das Casino lag. Er nahm ein Tablett vom Stapel und stellte sich geduldig in die Reihe der übernächtigten oder unausgeschlafenen Klinikangestellten. Er erstand drei Bons für eine Tasse Kaffee und zwei Brötchen mit Butter und Marmelade.

Professor Sils erreichte er kurz nach 8 Uhr. Sein Büro glich im wesentlichen den anderen der Klinik. Moderne Sachlichkeit mit dem Grundfarbton Flaschengrün. Ein Schreibtisch. Zwei Stühle. Ein Couchtisch. Eine Couch. Aktenschränke bis an die Decke.

Durch das Fenster schien die Sonne. »Mister Martindale, womit kann ich Ihnen helfen?« Sils wuchtete sich hinter seinem Schreibtisch hoch und kam mit ausgestreckter Hand auf seinen Besucher zu.

Stanley Martindale klärte ihn mit dürren Worten auf. Sils strich sich mit der Hand über den kahlen Schädel. »Eine verzwickte Situation.«

»Eine verteufelte, eine verfluchte Situation!« Martindale konnte kaum an sich halten. »Was ist zu tun, Mister Sils? Das ist die Frage, die mich interessiert. Deshalb bin ich hier.«

»Sie wollen doch nicht sagen, daß von meiner Meinung die Politik der Vereinigten Staaten von Amerika abhängt?« sagte Sils dröhnend.

»Mich interessiert, was zu tun ist, was medizinisch zu tun ist, wenn ich Mister Niklas nicht auftreibe oder ihn bis um zwölf Uhr heute mittag nicht überreden kann, den Fall zu übernehmen? Deshalb bin ich hier bei Ihnen.«

»Ich verstehe. Dann gehen wir beide jetzt zur Intensivstation. Vielleicht hat sich das Befinden unseres prominenten Patienten entscheidend verändert.«

Als sie die Schwingtür zur Station aufstießen, kam ihnen Schwester Christine entgegen. Es fehlte nicht viel, und sie wäre gegen Martindale geprallt.

»Pardon please!« Er war einen Atemzug lang verlegen.

Er sah nur ihre großen dunklen Augen, das ebenmäßig schöne Gesicht, eingerahmt von langen blonden Haaren. »Es tut mir leid«, sagte er, »wenn ich Sie . . .«

»Das kommt hier öfter vor. Die Tür!« Sie schenkte ihm keine Beachtung und ging an ihm vorbei.

Abu Dschafar war nach wie vor an die künstliche Beatmung angeschlossen. Doch als Sils herantrat, warf er ihm aus müden Augen einen flüchtigen Blick zu. »Wie fühlen Sie sich?« sagte Sils, nur um irgend etwas zu sagen.

»Es geht.« Die beiden Worte waren kaum zu hören. Dschafar schloß die Augen wieder.

Sils ließ sich von der zuständigen Schwester die neuen Werte geben. Er hielt die Blätter einzeln Martindale hin und erklärte sie ihm kurz.

»Sie sehen, nach dem Koronar-Angiogramm kann man nur zu einem Schluß kommen.«

»Ungünstig?« Martindale sah den anderen fragend an.

»So genau kann man das nicht definieren. Sie müssen diesen Fall ja immer unter dem Aspekt seiner besonderen Umstände betrachten. Das heißt, wenn ich richtig orientiert bin, wollen Sie den Patienten doch möchlichst rasch und möglichst ohne Risiko transportieren?«

»Allerdings.«

»Und mit diesen Werten, ich meine mit dem Ergebnis des Angiogramms, können wir Ihrer Bedingung, oder sagen wir, Ihrem Wunsch, nur mit einer Maßnahme nachkommen. Mit einer Operation.«

»Und wie stehen die Chancen?«

»Meinen Sie bei der Operation?«

»Ja.«

»Die Operation selbst birgt natürlich ein außergewöhnliches Risiko in sich. Nur wenn es die Biologie des Patienten einigermaßen aushält, geht eine Infarktoperation glatt über die Bühne.«

»Und gibt es noch ein anderes Risiko?«

»In den Stunden danach. In den Tagen danach.«

»Und bei der Operation selbst . . .«

»Eine heikle Sache. Man nimmt ein Stück Vene aus dem Oberschenkel und setzt es anstelle der verschlossenen Arterie im Herzen ein.«

»So einfach ist das?«

»So einfach hört es sich zumindest an.«

»Und in den Stunden danach?«

»Sie müssen sich vorstellen, Mister Martindale, daß ja nur der Infarktherd beseitigt wird. Die Infarkursache aber nicht. Das klingt vielleicht verwirrend. Ist es aber nicht. Die Ursache, die den Infarkt letzten Endes auslöst, kann dieser operative Eingriff nicht beheben.

218

Wohl aber die Versorgung der Stelle, die vom Verschluß betroffen ist.«

»Okay. Ich muß mich damit zufriedengeben. Braucht diese Operation unbedingt eine Top-Kapazität vom Format eines Paul Niklas? Oder kann sie auch von jedem guten Chirurgen ausgeführt werden?«

»Es bedarf immer eines guten Chirurgen. Nur in Ihrem besonderen Fall soll ja auch das kleinste Risiko vermieden werden. Deshalb wahrscheinlich der Ruf nach dem Kollegen Niklas.«

»Okay, okay!« Martindale hob die Hände zur Abwehr. »Wir wollen die Sache nicht unnötig komplizieren. Ich weiß jetzt, wie ich mich zu verhalten habe. Ich danke Ihnen, Mister Sils. Sie haben mir sehr geholfen.« Er behielt für sich, daß er von den vier ihm noch verbleibenden Stunden zwei dazu benützen wollte, um Niklas womöglich doch noch aufzuspüren. Sollte er ihn nicht erreichen oder nicht überreden können, dann mußten ihm die restlichen zwei Stunden dazu dienen, einen der anderen Chirurgen für die Operation zu gewinnen.

»Eine letzte Frage, Mister Sils.«

»Bitte, wenn ich sie Ihnen beantworten kann?«

»Wäre es Ihrer Meinung nach möglich, die Operation schon um – sagen wir – spätestens um zwölf Uhr anzusetzen?«

»Heute mittag um zwölf? In vier Stunden?« Sils dachte nach. Sein Gesicht drückte Zweifel aus.

Martindale sagte drängend: »Als eine Art Operation im Handumdrehen? Sind Sie denn darauf nicht eingerichtet?«

»Das trifft nicht den Kern der Sache, Mister Martindale. Notoperationen machen wir natürlich. Nur normalerweise wird der Patient sorgfältig auf die Operation vorbereitet. Nun ist aber Operation nicht mit Operation gleichzusetzen. Aber das wissen Sie ja selber. Wenn überhaupt keine andere Möglichkeit mehr bleibt, wenn ein Fall sozusagen Spitz-auf-Knopf steht, dann operieren wir sogar innerhalb von Minuten. Dieser Fall steht aber nicht Spitz-auf-Knopf, Mister Martindale. Ich meine, was die Verfassung des Patienten betrifft. Ich will damit sagen, der Patient könnte ohne sofortige Operation sicher die nächsten ein, zwei Tage überstehen. Vielleicht auch noch mehr. Ja, vielleicht müßte er überhaupt nicht operiert werden.«

»Aber Sie haben doch vorhin selber gesagt . . .?«

»Nur wenn wir Ihre spezielle Situation zugrunde legen, Mister

Martindale. Nur dann habe ich zu einer Operation geraten. Dann aber auch zu einer möglichst schnellen Operation. Möglichst schnellen, Mister Martindale!« Sils betonte das Wort ›möglichst‹ und fuhr fort: »Nicht zu einer überstürzten, Mister Martindale!«

»Hm. Und was würde eine überstürzte Operation nach sich ziehen?«

»Eine Infarktoperation ist an gewisse Zeiträume gebunden.«

»Es ist wie verhext!« murmelte Martindale erbittert.

»Die Entscheidung für eine solche Operation liegt demnach ganz bei Ihnen«, sagte Sils gelassen und ging voran auf den Flur hinaus, »die Entscheidung und natürlich auch die Verantwortung.«

Martindale blieb stehen. Sein Gesichtsausdruck wirkte plötzlich schlaff. »Ich werde mir einen anderen Beruf suchen«, sagte er, »auf die Dauer reibt diese Mühle auch den stärksten Ochsen auf!«

»Lassen Sie sich ruhig Zeit, Mister Martindale! Sie müssen nicht voreilig entscheiden. Durchdenken Sie die Sache in Ruhe.«

»Wieviel Zeit bleibt mir?«

»Ich werde veranlassen, daß alles vorbereitet wird. Dann können Sie sich noch eine Viertelstunde vorher entschließen. Je später Sie jedoch zu einer Entscheidung kommen, desto weniger Zeit hat der Anästhesist, um den Patienten vorzubereiten. Auch das geht natürlich auf Kosten der Sicherheit.«

»Okay.« Martindale gab sich einen Ruck. »Haben Sie einen Raum, wo ich ungestört telefonieren kann? Zehn Minuten genügen.«

»Ja. Ich glaube, das geht.«

In diesem Augenblick kam Schwester Christine auf die Station zurück. Sils winkte sie zu sich heran. »Schwester Christine!«

»Herr Professor?«

»Das ist Mister Martindale.«

»Guten Tag, Mister Martindale.«

»Hello, Schwester.«

»Mister Martindale braucht sofort einen Raum, wo er für einige Zeit völlig ungestört ist.«

»Vielleicht Ihr Wartezimmer, Herr Professor? Noch sind keine Patienten da.«

»Nein, einen Raum mit Telefon«, sagte Sils, »Christine, Sie werden das schon machen. Zum Beispiel der Konferenzraum. Oder eines der Ärztezimmer. Mister Martindale, darf ich Sie der Obhut von Schwester Christine anvertrauen? Ich werde inzwischen alles für die Operation vorbereiten lassen.«

»Bitte, Mister Martindale.« Christine hielt ihm die Schwingtür auf, und Martindale murmelte zu Sils noch: »Haben Sie besten Dank, Mister Sils«, und zu Christine: »Bitte gehen Sie voran.«

Die Ärztezimmer lagen in einem Anbau im Hof. Christine blieb im Flur am schwarzen Brett stehen. Mit dem Finger fuhr sie den hektographierten Plan für die monatliche Einteilung der diensthabenden Ärzte entlang. »Zimmer siebzehn müßte frei sein«, sagte sie und ging, ohne Martindale zu beachten, den Flur entlang.

»Bitte, Mister Martindale!« Sie hielt die Tür zu Zimmer siebzehn auf.

»Besten Dank, Miß . . . äh?«

Sie überhörte seine Frage und sagte: »Ich hoffe, das Zimmer genügt Ihnen.« Sie wollte an ihm vorüber, doch er machte keine Anstalten, sie vorbeizulassen.

»Leider.«

»Leider was?« fragte sie teilnahmslos.

»Leider erlaubt es Ihre Zeit so wenig wie meine Zeit.«

»Erlaubt was?«

»Daß wir miteinander flirten.«

»Auch wenn es meine Zeit erlauben würde, Mister Martindale«, sagte sie kühl, »ich sehe da keinen Zusammenhang.«

»Sie sind mir gegenüber im Vorteil.«

»Ich wüßte nicht warum?«

»Weil Sie wenigstens meinen Namen kennen.«

»Wenn Sie vorhin hingehört hätten, würden Sie auch den meinen kennen.«

»Würde mir das weiterhelfen?«

»Es kommt darauf an, was Sie sich darunter vorstellen. Wahrscheinlich nicht.«

»Okay. Dann will ich erst gar nicht nach Ihrem Namen fragen. Ich heiße jedenfalls Stanley. Gute Freunde nennen mich Stan.«

»Das ist ja sehr erfreulich für Sie. Auf Wiedersehen, Mister Martindale.« Er ließ sie vorbei und sah ihr nach, bis sie durch die Tür verschwand.

Sie gefiel ihm. Ihre herbe Schönheit, ihre klaren Augen, die Distanz, die sie hielt, alles das sagte ihm zu. Er hätte sie liebend gerne gefragt, ob sie Lust hätte, den heutigen Abend mit ihm zu verbringen.

Statt dessen holte er tief Luft, schloß die Tür hinter sich, hob den Hörer von der Gabel und wartete, bis sich die Zentrale meldete. Er nannte die Durchwahlnummer von Newley in der Bonner Botschaft.

Und er verfluchte seinen Beruf.

18

»Hier Newley. Mit wem spreche ich?«

»Stan.«

»Wo brennt's?«

»Ich habe einen Vorschlag.«

»Sag mir nicht, daß du keinen Erfolg gehabt hast!«

»Ich sage, ich habe einen Vorschlag.«

»Von wo aus sprichst du?«

»Von der Fabrik aus.«

»Über die Zentrale?«

»Ja. Es ging nicht anders.«

»Okay. Ich frage. Du hast also unseren Freund noch nicht erreicht?«

»Nein.«

»Hast du auf allen Tasten gespielt?«

»Ja.«

»Auch in seiner Umgebung?«

»Ja.«

»Ohne Erfolg?«

»Nicht ganz. Aber noch nicht meßbar.«

»Hat dein Vorschlag damit zu tun?«

»Indirekt. Jetzt frage ich. Weißt du, wie schnell man einen Apparat in Gang setzen kann?«

»Kommt darauf an, wo?«

»Sagen wir hier.«

»Ich nehme an in Minuten.«

»Richtig. Nur wird dadurch das Risiko erhöht.«

»Kannst du mir auch sagen, warum?«

»Tut das was zur Sache? Es genügt, daß es sich erhöht. Oder?«

»Okay. Weiter.«

Sagen wir, die Rakete startet high noon.«

»Finde ich okay.«

»Aber Sie startet geheim. Total geheim. Mit einem anderen Spezialisten.«

»Ist das dein Vorschlag?«

»Kannst du ihn segnen?«

»Da kann man sich die Finger verbrennen, ja?«

»Sagen wir, die Chancen stehen fünfzig zu fünfzig. Also?«

»Wie spät ist es jetzt?«

»Acht Uhr sechsundvierzig.«

»Also noch gute drei Stunden.«

»Ja. Oder schlechte drei Stunden.«

Du kannst mich jetzt nicht zum Lachen bringen. Wir lassen es auf die letzte Minute ankommen.«

»Das heißt, ich kann alles vorbereiten?«

»Genau. Und ich führe ein Gespräch. Das Okay soll von drüben kommen. Zufrieden?«

»Ich bin die Ruhe in Person. Was Neues von der Front?«

»Die Hitze ist unerträglich, und das Wasser ist knapp. Sonst scheint es wie im Urlaub zu sein. Möchtest du hin?«

»John, du vergeudest unsere Zeit. Grüß mir den Chef. Er kann mich mal!«

Er legte auf.

19

Eigentlich sollte ich jetzt glücklich sein, dachte Kathy und gähnte. Heute habe ich endlich das gehabt, was ich mir schon immer gewünscht hatte. Zwei Liebhaber in einer Nacht! Und wie ist mir zumute? Absolut beschissen!

Sie ließ die Haustür ins Schloß fallen, ging mit müden Schritten durch die Diele, warf, wie sie es immer tat, kurz einen Blick ins leere Wohnzimmer und stieg mit steifen Beinen die Treppe hinauf.

In ihrem Zimmer schleuderte sie die Schuhe von sich und sank, wie sie war, aufs Bett. Sie lag noch keine Minute, als sie auch schon eingeschlafen war.

Sie sah Montgomery Saunter vor sich. Sah, wie sie ihn an der Hand nahm und die Treppe hinaufzog. Erlebte, wie er sich die Kleider abstreifte, wie er zu ihr kam, wie er ihren Busen küßte und wie er sie plötzlich mit kaltem Wasser übergoß.

Dann sah sie ihn auf seine Haustür zugehen, sah ihn verschwinden, ohne daß er sich noch einmal umgedreht hatte.

Die Bilder flossen ineinander über, und der andere Junge tauchte auf. Er sah nach Kraft aus, nach Ausdauer, nach Erfüllung. Sie ging mit ihm auf seine Bude. Sein Fleisch war weiß und weich. Er ließ alles über sich ergehen. Er war wie eine Puppe, die man aufziehen konnte. Er konnte nur eines nicht. Er konnte sie nicht befriedigen. Sie sah sich auf der Straße, die Menschen hasteten zur Arbeit. Sie stand auf einer Insel inmitten des Verkehrs und war müde, unsagbar müde. Sie saß am Bordstein und sah nichts als Räder, unaufhörlich Räder.

Sie warf sich herum, und ihr Arm hing über den Rand des Bettes herab, und ihre Finger berührten den Teppich. Ein Glockenläuten. Himmel. Wolken. Und Läuten.

Sie spürte mit den Fingerkuppen die Fasern des Teppichs. Das Läuten wurde deutlicher. Sie war im Halbschlaf. Es hörte sich an wie die Glocke der Haustür.

Sie wankte auf die Beine. Es läutete noch immer. Sie hielt sich am Treppengeländer fest und ging vorsichtig nach unten. Durch den Spion sah sie einen ihr unbekannten Mann. Groß, stark mit breiter Nase. Er hielt anscheinend den Finger auf dem Klingelknopf.

Sie öffnete. »Ja?« Müde, aus verklebten Lippen.

»Verzeihen Sie. Leider muß ich Sie stören. Ich muß dringend Professor Niklas sprechen.«

»Pech. Nicht da!« Sie wollte die Tür zudrücken, doch der Mann hatte seinen Fuß dazwischen.

»Okay. Dann muß ich eben Sie sprechen.« Martindale schob sich ins Haus und machte die Tür hinter sich zu. »Es ist nicht die feine Art, ich weiß, aber es muß sein.«

»Einen Schritt weiter und ich schreie!«

»Keine Angst. Ich bin sozusagen von der Polizei.« Er sagte seinen Namen und unterrichtete sie kurz, worum es ging.

»Kommen Sie herein!« Sie machte eine Geste zum Wohnzimmer hin. Je mehr sie zu sich kam, desto mehr gefiel ihr, daß sie Besuch hatte. So brauchte sie wenigstens nicht schlecht zu träumen.

»Darf ich Ihnen etwas anbieten? Whisky? Kognak?«

»Danke nein. Dazu ist es noch eine halbe Stunde zu früh am Tag. Darf ich fragen, wer Sie sind? Das Hausmädchen?«

»So etwas Ähnliches. Die Tochter.«

»Um so besser. Ich habe schon seit gestern hier den Draht heißlaufen lassen. Aber . . .!« Mit einer Bewegung der Arme zeigte er sein Bedauern an.

»Ich war nicht da.«

»Ich habe es bemerkt. Ich will Sie nicht aufhalten. Ich nehme an, Sie können mir auch nicht sagen, wo ich Ihren Vater zur Zeit finden kann?«

»Erraten. Können Sie Gedanken lesen?«

»Ich habe mir nur den Optimismus abgewöhnt.«

»Also werden Sie von schlechten Erfahrungen verfolgt?«

»Wir wollen uns nicht mit mir befassen. Ihr Vater hat einen guten Freund. Einen alten. Einen, der Landarzt ist. Fällt Ihnen dazu etwas ein?«

»Jan Voss. Es gibt keinen anderen.«

»Na, wenn das kein Volltreffer ist!«

»Das kann ich nicht beurteilen.«

»Das sollen Sie auch gar nicht. Das wird sich sowieso erst zeigen. Und wo wohnt dieser Voss?«

»Am Tegernsee. In Rottach. Natürlich! Daß ich daran nicht schon gestern gedacht habe!«

»An was?«

»Daß Paps natürlich zu ihm gefahren ist! Komisch, auf das Nächstliegende kommt man nicht!«

»Bravo. Wenn Sie Lust haben, lade ich Sie zu einer Fahrt an den Tegernsee ein. Sie zeigen mir den Weg. Und ich spare Zeit.«

»Lust hätte ich schon. Trotzdem, danke. Ich bin wie gerädert. Nein, es hat keinen Sinn. Ich würde einschlafen. Vielleicht ein andermal.«

»Okay. Und wie lange brauche ich? Bis Rottach?«

»Eine halbe Stunde. Vierzig Minuten. Je nachdem.«

»Nehmen wir an, ich habe noch mal Pech. Kann ich in eineinhalb Stunden wieder zurück sein?«

»Ohne weiteres. Aber dann schlafe ich.«

»Um ein Rendezvous zu verabreden, eignet sich mein Beruf sowieso nicht. Ich werde sehen, ob ich etwas von mir hören lassen kann. Ich bedanke mich. Wie, sagten Sie noch, heißen Sie?«

»Ich habe nichts gesagt. Ich heiße Kathy. Viel Glück!« Sie brachte ihn zur Tür.

Er war noch nicht in seinen Wagen gestiegen, da lag sie von neuem auf ihrem Bett und war eingeschlafen. Montgomery Saunter tauchte wieder auf und der Junge, aber mit einem Mal drängte sich auch noch ein dritter Mann ins Bild, ein Mann, der groß und stark aussah und eine breite Nase hatte.

20

»Paul! Na, Paul, so mach schon! Paul, du hast jetzt genug geschlafen! Paul!« Jan Voss stand neben dem Bett, in dem sein Freund schlief, und rüttelte ihn an der Schulter.

»Ämmh!« Paul gab ein unwilliges Brummen von sich.

Das Bett stand im Gästezimmer und war ein hohes, bunt bemaltes Bauernbett mit gedrechselten Pfosten, und Paul lag unter einem blauweiß-kariertem Federbett. Jan zog die Vorhänge zurück. Das Fenster ging auf den Wallberg hinaus, eine saftig grüne Wiese war zu sehen, ein Holzzaun, ein schmaler Weg, eine Gruppe hoher, dunkler Tannen. »Paul, nun komm schon! Es ist ein wunderschöner Tag.«

Paul rieb sich die Augen. »Jan?« Er setzte sich auf. »Bist du schon lange da?«

»Hier im Zimmer nicht. Zu Hause bin ich schon seit gestern abend.« Jan sah den Freund aufmunternd an. Seine klaren wasserblauen Augen unter den buschigen Brauen verströmten Ruhe und Ausgeglichenheit. Nicht zuletzt dieser Augen wegen fühlte sich Paul zu dem Älteren hingezogen, konnte er sich erklären, warum Jan als Landarzt bei seinen Patienten so beliebt war.

»Wie lange habe ich geschlafen?«

»Seit gestern nachmittag. Bald siebzehn Stunden.« Jan öffnete das Fenster, und frische Morgenluft drang in den Raum. »Gesund ist es schon«, sagte er, »wenn man ausgiebig schläft. Aber wenn du mich fragst: Man kann es auch übertreiben.«

Paul atmete tief die Frische des Morgens ein. »Ich schlafe nie bei geschlossenen Fenstern. Aber gestern . . .«

»Du mußt halbtot gewesen. Die Reiterin hat mir schon alles brühwarm erzählt. Kaum, daß du nach mir gefragt hast! Steh endlich auf!«

»Mir ist es unerklärlich, was plötzlich mit mir los war.«

Paul war am frühen Nachmittag nach Rottach gekommen. Jan war noch unterwegs gewesen, machte Visite. »Ich richte Ihnen gleich das Gästezimmer«, hatte Frau Reiter gesagt, »Sie müssen sich ein bißchen hinlegen, Herr Professor.

»Hinlegen? Ich? Bei so einem Wetter? Nie!«

»Doch, Herr Professor. Ich sehe es Ihnen an. Und wenn's nur eine halbe Stunde ist. Aber eine halbe Stunde ins Bett! Ausgezogen! Lachen Sie nicht! Anders hat es gar keinen Sinn!« Ohne ihn zu fragen, hatte sie sein Gepäck ausgeladen und ins Haus getragen, das Bett überzogen, das Zimmer gelüftet und danach den Vorhang vorgezogen. »So, und jetzt wird geschlafen! Und um fünf Uhr gibt's einen guten Kaffee!«

Als Paul im Bett lag, hatte er gespürt, wie ermattet er war. Ja, und nun hatte er siebzehn Stunden durchgeschlafen! Er konnte sich nicht erinnern, daß er jemals ein ähnliches Schlafbedürfnis gehabt hätte.

Eine halbe Stunde später saß er mit Jan beim Frühstück auf der Terrasse hinter dem Haus. Frau Reiter hatte der starken Sonne wegen den Tisch in den Schatten der Holunderhecke gerückt und die Schale für Butter und Wurst auf einen Teller mit Eiswürfeln gelegt.

Keinen Steinwurf von der Terrasse entfernt blökten Kühe. Krähen flogen geräuschvoll auf, ein ständiges leises Zirpen lag in der Luft.

»Das ist Balsam für die Seele«, sagte Paul mit einer Kopfbewegung zur Wiese hin. Herzhaft biß er in eines der frischen Brötchen.

Das hättest du schon oft haben können«, sagte Jan und nahm einen Schluck Kaffee, »aber du Querkopf weißt ja immer alles besser! Professoren sind wirklich der Schrecken der Menschheit!«

»Verbrenn dir nicht den Mund! Ich meine am Kaffee.«

Sie hatten zu Ende gefrühstückt, Frau Reiter räumte ab, und sie blieben noch eine Weile auf der Terrasse sitzen. Ihre Unterhaltung wurde ernster. Jan erklärte dem Freund, warum er vorletzte Nacht doch nicht mehr zu ihm gefahren war. Paul schilderte, was sich mittlerweile ereignet hatte.

Jan wollte ihm nicht glauben. Immer wieder von neuem mußte Paul ihm die Details beschreiben, die Zusammenhänge verdeutlichen.

Die Sache mit Helen. Sein Entlassungsgesuch. Der nächtliche Besuch der drei Männer.

»Unfaßbar!« Jan war sichtlich erregt. Paul hatte ihn noch nie so erlebt.

»Und du hast abgelehnt?« Jan drehte sich zum Haus hin und rief: »Frau Reiter! Eine Flasche Sprudel!« Und an den Freund gewandt: »Mein Gaumen fühlt sich an wie vertrocknet. Das ist immer so, wenn ich aufgeregt bin. Also, du hast abgelehnt?«

»Ja.« Paul setzte ihm seine Argumente noch einmal auseinander. Frau Reiter brachte den Sprudel und zwei Gläser.

»Vielleicht hast du recht«, sagte Jan, »dein Dauerschlaf deutet jedenfalls darauf hin. Mir geht es aber mehr um dein Grundproblem.«

»Fang bitte nicht damit wieder von vorne an! Du sagst mir nichts Neues.«

»Bist du dir dessen so sicher? Du kannst dich doch nicht einfach fallen lassen. Kein Mensch kann das und du an deinem Platz schon gar nicht! Du hast eine Verpflichtung. Nein, nicht nur deinen Patienten gegenüber, die lassen wir jetzt einmal außer acht. Du hast eine Verpflichtung als Vorbild für deinen Berufsstand in der Öffentlichkeit. Auch als Vorbild für den blöden Sammelbegriff ›Menschheit‹. Und aus dieser Verpflichtung kannst du dich nicht selber entlassen. Auch wenn ein Minister dir die Genehmigung gibt. Wohlgemerkt, das hat jetzt nichts mit diesem besonderen Fall zu tun. Der ist ungeheuerlich! Ich komme gar nicht darüber hinweg! Was kann daraus entstehen, wenn du den Fall nicht übernimmst? Hast du deine Verantwortung überhaupt ganz durchdacht?«

»Ich denke schon«, sagte Paul und gab sein Gespräch mit Martindale im Nymphenburger Schloßpark wieder.

»Die Entscheidung liegt natürlich bei dir«, sagte Jan, »aber was mich interessiert: Könnte man in diesem Fall nicht die neuen Erkenntnisse berücksichtigen? Die Theorie der Übersäuerung? Ich meine, könnte auf diesem Weg nicht eine schnellere Behebung des Infarkts herbeigeführt werden?«

»Ich stehe dieser Theorie unbedingt aufgeschlossen gegenüber«, sagte Paul, »denn vieles spricht für sie. Wenn ich ehrlich sein soll, bin ich aber hauptsächlich durch einen Kollegen auf dem laufenden. Einen Amerikaner, der bei uns vorübergehend arbeitet. Doktor Montgomery Saunter. Er ist noch jung.«

»Und wie argumentiert er? Ich meine, was spricht für diese neuen Erkenntnisse?«

»Ganz so neu sind sie nicht. Nur hier bei uns haben sie noch nicht an Boden gewonnen. Zu einer schnelleren Lösung in unserem Fall führen aber auch sie nicht.«

Unversehens gerieten sie in eine Grundsatzdiskussion über den Herzinfarkt. Paul Niklas hatte sich behaglich in den Sessel zurückgelehnt und die Hände im Schoß verschränkt. Er schien jetzt nichts anderes zu sein als ein Mann, der entspannt in der Sonne sitzt, die Augen halb geschlossen hält und seinen Gedanken freien Lauf läßt. Er wirkte gelockert und entspannt. Ab und zu unterstrich er mit einer Bewegung seiner ausdrucksvollen Hände, was er sagen wollte. Das Bild, das die beiden Männer boten, glich eher einer Ferienidylle als einer wissenschaftlichen Auseinandersetzung.

Doch ihre Diskussion hatte durchaus System.

»Der Herzinfarkt wird von einer kritischen Verschlechterung der Versorgungslage des Herzens ausgelöst«, sagte Paul, »Hauptübel: Sauerstoffmangel. Das bestreitet heute niemand mehr.«

»Das gehört ja schon zur Allgemeinbildung«, sagte Jan.

»Die zwei Grundsatzfragen sind daher: Wie kann es überhaupt zu einem Sauerstoffmangel des Herzmuskels kommen? Und wie reagiert das Herz funktionell darauf?«

»Beantwortung der ersten Frage«, sagte Jan Voss, »eine Arteriosklerose engt die Arterien an bestimmten Stellen ein. Als Folge davon bilden sich Blutgerinnsel, die den Blutstrom sperren. Ein Teil des Herzmuskels, der nicht mehr mit Blut versorgt wird, stirbt ab. Folge: Herzmuskelinfarkt.«

»Das galt bisher. Und bei uns gilt es noch heute. Aber man denkt auch hierzulande schon nach. Denn es gibt schließlich Medikamente, die eine Gerinnung des Blutes in den Gefäßen verhindern können.«

»Eben. Und warum verhindern sie den Herzinfarkt nicht?«

»Genau diese Frage stand am Ausgang der Überlegungen. Und die Statistiken!«

»Seit wann kümmern sich Mediziner um Statistiken?«

»Im Fall der Infarktforschung war die Statistik frappierend: Im Krieg neununddreißig bis fünfundvierzig waren Fett und Eiweiß bekanntlich mehr als knapp. Aber die Arteriosklerose nahm nicht ab! Wohl aber der Infarkt!«

»Ach? Das ist mir neu.«

»Es wird noch augenscheinlicher: Nach dem Krieg nahm die Arteriosklerose nur unwesentlich zu. Die Kurve der Infarkte aber schnellte geradezu erschreckend in die Höhe. Ist dir bekannt, daß zur Zeit allein in Deutschland jährlich an die dreihunderttausend Menschen vom Herzinfarkt betroffen werden? Dreihunderttausend! Nimm an, eine Atombombe auf Bochum. Oder auf Kiel. Oder Bielefeld. Ein Drittel der Einwohner ist tot. Die restlichen zwei Drittel lebensgefährlich verletzt. Jährlich!«

»Das ist wirklich alarmierend. Aber bleiben wir bei der Statistik. Was beweist sie?«

»Zunächst nichts. Aber sie hat hellhörig gemacht. Man hat die pathologischen Befunde überprüft.«

»Ich dachte, das hätte man längst getan?«

»Aber nicht unter dem Aspekt der statistischen Hinweise.«

»Und was ergab die Überprüfung?«

»Um es kurz zu sagen, eine geradezu sensationelle Erkenntnis.«

»Eine wirklich neue Erkenntnis?«

»Ja. Die Blutgerinnsel und die damit verbundene Sperre des Blutstroms sind anscheinend – in den meisten Fällen, wohlgemerkt – erst nach dem Infarkt eingetreten. Nachher, Jan!«

»Das würde bedeuten, daß die Gefäßverlegung und Thrombose in der Regel erst nach dem Infarkt eingetreten ist!«

»Ja. Bei der Gehirnforschung ist es nicht anders. Auch dort gibt es Stimmen, die Krankheiten, die bisher der Arteriosklerose und den Gefäßverschlüssen angelastet wurden, jetzt auf stoffwechselbedingten Anlaß zurückzuführen.«

»Bleiben wir beim Herzen.«

»Außer bei den seltenen Fällen, wo ein Herzinfarkt durch einen plötzlichen Gefäßverschluß entsteht, nimmt man als Hauptursache neuerdings eine Stoffwechselstörung der Herzmuskelzellen und der indifferenten Bindegewebszellen an.«

»Also kann ein Herzinfarkt auch durch Arteriosklerose entstehen?«

»Man nimmt verschiedene Ursachen an. Unter anderem also auch Gefäßverkalkung. Aber auch Embolien. Oder krankhafte Gefäßprozesse, die zu einer Durchblutungsstörung oder zum Gefäßverschluß führen. Oder die funktionelle Herzschwäche, zum Beispiel bei Herzklappenfehlern. Hin und wieder löst sicher auch eine Überlastung des rechten Herzens einen Infarkt aus. Nur: Man nimmt an, daß die erst seit wenigen Monaten vorliegenden Erkenntnisse häufig als wahre Ursache gelten.«

»Hm. Bisher hat man gesagt, die ersten Anzeichen eines entstehenden Herzinfarkts sind meist nicht zu erkennen. Ist diese Ansicht jetzt widerlegt?«

»Ja. Denn das EKG gibt ja erst Hinweise, wenn der Schaden schon entstanden ist. Die Röntgenaufnahmen waren irreführend.«

»Weil sie oft perspektivisch verzerrt waren.«

»Ja. Jetzt weiß man aber, daß beim Herzinfarkt lange vor dem lebensbedrohenden Stadium vielerlei Warnzeichen auftreten. Kleine Krankheitsherde, oftmals tausend vorangegangene Schädigungen führen allmählich zum Infarkt.«

»Und wie machen sich diese Warnzeichen bemerkbar? Durch zeitweilige Herzbeschwerden? Durch kurze Herzschmerzen?«

»Ja. Sie können die Übersäuerung des Herzmuskels andeuten.«

»Und worauf führt man diese Übersäuerung zurück? Auf eine ungesunde Lebensweise?«

»Meinst du das Rauchen? Maßlosigkeit beim Essen? Streß? Ärger, Ehrgeiz und so weiter?«

»Ja, das sind die Gefahren, die ich meinen Patienten vor Augen führe.«

»Das ist alles nicht gesund, das stimmt. Einen Herzinfarkt betrifft es aber nur bedingt. Man hat erkannt, daß eine gesunde Lebensweise allein einen Infarkt meist nicht verhindern kann.«

»Worauf dann führt man die Übersäuerung zurück?«

»Da gibt es wieder verschiedene Möglichkeiten. Auf Störungen der Zusammensetzung des Blutes. Bedingt durch Blutkrankheiten oder erhöhten Blutzucker. Zu geringerem Teil auch bedingt durch überhöhte Fettwerte im Blut. Dann auf Störung der Zusammensetzung der Blutmineralien. Oder auf Gifte im Blut. Bei sowieso schon geschwächten Patienten aber auch auf körperliche Überanstrengung. Und auch auf Schock.«

»Ich kann mir lebhaft vorstellen, daß diese neuen Erkenntnisse nicht ohne weiteres von den Kollegen angenommen werden. Da lernt man als Student unumstößliche Lehrsätze, und jetzt soll man das alles vergessen!«

Paul zuckte die Schultern: »Auch die Wissenschaft der Medizin entwickelt sich weiter. In den letzten Jahren besonders schnell.«

»Gott sei Dank. Den Herzinfarkt hatten wir ja noch nie im Griff. Was gilt also jetzt als neue Vorsorge?«

»Du wirst vielleicht lachen, aber der gute, von vielen schon abgeschriebene Hausarzt wird wieder gebraucht.«

»Ich fühle mich hochgeehrt!« Jan schlug sich scherzhaft an die Brust, wurde gleich wieder sachlich: »Das heißt im einzelnen?«

»Genaue Erforschung von auftretenden Beschwerden. Berücksichtigung von Zeit, Dauer, Häufigkeit, Stärke, Art und Bereich. Von Lebensweise, Stabilität des Kreislaufs, von Blutdruck und auch von früheren Erkrankungen.«

»Das verlangt große Geduld und viel, viel Zeit.«

»Aber nicht so viel Zeit, wie der Herzinfarkt zu seiner Entstehung braucht, vergiß das nicht!«

»Wir wollen uns nicht verlieren. Wie wird man nun der Übersäuerung Herr?«

»Durch Medikamente. Zum Beispiel durch g-Strophantin.«

»Das gute, alte g-Strophantin! Intravenös gespritzt.«

»Eben nicht. Ich meine g-Strophantin perlingual.«

»Zum Einnehmen?«

»Ja. Der Patient ist mit der Anwendung nicht mehr an den Arzt gebunden.«

»Und die schädlichen Nebenwirkungen?«

»Sind berücksichtigt. Schließlich kommt es auf die Dosierung an. Da die Nebenwirkungen bekannt sind, lassen sie sich steuern.«

»Das leuchtet mir ein. Und wer hat diese Theorie entwickelt? Die Amerikaner?«

»Auch Amerikaner. Zur Hauptsache aber eine internationale Forschungsgemeinschaft. Sie setzt sich aus führenden Kardiologen vieler Länder zusammen. Amerika ist natürlich darin vertreten und Kanada. England, Italien, die Tschechoslowakei, die DDR, die Schweiz, Schweden, Israel. Nur nicht unser Land.«

»Das ist doch die Höhe!«

»Ja. Aber das Thema ›Herzinfarkt‹ ist natürlich vielfältiger, als man es in so kurzen Worten darzustellen vermag.«

»Jede Krankheitsentwicklung ist vielfältiger als ihre Bekämpfung«, sagte Jan Voss und erhob sich, »die unfehlbare Bekämpfung gibt es ebensowenig wie den unfehlbaren Arzt und die unfehlbare Wissenschaft der Medizin.«

Er machte ein paar Schritte, blieb stehen, sah Paul an und strich sich versunken den eisgrauen Spitzbart: »Eine Lösung des Falles Dschafar bringen diese neuen Erkenntnisse also nicht?«

»Nicht mehr in seinem jetzigen Zustand. Einen Bypass wird man so oder so machen müssen. Egal, ob nun der Infarkt seinen Ursprung in einer Arteriosklerose hatte oder in der Übersäuerung des Gewebes.«

»Aber bei rechtzeitiger Behandlung hätte dieser Infarkt unter Umständen vermieden werden können?«

»Wahrscheinlich ja.«

»Graue Theorie!« Jan Voss trat an die niedrige Umfassung der Terrasse. Sein Blick ging hinüber auf die Berge. Er hatte Paul den Rücken zugekehrt, stand eine Weile reglos und schien den Freund vergessen zu haben.

Nach einer Weile wandte er sich um: »Und jetzt gehn wir auf die Hütte! Der Tag ist zu schön, um ihn hier unten zu vertrödeln.«

21

Es roch nach Holz. Stark und angenehm. Vom Waldrand herüber duftete frisch der Moosboden.

Die beiden Freunde saßen an die Außenwand der Blockhütte gelehnt auf der Bank vor dem Tisch, dessen vier Pflöcke in die Erde gerammt waren. Unter der Bank und neben ihr an der Wand war Brennholz gestapelt. Wenige Schritte von der Hütte weg lag ein dicker ausgehöhlter Baumstamm. Er diente als Trog, in den das Wasser einer Quelle floß.

Mit aufgerollten Hemdsärmeln saßen die beiden in der Sonne. Sie schauten auf die weiten Matten in kräftigem Grün, die sich tief hinunter bis zur Kurve des Weges zogen.

»Ein herrlicher Tag«, sagte Jan, »von Gott geschenkt!« Er stützte sich mit den Armen auf den Tisch. »Weißt du, woher der Ausdruck ›Blattzeit‹ kommt?«

»Blattzeit?« Paul hatte die Augen zugekniffen als Schutz gegen die grelle Sonne.

»Na ja, jetzt haben wir die Rehbrunft. Die wird auch ›Blattzeit‹ genannt.«

»Nein, das weiß ich nicht.«

»Der Jäger nimmt ein Buchenblatt zwischen die Daumen und bläst darauf. Er ahmt den Ton der Geiß nach, und auf diesen Ton springt der Bock. Das heißt, er ›springt aufs Blatt‹. Aber oft springt er so schnell, daß man nicht schießen kann. He, was sehe ich denn da?« Ruckartig richtete sich Jan auf. »Da kommt doch wahrhaftig einer herauf!«

»Ein Bock?«

»Ein Mensch!« Jan griff zum Fernglas, das auf dem Tisch lag.

»Ist das so ungewöhnlich?«

»Ungewöhnlich und saudumm! Schließlich ist das hier ein Jagdgebiet!« Jan stand auf, ging ins Innere der Hütte und kam gleich darauf mit einer seiner Flinten zurück. »Soll ich einen Warnschuß abgeben?« Er spannte den Hahn.

Paul hatte das Fernglas genommen. »Nein«, sagte er, »den kannst du nicht vertreiben.«

»Wieso? Kennst du ihn?«

»Ja«, sagte Paul ernüchtert, »unsere Ruhe ist hin.«

Sie waren noch keine halbe Stunde hier oben. Sie hatten die Absicht gehabt, zwei, drei Tage hier zu verbringen. Frau Reiter hatte ihnen in zwei großen Körben Proviant mitgegeben, im Ort hatten sie sich mit Zeitungen eingedeckt, mit Bier und drei Flaschen Champagner.

Sie hatten den Wagen unten an der Biegung abgestellt und das ganze Zeug nach oben geschleppt im Schweiße ihres Angesichts. Doch sie waren übermütig und ausgelassen gewesen, und Paul hatte sich frei und unbelastet gefühlt. Er war bereit gewesen, sich der Aufforderung des Freundes zu unterwerfen und richtig ›abzuschalten‹. Er hatte sogar hingenommen, daß Jan auf der Fahrt noch einmal auf sein ureigenes Problem zu sprechen gekommen war.

»Ich habe noch einmal darüber nachgedacht«, hatte Jan gesagt, »solange du dein Problem nicht löst, solange bist du ohnmächtig, auch nur irgendeine Entscheidung richtig zu fällen. Bitte hör mich noch mal an!« – »Wenn du meinst, daß es mir hilft!«

»Ich habe es mir genau überlegt. Von allen Seiten betrachtet. Dein Problem entbehrt des Besonderen.«

»Ich bin gespannt.«

»Du leidest an der Krankheit unserer Zeit. Du hast den Halt verloren, weil du nicht mehr an dich glaubst. Du bist unsicher, weil du verzweifelst. Und du verzweifelst, weil du unsicher bist. Millionen von Menschen geht es heutzutage nicht anders. Die Gründe sind vielschichtig. Wirtschaftliche Ungewißheit. Erbarmungsloses Leistungsprinzip. Angst vor dem Altern. Falsche Werte von der Erziehung, von der äußeren Beeinflussung her.«

»Du siehst mich sehr ungenau.«

»Oh, ich kann es dir auch deutlicher sagen! Was hältst du zum Beispiel von einer Verantwortung, die auf die sichere Führung des Skalpells zusammengeschrumpft ist? Die den Menschen jenseits des Operationsfeldes aus dem Auge verliert? Den Patienten, die eigene Frau, die Tochter – und einige hundert Geiseln in der Wüste!«

Jan hatte sich über seine eigenen Worte erregt. Die Sätze waren nur so herausgesprudelt, als ob eine Schleuse hochgezogen worden wäre. Schließlich hatte er etwas ruhiger und entgegenkommender hinzugesetzt: »Na, jedenfalls denkst du ja über dich nach. Dein Unbehagen an dir selbst ist das Versöhnlichste an dir.«

»Du tust mir Unrecht. Du weißt, wie ich an Kathy hänge.«

»Ja, mit Eifersucht und Forderungen. Du hast doch gar keine Vorstellung, was in den Menschen rings um dich vorgeht.«

»Vielleicht fehlt mir einfach die Zeit, geduldig zuzuhören, zwei- oder dreimal hinzusehen. Mein Beruf provoziert ja geradezu Entscheidungsbereitschaft, ja Entscheidungsfreude, schnelle Entschlüsse, schnelles Handeln.«

»Ich weiß, ich weiß. Aber das Leben, die Mitmenschen, die Nächsten verlangen mehr und anderes als schnelle Entschlüsse und die Hand des Operateurs, die niemals zittert.«

Eine Zeitlang war die Unterhaltung verstummt. Paul war den Gedanken des Freundes nachgegangen, hatte an seine Fehler im Zusammenleben mit Helen gedacht, an Kathy, die ihm fremder geworden war, seitdem sie ihm näher lebte. Was wußte er von ihr, von Helen, von seinen Mitarbeitern, von Saunter? Nichts, gar nichts!

Und wieder hatte Jan einzulenken versucht; mit beruhigter Stimme wollte er vom allzu Persönlichen ins allgemein Menschliche überleiten: »Vielleicht gelten im Leben ähnliche Regeln wie beim Infarkt. Entscheidend sind die Auswirkungen. Und die beobachten wir heute überall.«

»Zum Beispiel?«

»Der einzelne Mensch fühlt sich allein. Fühlt sich ohnmächtig, sein Leben zu gestalten, zu bestimmen. Wird von einer Art Untergangsstimmung überschwemmt. Schau hinein in die Betriebe, schau in die Großraumbüros, in die Vorzimmer der Chefs, in die Planungsabteilungen, geh an die Fließbänder. Ob Architekt oder Sekretärin, allen scheint sich eine Art eiserner Ring um die Brust zu legen. Die Menschen haben Angst vor der Zukunft. Es ist, als lebten sie im luftleeren Raum, ohne Kontakte zum Nachbarn, ohne Verbindung zur Umwelt. Der Atem reicht nur noch für heute. Was morgen ist, wagt keiner zu denken. Die einen geraten in eine geradezu panische Hektik. Sie benutzen ihre Ellenbogen, als müßten sie rücksichtslos ein rettendes Ufer erreichen. Die anderen lassen sich fallen. Geben sich auf. Und hoffen nur noch auf ein Wunder. Auf welches Wunder? Wer blindlings hofft, der lebt nicht! Hoffnung auf ein unbestimmtes Morgen! Der wirksamste Werbeslogan von heute! Der verführerischste. Der unehrlichste. Flucht vor sich selber. Hoffnung auf Hilfe von außen! Als ob man darauf bauen könnte! Und das, nachdem alle Religionen aus dem Tempel getrieben wurden. Paul, die Hoffnung kann sich nur auf uns selber beziehen. Nur wir allein können unsere Unsicherheit, unsere Angst überwinden. Nur wir allein können uns selber wiederfinden, können uns und anderen das geben, was den Namen Leben verdient.«

»Und du siehst mich mitten in dieser Existenzkrise?«

»Ja. Du kommst mir vor wie ein erfolgreicher Maler, der von einem auf den anderen Tag alle seine Bilder in Frage stellt und sein Atelier nicht mehr betritt.«

»Bilder können keine Menschen töten.«

»Paul, du bist nicht ehrlich dir selbst gegenüber. Ich kenne dich lange genug. Noch nie warst du so niedergeschlagen, so abwesend, so neben dem Leben stehend wie zur Zeit. Du versündigst dich, Paul. An dir und an Gott. Oder was immer du für die Schöpfung hältst. Du vergißt dich. Du vergißt deine Jugend. Deine schweren Jahre. Deine glühende, drängende Zeit. Und du siehst die Menschen nicht mehr, die um dich sind. Als hätten sie für dich nie existiert. Du läßt sie fallen, läßt sie allein. Du läßt sie alle allein. Paul, du versündigst dich!«

»Das sind harte Worte, Jan.«

»Ja. Aus Freundschaft. Du sollst wieder zu dir finden. Du brauchst neuen Mut, neue Kraft. Du versündigst dich, weil dir deine Rolle gefällt. Nicht bei Ehrungen, aber am Operationstisch. Und doch – die Probleme der anderen Menschen sind nicht geringer als deine. Wozu wird der Mensch geboren, Paul? Zur Arbeit? Zum Nichtstun? Zur Fortpflanzung?«

»Eine kaum lösbare Frage. Wozu wird man geboren? Auf jeden Fall gegen seinen Willen.«

»Ja. Du wirst in die Welt gesetzt, ohne daß du dich dagegen wehren kannst. Und sobald du anfängst zu begreifen, ist deine Entwicklung auch schon weitgehend festgelegt. Und je mehr du begreifst, desto mehr schließt du dich anderen Menschen an. Gehst in die Schule, hast Freunde, gründest eine Familie, ob mit oder ohne Trauschein, ist egal. Du trittst ein für die Interessen deiner Mitmenschen, vielleicht auch für deine Ideale. Aber auch als Einzelgänger kannst du dich der Gemeinschaft nicht entziehen. Du brauchst Nahrung. Bist auf die täglichen Hilfeleistungen angewiesen und damit auf deine Umwelt. Du wirst älter und älter. Und eines Tages stirbst du. Und spätestens kurz vor deinem Abschied beginnst du dein Leben zu überdenken. Habe ich wirklich gelebt? Hatte es Sinn, daß ich geboren wurde? Habe ich mein Leben verdient?«

»Du widersprichst dir, Jan. Du hast zugestimmt, daß der Mensch ungefragt geboren wird. Warum sollte er also sein Leben verdienen?«

»Nicht vor der Schöpfung hat er sich zu verantworten. Sich selber gegenüber. Denn dem Menschen ist die Möglichkeit gegeben, zu denken, seine Gedanken zu formulieren, seine Entschlüsse zu begründen. Er ist nicht berechtigt, seinen Mitmenschen gegenüber ein gleichgültiges oder gar achtloses Leben zu führen. Und die meisten Menschen haben das begriffen und versuchen, ihr Leben danach einzurichten. Aber nur wenigen gelingt es, das Leben in seiner ganzen Möglichkeit und Größe auszuschöpfen. Und doch wäre es so einfach.«

Als Paul ihm nicht antwortete, hatte Jan hinzugesetzt: »Denn das Leben besteht letztlich nur aus Augenblicken. Aus Sekunden. Aus Minuten. Aus Stunden. Und glaub mir, Paul: keine Stunde ist zuviel. Wir haben weder die Zeit noch das Recht, sie zu vertun. Keine Stunde kehrt zurück. Wie sagt Heraklit? ›Du steigst nie ein zweites Mal in denselben Fluß.‹ Jede vertane Stunde, jede vertane Gelegenheit ist für immer vertan. Denke daran, Paul. Lebe bewußt. Erfülle jede Stunde.

Und wenn es nur dadurch geschieht, daß du sie bis auf den Grund empfindest.«

Nach einer Pause hatte er gesagt: »Das ganze Leben muß man in die Hand nehmen. Nur so ist es zu bewältigen.«

»Schön gesagt. Nur: Was machen die armen Teufel auf der Schattenseite des Lebens? Denen die Kraft fehlt, sich hochzustemmen oder wenigstens die Stunde voll zu empfinden. Denen dazu jede Voraussetzung fehlt?«

»Auch sie können das Leben ausschöpfen. Aber sie müssen es auf ihre Weise tun. Nur müssen wir ihnen dazu verhelfen. Wir – zum Beispiel du und ich. Wenn du dich aber fallen läßt, Paul . . .«

»Ich werde mir deine Gedanken durch den Kopf gehen lassen«, hatte Paul gesagt, als sie mit dem Wagen an der Biegung angekommen waren.

Er hatte sich vorgenommen, sich in der Abgeschiedenheit der Hütte in aller Ruhe mit Jan auseinanderzusetzen – und mit seinem Leben. Er hatte sich auf die Tage hier oben gefreut wie schon lange auf nichts mehr. Und jetzt waren diese Tage schlagartig in Frage gestellt.

Er nahm erneut das Fernglas. Der Mann hatte den Weg verlassen und kam direkt in steilem Anstieg über die Wiesen auf die Hütte zu.

22

Der Mann hatte mittlerweile die Baumgruppe erreicht. Die beiden Freunde konnten jetzt Einzelheiten erkennen. Er trug eine staubfarbene Hose, Straßenschuhe, ein offenes, über die Ellenbogen hochgekrempeltes, blaurot-kariertes Hemd und über der Schulter an einem Finger sein Jackett. Er war von kräftiger Statur, und die Muskeln an seinen Armen glänzten braun in der Sonne.

»Eine komische Type«, sagte Jan Voss, »sieht aus wie ein ehemaliger Schaukelbursche, ein Rummelboxer.«

Der Mann kam näher. Jan hatte noch immer das Gewehr in der Hand. Paul war am Tisch sitzengeblieben, mit dem Rücken an die Hüttenwand gelehnt, als ging ihn der Besuch nichts an. »Nun sag schon endlich, wer das ist!« Jan stellte das Gewehr an die Wand, stemmte seine Fäuste in die Hüften und ließ keinen Blick von dem Mann, der jetzt keine zwanzig Schritte mehr bis zur Hütte hatte.

»Du hast vielleicht gar nicht so weit danebengetippt«, sagte Paul ausdruckslos, »warum sollte er nicht auch Schaukelbursche gewesen sein?« Er sprach mit der gleichen Lautstärke wie bisher. Ob der Besuch seine Worte hören konnte, schien ihn nicht zu berühren.

»Hello, Mister Niklas!« Stanley Martindale war herangekommen und nickte Paul zu.

»Jetzt weißt du, wen du vor dir hast«, sagte Paul zu Jan und blieb sitzen, »Mister Stanley Martindale von der amerikanischen Botschaft in Bonn«, und zu Martindale: »Oder habe ich damit zuviel verraten?«

»Keineswegs«, sagte Martindale. Er war außer Atem.

»Und das ist Doktor Voss«, stellte Paul den Freund vor, »ihm gehört die Hütte.«

»Hello, Doc!« sagte Martindale und wischte sich mit dem Handrücken den beißenden Schweiß aus den Augenwinkeln.

»Herzlich willkommen, Mister Martindale«, sagte Jan, »Sie sind mir kein Unbekannter mehr. Allerdings haben wir Sie nicht erwartet. Hatten Sie einen guten Aufstieg?«

»Danke, ja«, antwortete Martindale knapp, »meine Uhr ist stehengeblieben. Ich habe es leider erst jetzt bemerkt.«

»Es ist kurz nach zehn«, sagte Jan, »aber Zeit spielt hier oben keine Rolle.«

»Darum beneide ich Sie«, sagte Martindale, »erlauben Sie, daß ich mich setze?«

»Selbstverständlich«, sagte Jan und forderte Paul auf: »Los, rück mal. Da passen normalerweise vier Mann hin.«

Paul rückte, und Martindale ließ sich auf der Ecke der Bank nieder und legte sein Jackett auf dem Tisch ab. Er saß kaum, da entdeckte er den Baum-Bottich mit Wasser. »Darf ich?« Als Jan bejahte, ging er hin und schöpfte sich mit beiden Händen das kühle Wasser über den Nacken, ins Gesicht, über den Kopf, immer wieder, bis es ihm über Brust und Rücken rann. »Warum ziehen Sie nicht Ihr Hemd aus?« sagte Jan. »Uns stört es nicht. Es kann in der Sonne trocknen.«

»Eine prima Idee!« Martindale streifte das Hemd ab und warf es ins Gras. Dann beugte er sich noch mal über den Trog und ließ das eisige Wasser über Brust und Schultern laufen, tauchte schließlich den Kopf hinein, prustete, strich sich die wenigen Haare aus dem Gesicht und nahm einen kräftigen Schluck aus seiner hohlen Hand. »So, jetzt bin ich wieder fit.« Er nahm seinen Platz auf der Bank ein und blinzelte in die Sonne. Ohne den Blick zu wenden, sagte er: »Sie müssen entschuldigen, Mister Niklas, daß ich Sie hier oben störe. Aber Sie wissen ja, mir brennt es unter den Nägeln.«

»Wenn Sie es sagen, wird es wohl seine Richtigkeit haben«, antwortete Paul gleichfalls wie nebenbei, »nur weiß ich nicht, was wir noch miteinander zu bereden hätten?«

»Oh, es tut sich immer wieder was Neues«, sagte Martindale, »doch bevor ich zum Thema komme, eine Frage. Entschuldigen Sie, Mister Voss, die Frage betrifft Sie. Ihre Anwesenheit . . .«

»Sparen Sie sich die Mühe, Martindale«, sagte Paul, »Sie können ungeniert reden. Doktor Voss ist mein Freund. Ich habe ihm schon alles erzählt. Sie werden sich daran gewöhnen müssen, daß der Kreis der Personen, die . . . wie sagt man doch?«

»Sagen Sie ruhig Mitwisser. Ja, ich habe mich damit abgefunden. Solange die Presse keinen Wind davon bekommt, kann ich vielleicht darüber hinwegsehen.«

»Dann müssen Sie mal die Zeitungen von heute lesen«, sagte Jan. Er holte aus der Hütte einen Packen Tageszeitungen und legte sie vor Martindale auf den Tisch. Der deutete auf eine der Schlagzeilen: »Umfrage unter der Bevölkerung: Soll Dschafar ausgeliefert werden oder nicht? Das Ergebnis ist eindeutig.«

Martindale überflog die Meldung. »Völlig klar«, sagte er, »war ja nicht anders zu erwarten.«

»Über achtzig Prozent sind für Ausliefern!« wiederholte Jan den Text des Artikels. »Und hier!« Er nahm die nächste Zeitung und las laut vor: »Die Herausforderung Amerikas durch die palästinensische Befreiungsfront darf nicht auf deutschem Boden ausgetragen werden.« Jan zeigte auf einen anderen Artikel: »Hier lesen Sie die Meinung des Mannes von der Straße: ›Wie lange sollen die Geiseln noch im Wüstensand leiden?‹« Er nahm die nächste Zeitung. »Und hier wörtlich: ›Unser Land ist kein Tummelplatz für die CIA!‹«

Er sah Martindale an: »Eine schlechtere Presse können Sie wohl schwerlich bekommen.«

»Das steht auch nicht zur Debatte«, sagte Martindale, »aber wenn einem die Presse erst einmal beim Arbeiten ständig auf die Füße tritt, wenn man keinen Schritt mehr machen kann, ohne über einen Pressefotografen zu stolpern . . . ist es ungehörig, wenn ich Sie frage, ob Sie vielleicht zufällig ein Bier da haben?«

240

»Aber nein. Sie kriegen Ihr Bier.« Jan ging hinein und kam mit zwei Dosen wieder. »Brauchen Sie ein Glas?«

»Sehe ich so aus?« Martindale riß eine der Dosen auf und schüttete das Bier in sich hinein. Er setzte die Dose ab und gab ein Aufatmen des Wohlbehagens von sich. »Das hat gutgetan. Und jetzt zur Sache.« Er drehte sich zu Paul: »Ich habe sogar mit Ihrer ersten Frau gesprochen, um Sie zu finden. Daran können Sie ermessen, um was es mir geht.«

»Hat sie denn den Namen ›Voss‹ gewußt?«

»Nehmen Sie an, ich habe den Namen durch Zufall erfahren.«

»Schießen Sie los. Wir wollen uns nicht den ganzen Tag verderben lassen.« Paul verschränkte die Arme vor der Brust.

»Die andere Seite bleibt unnachgiebig«, sagte Martindale, »und sie ist im Vorteil.«

»Was habe ich damit noch zu tun?«

»Sie sind der Mittelpunkt. Die Zielscheibe. Genügt das nicht?«

»Sie langweilen mich, Mister Martindale.«

»Langweile ich Sie, wenn ich Ihnen voraussage, was morgen hier auf dieser Seite steht?« Martindale griff eine der Zeitungen und schlug mit dem Rücken der Finger auf die Schlagzeile. »Hier wird stehen: ›Professor Niklas ist schuld am Tod von sieben weiteren Geiseln!‹ Würde Sie das auch langweilen?«

»Mister Martindale, Sie sehen Gespenster!«

»Sie machen sich die Sache leicht, Mister Niklas. Glauben Sie wirklich, ich opfere die letzten zwei Stunden, die uns noch bleiben, und mache diese Gewalttour, um mit Ihnen zu reden, nur weil ich Gespenster sehe?«

»Was heißt, es bleiben Ihnen nur noch zwei Stunden?«

»Uns, Mister Niklas! Uns bleibt nur noch diese kurze Frist. Ihnen und mir! Oder genauer gesagt, Ihnen und mir und den Geiseln. Um zwölf Uhr heute mittag läuft die Frist ab. Dann werden nicht nur die nächsten sieben Geiseln ermordet, dann steht auch die ganze Weltöffentlichkeit gegen uns. Und vor allem gegen Sie, Mister Niklas!«

»Ich werde mich zu verteidigen wissen.«

»Sehr gut! Und wie? Wollen Sie mir das bitte verraten?«

»Ich werde die Wahrheit sagen. Ich werde eine Erklärung abgeben. Im Fernsehen. Im Rundfunk. In der einschlägigen Presse.«

»Grandios! Und die Erklärung wird lauten: Ich, Professor Niklas, habe mich nicht in der Lage gefühlt, das Leben dieser sieben Menschen zu retten. Weil ich nämlich einen Schwur geleistet habe, daß ich kein Skalpell mehr in die Hand nehme. Und Schwüre müssen ja gehalten werden.« Martindale verzog sein Gesicht zu einem ironischen Grinsen: »Eine tolle Erklärung, was?«

»Ich glaube, Sie zäumen das Pferd von hinten auf«, sagte Paul, »ich kann nur wiederholen, was ich mit anderen Worten schon diesem Doktor Irbid gesagt habe.« Sein Blick ging hinunter ins Tal. Er ließ sich mit der Erklärung Zeit. »An erster Stelle steht doch außer Frage die Aufgabe, den Patienten zu retten, ihn sozusagen auf die Beine zu stellen. Stimmen Sie mir zu?«

»Okay. Und?«

»Wenn diese Aufgabe nicht erfüllt wird, stehen doch mehr als nur sieben Menschenleben auf dem Spiel. Geben Sie mir auch in diesem Punkt recht?«

»Okay, okay! Die Sache ist viel einfacher!«

»Ja. Sie ist erschreckend einfach. Denn ich fühle mich nicht in der Lage, Ihnen die Garantie zu geben, daß ich den Patienten retten kann. Ich will noch weiter gehen: Ich muß Sie darauf aufmerksam machen, daß Sie mit mir ein geradezu unausweichliches Risiko eingehen. Was ist, wenn mir der Patient unter den Händen stirbt? Dann steht doch wohl in der Zeitung: Niklas ist schuld am Tod von einhundertvierundachtzig Menschen plus dem Tod des Patienten. Und kann ich dafür etwa die Verantwortung übernehmen?«

»Die Verantwortung? Die übernehmen wir.«

»Sie?«

»Ja. Ich habe ja gesagt, die Sache ist einfach. Sie erfüllen die Forderungen dieser Kerle und operieren ihren Obergangster. Stirbt er Ihnen, kann uns niemand an den Kragen.«

»Martindale!«

»Was soll schon sein? Die Forderung der Gangster wurde erfüllt. Ihr Boß ist draufgegangen. Sozusagen unter der von den Gangstern selbst bestimmten Oberaufsicht. Niemand kann uns Vorwürfe machen. Und die Sache ist ausgestanden.« Martindale schlug sich auf den Schenkel. »Ja, das ist überhaupt die Lösung!«

»Martindale, Sie muten mir doch nicht im Ernst zu, daß ich . . .?«

»Warum nicht? Sie persönlich gehen überhaupt kein Risiko ein.

Kriegen Sie den Gangster durch, ist die Sache okay. Kriegen Sie ihn nicht durch, ist es sogar noch besser.«

»Martindale, Sie nehmen sich zuviel heraus!«

»Aber, Mister Niklas, wir sind doch nicht im Kindergarten. Politik ist ein harter Job. Sentimentalität können Sie dabei vergessen.«

»Sentimentalität! Sie stufen mich ein – das ist ungeheuer! Haben Sie noch nie etwas von einem ärztlichen Gewissen gehört? Nein, Martindale, Sie gehen zu weit! Auf diese Weise erreichen Sie nichts. Den Weg hätten Sie sich sparen können.«

»Ihr letztes Wort?«

»Mein letztes Wort.«

»Okay.« Martindale schaute auf seine Armbanduhr. Er nahm sich die zweite Dose Bier und trank sie auf einen Zug leer. Mit dem Handrücken wischte er sich den Schaum vom Mund. Er erhob sich, stellte sich an die andere Seite des Tisches und sagte: »Ich habe die Pflicht, Sie auf noch etwas hinzuweisen, Mister Niklas. Ich kann mir denken, daß Sie den Hinweis als Kinderei abtun. Es ist mir egal. Ich ziehe nur meinen Kopf aus der Schlinge, das ist alles.« Er nahm sein Jackett und sagte unbeteiligt! »Sie müssen damit rechnen, Mister Niklas, daß Sie sich durch Ihre Entscheidung in persönliche Gefahr begeben. In eine Gefahr, in der wir Ihnen nicht beistehen können.«

»Sehr freundlich, Mister Martindale«, sagte Paul mit leichtem Spott, »ich nehme mir Ihre Worte zu Herzen.«

Jan Voss hatte bis dahin als stummer Zuhörer neben Paul gesessen und das Gesicht mit geschlossenen Augen in die Sonne gehalten. Jetzt schaltete er sich ein. Er erhob sich wie Martindale, ging zum Trog, schöpfte sich eine Handvoll Wasser ins Gesicht und drehte sich dem Besucher zu: »Mister Martindale, wollen Sie damit sagen, daß . . .?«

»Ja, Mister Voss, das soll es heißen. Mit den Brüdern ist nicht zu spaßen. Die sind härter als Diamant.«

»Ich meine, rechnen Sie damit, daß Professor Niklas bedroht werden könnte? Sein Leben?«

»Ja, Mister Voss. Damit rechnen wir. Und ich sehe mich gezwungen, Mister Niklas davon in Kenntnis zu setzen.« Martindale wandte sich zu Paul: »Mister Niklas, sollten Sie sich die Sache durch den Kopf gehen lassen und zu einer anderen Entscheidung kommen, so haben Sie genau wie ich noch bis zwölf Uhr Zeit. Sie können telefonieren und Ihre Entscheidung der Klinik übermitteln. Good-bye.« Er nickte

Jan zu. Mit großen Schritten stapfte er die Wiese hinunter, lief mehr als er ging und erreichte schnell die Baumgruppe.

Die beiden Männer sahen ihm nach, wie er immer kleiner und undeutlicher wurde und schließlich unten am Weg hinter der Kurve verschwand.

Jan setzte sich wieder. Wie um sich abzulenken, ordnete er die Zeitungen zum Stoß.

»Nun sag es schon endlich!« sagte Paul und warf ihm einen Seitenblick zu.

»Ja, ich muß es sagen.« Jan schob die Zeitungen beiseite. Er legte sich mit den Armen auf den Tisch und verschränkte die Hände ineinander. »Wenn du meine Meinung hören willst«, sagte er kaum vernehmlich und bedächtig, »wenn du meine wirkliche Meinung hören willst, dann muß ich dir sagen, daß du dir die Sache wirklich nochmals durch den Kopf gehen lassen mußt.«

»Du meinst die Warnung?«

»Nicht nur die, die dein Leben betrifft. Nach Kreuth hinunter brauchen wir gut fünfundzwanzig Minuten. Viel Zeit bleibt dir also nicht.«

23

Aus der Ferne drangen dünn drei Glockenschläge einer Kirchturmuhr herauf. Noch eine Viertelstunde bis Mittag.

Ihr Gespräch hatte erregte Formen angenommen. Sie saßen noch immer vor der Hütte auf der Bank. Zwischendurch gingen sie entweder wild gestikulierend auf und ab oder stützten die Ellenbogen auf den Tisch und den Kopf in die Hände oder lehnten sich aufatmend zurück oder richteten sich entschlossen auf und konnten manchmal nicht mehr verbergen, wie aufgewühlt sie waren.

Die Wiesen und Matten, den Wald, den Himmel als weites, blaues, beruhigendes Zelt über sich, das alles nahmen sie nicht wahr. Sie gaben sich nicht mehr der Stille und Entspannung hin, sie suchten die Auseinandersetzung.

»Ja! Ja! Ja! Irgendwann trifft jeden Menschen die Stunde der Wahrheit! Nur: In diesem Fall trifft sie dich nicht!« Jan Voss wurde laut.

»Schrei nur, daß dich auch die Vögel hören! Schreien war noch nie ein Argument.« Paul sprach betont gedämpft.

»Ich schreie, so lange und so laut es mir paßt! Und solange ich einen Idioten wie dich vor mir habe, muß ich brüllen wie ein Stier. Denn Idioten sind bekanntlich schwerhörig. Die Stunde der Wahrheit ist dir jedenfalls noch nicht begegnet, das bezweifle ich! Nicht damals in Pakistan bei der Sache mit deinem Sohn David. Und auch nicht hier und heute! Denn ich glaube nicht an deinen völligen Zusammenbruch. Du mußt nur wachgerüttelt werden! Du brauchst nur einen, der dich in den Hintern tritt, der dir deine Hirngespinste austreibt, der dich zum normalen Menschen prügelt!« Die Diskussion verlor sich ins Uferlose. Jan wurde von Satz zu Satz aggressiver, bis Paul die Geduld riß.

»Schluß jetzt!« Er hieb mit der flachen Hand auf den Tisch. Seine Stimme klang drohend.

»He, spielst du verrückt?« Der Freund war verblüfft.

»Das frage ich dich! So wie du herumbrüllst, tust du es.«

»Entschuldige.« Jan lenkte ein. »Aber wenn man sich für einen Menschen einsetzt, geht einem schon mal der Gaul durch.« Er legte sich mit dem Oberkörper weit über den Tisch und verschränkte die Hände. »Himmel noch mal, du mußt doch zu dir kommen! Gib ihnen nach, bevor du Unheil anrichtest.«

»Ich glaube, du bist wirklich verrückt. Du verlangst mit anderen Worten, daß ich einen Menschen töte! Du machst doch nur Spaß?«

»Ich verlange nicht, daß du jemanden tötest. Ich verlange nur, daß du nicht so stur bist. Daß du es noch einmal probierst und dich an den Tisch stellst. Daß du versuchst, dich selbst zu beweisen. Und nicht schon nach einer schwachen Runde das Handtuch wirfst.«

»Ah? Und diesen Beweis soll ich ausgerechnet in dieser Situation antreten? Mit einer entsicherten Pistole im Nacken? Na, du verlangst schon allerhand von mir.«

»Merkst du überhaupt, daß du in dieser Situation immer nur von dir sprichst? Was gehen mich die CIA oder arabische Erpresser oder gar politische Spekulationen an? Aber diese einhundertvierundachtzig Geiseln sind Eltern, Kinder, Liebende, sind Menschen wie Helen, wie Kathy, wie du und ich. Aber was soll's! Du bist wirklich stur und verbohrt. Und wenn dieser Martindale recht hat, ist es sowieso zu spät, das Rennen längst gelaufen. Und von hier aus kannst du nicht telefonieren.«

»Ich habe auch gar nicht die Absicht. Ich will dich nicht angreifen, Jan. Aber ich bin mit so einer Einstellung, wie du sie mir einreden willst, noch nie an den Tisch gegangen. Noch nie in fünfundzwanzig Jahren. In fünfundzwanzig weiß Gott ereignisreichen Jahren! Für mich hat immer nur eins gegolten: das Menschenleben. Und davon kann mich niemand abbringen. Auch du nicht.«

»Und wenn sie die nächsten sieben umgebracht haben? Kannst du das etwa mit deinem Gewissen vereinbaren?«

»Wer sagt mir denn, daß sie nicht alle einhundertvierundachtzig umbringen, wenn mir ihr Chef unter dem Messer stirbt? Wer garantiert mir denn, daß sie mich nicht der Manipulation beschuldigen? Und dann kannst du eine herrliche Rechnung aufmachen: Einhundertvierundachtzig weniger sieben ist gleich einhundertsiebenundsiebzig. Und diese einhundertsiebenundsiebzig plus einem habe ich dann auf dem Gewissen, nur weil ich dem Drängen nachgegeben habe. Wie wird mir denn dann zumute sein? Wenn die Entscheidung noch nicht einmal aus mir selber gekommen ist? Wenn ich mich wieder einmal den Entscheidungen anderer gefügt habe? Gegen meinen Willen! Genau wie damals in Karachi! Nein, Jan, aus dieser Patsche hilfst du mir so nicht heraus. Ich kann nur hoffen, du siehst das ein!«

»Ich . . . ich weiß nicht . . . ich bin mit meinem Latein wirklich am Ende.«

»Es gibt tatsächlich nichts mehr zu sagen. Wir müssen uns ja auch nicht gegenseitig überzeugen. Mir genügt es, wenn du einsiehst, daß ich nicht anders entscheiden kann.«

»Du könntest es nur, wenn die andere Entscheidung aus dir selber käme«, sagte Jan gedankenverloren.

»Ja. Aber das ist nicht möglich. Weil ich zu diesem Beruf mit einem Grundsatz angetreten bin. Aber ich wiederhole mich. Wenn du einverstanden bist, beenden wir das Thema. Ein für allemal.«

»Bevor wir uns zerstreiten, ja.«

Für einige Augenblicke umgab sie eine Stille wie in der kurzen Zeitspanne, bevor Martindale aufgetaucht war. Das Surren von Libellen war zu hören, das Zirpen von Grashüpfern, das Plätschern der Quelle. Die Blicke der beiden Männer gingen die Matten hinunter, auf den Wald zu, in die Weite.

Doch die Stille trog. Denn ihre Gedanken waren noch keineswegs zur Ruhe gekommen. Und Jan sagte, bedächtig Wort für Wort setzend: »Du könntest eines machen. Ohne den Patienten dem geringsten Risiko auszusetzen.«

»Wollen wir das Thema nicht beenden?«

Jan hörte nicht hin und fuhr fort: »Du könntest ihnen deine Bereitschaft unter Beweis stellen und die Aufsicht oder Leitung übernehmen.«

»Die Aufsicht?«

»Ja. Auch wenn das nicht üblich sein sollte. Du erklärst dich bereit, die Leitung zu übernehmen. Und wenn sie ablehnen, dann bist du ganz und gar aus dem Spiel.«

»Die Aufsicht«, wiederholte Paul, »und die volle Verantwortung?«

»Das wäre eine Frage der Verhandlung. Ich habe nur nach einem Ausweg gesucht, der dir eine andere Entscheidung ermöglicht.«

»Hm. Aufsicht oder Leitung? Was habe ich da schon zu tun?«

»Wahrscheinlich nichts. Nur dabeisein. Dich zur Verfügung halten, so gut du kannst.«

»Wem soll das nützen? Dem Patienten? Mir selbst? Oder nur der Beruhigung der Araber oder der öffentlichen Meinung?«

»Eigentlich soll das nur die Atmosphäre entgiften. Und damit vielleicht auch dem Patienten helfen. Und vielleicht auch dir selber.«

Paul sagte nichts. Er atmete tief durch und schien sich nur für einen Grashalm zu interessieren, der bis zur Höhe seiner herabhängenden Hand heraufreichte. Er spielte mit ihm, drehte ihn zwischen den Fingern und ließ ihn ruckartig frei. »Komm!« sagte er. »Wir fahren. Wie lange werden wir brauchen?«

»Die Hütte lassen wir, wie sie ist«, sagte Jan, »in zehn Minuten sind wir beim Wagen. Wie spät ist es?«

»Gleich ein Uhr.«

24

Der Mann war alt und sah erbärmlich aus. Er hatte nur ein Bein und humpelte an Krücken. Er trug einen zerschlissenen graugrünen Anzug, der einer ehemaligen Soldatenuniform glich, und ein offenes Hemd ohne Kragen. Das eine Hosenbein war schenkelhoch umgeschlagen und mit einer Sicherheitsnadel an der Hose befestigt.

Das Gesicht des Mannes war von Falten zerklüftet und seit Tagen nicht rasiert. Die Haare, grau in allen Schattierungen, klebten ihm strähnig am hageren Schädel. Das eine Augenlid war heruntergezogen und entzündet.

Ohne auf den Verkehr zu achten, humpelte der Mann über die Straße hinüber zum Bahnhof. Bremsen quietschten, einige Fahrer hupten ärgerlich, doch der Mann ließ sich dadurch nicht beirren. Geschickt drängte er sich an Kühlerhauben vorbei, an Hecks vorüber, und erreichte mit ein paar Sprüngen den Bürgersteig. Er hatte es eilig.

Er humpelte den Bürgersteig entlang, vorüber an hastenden Menschen, und seine Blicke waren auf die parkenden Autos gerichtet. Er hatte den seitlichen Zugang zum Bahnhof vor der Unterführung noch nicht erreicht, da blieb er stehen.

Hätte ihm einer der Vorübereilenden Beachtung geschenkt, so hätte er gesehen, daß der alte Mann für einen Augenblick unschlüssig nachdachte. Er kniff die Augen zusammen und beobachtete einen dunkelblauen Chevrolet, der ungefähr zehn Meter weiter hinter einem Kastenwagen parkte.

Er humpelte hinüber. Am Steuer saß ein Mann mit kraftvollem Gesicht und schütterem Haar, der vor sich hinzudösen schien. Der alte Mann klopfte ans Fenster.

Stanley Martindale schaute hoch und kurbelte das Fenster herunter. Der alte Mann kam näher heran und beugte sich mit dem Kopf in den Wagen. Sein Atem roch nach Schnaps.

Martindale war drauf und dran, den Mann zurückzudrängen, ihm das Fenster vor der Nase hochzukurbeln, da fragte der Mann: »Sind Sie Mister Martindale?« Er sprach den Namen deutsch aus, und seine Stimme klang kehlig.

Martindale war zu lange in seinem Beruf, um überrascht zu sein. Er sagte: »Ja. Was gibt's?«

»Ich soll Ihnen das hier geben«, sagte der alte Mann und reichte ihm ein verschlossenes Kuvert durchs Fenster. Sobald Martindale das Kuvert an sich genommen hatte, humpelte der Mann hastig und wortlos davon.

Martindale riß den Umschlag auf. Er enthielt einen abgerissenen halben Bogen, auf dem nur vier Worte standen: »Bin in der Klinik. I.«

Verdammt, dachte er, mein Plan mit der geheimen Operation ist zum Teufel!

Er zerknüllte den Bogen, steckte ihn hastig in die Seitentasche des Jacketts und stieß die Tür auf. Kurz vor der Kreuzung sah er den Humpelnden, der in die Unterführung einbog.

Die Unterführung zog sich unter der gesamten Breite des Schienenstrangs entlang. Das Tageslicht erhellte sie nur spärlich. Die Lampen an der Tunneldecke waren schwach. Das meiste Licht spendeten die Scheinwerfer der Autos.

Martindale blieb am Anfang des Tunnels kurz stehen, um seine von der Sonne geblendeten Augen an die dämmrigen Lichtverhältnisse zu gewöhnen. Abgase schlugen ihm entgegen, daß es ihm für einen Augenblick den Atem nahm. Der Lärm der Autos im Verein mit einem eben über den Tunnel hinwegfahrenden dröhnenden Zug war beinahe unerträglich.

In der Mitte des Tunnels hatte er den Humpelnden eingeholt. Er hielt ihn am Arm fest.

»He, was wollen Sie!« Der alte Mann schrie fast, um den Lärm zu übertönen. Im Schein der vorbeihuschenden Lichtkegel wirkte sein Blick ängstlich.

»Sie sollen mir nur ein paar Fragen beantworten«, rief Martindale in gleicher Lautstärke und gab den Arm des alten Mannes nicht frei.

»Lassen Sie mich los, oder ich rufe die Polizei!«

»Okay. Rufen Sie!«

Der Alte merkte, daß er keine Chance hatte. »Fragen Sie schon. Aber schnell. Ich habe keine Zeit.«

Martindale verkniff sich ein Lächeln. Wahrscheinlich muß der Kerl dringend in die nächste Kneipe, dachte er und sagte: »Wer hat Ihnen den Brief gegeben?«

»Das weiß ich nicht.«

»Mann, werden Sie nicht kindisch!« Martindale verstärkte den Griff. »Na?«

»Ich kenn ihn nich.«

»Wie sah er aus?«

»Ein Mann.«

»Jung? Groß? Blond? Na, wird's bald?«

»Nicht sehr alt.«

»Wie alt? Ungefähr?«

»So Anfang Zwanzig. Oder älter.«

»Also Mitte Zwanzig?«

»Ja.«

»Trug er eine Brille?«

»Eine Brille?«

»Ja, eine Brille!« Martindale mußte seine Stimme noch mehr anheben, da erneut ein Zug über den Tunnel hinwegdonnerte.

»Nein«, schrie der Mann, »eine Brille trug er nicht.«

»Wissen Sie das genau?«

»Ja.«

»Welche Hautfarbe?«

»Hautfarbe?«

»Ja, Mann! Weiß? Dunkel?«

»Nicht weiß und nicht dunkel. Lassen Sie mich schon los!«

»Okay.« Martindale gab den Arm frei. »Was hatte er an?«

»Einen Anzug.«

»Welche Farbe?«

»Farbe? Ich glaube grau. Oder braun. Oder so ähnlich.«

»Sprach er deutsch?«

»Aber ja.« Der Mann machte große Augen.

»Gut? Oder gebrochen?«

»Vielleicht gebrochen.«

»War er Ausländer?«

»Das könnte sein.«

»War er stark?«

»Nicht besonders.«

»Groß?«

»Nicht sehr groß.«

»Dunkles Haar?«

»Ja, schwarz.«

»Lang? Kurz? Eng anliegend?«

»Lang. Aber nicht sehr lang. Und nicht eng anliegend.«

»Sein Gesicht? Schmal? Eckig?«

»Sein Gesicht? Das war ein Vogelgesicht.«

»Na also! Hat sich ja doch gelohnt! Noch ein besonderes Kennzeichen?«

»Nein. Nein, ich glaube nicht. Hören Sie, ich muß jetzt gehn. Ich habe Ihnen genug gesagt!« Der Mann wollte weg.

»Stopp!« Martindale packte ihn erneut am Arm. Er griff in seine Hosentasche, zog einen Schein heraus und hielt ihn dem Mann unter die Nase: »Wie wär's denn damit? Als Entschädigung für Ihre Zeit? Fällt Ihnen dann noch etwas ein?«

Mit einer schnellen Bewegung griff sich der Alte den Schein und ließ ihn in seiner Tasche verschwinden. »Lassen Sie mich nachdenken!« Er sah Martindale aus traurigen Augen an. »Ja! Ein goldener Zahn. Können auch mehrere gewesen sein.«

»Gut. Sehr gut. Noch etwas?« Martindale ließ ihn los.

»Nein. Mehr nicht.«

»Okay. Trug er einen Bart?«

»Bart? Nein. Nur lange Koteletten.«

»Na bitte! Wie lang?«

»Fast bis zum Kinn.«

»Ist das denn nichts?«

»Ich muß jetzt wirklich gehn!«

»Nur eine Frage noch!«

»Sie quetschen mich ganz schön aus!«

»Ach? Tu ich das? Was hat der Mann zu Ihnen gesagt?«

»Ob ich ihm einen Gefallen tun könnte. Er hat Ihren Wagen beschrieben. Und den Platz.«

»Wo hat er Sie angesprochen?«

»Nicht weit von hier.«

»Verdammt! Wo?«

»An der Ecke der Dachauer Straße.«

»Und Sie haben gleich ›ja‹ gesagt?«

»Ja.«

»Hat er Ihnen Geld gegeben?«

»Mann, was wollen Sie denn noch alles wissen?«

»Nun sagen Sie schon!« Martindale ließ keinen Zweifel daran, daß er unangenehm werden könnte, wenn ihm der Mann die Antwort verweigern würde.

»Ja, er hat mir einen Schein gegeben.«

»Kann ich den mal sehen?«

»Sind Sie von der Polizei?«

»Nein. Ich will nur den Schein sehen. Und zwar plötzlich! Wird's bald!«

»Verflucht, in was hab ich mich da eingelassen!« Der Mann zog

251

unwillig einen 20-Mark-Schein aus der Tasche seines Jacketts und hielt ihn Martindale hin.

Der nahm ihn an sich. »Ich tausche ihn aus. Gegen dreißig. Okay?« Er hatte gelernt, auch das geringfügigste Indiz sicherzustellen. Egal, ob es irgendwann einmal von Nutzen sein konnte.

»Also schön. Aber dann ist Schluß«, sagte der Alte.

»Eine letzte Frage.« Martindale gab ihm dreißig Mark.

»Ich sage nichts mehr.«

»O doch! Hatten Sie das Gefühl, der Mann ist Ihnen gefolgt?«

»Kann sein. Ich weiß es nicht.«

»Gesehen haben Sie ihn nicht?«

»Nein. Und jetzt will ich weg!«

»Ich wünsche Ihnen einen schönen Tag.« Martindale war mit sich zufrieden. Er sah dem Alten nach, wie er davonhumpelte, sah seine Silhouette gegen das Tageslicht des Tunnelausgangs kleiner werden und ging zurück zum Wagen. Er wußte jetzt einigermaßen, wie Schihan aussah, der Mann neben Irbid.

Er wollte gerade in den Wagen steigen, da hielt er in der Bewegung an. Auf der anderen Straßenseite ging ein dunkelhaariger, schmal-brüstiger junger Mann mit der Hautfarbe eines Arabers und einem abstoßenden Vogelgesicht. Er versuchte ihn im Auge zu behalten, startete und wendete den Wagen in die Richtung, die der Junge einge-schlagen hatte. Als er den Wagen endlich durch den Verkehr gesteu-ert hatte, war das Vogelgesicht verschwunden.

25

Die Klinik bot sich Stanley Martindale diesmal ohne die gewohnte Hektik dar. Auf den Fluren war die Mittagsruhe eingekehrt. Das Es-sen für die Patienten war längst ausgegeben und das gebrauchte Ge-schirr auf den großen Wagen aus Leichtmetall weggefahren.

Martindale hatte das Gebäude durch den Hintereingang betreten. Er wollte nicht sofort Irbid in die Arme laufen, sondern sich zunächst von Professor Sils über die Lage unterrichten lassen.

Er ging den endlosen, mit hellem Kunststoff ausgelegten Flur ent-lang und klopfte an die Tür des Büros. Mit einem Mal stand er vor Schwester Christine.

»Hello! Nett, Sie gleich als erste zu sehen!«

»Ach, Sie sind's. Ich habe Sie gar nicht erkannt.« Ihr Gesicht blieb ausdruckslos. Sie hielt ein Krankenblatt wie ein Schild vor sich und schaute ihn abwehrend an.

»Ich sehe schon«, sagte Martindale und versuchte ein Lächeln, »wir können uns nicht entgehen.«

»Meinen Sie?« Es klang spitzer, als sie beabsichtigt hatte. Sie drehte sich weg und ging mit schnellen Schritten zum Lift vor.

Sils war nicht in seinem Büro. Die Sekretärin verwies Martindale zur Intensiv-Station.

Die beiden uniformierten Polizisten flankierten nach wie vor die Schwingtür. Er würdigte sie keines Blickes und wollte an ihnen vorbei. Sie versperrten ihm den Weg und fragten nach seinem Ausweis.

»Welchen Ausweis?«

»Wir sind hier zur Kontrolle.« Der größere von beiden führte das Wort.

»Ach«, sagte Martindale, »wahrhaftig? Und die Terroristen? Haben die auch einen Ausweis?« Das Zusammentreffen mit Christine hatte ihn in eine derart gute Laune versetzt, daß er sich die Zeit nahm und sich mit den Polizisten anlegte.

»Um es kurz zu machen«, sagte er und zückte seinen Ausweis, »hier. Außerdem war ich heute morgen schon da. Ihr solltet euch eure Leute besser ansehen.«

»Schon gut.« Der Wortführer prüfte den Ausweis und hielt ihm die Tür auf.

Sils stand in einer Gruppe von Männern. Seine wuchtige Gestalt, seine spiegelnde Glatze und der weiße Mantel hoben ihn aus den anderen heraus. Die anderen waren der Polizeipräsident Niels Hermann, Irbid und zwei weitere Männer in weißen Mänteln, die Martindale noch nicht kannte.

Sils stellte sie ihm als Doktor Kramer und Doktor Obermann vor. Irbid schnitt ihm das Wort ab. »Ich habe schon auf Sie gewartet, Martindale«, sagte er steinern, »ich glaube, wir haben miteinander zu reden.«

»Okay. Hier?«

»Nein. Professor Sils hat uns einen Raum zur Verfügung gestellt.«

26

Der zur Verfügung gestellte Raum war eines der Wartezimmer für ambulante Patienten. Hell, in pastellfarbenen Tönen. Ein niedriger Glastisch. Fünf Sessel, mit Segeltuch bespannt. Ein paar bunte Bilder an den Wänden. Ein Bücherbord, das bis an die Decke reichte und bis auf einige Zeitschriften und zwei Vasen mit Papierblumen leer war.

Martindale hatte die Tür noch nicht geschlossen, da eröffnete Irbid das Gespräch. Er trug den hellen Sommeranzug von gestern, ein weißes Hemd und auch wieder eine Krawatte aus weißer Seide.

Seine Augen blitzten hinter den dicken Brillengläsern vor Zorn. »Ich höre, Martindale«, sagte er mit schneidender Stimme, »welches Märchen wollen Sie mir diesmal auftischen!«

»Wie konnten Sie wissen, daß mich Ihre Nachricht am Bahnhof erreicht?« antwortete Martindale anzüglich, ohne auf die Frage einzugehen.

»Hier stelle ich die Fragen! Irgendwann mußten Sie ja mal hierher kommen. Sie mußten sich doch um ›Ihre‹ Operation kümmern.«

»Okay. Sie sind mir zuvorgekommen. Zwei Stunden später und die Sache wäre gelaufen gewesen.«

»Sie halten sich wohl für verdammt klug? Haben Sie denn nicht damit gerechnet, daß ich mit meinem Freund Verbindung halte? Aber nein. Sie wollten besonders schlau sein! Eine Operation hinter meinem Rücken!« Er hob die Stimme an: »Waren Sie sich überhaupt der Tragweite bewußt? Sie scheinen noch nicht begriffen zu haben, daß alle Trümpfe wir in der Hand haben! Los, nun reden Sie endlich!«

»Ich komme eben von Niklas.«

»Und? Ist er bereit?«

»Er ist krank. Sehr krank«, log Martindale. Auf der Rückfahrt vom Tegernsee hatte er sich diese Version zurechtgelegt. Sie erschien ihm die einzig erfolgversprechende. Irbid konnte es sich kaum leisten, noch langwierige Nachprüfungen anzustellen.

»Krank«, sagte Irbid, und seine Stimme kippte über, »Sie halten mich wohl für völlig naiv?«

»Schwerkrank sogar. Er liegt. Ein Kollaps. Auch wenn Sie mir nicht glauben.«

»Kollaps! Wissen Sie, wie die Uhren stehen? Für Sie äußerst ungünstig! Sie können Ihrer Regierung mitteilen, daß wir auf derartige Mätzchen nicht eingehen.«

»Niklas ist nicht zu gebrauchen. Er liegt. Mit hohem Fieber.«

»Er liegt? Ach? Und wo liegt er? Ich hoffe, nicht am anderen Ende der Welt?«

»In der Klinik eines Freundes.«

»Und wo ist diese Klinik, wenn ich fragen darf?«

»Nicht hier in der Stadt.«

»Das habe ich mir doch gedacht. Jetzt halten Sie mal die Ohren offen, Martindale! Die Operation ist für heute abend festgesetzt! Hier in der Klinik! Und zwar von mir! Und nicht von Ihnen!«

»Das ist ja eine ganz neue Wendung! Dann hätte ich mir die Fahrt zu Niklas sparen können.«

»Wenn Sie mir gleich gesagt hätten, daß Sie mich aufs Kreuz legen wollen, ja.«

»Okay. Und wer nimmt den Platz von Niklas ein?«

»Niemand, Sie Schwachkopf! Niklas wird operieren. Er und kein anderer!«

»Haben Sie denn mit ihm gesprochen?« Martindale konnte sich die Entwicklung nicht erklären. Er bemühte sich auch nicht, seine Verblüffung zu verbergen.

»Nein, ich habe nicht mit ihm gesprochen«, sagte Irbid voller Hochmut und ging zur Tür, »aber er wird kommen. Er wird ganz von selbst kommen. Darauf können Sie Ihren Kopf verwetten. Das heißt, wenn überhaupt jemand Ihren Kopf haben will. Ach, noch etwas! Etwas Entscheidendes! Halten Sie ständig Verbindung mit der Klinik! Mindestens jede halbe Stunde! Ich werde Sie auf diesem Weg informieren.«

Er trat hinaus und ging mit schnellen Schritten zum Lift.

Martindale strich sich nachdenklich übers Kinn. Dann gab er sich einen Ruck. Er ging den Flur entlang. Der Lift fuhr gerade mit Irbid nach unten. Im Vorraum der Intensivstation standen Sils, Hermann, Kramer und Obermann noch immer in eine Diskussion vertieft. Martindale kam hinzu.

Das Gespräch drehte sich um einen Brief an Paul Niklas, der heute in der Klinik eingegangen war. Er war das Antwortschreiben auf Pauls Entlassungsgesuch. Der Minister bat ihn darin, sich mit ihm zusammenzusetzen, um eine Klärung der Angelegenheit herbeizuführen.

Angesichts der Ausnahmesituation und des Umstandes, daß niemand etwas über den Verbleib von Paul Niklas wußte, hatte sich Hermann, mit dem Einverständnis von Sils, von Frau Gramm die heutige Post aushändigen lassen. Er wollte jede Möglichkeit ausschöpfen, um vielleicht doch einen Hinweis über das Verschwinden des Professors zu bekommen. So war er auf den Brief des Ministers gestoßen.

»Ist die Sache für uns von Bedeutung?« fragte Martindale in die Runde.

»Nein«, sagte Hermann, »offenbar haben sich hier zwei Ereignisse überschnitten.«

»Aber für Professor Niklas ist es auf jeden Fall ein Freibrief für seine Entscheidung im Fall Dschafar«, sagte Sils.

Das Gespräch der Männer machte Martindale nervös. Ihn interessierten kein Entlassungsgesuch, kein Brief irgendeines Ministeriums, keine sinnlosen Stellungnahmen, die nur Zeit kosteten. Er wollte wissen, ob tatsächlich die Operation für heute abend vorbereitet werden sollte.

»Wir stehen sozusagen Gewehr bei Fuß«, sagte Sils, »wir haben von Doktor Irbid den Auftrag bekommen, und den führen wir aus.«

»Ich habe die Herren darin bestärkt«, sagte Hermann, »es bleibt ja auch gar nichts anderes übrig.«

»Und Niklas wird operieren?« Martindale sah von einem zum anderen.

»Wir wissen es nicht«, sagte Sils, »das entscheidet allein Doktor Irbid. Wir wissen nur, daß wir ohne Irbid keine Operation mehr in diesem Fall ansetzen.« Er wollte hinzusetzen: Weil wir in unserer Klinik den Frieden erhalten müssen, weil wir es uns nicht leisten können, daß hier vielleicht eine Bombe geworfen wird, daß hier Repressalien angewandt werden. Er schwieg entmutigt.

Martindale konnte ihm die Gedanken am Gesicht ablesen. Er verabschiedete sich. Als er im Wagen saß, steckte er sich eine Zigarette an und überdachte die Situation. Sollte er mit Niklas noch einmal Verbindung aufnehmen? Nein, da sah er keine Chance mehr. Sollte er Newley anrufen? Irbid! Ein unbestimmtes Gefühl sagte ihm, daß er versuchen mußte, Irbid zu folgen. Er hatte schließlich seine Erfahrungen. Eine gefühlsmäßig unternommene Beschattung hatte schon oft zu erstaunlichen Ergebnissen geführt.

Sinnlos, dachte er, Irbid ist nicht mehr einzuholen. Der ist längst mit seinem Kumpanen Schihan zusammen! Die Ermordung von weiteren sieben Geiseln war wohl nicht mehr aufzuhalten.

Wutentbrannt warf er die Zigarette aus dem Fenster. Dann startete er. Und überlegte, welchen Weg Irbid genommen haben konnte.

27

Der Volkswagen hatte die Farbe metallic-grün. Er parkte am Rand der kleinen Grünanlage. Am Steuer saß ein junger Mann mit einem scharfgeschnittenen Gesicht und einer Hakennase, vollem schwarzen Haar und Koteletten fast bis zum Kinn.

Unweit davon war ein Kinderspielplatz. Jetzt um die Mittagszeit war der Spielplatz verwaist. Nur ein Junge von etwa sieben Jahren turnte lustlos an den Geräten. Seine Schultasche lag im Sandkasten.

Während er turnte, sah der Junge, wie ein Mann eilig auf den Volkswagen zulief. Der Mann hatte einen hellen Anzug an, und sein Gesicht war braun. Er trug eine Brille.

Der Fahrer hielt ihm von innen die Tür auf, und der Mann mit der Brille stieg geschwind ein. Der Junge machte am Reck einen Überschlag, sprang ab, nahm die Schultasche auf und ging seines Weges.

Er hörte, wie der Wagen hinter ihm anfuhr. Er überquerte die Straße. Neben ihm bremste hart ein dunkelblauer Chevrolet. Aus dem offenen Fenster rief ihm ein Mann mit einer eigenartigen Nase zu: »He, Junge, hast du eben einen Mann gesehen, heller Anzug, braune Hautfarbe, schwarzes Haar . . .?«

». . . und Brille! Ja, der ist gerade in einem VW weggefahren!«

»Welche Farbe?«

»Grün. Glänzend grün. Glitzernd grün.«

»Dank dir!« Die Stimme des Mannes klang für den Jungen wie die Stimme seines Lieblingsräubers auf einer Kinderschallplatte. Der sagt nämlich von sich, er habe »mit Reißnägeln gegurgelt«.

Martindale gab Gas. Zwei Straßen weiter sah er vor sich einen VW in metallic-grün. Er fuhr dicht auf. An der nächsten Ampel dirigierte er seinen Wagen daneben und sah hinüber. Ärgerlich schob er sein Kinn vor und brummte einen Fluch in sich hinein. In dem Wagen saßen zwei Personen. Am Steuer eine junge Frau, auf dem Nebensitz ein Kind.

Er entschloß sich, zurück zur Klinik zu fahren und Newley anzurufen. Der Wagen mit Schihan und Irbid fuhr nur etwa dreißig Meter von der Kreuzung entfernt, an der Martindale nach rechts einbog. Doch der Verkehr war zu dicht. Martindale konnte den metallic-grünen Volkswagen nicht sehen.

Vorläufig fuhr Schihan ohne Ziel. Er bog in eine Nebenstraße ab, dann wieder auf eine Hauptstraße.

»Du hast also alles geklärt?« fragte Irbid.

»Ja.« Schihan achtete auf den Verkehr. Sie führten das Gespräch auf arabisch.

»Auch den Raum?«

»Ja. Auch den Raum.«

»Und wo?«

»Im olympischen Dorf. In einem der Hochhäuser.«

»Durch wen?«

»Durch unsere Freunde. Sie haben ihre Beziehungen.«

»Hast du den Raum schon gesehen?«

»Ja. Er ist gut geeignet.«

»Absolut sicher?«

»Absolut.«

»Und unsere Freunde, wie viele sind es?«

»Vier.«

»Nur Deutsche?«

»Auch ein Libyer.«

»Und die Deutschen sind sicher?«

»Sie stehen auf unserer Seite.«

»Dann fährst du jetzt zu ihnen. Mich läßt du an der nächsten Ecke aussteigen. Ich will dort nicht in Erscheinung treten. Je weniger Verbindung es gibt, desto besser.«

»Ist klar. Und wie verständigen wir uns?«

»Sobald du mit ihnen klar bist, rufst du mich im Hotel an. Du sagst nur den Namen: Schiller. Dann weiß ich Bescheid.«

»Schiller. Gut. Und dann?«

»Dann fährst du los. Wenn du geschnappt wirst, ist alles aus.«

»Soll ich schießen?«

»Nur im äußersten Notfall. Nur im alleräußersten! Die Aktion muß lautlos vor sich gehen. Schnell und unauffällig. Auf keinen Fall in der Öffentlichkeit! Merk dir das!«

»Du kannst beruhigt sein. Und wenn die Aktion beendet ist?«

»Dann gibst du mir Nachricht. Es kann sein, daß ich noch nicht wieder im Hotel bin. Denn nach deinem ersten Anruf werde ich losgehen. Ich werde dir Rückendeckung geben.«

»Und wie erfährst du, daß alles geklappt hat?«

»Du schickst einen Boten ins Hotel. Mit einem Brief für mich. Der Umschlag ist leer. Das ist das Zeichen. Noch etwas!«

»Ja?«

»Du machst die Aktion nur mit dem Libyer. Klar?«

»Und was sage ich den Deutschen?«

»Keine nationalen Gründe! Du läßt dir von ihnen den Schlüssel für den Raum geben.«

»Aber was soll ich ihnen sagen?«

»Gib Sicherheitsgründe an. Sag, daß die Aktion von Damaskus so gesteuert wird. Auf keinen Fall nationale Gründe!«

»Schon klar. Noch etwas?«

»Wie heißt der Libyer?«

»Areg.«

»Student?«

»Ja.«

»Übernimmst du für Areg die Haftung?«

»Ja.«

»Areg fährt. Du machst die Aktion allein.«

»Allein? Aber . . .«

»Kein aber! Du mußt es allein schaffen! Areg sitzt nur am Steuer, verstanden?«

»Alles klar.«

»Und die Aktion eilt! Ich bereite eine zweite Unterkunft vor. So schalten wir die anderen aus.«

»Auch Areg?«

»Ja«, sagte Irbid, »auch Areg. Und jetzt laß mich aussteigen.«

28

»Hello, John!« Mit der Schulter preßte Martindale den Hörer ans Ohr und zündete sich eine Zigarette an. Er saß in dem Raum, von dem aus er schon heute früh mit der Botschaft telefoniert hatte. Er hatte sein

Jackett ausgezogen und das Hemd geöffnet. Die Luft ist zum Schneiden, dachte er und angelte sich mit dem Fuß den Aschenbecher, der auf dem Teppich stand.

»Hello, was gibt's? Alles okay?« Die Stimme von John Newley klang, als läge Bonn in einem anderen Erdteil.

»Du kannst mich nicht zum Lachen bringen! Außerdem verstehe ich dich nur schwer.«

»Dann muß ich mich aufsetzen. Halte nämlich gerade Siesta. Schieß los!«

Stanley Martindale schilderte ihm, was seit heute morgen vorgefallen war. »Scheiße!« sagte Newley.

»Das weiß ich selber.«

»Unsere Brillenschlange ist jetzt nicht in der Klinik, sagst du?«

»Er hat Leine gezogen, ja.«

»Wie wär's also jetzt noch mal mit einem Frontalangriff? Mit einem neuen?«

»Der Einfall ist überholt. Da macht hier keiner mehr mit. Ich rufe dich an, damit du was neues ausspuckst.« Martindale wischte sich mit dem Taschentuch über die Stirn.

»Allzu viele Möglichkeiten bleiben uns nicht.«

»Und was sagen die drüben?«

»Bis jetzt läuft alles gut. Auch in der Sonne.«

»Haben sie die Diskussion in der Hand?«

»Nicht gerade in der Hand. Aber sie halten noch mit. Kommt dir 'ne Idee?«

»Wenn sie die Partner so lange hinhalten könnten, bis unsere Brillenschlange hier gar nicht mehr anders kann und einfach in eine Behandlung einwilligen muß, egal, wer sie durchführt. Wie wäre das?«

»Das dürfte unsere einzige Chance sein, ja. Versprechen kann ich nichts. Ich kann's nur versuchen. Aber ich habe das Gefühl, die Bombe geht jeden Moment hoch.«

»Die Bombe in der Sonne?«

»Ja. Daß sie bis jetzt nicht explodiert ist, ist mehr als ein Wunder.«

»Okay«, sagte Martindale, »ich versuche der Brillenschlange noch ein Beinchen zu stellen, und du hältst unsere Kameraden an der Front unter Druck. Bis später.«

»Okay«, sagte Newley, »ich hoffe, du bist wenigstens frisch ausgeschlafen«, und legte auf.

Es fehlte nicht viel, und Martindale hätte den Hörer gegen die Wand geworfen. Er ging zum Wagen und fuhr zum Hotel ›Vier Jahreszeiten‹.

Er stellte den Wagen in einer Nebenstraße ab, bezog gegenüber dem Hoteleingang Posten und wartete auf seine Chance.

29

Als Paul Niklas und Jan Voss ins Tal hinunter nach Kreuth kamen, schlug die Uhr am Kirchturm halb zwei Uhr mittags. Sie hielten vor dem erstbesten Gasthof. Das Telefon befand sich in einer Zelle im weitläufigen Flur.

Paul führte zwei Gespräche. Das eine mit der Klinik mit seinem Kollegen Sils. Das andere mit seiner Tochter Kathy. Nachdem er eingehängt hatte, wirkte er äußerst konfus und aufgebracht.

Jan hatte vor der Zelle gewartet. »Komm«, sagte er, »wenn wir schon hier sind, essen wir auch schnell zu Mittag.«

»Verflucht! Nein, Jan. Laß uns bitte gleich zurückfahren.«

»Zur Hütte? Ich dachte . . .?«

»Das erkläre ich dir unterwegs.«

Sie fuhren wieder die steile Straße hinauf, die durch den Wald führte. Paul berichtete dem Freund, was Sils ihm mitgeteilt hatte.

Jan umschloß mit seinen Händen kraftvoll das Steuer. »Und du siehst keine Möglichkeit, als eine Art Aufsicht . . .?«

»Keine. Wirklich keine. Dieser Irbid scheint völlig durchgedreht zu haben. Mit dem ist nicht zu reden. Nein, Jan, ich will mich gar nicht erst der Gefahr aussetzen.«

»Welcher Gefahr?«

»Solche Menschen sind in der Tat zu allem fähig. Sie sind unberechenbar.«

»Du meinst, er könnte . . .?«

»Ich meine nichts Konkretes. Ich habe nur gehört, wie Sils ihn mir geschildert hat. Und da führt kein Weg zu ihm. Er ist keinerlei sachlichen Argumenten mehr zugänglich.«

»Was willst du also tun? Was war mit Kathy?«

»Mit Kathy ist alles in Ordnung. Sie wollte gerade das Haus verlassen, zu Freunden.«

»Hat sie Martindale meine Adresse gegeben?«

»Ja. Sie hat es mir gestanden. Sie hat mir aber auch geschworen, daß sie die Adresse keinem anderen mehr geben wird. Sie hat es mir hoch und heilig geschworen, und ich vertraue ihr. Sie wird einige Tage bei Freunden wohnen. Ich habe ihr dazu geraten. So kommt sie erst gar nicht in die Verlegenheit, nach meiner Adresse gefragt zu werden.«

»Das ist vernünftig. Verdammt, die Reiterin!« Jan trat so hart auf die Bremse, daß Paul nach vorne gedrückt wurde. »Wir müssen noch mal zurück. Ich werde auch die Reiterin wegschicken. Das ist das gescheiteste. Bei der kann ich mir sonst nicht sicher sein.«

Er wendete in einem Seitenweg und fuhr zurück. Etwa eine Stunde später waren sie wieder an der gleichen Stelle. Jan hatte Frau Reiter nach Gmund auf die andere Seite des Sees gefahren, zu ihrer Schwester, und ihr verboten, in den nächsten Tagen nach Rottach zu kommen.

Als sie vor der Hütte eintrafen, stand die Sonne schon über dem Waldstück bei der Quelle. »Hier oben kann uns nun keiner mehr zu nahe kommen«, sagte Jan mit einem beruhigenden, breiten Lächeln, »das Gelände ist übersichtlich. Und wenn es darauf ankommt, knallen wir jedem ein paar Warnschüsse vor die Zehen.«

30

Scheinbar gelangweilt lehnte Stanley Martindale mit dem Rücken gegen die Hauswand. Er hatte eine Zeitung vor dem Gesicht, als lese er, und beobachtete den Eingang zum Hotel.

Über die Maximilianstraße rollte dichter Verkehr. Chromblitzende Wagen, Lastwagen, Straßenbahnen. Martindale hatte Mühe, den Eingang nicht aus den Augen zu verlieren.

Doch er hatte Glück. Schon nach zehn Minuten fuhr ein Taxi vor, dem Irbid entstieg. Er schien in Gedanken versunken und verschwand mit schnellen Schritten durch die messingumrahmte Glastür.

Martindale ging ihm nach, achtete aber sorgfältig darauf, daß der andere ihn nicht sehen konnte, und betrat das Hotel, nachdem er sich mit einem Blick durch die Glastür vergewissert hatte, daß Irbid nicht mehr an der Rezeption stand.

An der Telefonzentrale wartete er, bis Zelle eins frei war. Von ihr aus konnte er die Wege von der Halle und vom Lift her zum Ausgang überschauen. Er wählte die Nummer der Klinik.

»Bitte Professor Sils.«

Die Sekretärin von Sils meldete sich: »Hier Sekretariat Professor Sils. Sie wollen den Herrn Professor?«

»Ja. Hier ist Martindale.«

»Oh, Mister Martindale! Einen Augenblick, ich verbinde.«

Sils nahm das Gespräch entgegen. Die Frage, ob mittlerweile etwas Außergewöhnliches vorgefallen sei, ob Irbid sich gemeldet habe, beantwortete er mit nein.

»Kann sein, daß ich Sie noch ein paarmal belästigen muß«, sagte Martindale und unterrichtete ihn, daß Irbid ihn aufgefordert habe, alle halbe Stunde in der Klinik nachzufragen. »Er hat einen Plan«, sagte er, »und Sie dienen ihm als Verbindungsmann. Wie lange sind Sie noch in der Klinik?«

»Angesichts der Umstände werde ich wohl bis nach der Operation unseres Falles hier sein. Ich richte mich auf Mitternacht ein.«

»Okay. Dann bis zum nächsten Mal.«

Martindale verließ die Zelle. Er ging in die Halle und setzte sich in einen Sessel, von dem aus er den Eingang und die Rezeption ungesehen beobachten konnte. Er bestellte sich einen doppelten Mokka und klopfte sich eine Zigarette aus der Packung.

Es geschah nichts. Weder erschien Irbid noch ein Vogelgesicht mit Koteletten fast bis zum Kinn. Nach einer weiteren halben Stunde nahm Martindale erneut Verbindung mit Sils auf, doch der konnte ihm keine andere Auskunft geben als vorher.

Martindale trat an die Barriere, hinter der die Telefonistinnen saßen. »Bitte das Zimmer von Mister Irbid.«

»Zimmer Nummer dreihunderteinundzwanzig. Kabine zwei. Bitte, mein Herr.«

Martindale hob den Hörer ab. Irbid meldete sich: »Hallo?« Martindale erkannte die Stimme. Er gab keine Antwort. Irbid sagte noch einmal: »Hallo?«, und legte auf.

Martindale wandte sich an die Telefonistin, die ihm das Gespräch vermittelt hatte, und nahm all seinen Charme zusammen: »Ich habe eine Bitte.«

»Ja, mein Herr?«

»Mister Irbid ist ein Freund von mir. Ich wollte mich nur vergewissern, ob er auf seinem Zimmer ist. Das sind so unsere Spielchen, wissen Sie. Können Sie mich vergessen?« Er schob ihr verdeckt ein Fünfmarkstück zu.

Sie nahm es, sagte mit verbindlichem Lächeln: »Ich werde mich bemühen«, und er wußte, daß er sich auf sie verlassen konnte.

Er hatte Irbid verunsichern wollen. Das war ihm gelungen.

31

Schihan, der junge Mann mit dem Vogelgesicht, hatte den Code-Anruf bei Irbid hinter sich. Die Aktion lief an.

Zusammen mit dem libyschen Studenten Areg fuhr er im metallic-grünen Volkswagen vom olympischen Dorf ab. Bei der nächsten Telefonzelle ließ er Areg, der fuhr, anhalten.

Während Areg im Wagen blieb, lief er zur Zelle und wählte die Nummer von Niklas. Er wartete, bis der Ruf zehnmal durchgeläutet hatte, und wählte dann die Nummer noch einmal. Keine Antwort. Schihan stieß einen arabischen Fluch aus.

Er zog einen Zettel aus der Tasche seines Jacketts, legte ihn vor sich auf die Konsole, auf der die Telefonbücher lagen, und wählte die Nummer, die darauf notiert war.

Die Stimme einer älteren Frau meldete sich. »Graf hier.«

»Könnte ich bitte Herrn Jensen sprechen?« fragte Schihan.

»Herrn Jensen? Wer spricht denn?«

»Will«, sagte Schihan, »ich bin ein Freund von ihm.«

»Tut mir leid, Herr Will«, sagte die Frauenstimme, »Herr Jensen ist nicht da. Er ist schon weg.«

Wäre Jensen zu Hause gewesen, hätte Schihan das Gespräch beendet und wäre auf dem schnellsten Weg zu Jensens Wohnung gefahren, um Jensen zu beschatten und unter Umständen über ihn seine Aktion durchzuführen.

So aber sagte er:

»Das ist schlimm, daß er schon weg ist. Wir waren verabredet. Und für ihn hängt ziemlich viel davon ab.«

»Ach? Das tut mir aber leid.«

»Hat er denn nicht gesagt, wohin er geht?«

»Nein, das hat er nicht. Sie sagen, es hängt für ihn viel davon ab, daß Sie ihn treffen?«

»Ja. Vielleicht ein Job.«

»Wissen Sie einen für ihn?«

»Ja. Aber so ist es fraglich.«

»Warten Sie mal«, sagte die Frau, »er hat doch ein Stammlokal! Vielleicht ist er dort?«

»Und wo ist das?«

»Ich glaube, die ›Kutsche‹. In Schwabing.«

»Und Sie glauben, daß er da jetzt schon ist? Jetzt am Mittag?«

»Kann sein. Soviel ich weiß, spielen sie dort.«

»Und wo er sonst sein könnte, wissen Sie nicht?«

»Nein. So genau interessiere ich mich nicht für meine Untermieter. Es wäre ja schön, wenn Frank, ich meine, wenn Herr Jensen eine Anstellung bekäme.«

»Dann ist es wichtig, daß ich ihn treffe. Sie können sich wirklich nicht denken, wo er noch sein könnte? Bei einem Mädchen, meine ich?«

»Mein Gott, da gibt es viele! Die zähle ich schon gar nicht mehr.«

»Und ein Name fällt Ihnen nicht ein?«

»Nein. Tut mir leid. Das tut mir wirklich aufrichtig leid.«

»Danke«, sagte Schihan, »wenn ich ihn in der ›Kutsche‹ nicht erreichen sollte, darf ich dann noch mal anrufen? Vielleicht ist Ihnen bis dahin etwas eingefallen?«

»Ja, das dürfen Sie«, sagte Frau Graf erleichtert, denn sie mochte ihren Untermieter Frank Jensen und wünschte ihm von Herzen eine Anstellung. »Ja«, sagte sie, »rufen Sie mich ruhig wieder an.«

32

Schihan mußte Frau Graf kein zweites Mal bemühen. Ihr Tip mit der ›Kutsche‹ erwies sich als richtig.

Die ›Kutsche‹ war eines jener düsteren Schwabinger Lokale, die schon ab Mittag geöffnet haben. Schihan stieß die Tür auf und schob den speckigen Vorhang aus dunkelrotem Filz beiseite. Er brauchte einige Zeit, um sich an das Halbdunkel zu gewöhnen. Der Raum war nicht allzu groß und in verschiedene Ebenen unterteilt. Rechts vom

Eingang war die Theke mit einem Zapfhahn für Bier. Davor ein paar kleine Tische, ein Geländer aus Messing, zwei Stufen hinunter zum eigentlichen Lokal und dort nochmals Stufen zu einer Art Spielecke.

Vom Eingang aus konnte man die Spielecke nicht sehen. Die Wände und Decken des Lokals waren schwarz gestrichen, die Tische und Stühle nicht einheitlich in Farbe und Form, aber alle aus Holz, die einen schwarz, andere dunkelbraun. Allem hier war eines gemeinsam: die Ungepflegtheit. Es roch nach kaltem Rauch und abgestandenem Bier.

Das Lokal war fast leer. Zwei Jungen an der Theke. Ein Junge an einem der kleinen Tische davor. Unten an den Tischen saß niemand. Nur hinten in der Spielecke war an einem Tisch Betrieb.

Schihan erkannte Frank Jensen schon von weitem. Er ging einige Schritte näher heran. Da bemerkte er auch Kathy Niklas. Er war am Ziel. Er zog sich an die Theke zurück, schob sich einen der Hocker so zurecht, daß er die Ecke mit dem Spieltisch im Auge hatte, und bestellte sich wortlos ein Bier, indem er auf das seines Nachbarn deutete. Der Keeper verstand.

Um sich noch einmal zu vergewissern, schob Schihan die Hand in die Außentasche seines Jacketts, und seine Finger berührten die Spritze. Die 9-mm-Llama brauchte er nicht zu überprüfen. Sie steckte griffbereit in seinem Schulterhalfter. Es war nicht sein erster Einsatz dieser Art. Er hatte schon einige Jahre Erfahrung.

Er nippte an seinem Bier. Der Barkeeper stützte sich mit den Händen auf die Theke und sagte mürrisch: »Scheißbetrieb. Bei so einem Traumwetter hier in der Bude! Und dann nichts los!«

Schihan zuckte unbeteiligt mit der Schulter.

»Ich wäre jetzt lieber beim Baden«, sagte der Keeper, »irgendwo an einem See.«

Schihan sagte nichts. Er saß in sich zusammengekauert auf seinem Hocker, und seine Augen durchbohrten das Halbdunkel. Er gab sich zwanzig Minuten Zeit. Wenn sich bis dahin keine Gelegenheit ergeben hatte, war er entschlossen, sich eine zu verschaffen.

33

Um den Tisch, auf dem der Back-Gammon-Koffer aufgeklappt als Spielfeld lag, saßen und standen vier Jungen und ein Mädchen. Zwei der Jungen spielten, und ein anderer hatte sich als gedankenversunkener Zuschauer mit den Ellenbogen auf den Tisch gestützt.

Frank Jensen stand mit Kathy einen Schritt abseits. Er versuchte, ihr das Spiel zu erklären. Sie sprachen mit gedämpfter Stimme, um die Spieler nicht zu stören.

»Ist doch 'n Klacks«, sagte Frank, »es gibt vier Felder. Zwei sogenannte innere und zwei äußere. Die Spieler sitzen sich gegenüber . . .«

»Mann, ich bin nicht blind!«

». . . und jeder hat sein inneres und äußeres Feld vor sich. Weiß hat das äußere Feld links vor sich. Schwarz hat es rechts. In der Mitte läuft die Trennungslinie zwischen den Spielern. Zwei Felder sind also links und zwei rechts von der Trennungslinie. Und die Trennungslinie heißt . . .«

»Bar.«

»Na, schau an, du bist ja doch ein waches Kind!«

»Und auf jedem Feld sind sechs Spitzen«, sagte Kathy ungeduldig.

»Genau.« Frank blieb die Ruhe in Person. »Diese ›Spitzen‹ heißen auch ›Punkte‹. Sie haben die gleiche Funktion wie bei Mühle und Dame die Felder. Das heißt, auf sie werden die Steine gestellt. Wieviel Steine hat jeder Spieler?« »Fünfzehn«, sagte Kathy.

»Eben. Und die Steine werden zum Anfang in einem vorgeschriebenen Aufbau auf die Felder verteilt. Der eine Spieler spielt im Uhrzeigersinn, der andere dagegen.«

»Stop. Wie werden die Steine verteilt?«

»Fünf von jeder Farbe auf die vom Ziel, also vom eigenen inneren Feld, am weitesten entfernt gelegene Spitze. Zwei auf die Spitze, die auf dieser Seite entgegenliegt. Fünf im inneren Feld auf die Spitze neben der Bar, also am sogenannten ›Barpoint‹. Und drei im eigenen äußeren Feld auf der übernächsten Spitze von der Bar aus gesehen.«

»Kompliziert.«

»Keine Affäre! Das geht dir ein wie's Einmaleins.«

»Sag das nicht! Darüber habe ich in der Schule ganz schön geschwitzt.«

»Quatsch! Back Gammon ist nur eine Kombination von Schach und Mensch-ärgere-dich-nicht. Das strategische Denken vom Schach plus dem Würfelglück und der Routine vom Mensch-ärgere-dich-nicht. In der Türkei spielen das die Babys! Dort heißt es Tric-Trac. Und bei uns gibt's das Spiel auch schon seit . . . jedenfalls war mein Ururgroßvater Großmeister der Mark Brandenburg! Damals hieß es bei uns ›Puff‹.«

»Erzähl keinen Stuß! Weiter!«

»Das ist kein Stuß. So ist es! Es geht also los. Jeder hat zwei Würfel. Mit einem davon wird erst mal um den Anfang gewürfelt. Wer die meisten Augen hat, beginnt. Und kann gleich die vom Gegner gewürfelte Augenzahl mitverwenden. Wenn er will.«

»Und wenn er nicht will?«

»Dann läßt er's bleiben. Und verdoppelt den Einsatz.«

»Und wie hoch ist der Einsatz?«

»Je nachdem. Bei blutigen Amateuren vielleicht 'n Groschen. Einen Profi kriegst du nicht unter 'n Fünfer an den Koffer. Oder 'n Zehner.«

»Aber das ist doch auch kein Betrag.«

»Na ja, wenn du's hast. Der Einsatz kann nämlich bis zum Vierundsechzigfachen erhöht werden. Also zweifach, vierfach, achtfach, sechzehnfach und so weiter. Und vierundsechzigmal 'n Zehner sind auch blanke sechshundertvierzig Kohlen.«

»Und wie lange dauert ein Spiel?«

»Je nachdem. Fünf Minuten. Zehn. Kann aber auch schon nach dreißig Sekunden zu Ende sein.«

»Das schlägt mir ja glatt auf den Magen.« Unwillkürlich wandte Kathy den Blick flüchtig in Richtung Theke, als suche sie von dort Stärkung. Von dem Mann, der da allein auf einem der Hocker saß, nahm sie keine Notiz.

Das Spiel der beiden Jungen war beendet. Einer stand auf und reckte sich. »Willst du mal ran?« sagte er zu Frank, und Frank nahm seinen Platz ein.

Auf diese Gelegenheit hatte Schihan gewartet. Zwanzig Minuten waren vergangen, ohne daß Kathy Niklas das Lokal verlassen hatte.

Jetzt mußte er handeln.

34

Der Trick von Schihan war ebenso einfach wie wirksam.

Er bezahlte stumm sein Bier, verließ das Lokal und ging zur nächsten Telefonzelle. Dort wählte er die Nummer des Lokals.

Es dauerte eine Weile, bis sich der Barkeeper meldete: »Hier Kutsche.« Seine Stimme klang gleichgültig.

»Bei Ihnen sitzt ein Fräulein Niklas. Bitte holen Sie sie an den Apparat.«

»Bei uns ist kein Mädchen«, antwortete der Keeper beinahe ärgerlich.

»Doch. Sie muß bei den Back-Gammon-Spielern sein.«

»Wie soll sie heißen?«

»Niklas.«

»Einen Moment.« Schihan hörte, wie der Keeper den Hörer auf die Theke legte und aus der Klapptür der Bar ging. Kurz danach kam er zurück, undeutlich mischten sich Stimmen ineinander, und dann sprach Kathy in die Membrane: »Hallo, wer ist da?«

»Ist dort Katharina Niklas?« fragte Schihan.

»Ja. Wer spricht denn?« Kathy war ungehalten.

»Mein Name ist von Keremen. Ich bin ein Freund eines Freundes von Ihnen. Eines Freundes, der Sie verehrt. Ich habe eine Nachricht für Sie.«

»Welchen Freund meinen Sie?«

»Das soll ich am Telefon nicht sagen. Ich muß Sie sprechen. Möglichst gleich. Denn in einer Stunde geht meine Maschine. Kann ich Sie sehen? Es dauert nur fünf Minuten.«

»Okay. Ich bin hier in einem Lokal.« Kathy wurde hellhörig. »Moment mal, woher wissen Sie eigentlich, daß ich hier zu erreichen bin?«

Schihan war auf die Frage vorbereitet. »Ich habe Sie ins Lokal gehen sehen.«

»Sie kennen mich?«

»Das ist eine lange Geschichte. Haben Sie fünf Minuten Zeit?«

»Fünf Minuten ja.«

»Okay«, sagte Schihan, »dann erwarte ich Sie unten am Englischen Garten.« »Können Sie nicht vorbeikommen?« sagte Kathy, doch Schihan hatte schon eingehängt.

Kathy hielt den Hörer noch eine Weile in der Hand. Ihr Blick ging verloren ins Halbdunkel. Sie legte auf.

»Danke«, sagte sie abwesend zum Keeper. Fragen stürmten auf sie ein. Zunächst: Wer ist der Freund, der mich verehrt? Der einen anderen schickt, um mir eine Nachricht zu geben? Warum soll der andere seinen Namen nicht am Telefon nennen? Ist es ein Freund, der nicht hier in der Stadt wohnt? Welcher meiner Bekannten wohnt nicht hier? Warum ist es so dringend mit der Nachricht? Wer ist der Mann, der anrief? Woher will er mich kennen? Und dann: Was fällt dem denn ein, mich zum Englischen Garten zu bestellen? Bildet der sich wirklich ein, daß ich hingehe? Meint der, er braucht nur anzurufen, und schon springe ich? Und schließlich: Wieso hat er mich ins Lokal gehen sehen? Durch Zufall? Dann kann ja die Nachricht nicht so dringend sein? Oder hat er mich am Herzogpark aufsuchen wollen und gerade noch gesehen, wie ich ins Taxi gestiegen bin, und ist hinterhergefahren? Soll ich Frank von der Sache erzählen?

Quatsch, sagte sie sich, ich gehe einfach nicht hin! Was interessiert mich ein Mann, der seinen Namen nicht nennen läßt! Vielleicht aber will er mir nur die Überraschung nicht nehmen?

Sie stand einen Augenblick unschlüssig. Doch dann hatte das gesiegt, worauf Schihan gebaut hatte: die Neugierde.

»Wenn Frank nach mir fragt«, sagte Kathy zum Keeper, »ich bin in zehn Minuten wieder da.«

35

Der Englische Garten lag keine Minute vom Lokal entfernt. Kathy lief die Straße hinunter. Sie achtete auf jeden Mann, der ihr entgegenkam, doch keiner gab ein Zeichen des Erkennens.

Unten an der kleinen Brücke, über die der Weg in den Park führte, blieb sie stehen. Nirgends war ein Mann zu sehen. Ein paar Kinder spielten am Bach, eine alte Frau kam auf einem Fahrrad vorbei.

»Hallo, Fräulein Niklas!« Kathy fuhr herum. Den Wagen hatte sie nicht beachtet. Ein metallic-grüner Volkswagen, aus dessen herabgelassenem Vorderfenster ein Mann winkte. Der Mann stieg aus, hielt ihr einladend die Tür auf, und Kathy ging hinüber zur anderen Straßenseite, wo der Wagen parkte.

»Von Keremen«, stellte sich Schihan vor, »es dauert nicht lange, Fräulein Niklas. Ich soll Ihnen nur etwas übergeben. Es ist besser, wir machen das nicht in aller Öffentlichkeit.«

Kathy zögerte. »Wollen Sie etwa mit mir irgendwohin fahren?«

»Aber nein!« lachte Schihan. »Höchstens will ich Sie zum Lokal zurückbringen. Nein, wir benützen den Wagen nur als Deckung. Sie verstehen?«

»Nein«, sagte Kathy, »ich verstehe gar nichts«, und stieg ein. Sie hatte sich noch nicht zurechtgesetzt, da wurde ihr von hinten der Mund zugedrückt. Den zweiten Mann, den im Fond, hatte sie nicht gesehen. Anscheinend hatte er sich geduckt, schoß es ihr durch den Kopf. Sie wollte um Hilfe schreien, doch gegen den Griff des Mannes kam sie nicht an.

Sie spürte einen Stich in den Oberarm. Sie warf den Oberkörper herum, um sich aus der Umklammerung zu befreien, doch ihre Kräfte verließen sie schnell.

Noch keine dreißig Sekunden, nachdem sie sich in den Wagen gesetzt hatte, verlor sie das Bewußtsein. Ihr Kopf sank auf die Lehne zurück. Schihan wechselte den Platz mit Areg, und Areg fuhr los.

Von hinten hielt Schihan Kathy bei den Schultern. Es sah aus, als träumte sie. »Keiner hat uns gesehen«, sagte er zu Areg, »keiner außer den Kindern. Aber die haben sich nicht um uns gekümmert.«

»Bravo!« sagte Areg. Er bog nach links ab und schlug die Richtung zum olympischen Dorf ein.

36

Als Stanley Martindale zum drittenmal von der Halle zur Telefonzentrale gegangen war und sich mit Sils in der Klinik hatte verbinden lassen, erhielt er von ihm die Nachricht, daß Kathy entführt worden sei.

»Da hatte ich doch wieder mal eine Nase«, sagte Martindale trokken. Er war alles andere als überrascht. Doch er ärgerte sich, weil er Irbids Absichten nicht rechtzeitig durchschaut hatte. »Und wer hat Sie unterrichtet, Herr Professor?«

»Ein mir nicht bekannter Mann.«

»Hat er einen Namen genannt?«

»Nein. Er hat nur gesagt, es sei wichtig, daß Sie die Sache möglichst schnell erfahren.«

»Verstehe. Ich bin wieder mal nur der Briefträger.«

Der Gedanke war nicht für Sils bestimmt. Martindale murmelte ihn mehr in sich hinein. »Und wann war der Anruf? Genau!«

»Ich habe mir die Zeit sogar notiert. Vor genau zweiundzwanzig Minuten.«

»Hat der Kerl sonst was gesagt?«

»Ich lese es Ihnen vor.« Sils griff sich das Blatt, das auf dem Schreibtisch lag. »Erstens: keine Polizei. Er sagte wörtlich, ein Polizeieinsatz würde zu nichts führen, da sie alle Trümpfe in der Hand hielten . . .«

»Stimmt. Weiter.«

»Und so ein Einsatz würde lediglich das Klima verschlechtern.«

»Die Burschen fühlen sich verdammt sicher. Noch was, Professor?«

»Zweitens: die Nachricht an Sie. Und drittens: Doktor Irbid würde sowohl Ihnen als auch Professor Niklas im Hotel zur Verfügung stehen, um die Bedingungen mitzuteilen.«

»Das wird ja immer schöner!«

»Das ist alles.«

»Danke, Professor.«

»Nichts zu danken, Mister Martindale. Können Sie sagen, wie wir uns hier verhalten sollen?«

»Wie abgesprochen. Sie bereiten die Operation vor. Denn lange läßt sie sich wohl kaum noch hinausziehen, oder?«

»Vom politischen Standpunkt aus sicher nicht. Die Medizin denkt anders.«

»Okay. Dann will ich mal meine Mission erfüllen.« Martindale legte auf. Er schüttelte unmerklich den Kopf und dachte: Das wird ja immer schöner! Jetzt verhandeln wir bei einer Entführung mit der Gegenseite schon zwanglos im Hotel! Vielleicht sogar bei Whisky und leiser Musik!

Er ging zum Lift und fuhr ins dritte Stockwerk. Über den dicken Teppich ging er den Flur vor bis zur Tür mit der Nummer 321 und klopfte. Von drinnen hörte er Irbid rufen: »Wer ist da?«

»Ich bin's, Martindale«, sagte Martindale barsch.

Irbid öffnete, und Martindale trat ins Zimmer. Die Empörung stand ihm im Gesicht. »Los, spucken Sie Ihre Gemeinheiten aus!« herrschte er den anderen an.

Irbid lächelte zynisch: »Wenn Sie könnten, würden Sie mir jetzt an den Kragen gehen, stimmt's?« Er setzte sich und schlug lässig die Beine übereinander. »Whisky? Sprudel? Alles da.« Er wies zum niedrigen Tisch.

»Los, reden Sie! Was verlangen Sie?« Martindale stand vor Irbid, als wolle er ihn jeden Augenblick anspringen.

»Aber, lieber Martindale!« sagte Irbid amüsiert. »Das wissen Sie doch genau! Wir wollen Ihnen nur beweisen, daß es mit der Krise des Herrn Niklas nicht allzuweit her ist.«

»Machen Sie's kurz, oder . . .!«

»Oder was, lieber Martindale?«

»Oder ich schlag Ihnen eine in die Fresse, daß Ihr Kiefer schräg steht!«

»Aber, aber, wer wird denn gleich die Übersicht verlieren! Denken Sie an Damaskus, lieber Martindale! Und an das Mädchen mit dem Namen Katharina Niklas!«

»Sie können mich nicht bluffen! Sie nicht! Da müssen Sie früher aufstehen! Ihr ausgerenkter Kiefer tut nur Ihnen weh, sonst niemandem! Also, wird's jetzt?« Martindale trat drohend einen halben Schritt vor.

»Aber bitte: Die Bedingung ist: Niklas operiert. Wenn nicht, stirbt seine Tochter noch heute abend.« Irbid wurde sachlich.

»Was ist, wenn ich ihn nicht erreiche?«

»Das Spiel hatten wir schon, Martindale. Das zieht nicht mehr.«

»Und der Beweis?«

»Daß wir Katharina Niklas haben? Aber, Martindale! Wir sehen keine Veranlassung, einen Beweis liefern zu müssen.«

»Und was nützt Ihnen ein totes Mädchen?«

»Das muß ich Ihnen doch wirklich nicht erklären, Martindale.«

»Aber ich will es hören! Jetzt, hier in diesem Raum! Mit meinen eigenen Ohren! Und aus Ihrem dreckigen Maul! Damit sich mein Haß gegen euch Gesindel noch verstärkt! Also, was nützt es Ihnen, wenn Katharina Niklas tot ist?«

»Damit würde endlich auch der letzte der Beteiligten den Ernst der Lage erfassen! Oder täusche ich mich?«

»Sie sind ein Schwein, Irbid! Und so etwas nennt sich Arzt!«

273

»Ich will Ihnen hier kein Kolleg über unsere Ziele halten, Martindale. Aber Ihre Vorstellungen sind so primitiv, daß ich Ihnen einfach widersprechen muß.« Irbid erhob sich, verschränkte die Hände auf dem Rücken und ging durch das Zimmer. »Kann ein Arzt nicht etwa auch Revolutionär sein? Kann er nicht auch an die gute Sache glauben? Darf er sich nicht mit allen Mitteln für die Freiheit seines Volkes einsetzen?« Schroff blieb er stehen und wechselte den Ton: »Ach, Martindale, es ist mir zu dumm, Ihnen das auseinanderzusetzen!«

Er öffnete die Tür zum Zeichen, daß er das Gespräch als beendet betrachte. »Vergessen Sie nicht: zwanzig Uhr! Dann beginnt entweder die Operation unter Niklas, oder seine Tochter stirbt. Zwanzig Uhr, Martindale! Und keine Minute später! Verstanden?«

Martindale gab ihm keine Antwort. Der flüchtige Blick, den er ihm zuwarf, war voller Verachtung.

Er ging den Flur entlang und sah auf seine Armbanduhr. Sie zeigte 15 Uhr 42. Nur noch gut vier Stunden! ging es ihm durch den Kopf. Vier Stunden, die ihm blieben, um Niklas zu erreichen. Was würde geschehen, wenn Niklas nicht mehr auf der Hütte war? Wenn er sich mit unbekanntem Ziel entfernt hatte?

Martindale öffnete den zweiten Knopf seines Hemdes. Ihm war heiß.

37

Den Weg zum Tegernsee kannte er mittlerweile. Er ließ die Nadel am Tacho auf 160 tanzen. Bevor er losfuhr, hatte er versucht, Doktor Voss in Rottach telefonisch zu erreichen, doch es hatte sich niemand gemeldet. Dann hatte er Newley schnell von der veränderten Situation in Kenntnis gesetzt.

»Ich habe mit etwas Ähnlichem gerechnet«, hatte Newley gesagt.

»Sehr schlau! Ich nämlich auch. Dann hätten wir es uns ja gegenseitig flüstern können.«

»Stan, dreh nicht durch! Wenn es die Niklas-Tochter nicht getroffen hätte, dann eben jemand anderen. Eine Schwester aus der Klinik, einen guten Freund von ihm, da bleiben doch sämtliche Spielkarten offen.«

»Okay. Und wie gehn wir vor?«

»Stan, sei gescheit! Du machst den Briefträger, sonst nichts! Hörst du? Keine Aktion! Verstanden?«

»Okay, okay. Du hältst mich wohl für selten dämlich.«

»Ich kenne dich, Stan. Also versprich es!«

»Okay.« Die Zusicherung kam ihm nur widerstrebend über die Lippen.

Er bremste herunter auf 120, denn die Strecke wurde kurvenreich. Die Pneus sangen schrill, zwei Bauern, die am Rand der Landstraße gingen, sprangen entsetzt zur Seite.

Newley! dachte Martindale, der gute, alte Newley hat auch mehr Schiß als Draufgängertum! Damals bei der gemeinsamen Ausbildung in Nevada war er noch ein richtiger Kerl. Da hatten sie sich beide ohne Absprache für den Auslandsdienst entschieden, für Europa.

Martindale erinnerte sich gut, wie sie zusammen in der Maschine saßen, die sie nach Berlin flog. »Alter Junge?« hatte ihn Newley auf die Schulter gehauen, als unter ihnen die Stadt sichtbar wurde. »Jetzt werden wir hier mal aufräumen! Jetzt werden wir den Kommunisten den Marsch blasen, daß ihnen Hören und Sehnen vergeht!«

Den Marsch blasen! Aufräumen! Die Zeiten ändern sich, dachte Martindale, und die wilden Kerle der CIA werden von Mal zu Mal mehr zu wohlerzogenen, zahmen Knaben!

Er hielt das Steuer in einer Hand und zündete sich mit der anderen eine Zigarette an.

38

Mittlerweile waren Paul Niklas und Jan Voss wieder oben in der Hütte. Paul nahm sich vor, die Ereignisse der letzten Tage zu verdrängen. Er wollte die Natur genießen und die Ruhe, die ihn hier immer aufs neue gefangennahm. Er wollte Abstand gewinnen, wenigstens eine Zeitlang.

»Wie wär's mit einem frischen Bier?« sagte Jan. »Ich habe vorhin eine Flasche in den ›Kühlschrank‹ gelegt.« Er wies auf den Trog mit dem kühlen Quellwasser.

»Ist nicht von der Hand zu weisen«, antwortete Paul, »so ein Aufstieg zehrt. Man muß ja den Wasserhaushalt regulieren. Und ich habe eine Menge hinunterzuspülen. Sag mal, wohin führt der Weg eigentlich, wenn man dort weitergeht? Ich meine, was ist hinter der Kuppe?«

»Da warst du noch nie?« Jan holte die Flasche und zwei Gläser und schenkte ein.

»Nein. Wir sind immer nur hier in diesem Gebiet geblieben.«

»Dann machen wir jetzt den Weg. Keine Angst, das ist nur ein Spaziergang! Aber ein ungemein schöner! Dort hinten . . .«, er zeigte auf die Almen, die sich weiter oben hinaufzogen, »da hinten liegt Österreich. Eine Kette phantastischer Gipfel! Ein Paradies für jeden, der die Berge mag. Prost, Paul!«

«Prost, Jan! Dank dir, daß ich hier sein kann!«

»Nun quatsch keine Opern! Trink aus und dann gehn wir.«

»Und deine Praxis?«

»Das ist alles geregelt. Wozu gibt es einen Vertreter! Außerdem praktiziere ich ja. Du bist jetzt mein Patient, gehst für mich eben vor. Laß das Glas einfach stehen. Hier nimmt niemand was weg. Komm, wir gehen.«

Eine halbe Stunde später hatten sie die Kuppe erreicht. Paul war von der Aussicht überwältigt. Im Dunst der Sonne lagen vor ihm die Gipfel von Dreitausendern, weiß überzogen von Schnee, ein Anblick von erhabener Größe.

Sie setzten sich auf einen gefällten Baum und schwiegen. Nach einer Weile sagte Paul: »Du hast den Gedanken ausgesprochen, vorhin, am Mittag, der Mensch werde nicht geboren, um nur dahinzuvegetieren. Glaubst du, daß wir, die Menschen, mit einer Aufgabe in unsere Welt gesetzt werden?« Er hatte sich nach vorne gebeugt, spielte in sich versunken mit Grashalmen und sprach bedächtig.

Jan zog mit einem Reisigstecken Kreise auf dem moosigen Boden. »Philosophie war schon immer eine Stärke der Deutschen«, sagte er, ohne hochzusehen, »Schopenhauer, Nietzsche, Leibniz, Schelling, die Liste läßt sich beliebig verlängern. Sie alle haben versucht, den Begriff ›Pflicht‹ zu deuten. Kant zum Beispiel spricht davon, daß vor der Pflicht alle Begierden verstummen.«

»Werden wir etwa mit Pflichten geboren?«

»Sagen wir eher, wir werden in Naturgesetze gestellt. Und die ehernsten Gesetze sind wohl Geburt und Tod. Daran ist wirklich nicht zu rütteln. Alles, was dazwischenliegt, kann man unter verschiedenen Aspekten betrachten.« Jan hob den Blick zu Paul: »Aber wir wollen uns nicht verlieren. Ja, ich bin überzeugt davon, daß der Mensch nicht einfach in ein Nichts geworfen wird. Gingen wir davon aus, ich meine von einem bedingungslosen Nihilismus, dann landest du unversehens bei ebenso bedingungslosen Ordnungsprinzipien. Nein, wo das hinführt, hat keiner so am eigenen Leib erfahren wie wir. Ich bin sicher, daß der Geburt ein Sinn auferlegt ist.«

»Das heißt, wir leben in einer Art Zwangsjacke?« Paul sah blinzelnd in die Sonne.

»Tun wir das denn nicht? Bist du denn zum Beispiel in der Lage, Zufall und Wahrheit zu beeinflussen? Nein! Du kannst es versuchen, ja. Aber nur, soweit es die Natur zuläßt. Du kannst keine Wahrheit ausschalten und keinen Zufall verbannen.«

»Ich bin also zum Leben gezwungen?«

»Absolut. Du kannst dir diesen Zwang nur erleichtern, indem du ihn dir als Aufgabe setzt.«

»Aber auch durch Verzicht.«

»Ja, auch das ist möglich. Verzichte auf die Liebe, und zwar endgültig auf jede Art von Liebe, und du unterliegst nicht mehr ihrem Zwang.«

»Kann man das denn? Kann man jedes Gefühl abtöten? Die absolute Gelassenheit gewinnen?«

Jan zuckte mit den Schultern. »Und wenn man es könnte, ist noch nicht gesagt, ob man es sollte. Denn vielleicht verzichtest du so auch auf die Liebe zu einen Grashalm, zum Blau des Himmels, zum Wind und zur Sonne? Wer auf das Leiden der Liebe verzichtet, der verzichtet auf ihr Glück. Und geht zugrunde. An nicht empfangener Liebe. Oder nennen wir es an zerstörter Verbindung zu allem, was deine Seele und deinen Körper umgibt.«

»Und die Pflichten, die unsere Philosophen untersucht haben? Sind sie von den Menschen überhaupt zu meistern? Ist zum Beispiel ein Leben in absoluter Wahrheit überhaupt denkbar?«

»Im absoluten Sinn sicher nicht.«

»Also ist die Bürde zu schwer? Nicht zu tragen? Dann aber hätten diese Pflichten doch keinen Sinn?«

»Ich kann dir nur mit einem Zitat antworten. William Edward Gladstone. Ein englischer Politiker.«

»Gladstone? War das nicht ein Premierminister? So am Ende des vorigen Jahrhunderts?«

»Kann sein«, sage Jan, »ich weiß nur, wie er deine Frage beantwortet hat.« Er zog mit dem Stock noch immer seine Kreise.

»Und wie lautet die Antwort?«

»Ich weiß nicht, ob ich ihn wörtlich zitieren kann. In etwa hat er gesagt, daß die Pflichten des Menschen nur begrenzt sind durch die Kräfte des Menschen.«

»Ein guter Gedanke.«

»Ja. Und für dich zutreffend.«

»Du meinst also, ich will mich meiner sogenannten Pflicht entziehen?«

»Ich will eigentlich eher sagen, daß deine Kräfte zweifellos größer sind als die vieler anderer Menschen.«

»Und woher nimmst du dieses Urteil?«

»Komm mir jetzt nicht mit deiner angeknacksten seelischen Verfassung und mit deinen Nerven, die dich verlassen hätten! Ich meine deine geistige Kraft, die Persönlichkeit, dein Wissen und Können im Beruf.«

»Gilt nicht auch die Moral als Teil unserer Pflichten?«

»Ich merke genau, in welche Ecke du mich drängen willst! Nein, Paul, die Moral, oder sagen wir besser, dein berufliches Gewissen ist nicht unbedingt allgemein gültig.«

»Aber wenn ich gegen mein Gewissen einen Menschen operiere, und er stirbt, trage ich allein die Schuld.«

Aller Vorsatz war vergessen. Sie waren wieder bei dem Thema, dem sich Paul nicht entziehen konnte.

»Ja. Aber wenn du ihn nicht operierst«, sagte Jan, »wenn du dich überhaupt weigerst, jemals wieder an einen Operationstisch zu treten? Wie viele Menschen hast du dann auf dem Gewissen? Menschen, die du vielleicht hättest retten können. Oder Menschen, die an dich geglaubt haben. Denen du eine Art Sinnbild warst.«

»Wird dieses Sinnbild denn aufrechterhalten, wenn ich gegen mein Gewissen operiere? Wenn ich leichtfertig Menschen sterben lasse?«

»Eine andere Frage, Paul: Hast du jemals geliebt? Aus tiefstem Herzen geliebt? Mit allem Schmerz? Mit allen Schrecknissen und Grausamkeiten?«

»Du meinst eine Frau?«

»Egal. Einen Menschen. Eine Sache. Hast du jemals geliebt?«

278

»Laß mich nachdenken. Vielleicht meine Mutter. Ich bilde mir ein, Kathy. Und, wenn du ihn gelten läßt, meinen Beruf.«

»Und Helen?«

»Nicht auf die Weise, die du meinst.«

»Glaubst du, daß sie dich liebt?«

»Vielleicht. Manchmal habe ich auch geglaubt, ich spüre es.«

»Und Kathy?«

»An ihr hänge ich.«

»Wie am Beruf?«

»Anders. Kathy liebe ich abgöttisch. Ich möchte sie beschützen. Und ich bin davon überzeugt, daß ich um sie wie um keinen anderen Menschen Trauer empfinden könnte.«

»Und der Beruf?«

»Im Beruf bin ich aufgegangen. Der Beruf bin sozusagen ich selbst.«

»Nehmen wir einmal an, es sei noch Krieg. Du hast ja im Krieg schon deinen Beruf ausgeübt. An der Front.«

»Worauf willst du hinaus?«

»Auf eine Antwort von dir. Nach bestem Wissen und Gewissen.«

»Dann stell die Frage.«

»Die Frage lautet: Hättest du im Kriegseinsatz genauso gehandelt wie jetzt?«

»Eine harte Frage. Und wenn ich sie mir genau überlege, Jan, eine gemeine Frage.«

»Nein. Denn die Frage ist berechtigt.«

»Und wodurch?«

»Weil die Menschen in Zeiten, in denen sie um das nackte Dasein kämpfen, in denen es für sie um Leben oder Tod geht, nie viel Spielraum für psychische Probleme irgendwelcher Art haben. Heutzutage aber hat anscheinend jeder sein seelisches Problem oder ist zumindest dafür höchst empfänglich. Stimmst du mir zu?«

»Du magst recht haben. Dennoch entbehrt deine Frage nicht einer gewissen Hinterhältigkeit.«

»Das ist nun mal so, wenn man jemanden Schachmatt setzen will. Also deine Antwort?«

»Ich kann sie nur nach bestem Wissen geben. Nicht aber nach bestem Gewissen.«

»Und was sagt dir dein Wissen?«

»Daß es im Krieg diese Problemstellung nicht gegeben hat. Nicht in dieser Form. Und deshalb wäre jede jetzige Antwort konstruiert.«

Jan erhob sich. »Lassen wir das Thema! Wir kommen nicht weiter.«

Er steckte den Zeigefinger kurz in den Mund und hielt ihn in die Höhe: »Ostwind. Wenn wir Pech haben, kommt das Wetter direkt auf uns zu.«

»Welches Wetter?«

»Dahinten zieht es schwarz herauf, siehst du's?«

»Jetzt, wo du es sagst, ja.«

»Laß uns gehen, bevor es duscht.«

Donnergrollen begleitete ihren Rückweg. Sie hatten noch ungefähr hundert Meter bis zur Hütte, da fielen die ersten Tropfen. Sie liefen über die Wiese, so schnell sie konnten. Plötzlich schüttete es. Blitze zuckten, grell und schön. Donner rollte lautstark und anhaltend und vom Echo vervielfacht.

Sie stürmten in die Hütte und waren naß bis auf die Haut.

»Hello!« Stanley Martindale saß auf der Bank vor dem Kamin.

»Sie?« Paul verschlug es die Sprache.

»Es tut mir leid«, sagte Martindale, »aber diesmal war es nicht zu umgehen.« An seiner Miene erkannte Paul, daß sich etwas Außergewöhnliches ereignet haben mußte. »Sind Sie schon lange da?« fragte Jan und zog sich das durchnäßte Hemd über den Kopf.

»Keine zwanzig Minuten.«

Draußen zuckten Blitze. »Macht es Ihnen etwas aus, wenn wir uns umziehen?« fragte Jan.

»Ich war im Krieg. Ich bin blind.« Martindale lachte.

Jan streifte seine Hose ab, seine Unterwäsche und trocknete sich mit einem Handtuch ab. »Sie bedauern also Ihren Besuch?«

»In jeder Beziehung«, sagte Martindale, »Sie dürfen mir glauben, daß ich nicht freiwillig gekommen bin.«

Paul tat es Jan gleich. Er streifte sich ein frisches Hemd über, eine andere Hose, die ihm Jan zugeworfen hatte: »Auch wenn sie nicht hundertprozentig paßt. Besser als eine klatschnasse.«

Sie saßen in trockenen Kleidern am Tisch. Jan hatte Gläser geholt und eine Flasche Rotwein, die zum eisernen Bestand der Hütte gehörte. Er fragte Martindale, der seinen Platz auf der Kaminbank nicht aufgegeben hatte, ob er ein Glas mittrinke.

»Danke, nein«, sagte Martindale, »ausnahmsweise nicht. Mir steht heute noch zuviel bevor.«

»Und da haben Sie sich trotzdem die Mühe gemacht und sind noch einmal hier herauf . . .?« fragte Jan.

Martindale unterbrach ihn und sagte zu Paul: »Der Anlaß ist schwerwiegend, Mister Niklas. Vor allem für Sie. Ich hatte Sie gewarnt.«

Paul sah ihn fragend an, und Jan hielt beim Einschenken der Gläser in der Bewegung inne. »Schwerwiegend?« wiederholte er leise.

»Ich will nicht lange drumherum reden«, sagte Martindale zu Paul, »unsere Gegner haben Ihre Tochter entführt, Mister Niklas.«

»Kathy?« Paul hielt den Atem an. »Aber das ist der helle Wahnsinn!«

»Ja. Aber es ist nun mal so. Und sie geben ihr noch . . .«, Martindale warf einen flüchtigen Blick auf seine Armbanduhr, ». . . noch genau drei Stunden und siebenundzwanzig Minuten.«

»Was soll das heißen?« sagte Jan. Er merkte, daß er noch immer die Flasche in der Hand hielt, und stellte sie auf den Tisch.

»Das soll heißen«, sagte Martindale, »daß Miß Niklas nur noch bis acht Uhr abends leben wird.«

»Bis acht?« Paul sah mit einem Mal bleich und entkräftet aus. Er spürte sein Herz. Seine Hände umkrampften die Kante der Tischplatte, daß die Knöchel weiß hervortraten.

»Ja, bis acht, Mister Niklas.«

»Aber warum?« Schon als er die Frage stellte, wußte Jan, daß sie überflüssig war. Doch er stellte sie wie unter Zwang.

»Die Bedingung ist«, sagte Martindale und sah Paul an, »daß Sie operieren.«

Eine Weile war es still in der Hütte. Die Männer hörten das Grollen des Donners, das Prasseln des Regens, den weit entfernten Einschlag eines Blitzes.

»Und Sie«, sagte Paul, »sind Sie nur hier, um mir diese Nachricht zu überbringen oder . . .?«

»Ja. Nur deshalb bin ich da.«

»Wie ist es passiert? Wann? Wo? Kann man denn nichts dagegen unternehmen?« Paul mußte an sich halten, um nicht wild hinauszuschreien.

»Nein, man kann nichts dagegen unternehmen«, sagte Martindale ruhig. Er berichtete, was ihm bekannt war, und erinnerte in wenigen Worten an die ungünstige eigene Ausgangsposition.

»Und dieser Doktor Irbid läßt nicht mit sich reden, sagen Sie?« Paul war aufgestanden und ging erregt auf und ab.

»Nein. Er will uns seine Stärke spüren lassen.« Martindale sah zu Jan: »Vielleicht sollte ich doch einen Schluck zu mir nehmen.«

Jan goß ihm Wein ein, und er trank das Glas bis zur Hälfte leer. Er wandte sich wieder an Paul: »Mehr kann ich Ihnen nicht sagen, Mister Niklas«, und er erhob sich zum Gehen: »Ich fahre jetzt wieder zurück. Die Entscheidung liegt bei Ihnen. Ganz allein bei Ihnen.«

»Aber die sieben Geiseln, die heute mittag . . .«, sagte Paul, »sind sie . . .?«

»Nein«, sagte Martindale, »sie sind noch am Leben. Aber nur weil man jetzt ein stärkeres Druckmittel gegen Sie gefunden hat.«

»Und wenn . . .?« Paul stand einen Augenblick wie versteinert.

»Wenn Sie ablehnen, meinen Sie?« sagte Martindale. »Dann ist das soviel wie das Todesurteil für Ihre Tochter.«

»Aber es könnte doch sein, daß ich . . . daß Sie mich zum Beispiel gar nicht . . .?«

»Auch dann. Irbid hat alles einkalkuliert.«

Paul wollte Martindale nicht glauben, stellte Fragen auf Fragen, ob die Polizei eingesetzt sei, ob Martindale wisse, wer die Nachricht überbracht hatte, ob er sich der Richtigkeit der Information versichert habe.

Martindale stand schon an der Tür. Er gab bereitwillig Auskunft, doch Jan merkte ihm an, daß er gehen wollte, daß er nicht mehr gewillt war, länger und vergeblich zu diskutieren.

»Paul, du kannst nur eins versuchen«, sagte Jan, »du kannst mit Irbid sprechen. Du kannst verlangen, daß er dir den Beweis liefert, daß Kathy tatsächlich . . .«

»Ja«, sagte Paul, »das werde ich tun.«

39

»Mister Irbid, ich bestehe darauf!«

Paul stand Irbid im Appartement 321 des Hotels ›Vier Jahreszeiten‹ gegenüber. Er überragte den anderen um gut einen Kopf. Aus seinem

Gesicht war alle Farbe gewichen. Die Arme hingen an ihm gestreckt herunter, und seine Hände hatte er zu Fäusten geballt.

Irbid hob das Kinn und sah zu ihm hoch. Obwohl sich seine Augen hinter den starken Brillengläsern verbargen, glaubte Paul, den Triumph zu spüren, der von ihnen ausging.

Im Raum war es still. Wie von weit her drang der Straßenlärm gedämpft herauf. Die beiden Männer waren allein.

Ungeachtet des peitschenden Regens hatten Paul und Jan die Hütte überstürzt verlassen. Atemlos und triefend hatten sie sich in den Wagen gesetzt und waren, so schnell sie konnten, in die Stadt gefahren.

Klamm vor Nässe, in der ihm viel zu kurzen Hose von Jan, in einem großkarierten Sporthemd und einem dunkelgrünen Walkjanker, so stand er jetzt vor Irbid.

Jan wartete inzwischen unten in der Halle. »Das mußt du allein ausmachen«, hatte er Paul gesagt, »unter vier Augen. Meine Anwesenheit könnte mehr schaden als nützen.«

Paul war nach oben gefahren, innerlich aufgewühlt, doch nach außen hin gefaßt. Er hatte sich fest vorgenommen, Irbid die Stirn zu bieten, um jeden Meter Boden zu kämpfen und die sofortige Freilassung von Kathy durchzusetzen.

Noch vor der Tür war er sich gewiß, daß seine Position stark sei und er mit seinen Bedingungen Erfolg haben würde. Die Gegenseite forderte von ihm eine Operation. Also mußte er nur die Nerven bewahren und die Forderung umdrehen. Doch schon nach wenigen Sätzen erkannte er, daß er sich auf dünnem Eis bewegte. Irbid war kaltblütig und ließ keinen Zweifel, daß ihm Kathys Leben nicht das geringste bedeute und Paul nichts zu fordern habe.

»Ach?«, sagte er mit bösem Lächeln, »Sie bestehen darauf?«

»Sie haben richtig gehört«, sagte Paul mit trockener Kehle, »ich bestehe darauf. Absichtlich ließ er jede Art von Höflichkeitsformel in der Anrede weg.

»Wenn Sie darauf bestehen«, antwortete Irbid ungerührt, »und glauben, daß Sie die sofortige Freigabe Ihrer Tochter verlangen können, dann tut mir Ihre Tochter leid. Denn das ist ihr Todesurteil. Gesprochen von ihrem Vater. Meine Zeit ist leider bemessen.« Er wies zur Tür.

Ohnmächtige Wut stieg in Paul auf: »Dann fordere ich einen Beweis, daß meine Tochter tatsächlich . . . daß sie in Ihrer . . .«

»Sie meinen, daß sie in unserer Gewalt ist?«

»Ja.«

»Auch das haben Sie nicht zu fordern.«

»Doch! Darauf bestehe ich!«

»Nein!« Schneidend stand das Wort im Raum.

»Aber . . . wenn nun . . . . Sie könnten mich doch . . .«

»Das ist ohne weiteres möglich. Wir könnten nur bluffen, ja. Glauben Sie, was Sie für richtig halten. Handeln Sie, wie Sie es vor sich verantworten können. Lassen Sie es darauf ankommen, daß Ihre Tochter in etwas mehr als zwei Stunden nicht mehr am Leben ist. Soll ich Ihnen auch sagen, wie sie sterben wird? Soll ich Ihnen sagen, daß es ganz human vor sich gehen wird? Ein Schlag auf den Hinterkopf. Mit einem Hammer oder einem anderen stumpfen Gegenstand. Ein kurzer Schmerz, und sie ist weggetreten. Dann eine Spritze. Als Vorsichtsmaßnahme. Sie wirkt verhältnismäßig schnell. Und dann lassen wir sie liegen.«

Er grinste Paul an: »Sie müssen zugeben, es gibt schlimmere Todesarten. Und jetzt verlassen Sie bitte mein Zimmer!«

»Ihre Forderung«, sagte Paul tonlos.

»Ach? Ist das Ihr Ernst?«

»Wollen Sie mich noch weiterquälen? Oder wollen Sie einen Operateur, der wenigstens einigermaßen bei Kräften ist?«

»Ihr erstes vernünftiges Wort.« Irbid setzte sich in einen der Sessel, schlug seine Beine übereinander und achtete peinlich genau auf den Sitz der Bügelfalte. »Unsere Forderung ist Ihnen bekannt. Sie operieren! Spätestens um acht.«

»Einverstanden.« Paul rang mühsam nach dem Wort.

»Aber das ist nicht alles«, sagte Irbid.

»Nicht alles?«

»Nein.«

»Aber Sie haben bisher immer nur davon gesprochen, daß ich operieren soll.«

»Ja, bisher. Das war ein Fehler. Wir wollen ihn korrigieren. Mit der Operation allein erkaufen Sie das Leben Ihrer Tochter nicht.«

»Aber . . .?«

»Wir haben das absolute Vertrauen in Sie verloren. Die Operation muß also auch erfolgreich verlaufen.«

»Soll das heißen, daß . . .?«

»Ja. Wenn die Operation nicht erfolgreich verläuft, stirbt Ihre Tochter auch.«

»Aber das können Sie doch nicht . . .! Sie sind doch selber Arzt! Sie wissen, daß Sie diese Bedingung nicht stellen können! Die Konstitution des Patienten, der Verlauf der Operation, da kann doch niemand eine Garantie übernehmen!«

»Sparen Sie sich Ihre Worte. Entweder Sie operieren erfolgreich . . .«

»Sie wissen genau, wie absurd diese Bedingung ist!«

»Es gibt nur zwei Möglichkeiten. Entweder nehmen Sie die Bedingung an oder nicht.«

»Nein, Irbid, so geht es nicht!«

»Wie es geht, bestimmen einzig und allein wir!«

»Sie tun, als hätten Sie von Medizin nicht die geringste Ahnung! Als schere Sie der Krankheitsverlauf Ihres Freundes einen Dreck!«

Paul zögerte. Er erschrak über die eigene Verwegenheit, sich in dieser Situation derart harte Worte zu erlauben.

»Nur weiter«, lächelte Irbid zynisch, »langsam machen Sie mir Spaß!«

»Das Wort ›Spaß‹ ist hier wohl fehl am Platze«, sagte Paul und hob die Stimme an: »Erstens wissen Sie, daß ein frischer Infarkt grundsätzlich nur mit hohem Risiko zu operieren ist.«

»Und zweitens?«

»Daß sich das Risiko in dieser Phase noch erhöht, je länger man die Operation hinausschiebt. Hier haben wir einen frischen Infarkt, der aber nicht in seinem Anfangsstadium operiert wurde!«

»Pech. Pech für uns. Aber natürlich auch Pech für Sie.«

»Was Sie Pech nennen, ist nichts anderes als eine geradezu mörderische Verantwortungslosigkeit. Ein teuflischer Zynismus. Geht es Ihnen eigentlich mehr um die bloße Operation durch mich oder geht es Ihnen darum, daß Ihr Freund den Infarkt übersteht? Gut übersteht, natürlich.«

»Ich lasse mich mit Ihnen auf keine Diskussion mehr ein.«

»Und wer sagt Ihnen, daß der Fall überhaupt operabel ist? Daß das Angiogramm nicht eine Operation ausschließt? Daß eine Operation Ihren Freund tötet? Haben Sie diesen Punkt überhaupt bedacht? Oder schieben Sie ihn auch von sich wie ein blutiger Laie?«

»Das Angiogramm ist gemacht«, sagte Irbid ausdruckslos.

»Und? Kann der Fall operiert werden?«

»Für uns ja. Er muß.«

»Und die Chancen?«

»Das Leben unseres Führers gegen das Leben Ihrer Tochter.«

Paul spürte, wie ihm das Blut in den Kopf schoß. »Das ist eine Teufelei!« Er preßte die Worte hervor und war nahe daran, sich auf den anderen zu stürzen.

»Meinetwegen. Aber wir gehen keinen Millimeter von ihr ab.«

»Auch wenn Sie dadurch das Risiko für den Patienten erhöhen?«

»Auf diesem Ohr hören wir nicht mehr, Mister Niklas. Jetzt nicht mehr!«

»Aber wenn Sie mich in einen nervlichen Zustand versetzen, in dem ich für nichts mehr garantieren kann . . .!«

»Wenn, dann haben Sie sich diesen Zustand selbst zuzuschreiben. Wir haben lange genug auf Ihre Zusage gewartet. Viel zu lange. Ich sage Ihnen ja, wir haben einen Fehler gemacht. Einen Fehler, den wir sonst nie begehen. Ich allein fühle mich für diesen Fehler verantwortlich. Ich habe mich durch die Erinnerung beeinflussen lassen. Habe Sie als meinen Lehrer gesehen. Das war unverzeihlich! Ich hätte Ihnen von Anfang an wie einem Fremden gegenübertreten müssen. So wie jetzt!«

Irbid erhob sich, ging zur Tür und hielt sie Paul auf: »Sind Ihnen alle Bedingungen klar?«

Paul gab ihm keine Antwort.

»Ich werde also die Klinik verständigen«, sagte Irbid, »es ist jetzt kurz nach halb sechs. Für wann kann die Operation angesetzt werden?«

Paul sagte noch immer nichts. Er stand im Zimmer und starrte blicklos auf ein Bild an der Wand. Das Meer war darauf zu sehen und ein großes weißes Segelschiff, das über die Toppen geflaggt hatte. Doch er nahm von alledem nichts wahr. Er war bei Kathy. Er sah sie mit eingeschlagener Schädeldecke vor sich liegen, die offenen Augen zum Himmel gerichtet.

»Für wann kann die Operation angesetzt werden?« wiederholte Irbid kühl.

»Für kurz vor acht«, sagte Paul und ging hinaus.

Drittes Buch

Die Antwort

Du sollst die Tat allein
als Antwort sehen.
Alighieri Dante

1

Nichts auf dem Flur, nichts im verglasten Teil, der zum Haupttrakt führte, nichts auf dem Vorplatz bei den Liften, nichts im Treppenhaus, nichts auf dem ganzen Weg deutete im geringsten auf eine Ausnahmesituation hin. Das abendliche Leben in der Klinik bot Paul Niklas das gewohnte Bild.

Auf den Fluren war die Ruhe eingekehrt. Die Essenswagen, die Lafetten und Medikamentenkarren waren verschwunden und standen in ihren Depots. Die letzten Besucher hatten die Klinik verlassen. Die Patienten schliefen meist schon. Nur eine der Nachtschwestern lief an Paul vorüber und verschwand eilig in der Pflegestation II.

Wären auf dem Hof nicht für diese Abendstunde ungewöhnlich viele Wagen geparkt gewesen, hätten vor dem Hintereingang nicht die zwei Geheimpolizisten in Zivil gestanden, die ihn erkannten, Paul hätte annehmen müssen, die Aktion sei abgeblasen.

»Eigenartig«, hatte er zu Jan gesagt, der den Wagen gefahren hatte. »Es ist wie eine Ruhe vor dem Sturm.«

»Dann mach's gut«, hatte Jan geantwortet, »ich bleibe vorerst hier im Wagen sitzen. Später komme ich nach und warte auf dich.«

Die zwei uniformierten Türwächter vor der Intensivstation versperrten Paul den Weg und verlangten, seinen Ausweis zu sehen. Doch noch bevor er eine Erklärung geben konnte, kam Sils um die Ecke. Als sei es selbstverständlich, Paul hier zu sehen, begrüßte er ihn wie sonst auch mit einem knappen »Hallo, Herr Niklas«, und ehe Paul mit einem ebenso flüchtigen »Hallo, Herr Sils« antworten konnte, hatte der andere ihn beim Arm genommen und wortlos an den Wächtern vorbei durch die Tür geschoben.

In seiner unkomplizierten Art ließ er Paul keine Zeit, Erklärungen abzugeben, sondern sagte ohne Übergang: »Es ist alles bereit. Hagenau ist schon am Werk.«

Paul sah ihn überrascht an: »Der Patient ist schon desinfiziert?«

»Ja. Gebadet und desinfiziert.«

»Beide Beine desinfiziert?«

»Ja, beide. Wir haben alle Zufälle mit einkalkuliert.«

»Und die Mundhygiene?«

»Auch schon gemacht.«

»Vielleicht sogar schon rasiert?« Der Patient mußte an der Brust rasiert sein.

»Alles. Es ist alles bereit.«

»Donnerwetter! Alle Achtung. Und die Prämedikation?«

»Auch die schon.«

Als Prämedikation gilt die sogenannte Beruhigungsspritze, die der Patient, im allgemeinen eine Stunde bevor er in den Operationssaal gefahren wird, erhält. In diesem Fall wurden ›Atropin‹, ›Nembutal‹ und Morphium gespritzt. Dschafar lag im Halbschlaf.

Paul war wie befreit. »Kaum ist man mal außer Haus, schon klappt alles reibungslos!« sagte er halb im Scherz, obwohl ihm nicht danach zumute war. Ihm war, als hätte er nie von hier Abschied genommen, als hätte er nie versucht, sich innerlich von diesem Haus zu lösen.

Noch vor wenigen Minuten hatte er anders empfunden, noch bevor Jan den Wagen auf den Parkplatz gelenkt hatte. Ihm war alles fremd gewesen, die Umgebung und sein Entschluß, das Haus zu betreten. Er hatte sich Monate entfernt gefühlt, obwohl er die Klinik erst vor 48 Stunden verlassen hatte, schien es ihm Wochen her zu sein. Nach dem Gespräch mit Irbid hatte er sich wie gelähmt gefühlt. Er hatte Jan gebeten, den Wagen zu fahren, und der Freund war sofort dazu bereit gewesen. Sie hatten am Herzogpark kurz Station gemacht, Paul hatte kalt geduscht, die Kleidung gewechselt, und Jan hatte einen starken Kaffee gebraut.

Paul war froh, daß der Freund ihm zur Seite stand. Allein hätte er das menschenleere Haus und die ständigen quälenden Gedanken an Kathy wohl kaum ertragen.

»Das Team steht auch schon bereit«, sagte Sils und ging voran zur Kabine eins, in der Dschafar lag.

Kramer, Obermann und Schollhof kamen im Vorraum auf Paul zu, begrüßten ihn, und Kramer unterrichtete ihn, warum Montgomery Saunter nicht hier war. »Wer ist erste OP-Schwester?« fragte Paul.

»Schwester Beate«, sagte Kramer, »sie ist schon unten.«

»Und die anderen?«

»Schwester Elma ist Nummer zwei, und Schwester Lore ist als Läuferin eingeteilt.«

»Und die Anästhesie?«

»Das sind Hagenau und Eilers und Schwester Hildegard.«

»Und die Biotechniker?«

»Kinast und Schneider sind an der HLM, und Pollok ist Läufer.« Mit HLM meinte Kramer die Herz-Lungen-Maschine.

»Und an der Blutbank? Und im Labor?«

»Paulus, Mühlhausen und Sobicek.«

»Okay«, sagte Paul, »dann haben wir ja ein gutes Team.«

»Das beste, das wir in der kurzen Zeit auftreiben konnten.«

Sils trat heran: »Herr Niklas, das Angiogramm.« Er reichte Paul die Auswertung der Herz-Katheter-Untersuchung. Paul überflog sie. Plötzlich stutzte er. Er hob den Blick. Sein Gesicht war aschfahl.

»Zwei Herde?« sagte er tonlos.

»Ja«, sagte Sils, »wußten Sie das nicht?«

»Nein«, sagte Paul mehr zu sich und dann zu Sils: »Ist dieser Irbid im Haus?«

»Schon seit einer guten halben Stunde. Unten in Ihrem Büro.«

»Ist denn Frau Gramm auch da?«

»Natürlich. Alle sind da. Alle Ihre Mitarbeiter.«

Paul preßte die Lippen zusammen und überlegte.

Er gab sich einen Ruck: »Dann muß ich wohl mit diesem Menschen noch mal reden.«

2

Frau Gramm begrüßte ihn wie immer. »Guten Tag, Herr Professor.« Liebenswürdig, herzlich und dann sachlich: »Professor Sils wartet auf der Intensivstation.« Keine Frage, keine Anspielung darauf, daß er zwei Tage weggeblieben war.

»Danke, Frau Gramm«, sagte Paul, »ich war schon dort. Habe ich Besuch?« Sein Blick ging zur verschlossenen Verbindungstür, die in sein Büro führte.

»Ja.« Frau Gramm dämpfte die Stimme: »Drinnen.« Sie deutete mit dem Kopf unmerklich zur Tür: »Ein unangenehmer Mensch.«

Ihre vertraute, mütterliche Art gab Paul mit einem Mal wieder das Gefühl, zu Hause zu sein.

Entschlossen betrat er sein Büro. Es lag im Halbdunkel. Der Schein der Arbeitslampe fiel auf den Schreibtisch und bildete die einzige Lichtquelle im Raum.

Irbid stand am Fenster mit dem Rücken zum Zimmer. Sein Blick ging auf die Straße hinunter, als versuche er, die hereinbrechende Dämmerung zu durchdringen.

Er wandte flüchtig den Kopf, und als er sah, daß Paul es war, der das Zimmer betreten hatte, drehte er sich vollends um. In seinen Brillengläsern spiegelte sich schwach das Licht der Lampe.

Er überließ es Paul, den Dialog zu eröffnen. Paul setzte sich an seinen Schreibtisch. Er war hier der Hausherr. Der andere sollte es spüren.

»Sie haben mich belogen, Irbid«, sagte er und war bestrebt, sich seine Erregung nicht anmerken zu lassen.

Irbid blieb unbewegt. »Ich glaubte Sie längst im Operationssaal. Hier vergeuden Sie nur Ihre Zeit.«

»Sie haben mich belogen, Irbid! Wissentlich belogen!«

»Ich habe nur meine Bedingungen gestellt!« Messerscharf kam die Antwort vom Fenster her.

»Sie sind Arzt, Irbid! Und als Arzt ist Ihnen bekannt, daß Sie mich belogen haben!«

»Gehen Sie, Niklas! Gehen Sie und kümmern Sie sich um Ihre Arbeit!«

»Gerade deshalb bin ich hier, Irbid! Sie haben mich mit Ihren Bedingungen betrogen!«

»Gehen Sie! Denken Sie an Ihre Tochter und verschwinden Sie!«

»Nein, ich gehe nicht, Irbid! Sie haben jetzt schon Ihre Bedingungen nicht eingehalten.«

»Ich weiß nicht, wovon Sie reden. Aber hier stelle ich die Bedingungen! Ich und sonst niemand! Ob es Ihnen paßt oder nicht!«

»Sie kennen das Angiogramm, Irbid.«

»Lassen Sie mich damit in Frieden!«

»Kennen Sie es oder kennen Sie es nicht?«

»Und wenn? Was ändert es an unseren Bedingungen?«

»Ihr Freund hat nicht nur einen Verschluß, sondern zwei!«

»Und?«

»Zwei Verschlüsse in der linken Herzkammer! Irbid! Zwei! Einen an der Circumflexa und einen an der LAD!«

»LAD?«

»Left arterial descending. Tun Sie nicht, als ob Sie es nicht wüßten! Professor Sils hat Ihnen das Angiogramm gezeigt und erklärt! Und Sie haben mir das Resultat verschwiegen!«

»Niklas, ich warne Sie! Verschwinden Sie endlich!« Irbid sah kurz auf seine Armbanduhr. »Ich mache Sie darauf aufmerksam, daß ich nicht eine Minute zugebe. Punkt acht Uhr beginnen Sie mit der Operation oder Ihre Tochter stirbt!«

»Sie sind wahnsinnig, Irbid! Ein Mann, der schon einen Infarkt hinter sich hat, dessen zweiter Infarkt gerade vier Tage alt ist, der eine schwere Rhythmusstörung hat und deshalb an die Pumpe angeschlossen ist, dessen Konstitution nun wirklich mehr als schlecht ist, dessen Biologie von Grund auf gestört ist, ausgerechnet dieser Mann hat nicht nur einen Herd, sondern zwei Herde, muß also zweimal in einem operiert werden! Ein höheres Risiko gibt es kaum! Und Sie verschanzen sich hinter Ihren Bedingungen! Was muten Sie mir eigentlich noch zu?«

»Ich mute Ihnen zu, daß Sie um das Leben Ihrer Tochter kämpfen. Ob ein Verschluß oder zwei, tut nichts zur Sache.«

»O doch, Irbid! Denn was Sie verlangen, ist teuflisch! Unter dieser seelischen Belastung eine derart riskante Operation durchzuführen heißt, das Leben des Patienten mutwillig aufs Spiel setzen!«

Paul stand auf. Seine Gesichtsmuskeln waren angespannt. Doch er zwang sich zur Ruhe und sagte: »Ich mache Ihnen einen Vorschlag, Irbid. Einen Vorschlag, der meinem Gewissen als Arzt entspricht. Einen Vorschlag zum Wohl Ihres Freundes. Sie geben ab sofort meine Tochter frei, und ich operiere mit ganzer Kraft Ihren Freund.«

»Sparen Sie sich Ihre Worte, Niklas. Sie haben zehn Minuten Zeit verloren.«

Irbid drehte sich von Paul weg, stellte sich wieder ans Fenster und sah hinunter auf die halbdunkle Straße. Paul ging aus der Tür, die direkt auf den Flur führte. Er wollte Frau Gramm jetzt nicht begegnen. Er mußte allein sein. Er fuhr mit dem Lift nach unten und trat durch den Hinterausgang auf den Hof hinaus. Er brauchte Luft.

Er ging über den dunklen Hof, vorbei an den parkenden Wagen, und hatte die Hände auf dem Rücken verschränkt.

Er gestand sich ein Gefühl ein, das ihn seit Stunden berührte. Er dachte an Helen. Sie fehlte ihm. Noch nie hatte er ein derartiges Verlangen nach ihrer Anwesenheit gespürt. Nie vorher während ihres Zusammenlebens war ihm bewußt geworden, wie sehr sie ein Stück von ihm war, wie sehr er sie brauchte, wie er sich nach ihr sehnen konnte.

Er atmete tief. Zunächst mußte alles durchgestanden werden, der ganze böse Spuk verflogen sein. Dann wollte er Helen wissen lassen, daß er nicht ohne sie sein konnte.

3

An der Sprechanlage vor Frau Gramm blinkte die Lampe auf. Frau Gramm beugte sich zur Membrane: »Herr Professor?«

»Ich bin's«, kam Irbids Stimme aus dem Lautsprecher, »verbinden Sie mich mit Professor Sils.«

»Ich kann es versuchen«, sagte Frau Gramm kühl, nahm den Hörer von der Gabel und drückte die Taste, die die Direktverbindung in das Büro des Professors herstellte. Die Sekretärin meldete sich. Kurz darauf schaltete Frau Gramm wieder zum Nebenzimmer um: »Hören Sie?«

»Ja«, ließ sich Irbid vernehmen.

»Professor Sils ist nicht in seinem Zimmer. Seine Sekretärin weiß nicht, wo sie ihn erreichen kann. Am besten ist, Sie gehen selber hinüber zur Intensiv-Station. Vielleicht ist er dort.«

Irbid gab keine Antwort. Er fühlte die Grenzen seiner Macht. Ärgerlich rückte er sich die Brille zurecht und ging über den Flur durch die Schwingtür der Intensiv-Station.

Sils kam gerade aus einer der Kabinen. »Herr Professor!« rief Irbid mit unterdrückter Stimme, und Sils kam heran: »Was gibt's?«

»Wie weit sind die Vorbereitungen?«

»Der Patient liegt noch hier. Er wird wohl bald nach unten gebracht werden.«

»Ich möchte bei jedem Schritt dabeisein.«

»Das können Sie«, sagte Sils gleichgültig, »Sie müssen nur die Vorschriften der Desinfektion beachten.«

»Was heißt das bei Ihnen im einzelnen?«

»Das Übliche. Sie bekommen Überschuhe. Einen sterilen Mantel. Sie desinfizieren Ihre Hände.«

»Ist das alles?«

»Das gilt nur für die Kabine hier oben und für den Weg bis zur Schleuse.«

»Und dann?«

»Dann müssen Sie sich OP-gerecht verhalten. Das heißt, Sie müssen die gleiche Prozedur über sich ergehen lassen wie alle, die durch die Schleuse gehen. Darüber müssen Sie sich im klaren sein.«

»Und dann kann ich auch der Operation beiwohnen?«

»Das kann allein Professor Niklas entscheiden.«

»Also, ich kann.«

»Nur wenn Sie sich den Auflagen ganz unterwerfen. Tun Sie es nicht, kann das für Ihren Mann böse Folgen haben. Folgen, die unter Umständen erst nach Wochen oder Monaten auftreten.«

»Ich werde mich danach richten«, sagte Irbid mit strenger Miene.

»Gut. Dann gebe ich Schwester Christine Bescheid, sie möge Sie einweisen.«

Schwester Christine brachte Irbid hinunter zur Schleuse. Wenige Minuten später wurde Sils ans Telefon gerufen. Er befand sich eben am Bett von Dschafar und überwachte die letzten Vorbereitungen für den Transport in den Operationstrakt. Ungehalten über die Störung, ging er in den Vorraum und nahm den Hörer: »Sils.«

Am anderen Ende der Leitung war Irbid: »Hier ist eine Schwierigkeit aufgetreten«, sagte er kurz angebunden, »ich soll meine Pistole abgeben. Ich denke nicht daran!«

»Ihre was?«

»Meine Pistole!«

»Sie tragen eine . . .?« Sils brauchte einige Zeit, um den für ihn ungewöhnlichen Tatbestand zu erfassen.

»Ja, ich trage eine Waffe«, antwortete Irbid lautstark, »und ich werde sie nicht aus der Hand geben, verstanden!«

»Ich verstehe«, sagte Sils mit stoischer Ruhe, »aber ich glaube, Sie müssen sich der Anordnung fügen.«

»Nein, das werde ich nicht!«

»O doch, Mister Irbid. Es sei denn, Sie nehmen es auf Ihre Verantwortung, wenn sich nach Tagen oder auch erst nach Wochen Schwierigkeiten für den Patienten ergeben.«

»Diese Masche zieht bei mir nicht mehr!«

»Das ist keine Masche, Mister Irbid. Das ist Ernst. Denn der OP muß so keimarm wie möglich gehalten werden. Und dazu gehört, daß Sie Ihre Pistole nicht mit in den OP bringen. Sollten Sie aber auf Ihrer Weigerung beharren und sich daraus Folgen ergeben, so werde ich persönlich die Presse davon unterrichten. Die internationale Presse, Mister Irbid! Und zwar mit der schlichten Mitteilung, daß Dschafar das Opfer eines seiner angeblichen Freunde wurde. Eines Arztes, der die Grundregeln der Medizin mißachtete.«

Sils knallte den Hörer auf die Gabel. Er hatte von Irbid genug.

4

Der Raum I der Intensivstation, in dem als einziges Bett das mit Dschafar stand, war erfüllt von hektischer Tätigkeit. Schwestern waren um den Patienten beschäftigt, Krankenpfleger warteten darauf, den Transport zu übernehmen, Hagenau, der Anästhesist, war zugegen und Schollhof, der anstelle von Montgomery Saunter als ›dritte Hand‹ eingeteilt war.

Schwester Christine fragte eine Kollegin, die an ihr vorbeilief: »Ringe, Gebiß, alles weg?«

»Alles weg«, antwortete die Kollegin im Laufen und meinte damit, daß am Patienten alle störenden Prothesen oder metallenen Gegenstände entfernt waren.

»Dann kommt mal her und helft«, rief Christine mit gedämpfter Stimme.

Zwei Kolleginnen kamen heran. Mit vereinten Kräften hoben sie den Patienten behutsam an und streiften ihm das auf der Rückseite offene Hemd über.

Sils trat hinzu: »Alles klar?«

»Alles klar«, sagte Christine.

Sils wandte sich an Hagenau: »Dann können wir?«

»Ja«, sagte Hagenau, »von mir aus, ja.«

»Und wer begleitet die Fuhre?« Sils, der alle überragte, sah sich suchend um.

›Fuhre‹ war seine Bezeichnung für den Transport eines Patienten von der Station hinunter zum Operationstrakt. Dieser Transport birgt ein hohes Risiko in sich. Der Patient befindet sich nicht mehr in der Geborgenheit der Station mit all ihren technischen Mitteln. Tritt nun eine Komplikation oder gar ein Herzstillstand ein, muß eine sofortige Hilfe möglich sein, um notfalls eine Handmassage des Herzens durchzuführen. Im allgemeinen begleitet deshalb diesen Transport der zweite oder dritte chirurgische Assistent.

»Schollhof begleitet«, sagte Hagenau, »er steht hinter Ihnen.«

Sils drehte sich um. »Verzeihung«, sagte er zu Schollhof, der um mehr als einen Kopf kleiner war als er und hinter ihm stand, »ich habe Sie doch glatt übersehen!«

»Daran bin ich gewöhnt«, sagte Schollhof trocken. Er hatte Humor.

»Dann gehe ich schon mal voraus«, sagte Hagenau und verließ die Station. Er hatte noch den Weg durch die Schleuse zu gehen. Wenn er den Patienten im Vorraum des Operationssaales in Empfang nahm, mußte er desinfiziert sein.

Schollhof sah zu Sils hoch: »Lassen wir ihn an der Pumpe?«

»Wir müssen«, sagte Sils und wandte sich an Christine: »Schwester Christine, Sie gehen bis zur Schleuse mit.«

»Ja, ich weiß, die Pumpe!«

»Na, dann los«, sagte Sils und gab den Krankenhelfern einen Wink.

Die Schwestern zogen die Stecker aus den Dosen. Zwei Helfer rollten das Bett, und ein dritter schob die Pumpe hinterher. Schollhof schloß sich an.

So rollten sie den Patienten zum Lift, der für den allgemeinen Verkehr gesperrt war.

»Alles klar?« fragte Schollhof, und Christine nickte. Der Lift fuhr nach unten. Behutsam rollten sie das Bett und die Pumpe heraus und den Flur entlang.

An der Tür zur Umbett-Schleuse hielten sie an. Schollhof drückte den roten Knopf neben der Tür. Das Zeichen für die Besatzung, daß der Transport angekommen war.

Leise surrend öffnete sich die automatische Tür, und die Helfer in der Schleuse zogen das Bett und die Pumpe zu sich herein. So, wie sie sich geöffnet hatte, schloß sich die Tür wieder.

Christine, Schollhof und die Helfer, die den Transport bis hierher begleitet hatten, blieben zurück.

»Viel Glück«, sagte Christine zu Schollhof, und er antwortete: »Ich glaube, wir können es brauchen«, und ging um die Ecke zu der Tür, durch die er den Weg zur Desinfektion nehmen mußte.

5

Über den Fußboden der Umbett-Schleuse, gleich hinter der elektrischen Schiebetür, lief ein breiter, roter Markierungsstreifen. Einen Meter von der Wand entfernt, zog er sich durch alle Flure, die um die eigentlichen OP-Räume führten. Nur ›sterile‹ Personen durften ihn betreten.

Der Transport wurde von Obermann, der als ›zweite Hand‹ bestimmt war, übernommen. Er blieb jenseits der Markierung. Er stand nur für den Notfall bereit.

Zwei Helfer schoben eine Lafette an das Bett. Zwei andere Helfer lösten die Auflage vom Bettgestell, hoben sie mitsamt dem Patienten auf die Lafette und ließen sie einrasten.

Zwei Schwestern traten heran. Die eine zog dem Patienten das Hemd aus. Die andere entnahm dem metallenen Wärmeschrank ein großes, goldgelbes, angewärmtes Frotteetuch und deckte es über den jetzt völlig nackten Körper des Patienten.

Mittlerweile hatte Hagenau, der erste Anästhesist, die Desinfektionsschleuse passiert. Klein und stämmig stand er in seiner OP-Kleidung in der Tür zum Vorbereitungsraum und rief den zwei Helfern durch seinen Mundschutz zu: »Ihr könnt ihn mir bringen!«

Die Helfer rollten die Lafette durch den Flur und an die Tür bis zur roten Markierung. Von jenseits der Markierung zogen zwei andere Helfer die Lafette in den Vorbereitungsraum.

Ein länglicher Raum, nicht allzugroß, ungefähr drei mal sechs Meter, doch luftig hoch. Er war vollkommen gefließt, der Fußboden in weiß, die Wände und die Decke in hellem Blau.

An der Wand, vom Flur her gesehen rechts, befanden sich drei Waschbecken. Über jedem ein großer Spiegel und in die Wand eingebaut jeweils eine große Signaluhr.

Links war eine Schrankwand, völlig aus Metall. Hohe, geräumige Schränke, ganz eingelassen in die Wand, mit metallenen Beschlägen, metallenen Schubladen und metallenen Türen. Die beiden vorderen enthielten die medizinischen Geräte. Die beiden hinteren waren Kühlschränke für die Medikamente.

Von der Decke herunter hingen zwei Monitore und metallene Anschlußköpfe für die Sauerstoffleitung, die Druckluftleitung, für alle der Anästhesie zur Verfügung stehenden elektrischen Geräte.

Die Helfer hatten die Lafette in die Mitte des Raumes gerollt. Hagenau trat heran. Mit einem Blick auf den Patienten überzeugte er sich, daß die Schlafspritze wirkte. Er wollte sich an seine Assistentin, an Schwester Hildegard, wenden, um ihr zu sagen, daß sie mit der Einleitung der Narkose beginnen wollen.

Etwas ließ ihn herumfahren. Sein Instinkt hatte ihn nicht getrogen. Eine Person, die nicht zum Team gehörte, hatte den Raum betreten: Irbid.

Sein Äußeres unterschied sich in nichts von den männlichen Mitgliedern des Teams. Er trug eine blaue Hose und auf nacktem Oberkörper einen weiten, blauen Kittel, der am Rücken gebunden war. Über dem Kittel hatte er die schwere, graue Bleischürze, die ihm beinahe bis zu den Knöcheln reichte. Auf dem Kopf trug er eine der eng anliegenden blauen Mützen aus Papier, die ihm tief in der Stirn saß und von seinen schwarzen Haaren nur die Koteletten freigab. Der weiße Mundschutz beherrschte neben der Brille voll sein Gesicht. Die Füße steckten in kurzen blauen Socken und klobigen Holzpantinen, mit denen Erfahrenere als er mehr schlurften als liefen.

Hagenau sah ihn mißbilligend an: »Sind Sie durch die Schleuse?«

»Das sehen Sie doch!« sagte Irbid gereizt. »Wie sollte ich denn sonst hierherkommen?« Obwohl er erregt war, klang seine Stimme hinter dem Mundschutz gedämpft.

»Hat Ihnen Professor Niklas sein Einverständnis gegeben?« fragte Hagenau streng.

»Vielleicht wissen Sie es noch nicht«, zischte Irbid und spannte alle Muskeln an, »hier bestimme ich!«

»Aber sicher nicht unsere Arbeit!« sagte Hagenau unmißverständlich.

»Nicht bestimmen«, sagte Irbid anzüglich, »nur überwachen.«

»Was heißt überwachen?« Hagenau kniff die Augen zusammen.

»Das heißt, ich werde hierbleiben. Und Sie und später Niklas werden mir im einzelnen Ihre Handgriffe erklären.«

»Meine Handgriffe? Was soll das?«

»Ich bin für meinen Freund verantwortlich.« Irbid warf einen Blick auf den schlafenden Dschafar und sagte zu Hagenau: »Ich will wissen, was mit ihm geschieht!«

»Und wenn ich Ihnen sage, daß ich damit nicht einverstanden bin? Daß ich mich durch Sie nicht in meiner Arbeit beeinflussen lasse? Daß ich mich konzentrieren muß?«

»Darauf kann ich keine Rücksicht nehmen.« In Irbids Augen blitzte ein zynisches Funkeln auf.

»Was Sie nicht sagen! Gut, dann sollen Sie wissen, daß Sie mit mir nicht rechnen können.«

»Mister Hagenau, machen Sie keine Dummheiten!« Irbid griff unwillkürlich an die Gesäßtasche.

Hagenau sah, daß sie ausgebeult war und herunterhing.

Er grinste abfällig: »Schleppen Sie etwa eine Kanone mit sich herum?«

Irbid gab keine Antwort. Er hatte die Hand in der Tasche und hielt die Llama umklammert, als verleihe schon die bloße Berührung der Waffe seinen Worten Nachdruck.

»Hoffentlich ist sie steril«, sagte Hagenau.

»Das geht Sie gar nichts an, Mister Hagenau! Ich habe sie jedenfalls nicht aus der Hand gelassen!«

»Na, dann ballern Sie doch mal los. Sie werden sehen, die Operation klappt dann viel besser.« Hagenau wandte sich an Schwester Hildegard: »Wir fangen an.« Irbid war für ihn nicht mehr vorhanden.

»Stop!« sagte Irbid. »Sie haben mir noch nicht gesagt, was geschieht.«

Hagenau hatte ihm den Rücken zugekehrt und ignorierte ihn.

»Mister Hagenau!« Irbids Stimme war drohend leise: »Mein Einsatz ist Katharina Niklas! Vergessen Sie das nicht! Oder wollen Sie, daß sie Ihretwegen leiden muß?«

»Ihr Ton paßt nicht hierher.«

Irbid ging nicht darauf ein. »Es gibt da brauchbare Methoden«, sagte er, »man schneidet zum Beispiel ein Ohr ab. Oder einen Finger. Oder auch die ganze Hand. Sie müßten eigentlich wissen, wie einfach das ist. Na?!«

Schwester Hildegard hatte den Blick gesenkt. Sie wußte, daß Hagenau leicht zu verletzen war. Und wie schwer es ihm fiel, sich zu überwinden, wenn er sich im Recht glaubte. Sie war darauf gefaßt, daß er die Arbeit abbrechen oder Irbid mit Gewalt aus dem OP-Trakt entfernen lassen würde.

Doch Hagenau sagte: »Schwester Hildegard, bitte die Spritze!« Und über die Schulter zu Irbid: »Ich leite die Narkose ein. Mit Thiopentan. Intravenös. Die Plastikkanüle hat er ja schon im Unterarm. In der Vene. Da hinein spritze ich.«

Nachdem er die Spritze verabreicht hatte, richtete er sich auf: »Wir legen die Blutdruckmanschette an. Am Oberarm.«

Irbid stand reglos im Hintergrund. Seine Gesichtsmuskeln waren angespannt. Die Diskussion mit Hagenau hatte ihn stärker erregt, als er sich eingestehen wollte.

»Wir legen das EKG an«, sagte Hagenau, »die Nadeln werden tangential in das subkutane Fettgewebe geschoben.«

»Das weiß ich«, sagte Irbid, doch Hagenau sprach über ihn hinweg: »In beide Oberarme und in beide Oberschenkel. Dann verbinden wir sie mit dem EKG-Kabel.« Er sprach undeutlich und murmelte mehr in sich hinein. »Ich kann Sie kaum verstehen!« tadelte ihn Irbid.

Daraufhin sagte Hagenau übertrieben laut: »Am Kopfende steht das Narkose-Beatmungsgerät. Über dem Kopf ist die sogenannte Ampel angebracht. Fortlaufende EKG-Überwachung! Ein Monitor mit einem EKG-Pulsfrequenzmesser. Man sieht auf dem Bildschirm, wie das Herz auf die Narkosemittel reagiert.«

Eilers, der zweite Anästhesist, kam hinzu. Er war groß und schlank und wirkte lässig. Ohne ein Wort mit Hagenau zu wechseln, führte er seine Handgriffe aus. Mit wenigen Blicken überprüfte er den Patienten, legte eine Manschette an, gab eine Spritze.

»Jetzt relaxieren wir«, sagte Hagenau in die Richtung, in der Irbid stand, »das heißt, wir spritzen ein Relaxans durch die Kanüle. Relaxans ist ein Nervengift. Es nimmt dem Patienten die eigene Atmung. Und lähmt den Schluckreflex. Und läßt die Stimmbänder erschlaffen.«

»Sie schalten damit Eigenreflexe aus?« fragte Irbid.

»Ja. Und jetzt wird der Patient intubiert.« Hagenau wandte sich an Schwester Hildegard: »Bitte.« Sie reichte ihm das Laryngoskop. »Ein Schlauch wird in die Luftröhre eingeführt. Über das Laryngoskop. Der Patient wird zunächst mit der Hand beatmet. Dann erst wird er an die Beatmungsmaschine angeschlossen. Das Sauerstoffvolumen und das Beatmungsvolumen werden festgelegt.«

»Ich verstehe«, murmelte Irbid. Obwohl die Tätigkeiten von Hagenau, Eilers und der Schwester sich zum Teil überschnitten, überblickte er sie scharf.

»Doktor Eilers punktiert jetzt die Ellenbeugevene mit einer Nadel aus diesem Set.« Hagenau hielt Irbid das Set hart vor die Brille. »Eng über der Nadel liegt ein Katheter aus Plastik. Der Katheter erweitert sich nach hinten. Man zieht die Nadel aus der Vene. So!« Hagenau demonstrierte es. »Und streift sie gleichzeitig durch den Katheter, der in der Vene zurückbleibt. Das hat den Vorteil, daß für weitere Spritzen bereits der Zugang zur Vene vorhanden ist.« Er sah zu Irbid hin, und um seine Mundwinkel lag ein abschätziges Lächeln. »Das Ding ist von der Firma Sherwood. Amerika. Die Kanüle hat einen Durchmesser von 1,1 Millimeter. Ihre flow-rate, das heißt ihre Fluß-Rate, ihre Fließgeschwindigkeit, beträgt mindestens dreiundsechzig Milliliter in der Minute. Wollen Sie es noch präziser wissen?«

»Nicht notwendig.« Irbid kochte vor Ohnmacht.

»Gut!« Hagenau war mit sich zufrieden. Er sprach jetzt schnell: »Es werden rund ein Dutzend Katheter eingeführt. In die Arme. In die Nase. Eine für intravenöse Mittel. Eine, um den venösen Druck zu messen. Eine, um die Körpertemperatur ständig zu überprüfen. Und eine zum Beispiel in die Harnröhre, damit die Urinmenge gemessen werden kann. Das ist ein sogenannter Foley-Katheter. Bei einer weiblichen Patientin macht das Schwester Hildegard. Heute, da der Patient ein Mann ist, legt ihn einer unserer Biotechniker. Ah, da ist er schon! Herr Pollock macht das, wie Sie sehen.« Pollock ließ sich von Schwester Hildegard den Foley-Katheter reichen und führte ihn ein. »Die Temperatursonde wird in den After eingeführt«, erläuterte Hagenau weiter, »ist also eine rektale Temperatursonde. Dann gibt es noch die Manschette für die indifferente Elektrode.«

Eilers, Hagenau und Schwester Hildegard waren jetzt in voller Tätigkeit. Die Arbeit ging ihnen schnell von der Hand. Irbid erkannte, daß sie ein blind aufeinander eingespieltes Team waren.

»Wir punktieren die Radialis«, sagte Hagenau, ohne den Blick zu heben, »die Arteria Radialis. Das geschieht perkutan, also durch die Haut. Wir schieben wieder über die Nadel den Plastikkatheter ein. Dann stöpseln wir ab. Und zwar mit einem Drei-Wege-Hahn. Dieser Katheter dient später zur direkten Blutdruckmessung und zur Blutabnahme.«

Irbid trat einen halben Schritt auf die Lafette zu, um besser beobachten zu können. Jetzt merkte er, daß er noch immer die Hand an der Gesäßtasche hatte. Er nahm die Hand wie nebenbei von der Tasche und verschränkte die Hände auf dem Rücken.

»Über die Nase«, sagte Hagenau, »also durch ein Nasenloch, wird jetzt eine Sonde in die Speiseröhre geführt.« Er konzentrierte sich voll auf seine Tätigkeit.

»Und ein weiterer Schlauch«, sagte er, »ein sogenannter Magenschlauch, durch das andere Nasenloch. Über die Sonde wird die Organtemperatur gemessen. Die der Niere zum Beispiel oder des Bauches. Und über den Schlauch läuft der Magensaft ab.«

Schwester Hildegard hantierte am Kühlschrank, in dem die Medikamente lagerten. Sie ordnete verschiedene Präparate auf ein Tablett, die unter Umständen während der Operation benötigt würden. Dann reichte sie Eilers ein Set mit acht Nadeln.

»Wir beginnen jetzt mit der Vorbereitung für die Akupunktur-Analgesie«, sagte Hagenau.

»Akupunktur-Analgesie?« fragte Irbid mißtrauisch.

»Sozusagen ein Kombinationsverfahren von moderner Anästhesie und Akupunktur-Analgesie.«

»Ist das neu?«

»Ganz neu. In Deutschland entwickelt. Selbst die Amerikaner kennen es noch nicht.«

»Und worin soll der Vorteil liegen?« Irbid war voller Argwohn.

»Die Vorteile sind die der klassischen Akupunktur-Analgesie: komplette Sicherheit für den Patienten während des Eingriffs. Der sogenannte Operationsschock wird vermieden. Die Gefahr postoperativer Infektionen wird vermindert. Der Patient kann frühzeitig oral Nahrung aufnehmen und ist sehr früh mobil. Und in der Zeit unmittelbar nach der Operation fallen schmerzlindernde Mittel völlig weg. Normal ist der Durchschnittsverbrauch in den ersten zwölf Stunden nach der Operation immerhin bis an die zwei Milligramm Morphium.«

»Und wie . . . .?«

»Mit diesen acht Nadeln hier.« Mit einer flüchtigen Kopfbewegung wies Hagenau auf das Besteck, das Eilers in der Hand hielt.

Er beugte sich über den Unterarm des Patienten. Für eine Weile schien Irbid für ihn nicht mehr vorhanden zu sein.

»Wie geht das vor sich«, fragte Irbid streng, »was tun Sie jetzt?«

»Ich suche den Akupunktur-Punkt«, sagte Hagenau unwillig, ohne den Blick zu heben, »er liegt im Verlauf des Meridians ›Dreierwärmer‹. Je besser ich den Punkt treffe, desto geringer können die Stromstöße sein.«

»Stromstöße?«

»Ja, natürlich. Die Nadeln werden unter Strom gesetzt. Bis zu einer Spannung von neunzig Volt. Über dieses Gerät.« Hagenau zeigte auf ein kleines Gerät mit acht Reglern.

»Ein deutsches Gerät?«

»Nein. Aus der Volksrepublik China.«

»Aus China?«

Hagenau überging die Frage. Er fuhr unbeirrt fort: »Zwei Nadeln kommen in jeden Unterarm. Zwei an die Vorderseite vom Hals. Je eine an jedes Ohr, in den chinesischen Akupunktur-Punkt ›Chen-Men‹ in Richtung auf den Nierenpunkt gestochen. Und die letzten zwei ebenfalls an die Ohren, in den chinesischen Punkt ›Herz‹ in Richtung zum Punkt ›Lunge‹ gestochen.«

»Und Dschafar – ich meine, der Patient weiß das . . .?«

»Wir haben es ihm vorher genau erklärt. Noch oben auf der Intensivstation. Er war damit einverstanden, daß er während der Operation . . .«

»Daß er was während der Operation?« Irbids Stimme klang schneidend.

»Mäßigen Sie bitte Ihren Ton«, sagte Hagenau gelassen, »Ihr Freund ist damit einverstanden, daß er während des Eingriffs wach ist und ansprechbar.«

»Wach? Sie wollen doch nicht sagen, daß er mit offenem Herzen wach liegt? Daß er die Operation bewußt miterlebt?« Irbid wurde unsicher.

»Doch, das will ich sagen. Und jetzt stören Sie mich bitte nicht mehr.« Hagenau begann mit dem Aufsuchen und Punktieren der Akupunktur-Punkte. Eilefs war ihm dabei behilflich. Sie stachen die langen Nadeln jeweils etwa bis zur Hälfte in das Gewebe.

»Und Sie garantieren, daß der Patient keinerlei Schmerzen empfindet?« Irbid konnte sich nicht beruhigen.

Hagenau gab keine Antwort. Er war voll beschäftigt.

»Garantieren Sie es oder nicht?« Irbid wurde laut.

Hagenau hob den Kopf und sagte, indem er jedes Wort betonte: »Ich garantiere Ihnen nur, daß mir Fehler unterlaufen können, wenn Sie ständig dazwischenquatschen!«

Irbid kochte. Doch er schwieg.

Nachdem die beiden Anästhesisten alle Nadeln plaziert hatten, gab Hagenau Pollock ein Zeichen, und Pollock schloß die Nadeln an das Gerät an. »So«, sagte Hagenau zu Irbid, ging an ihm vorbei, daß er zur Seite treten mußte, und wandte ihm den Rücken zu: ». . . jetzt werde ich Ihre Frage beantworten. Ja, ich garantiere, daß Ihr Freund keine Schmerzen verspürt. Keine Schmerzen während der Operation. Allerdings . . .« Er beugte sich über das Ohr des Patienten und kontrollierte etwas.

»Was?« Irbids Stimme klang gereizt.

»Wenn Strom auf die Nadeln kommt, das heißt am Anfang bei einer Spannung bis zu sechzig Volt, da . . .«

». . . ist es schmerzhaft?«

»Das ändert sich schlagartig, wenn die geforderte Schmerzlinderungstiefe erreicht ist. Die maximale Spannung von neunzig Volt wird nicht mehr als unangenehm empfunden.«

»Kann der Patient die Operation verfolgen?«

»Wenn Sie so wollen, ja. Er ist ansprechbar. Kann auf Fragen reagieren. Mit dem Kopf. Und kann sich unter Umständen nachher auch an Details erinnern. Er hört. Und sieht.« Hagenau schob Irbid sanft beiseite: »Aber unsere Arbeit ist damit nicht beendet. Nur hier im Vorbereitungsraum.«

»Und im OP?«

»Da wird der Patient zum Beispiel unterkühlt.«

»Wie geschieht das?«

»Ganz einfach. Mit der Herz-Lungen-Maschine.«

»Mit der HLM?« sagte Irbid fachmännisch, doch voller Zweifel.

Hagenau beachtete ihn nicht und fuhr gleichmütig fort: »Er wird an die HLM genommen, und die Maschine unterkühlt ihn. Das Herz wird stillgelegt. Die künstliche Beatmung wird völlig von der HLM übernommen. Die Blutgerinnung wird ausgeschlossen. Na ja, und wir waschen ihn. Zufrieden?« Seine Augen über der Mundschutzmaske blickten den anderen herausfordernd an.

»Sie sollten mir Ihre Erklärungen während der Arbeit geben!« antwortete Irbid hart.

»Das ist unmöglich. Wenn im OP jeder laut seine Handgriffe erklären würde, könnten Sie nichts mehr verstehen. Denn die Tätigkeiten greifen ja ineinander. Deshalb sage ich Ihnen jetzt schon unsere Aufgaben während der Operation. Wir überwachen das EKG und das EEG, den Blutdruck im großen Körperkreislauf, in den Herzkammern und in der Lungenschlagader und die Temperatur während und nach der künstlichen Unterkühlung. Außerdem stabilisieren wir Anästhesisten die physiologischen Verhältnisse während der extrakorporalen Blutzirkulation, messen das zirkulierende Blutvolumen und bestimmen, beziehungsweise korrigieren die Veränderungen im Säure- und Blasen- und Elektrolythaushalt. Dann überwachen wir noch fortlaufend das Blutgerinnungssystem. Die blutchemischen Befunde können im Operationstrakt erstellt werden. Das spart natürlich Zeit. So, das wär's. Sie sehen, wir können dabei unmöglich auch noch Vorträge für Terroristen halten.«

Irbid schwieg. Sein Gesichtsausdruck versteinerte sich.

Hagenau nahm es nicht zur Kenntnis. »Wie gesagt, im groben sind wir hier fertig. Nach den Spritzen wird Doktor Schollhof hier den Patienten übernehmen. Zusammen mit den OP-Schwestern. Ich glaube, es sind heute Schwester Beate und Schwester Lore.« Hagenau klang aufgeschlossen. Er fühlte sich dem anderen jetzt überlegen.

»Die Pfleger werden den Patienten lagern. Das heißt, sie bringen ihn in die Lage, die Professor Niklas inzwischen festgelegt hat. Die Arme kommen auf Stützen. Oder sagen Sie meinetwegen Schienen. Die Körperhaltung wird mit Plastiksäckchen, die mit Styropor gefüllt sind, fixiert.« Er sah Irbid herablassend an: »Genug?«

»Ja«, sagte Irbid. Es fiel ihm schwer, Ruhe zu bewahren.

6

»Hol mir noch ein Sieb«, sagte Schwester Beate im OP zu ihrer Kollegin Elma, »für alle Fälle.«

Schwester Elma ging nach draußen und übernahm an der Zentralsterilisation noch eine von den Trommeln, in denen die sterilisierten Instrumente steckten.

Die Schwestern breiteten über den Instrumententisch eines der blauen, sterilisierten Tücher. »Kommt!« sagte Schwester Lore. »Wir eröffnen die Bar.« Sie war die jüngste und ungezwungenste der drei. Als »Bar« bezeichnete sie den fahrbaren Tisch, auf dem die sterilen Instrumente übersichtlich aufgereiht waren. Blinkende Scheren in allen Größen, blinkende Nadelhalter, Nahtmaterial, Nadeln mit schon eingezogenen Fäden, blinkende Messer, blinkende Zangen. Alle Geräte waren gas- oder dampfsterilisiert.

Die Zentralsterilisation glich in ihrer Anordnung einer großen Hotelwäscherei. Der Boden gefliest, alles andere aus blinkendem Metall. Die einmal benutzten Instrumente, die einmal benutzten Kleidungsstücke wurden in einem Raum außerhalb des OP-Bereichs in die großen Sterilisationsapparate geworfen. Herausgenommen wurden sie, frisch sterilisiert, im Raum der Zentralsterilisation. Vollautomatisch, perfekt durchorganisiert, war die Zentralsterilisation auf dem neuesten Stand der Technik.

»Hast du Angst?« fragte Lore ihre Kollegin Beate.

»Angst? Wovor?«

Sie legten die Instrumente auf dem Tisch zurecht, gegliedert nach Art und Größe.

»Na ja«, sagte Lore, und ihr Blick ging über den OP hinüber in den Vorbereitungsraum der Anästhesie, »ich meine wegen dem dort mit dem Ballermann.« Sie sprach leise, und in ihrer Stimme schwang Verwirrung mit. Mit einer Kopfbewegung zeigte sie in Richtung auf Irbid, der bei Hagenau stand.

Wie ein Lauffeuer hatte sich unter dem Team herumgesprochen, daß Irbid eine Pistole bei sich trug und sie auch in der Schleuse nicht aus der Hand gegeben hatte.

»Na und?« sagte Beate herausfordernd laut, so daß Irbid sie hören mußte. »Was kann er schon machen? Seit wann gelingt eine Operation besser, wenn einer mit der Pistole droht? Soll er etwa schießen?«

Sie ging quer durch den OP und holte aus einem der Schubfächer, die in die Wand eingelassen waren, einen Packen Mullkompressen.

Der Raum hatte das Ausmaß von sieben mal zehn Metern. Wie der Vorbereitungsraum war er gefliest, aber in zartem Grün. Die Längsseite gegenüber der Flügeltür zum Flur bildeten drei raumhohe, eng nebeneinanderliegende Nischen mit Fenstern. Die Fenster waren verdeckt durch eine dreiteilige Fotografie: eine weite, beruhigende Parklandschaft. Sie füllte die Nischen voll aus.

In den Ecken des Raumes standen fahrbare Tische, Galgen für Zuleitungen verschiedener Art, große, fahrbare, metallene Kästen für gebrauchte Tücher und Tupfer und in Reserve stehende Geräte.

Von der Mitte der Decke hing, sieben Lichtquellen gebündelt, die schwenkbare Operationslampe. Sie hatte einen Durchmesser von einem Meter. Verstreut über die Decke hingen die Ampeln der Überwachungsgeräte und die Zuleitungen für Sauerstoff, Narkosegas, Vakuum und Elektrizität, eine 70-mm-Röntgen-Kamera und die Röntgenapparatur mit Digitaluhr.

Genau unter der OP-Lampe in der Mitte des Raumes befanden sich, in den Fußboden eingelassen, die stählernen Sockel für den Operationstisch. Ihre Höhe war hydraulisch zu steuern.

In die Wand gegenüber der Schiebetür zum Vorbereitungsraum war eine breite Glasscheibe eingelassen. Dahinter lag der Meßraum, in dem die medizinal-technischen Assistentinnen ihre Plätze hatten. Durch das Glasfenster hatten sie ungehindert Übersicht über alles, was im Operationssaal vor sich ging.

Kinast und Schneider, die beiden Biotechniker, schoben vom Flur her die Herz-Lungen-Maschine herein und bauten sie an der Wand neben dem gläsernen Durchblick auf.

»Eine Operation wie jede andere«, sagte Kinast gelassen. Er war erst fünfunddreißig Jahre alt und grundsätzlich durch nichts zu erschüttern.

»Heute bin ich nur für einen«, sagte Schneider, »für Niklas.«

Pollock, der eine Biotechniker, kam hinzu. Er richtete die Druckmeßgeräte ein, checkte und eichte die Elektronik. Er war der älteste von ihnen, Familienvater mit drei Kindern. »Das mußt du dir mal vorstellen«, sagte er zu Kinast, »dein Kind ist entführt, und sein Leben hängt von der Präzision deiner Arbeit hier ab!«

Die beiden Helfer rollten die Lafette mit dem Patienten durch die offene Schiebetür des Vorbereitungsraumes in die Mitte des Operationssaals und über die Sockel. Ein anderer rollte das Narkosegerät mit.

Sie klinkten die Auflage der Lafette aus. Ein Knopfdruck an den Sockeln. Sie hoben sich unter die Auflage der Lafette, rasteten ein, waren mit ihr untrennbar verbunden. Der OP-Tisch war ›etabliert‹.

Die Helfer schoben die Lafette ohne Auflage zurück auf den Flur.

Pollock schloß das EKG-Kabel an den Monitor und die Schläuche an die Druckmeßbrücken an. Schwester Hildegard trat an den Tisch, deckte den Patienten auf und wusch seine Brust.

»Was machen Sie da?«

»Was?« Sie drehte sich erschreckt um. Irbid stand hinter hier. »Ach so! Das ist eine desinfizierende Seifenlösung«, sagte sie kaum vernehmlich, »damit reinige ich die exponierten Stellen der Haut. Das heißt die Stellen, an denen operiert wird.« Sie rieb weiter.

Nach einer Weile brach sie die Reinigung an. »Und jetzt?« sagte Irbid.

»Jetzt muß die Lösung fünf Minuten trocknen.«

»Und dann?«

»Dann wird die Haut bepinselt. Mit einer anderen desinfizierenden Lösung. Dreimal.«

»Und dann ist sie keimfrei?«

»Ja, dann ist sie keimfrei.«

»Und was geschieht dann?«

»Dann wird der Patient abgedeckt. Mit diesen sterilen blauen Tüchern. Sie deutete auf die Tücher, die auf einem Hocker lagen. »Nur das Operationsfeld bleibt frei.«

»Und Sie?«

»Ich gehe zurück in den Vorbereitungsraum und wasche mir noch mal die Hände.«

»Und dann ist der OP garantiert keimfrei?« fragte Irbid mißtrauisch.

»Nein«, sagte Schwester Hildegard, »nur die Haut des Patienten ist keimfrei. Der OP kann nur keimarm sein.«

7

Nach ein paar Minuten in frischer Luft, im Schutz der Dunkelheit, hatte Paul Niklas den Hof verlassen und war zurückgegangen, um mit Hagenau, Kramer und Obermann die Operation durchzusprechen.

Danach hatte er sich im Zimmer von Kramer einige Minuten auf die Couch gelegt und die Augen geschlossen. Er war absichtlich nicht in sein eigenes Büro gegangen, um Irbid vor der Operation nicht noch einmal begegnen zu müssen.

Er hatte sich entspannt, wie er es sich vor jeder größeren Arbeit zur

Regel gemacht hatte. Gewöhnlich hatte er sich danach frisch und konzentriert gefühlt.

Heute aber war ihm hundeelend zumute. Er betrat den Umkleideraum der männlichen Team-Mitglieder. Kramer und Obermann hatten schon geduscht. Sie standen jenseits des roten Markierungsstreifens, der auf dem Fußboden quer durch den Raum lief und den Anfang der Schleuse kennzeichnete.

»Noch eine Frage?« sagte Paul zu ihnen.

»Alles klar«, sagte Kramer, und Obermann pflichtete ihm bei.

»Ich habe mir noch mal das Angiogramm vorgenommen«, sagte Paul, »ohne vorgreifen zu wollen, glaube ich, daß wir mit der Circumflexa beginnen sollten. Wie gesagt, wenn wir nicht nach der Öffnung unser blaues Wunder erleben.«

»Ich stimme Ihnen zu«, sagte Kramer und wiegte den Kopf, »obwohl . . .«

»Natürlich«, sagte Paul, »wenn die LAD zu kompliziert liegt, machen wir sie als erste.«

Wie die anderen kleidete er sich aus. Er hängte seinen weißen Mantel in sein Fach. Dazu die Hose und das Hemd. Die Schuhe stellte er auf den Rost unter die Bank. Die Socken legte er in den unteren Teil des Fachs.

Mit dem nackten Fuß stieß er die hüfthohe Schwingtür zur Dusche auf. Er streifte seinen Slip ab, hängte ihn über die Tür und drehte den Hahn an. Er ließ sich das Wasser über Gesicht und Körper laufen und wusch sich mit einer desinfizierenden Seife. Er spülte sich ab und verließ die Dusche, in der Hand den Slip. So überschritt er den roten Markierungsstreifen.

Hinter der Markierung waren die Fächer mit den sterilen Badetüchern und der sterilen Kleidung. Er trocknete sich ab und zog sich seinen Slip an. Er griff sich aus dem Hosenfach eine der blauen Hosen und stieg hinein.

Er nahm sich aus dem entsprechenden Fach ein blaues Hemd mit kurzen Ärmeln, schlüpfte hinein und hielt Kramer den Rücken hin: »Können Sie mir bitte helfen?« Kramer band ihm wortlos das Hemd zu.

»Kommen Sie her«, sagte Paul und band ihm ebenfalls das Hemd auf dem Rücken zusammen. Eine Zeremonie, die sich zwischen ihnen seit ihrer ersten Zusammenarbeit eingebürgert hatte.

Paul nahm sich eine der blauen Papiermützen. »Ein besonders schöner Hut«, witzelte Obermann, doch keiner lachte.

Paul zog sich die blauen Socken über und stieg in ein Paar Holzpantinen. Dann band er sich seinen Mundschutz um und legte die Bleischürze an. Er gab sich einen Ruck und sagte zu den beiden: »Wir gehen!«

Er drückte die Tür zum Aufenthaltsraum auf. Auf der Bank saß nur eine der Schwestern. Vor sich hatte sie einen Becher Kaffee.

Der Aufenthaltsraum führte auf den Flur. Über der Tür befand sich eine Lichtleiste mit ultravioletten Strahlen zur Entkeimung der Luft.

Sie gingen am Wärmeofen für die Frotteetücher vorbei und achteten darauf, daß sie die rote Markierung nicht übertraten. Wenige Meter daneben war die Tür, die in den Vorbereitungsraum für die Anästhesie führte.

Sie verteilten sich auf die drei Waschbecken, stellten die Signaluhren auf »5 Minuten« und wuschen sich Hände und Arme.

»Hätte ich das auch tun müssen?« fragte Irbid. Er war neben Paul getreten.

Paul hob überrascht den Blick: »Sie? Was wollen Sie denn hier?« Jäher Zorn klang aus seiner Stimme.

»Es ist alles geklärt«, sagte Irbid, »ich bin desinfiziert und habe Sils verständigt, daß ich hier dabeisein will. Und ich möchte Sie bitten, meine Fragen zu beantworten!« Seine Stimme klang drohend.

»Ich will mich nicht mit Ihnen anlegen«, sagte Paul, und zu Kramer: »Bitte erklären Sie dem Herrn, welche Bewandtnis unsere Reinigung hat.«

»Ja«, sagte Kramer ruhig und drehte sein Gesicht Irbid zu: »Wir sind der offenen Wunde am nächsten. Deshalb müssen wir uns besonders sorgfältig desinfizieren. Nach der Uhr kontrollieren wir, wie lange wir uns waschen. Fünf Minuten. Mit Betatine. Vielleicht wissen Sie zufällig, daß sich damit auch die Weltraumfahrer gewaschen haben. Das ist alles.«

Irbid spürte, wie ihm vor Wut Schweiß ausbrach. Nur mühsam beherrscht sagte er zu Paul: »Während der Operation werden Sie mir jeden Ihrer Handgriffe genau erklären! Jeden! Das heißt, wenn Sie nicht wollen, daß Ihre Tochter gequält wird!«

8

Als Paul den Operationssaal betrat, blieb er in der offenen Schiebetür einen Augenblick stehen. Er streifte sich die Lastexhandschuhe über und überblickte das Geschehen. Über die Lautsprecher kam der regelmäßige Piepton: der Herzschlag des Patienten, vom Verstärker übertragen.

Einen Schritt neben Paul arbeitete Schwester Beate an ihrem Tisch. Sie sah hoch. Im Laufe ihrer Zusammenarbeit mit ihm hatte es sich ergeben, daß sie ihn gewöhnlich bei seinem Eintritt fragte, ob er während der Operation Musik wünsche.

Musik im Operationssaal, diese Gepflogenheit hatten die Amerikaner eingeführt. Sie sollte der nervlichen Entspannung dienen.

Heute hielt Schwester Beate ihre Frage schon im voraus für beantwortet. Die gespannte Atmosphäre, die tragischen Umstände ...

Dennoch trat sie einen halben Schritt auf Paul zu: »Guten Abend, Herr Professor«, und fragte leise: »Heute wollen Sie doch sicher keine Musik?«

Paul schien abwesend. Er sah durch die Schwester hindurch und sagte für sich: »Doch, ich glaube schon. Gerade heute.«

Beate gab den Beobachtern im Meßraum ein Zeichen. Sie schalteten das Musikband an. Gedämpft füllten Soul-Klänge den Raum.

Paul trat an den Tisch. Kramer, Obermann und Schollhof standen schon bereit. Er sah von einem zum anderen. »Bitte«, sagte er, »dann wollen wir mal!«

Auf der Digitaluhr war es 19 Uhr 55. Er nahm das Skalpell entgegen, das ihm Schwester Beate in die Hand legte. Irbid stand genau in seiner Blickrichtung.

Paul setzte das Messer an der Vertiefung oberhalb des Brustbeins an. Mit ruhiger Stimme sagte er halblaut, so daß Irbid ihn verstehen konnte: »Sternum heißt Brustbein. Ich mache eine mediane Sternotomie. Zunächst mache ich eine Inzision in die Haut. Einen Schnitt.«

Eine kühne, gekonnte Bewegung. Rrrtsch! Die Haut klaffte in gut zwanzig Zentimeter Länge auseinander. Blut quoll. Kramer hatte den Elektrokauter bereit und verschorfte die kleinen Gefäße.

»Gleichzeitig mit mir«, erklärte Paul, »ist Doktor Obermann in Aktion. Er schneidet den Unterschenkel auf. Er wird die Vena saphena herausholen.«

Er arbeitete weiter und schnitt das Fettgewebe auf. »Das Fettgewebe schneide ich noch mit dem gleichen Messer. Für die Muskulatur nehmen wir ein elektrisches.« Mit einem flüchtigen Blick auf den Unterschenkel: »Doktor Obermann präpariert die Vene aus dem Gewebe heraus. Dabei ligiert er die Seitenäste. Das heißt, er bindet sie ab, damit das Blut nicht schwallert.«

Er trennte das Bindegewebe durch und schob es zur Seite. »Das Brustbein gehn wir mit der Säge an.«

Während er das Brustbein durchtrennte, sagte er: »Doktor Obermann nimmt die Vene vom Sprunggelenk bis zum Knie heraus. Zwickt sie mit der Schere ab. Legt sie im Stück in die Schale, die ihm Schwester Elma reicht. Eine Schale mit steriler, physiologischer Kochsalzlösung, damit die Vene nicht eintrocknet.«

Irbid sagte nichts. Seine Hände waren auf dem Rücken verkrampft. Er wechselte immer wieder die Position, um das Operationsfeld im Auge zu behalten.

Die Blicke aller anderen gingen immer wieder einmal verstohlen zwischen den beiden Männern hin und her. Einmal auf Paul. Und einmal auf den Mann, von dem alle wußten, daß er für die Entführung Kathy Niklas' verantwortlich war, daß er es gewagt hatte, die Operation mit einer geladenen Pistole zu überwachen, und daß er Paul auch noch zwang, jeden seiner Handgriffe im einzelnen zu erklären.

Die Atmosphäre war bedrückend.

9

Der Herzbeutel war zu sehen.

»Wir öffnen den Beutel in der Mitte«, sagte Paul, für Irbid bestimmt, »Doktor Kramer und Doktor Obermann lupfen mit Pinzetten den Beutel an . . .«

»Was ist lupfen?« fragte Irbid hart.

»Sie heben ihn an. Und ich schneide mit der Schere in den Steg und den Beutel in der Längsrichtung auf.« »Das Herz lag frei.

»Jetzt nähen wir es hoch«, sagte Paul, ohne seine Tätigkeit zu unterbrechen, »das heißt, wir nähen den Schnittrand des Herzbeutels an das Tuch, das um das Operationsfeld liegt, und knoten unter Zug. So wird das Herz hochgeliftet.«

Der Patient erwachte aus der Narkose. Er schlug die Augen auf.
Paul beugte sich über ihn: »Können Sie mich hören?«
Dschafar nickte unmerklich.
»Haben Sie Schmerzen?«
Dschafar verneinte.
»Wir haben Ihr Herz freigelegt.«
Dschafar nickte und schloß die Augen. Er war müde, unsagbar
müde. Irbid verfolgte wie gebannt die Szene.
»Retraktor!« sagte Paul kurz zu Schollhof, und zu Irbid: »Sie erin-
nern sich: Der Retraktor ist der Sperrer, der uns den Brustkorb aus-
einanderhält. Wir drehen ihn noch ein bißchen weiter auf.«
Schollhof kurbelte den Retraktor, bis Paul ihm durch ein Zeichen
zu verstehen gab, daß es genug war.
»Ich inspiziere das Herz«, sagte Paul. Alle seine Mitarbeiter hatten
inzwischen gemerkt, daß es ihm schwerfiel, die Rolle des Erklärers
durchzuhalten. Jetzt sprach er nur noch sehr leise, kaum verständlich.
»Mister Niklas, ich warne Sie ein letztes Mal!« sagte Irbid mit gepreßter Stimme.
Paul wiederholte, laut und deutlich: »Ich inspiziere das Herz.« Er
hob den Blick zum Monitor, der die Messungen des Blutdrucks in den
verschiedenen Herzabschnitten anzeigte. Dann besah er sich das
Herz, studierte es sozusagen.
»Das Herz ist in Ordnung«, sagte er, »das heißt, soweit es sein jet-
ziger Zustand zuläßt. Es sind keine Gefäßmißbildungen zu erkennen.
Die HLM kann angeschlossen werden.«
Kinast und Schneider, die beiden Biotechniker, hatten die Herz-
Lungen-Maschine schon angerollt.
»Wir schlingen die beiden Hohlvenen an«, setzte Paul die Erklärung für Irbid fort, »wir führen mit einem Overhold ein Nabelband
um sie herum und sichern es mit einem Gummi-Tourniquet. Um sie
später abklemmen zu können.«
Er griff mit einem Finger prüfend durch das rechte Herzohr. »Ich
taste das Herz aus.« Er sah hoch: »Kein zusätzlicher Herzfehler.«
Er tastete von außen mit der Fingerspitze die Kranzgefäße ab. »Das
Herz ist nicht fett. Wir können also die Coronargefäße an der Oberfläche sehen. Das Angiogramm hat genau gezeigt, wo die Verschlüsse
liegen.«

Er spürte tastend die Verhärtung an der Circumflexa. Er sagte: »Ein etwa neunzigprozentiger Verschluß.« Dann suchte sein Finger, nahe der Aorta, die LAD. »Hier ist es ähnlich.«

Er wandte sich an Kramer: »Wir beginnen mit der LAD.«

»Schwierig?« fragte Kramer leise.

»Es reicht«, antwortete Paul mit gleicher Lautstärke.

»Was flüstern Sie miteinander?« Hart übertönte Irbid die Geräuschkulisse.

»Wir haben festgestellt, daß die Sache nicht gerade leicht wird«, sagte Paul und sah vom Operationsfeld hoch: »Wir schließen an die Maschine an.«

10

Kinast hielt die Zuleitungskanüle bereit.

»Doktor Hagenau spritzt Heparin«, sagte Paul, »das Blut muß ungerinnbar gemacht werden, um Embolien zu vermeiden. Heparin wirkt nach zwei Minuten.«

»Wir führen zwei Katheter durch das rechte Herzohr.« Er sprach weiter, während Kramer die Katheter vorbereitete. »Wir führen sie in die obere und untere Hohlvene und verbinden die Katheter mit einem Ypsilon-Stück und so mit einem dritten Schlauch, der zum venösen Teil der HLM führt.«

Er wandte sich für einen Augenblick vom Tisch ab und sagte zu Schwester Beate: »Ich brauche zwei Dreißiger-Kanülen.«

Der Patient schlug erneut die Augen auf.

Paul sprach ihn an: »Fühlen Sie sich wohl?«

Dschafar nickte.

»Es läuft alles zufriedenstellend«, sagte Paul beruhigend.

Dschafar gab mit den Augen ein Zeichen, daß er verstanden habe.

»Wir kanülieren die Aorta«, sagte Paul so, daß Irbid ihn verstehen konnte, »um das von der Maschine oxygenierte Blut wieder in den Patienten hineinpumpen zu können.«

»Ist mir bekannt«, sagte Irbid gepreßt, wie um sein medizinisches Wissen unter Beweis zu stellen.

Paul beachtete den Einwurf nicht. Nach einer Weile sagte er: »Ich präpariere zunächst die LAD.«

Irbid ließ keinen Blick von ihm.

»Jetzt klemme ich ein Stück aus der Wand der Aorta ab«, sagte Paul, »der Bypass zwischen der Arterie und der Aorta soll auf möglichst kurzem Weg erfolgen, also, wenn Sie so wollen, die Umleitung, die wir einzubauen versuchen. Möglichst kurz heißt aber, daß die eingesetzte Vene nicht spannen darf. Ist Ihnen das klar?« Er sah nicht hoch und klemmte das Stück der Aorta ab.

»Ja«, sagte Irbid. Seine Kehle war trocken.

»Wenn Sie schlappmachen«, sagte Paul ungerührt, »verlassen Sie am besten den Raum. Ich mache jetzt eine Inzision in die Aorta-Ascendens. Das heißt, ich schneide ein Loch in das abgeklemmte Stück der aufsteigenden Hauptschlagader.«

Er schnitt das Loch.

Mittlerweile hatte Kramer ein Stück der herausgelösten Unterschenkelvene auf die richtige Länge geschnitten. Schwester Beate reichte es Paul.

Er nahm es entgegen: »Das Stück der Vene ist jetzt umgedreht«, erklärte er für Irbid, »damit die Taschenklappen nach unten zeigen und richtig liegen. Ich stelle jetzt die Anastomose her. Die Verbindung zwischen den Blutgefäßen. Ich nähe das Stück der Vene ›End-zu-Seit‹ an die Aortenwand. Wenn es Sie interessiert, mit fünf null Prolene. Fünf null ist die Stärke des Fadens und Prolene die Firmenbezeichnung.«

Für eine Weile war es still im Raum bis auf die gedämpfte Musik im Hintergrund und den Piepton des verstärkten Herzschlags. Paul hatte sich von Beate die Lupe geben lassen und sich das Band über den Kopf gezogen.

Er nähte Stich für Stich. Der Durchmesser der Vene betrug nicht mehr als vier Millimeter.

Paul machte 19 Stiche. Haarfein nebeneinander. 19 Stiche, die nicht nur über das Leben des Patienten, sondern auch über das von Kathy entscheiden würden. Sie durften nicht zu weit voneinander liegen, damit die Naht nicht undicht war. Aber sie durften auch nicht zu eng zusammen sein, damit das Gewebe nicht riß. Sie mußten die Vene fest an die Aorta schweißen, durften später nicht den kleinsten Tropfen Blut durchlassen.

Eine 19fache Konzentration auf Leben und Tod. Nach dem 19. Stich sah Paul hoch: »Jetzt präpariere ich die Circumflexa.«

Kramer warf ihm einen kurzen Blick zu. Er kannte Paul nur zu gut. Er wußte, daß er jetzt auf Tempo trieb.

Noch einmal das gleiche Verfahren. Noch einmal Stich für Stich. Noch einmal äußerste Konzentration.

Als das zweite Stück Vene an der Aorta hing, atmete Paul tief durch.

Er sagte über die Schulter zu den Biotechnikern: »Wir fahren an«, und fuhr für Irbid fort, als hätte er es bei ihm mit einem medizinischen Laien zu tun: »Die Herz-Lungen-Maschine wird eingeschaltet. Im Durchschnitt hat der Mensch fünfeinhalb Liter venöses Blut. Das wird jetzt durch unsere künstliche Zuleitung umgeleitet in die Oxygenatorpumpe der Maschine. Die Pumpe übernimmt die Aufgabe der Lunge. Sie versorgt das Blut mit Sauerstoff. Von dort fließt das Blut wieder in den Körper zurück. Dieser Kreislauf dauert etwa vierzig Sekunden.«

Er schaute zu Schwester Lore hin. Sofort kam sie mit einer Mullkompresse herbei und tupfte seine Stirn trocken.

»Danke«, sagte Paul, während sie tupfte.

»Es ist hier heute besonders heiß«, sagte Lore.

»Nicht heißer als sonst auch«, sagte Paul und dachte: Ich weiß genau, warum mir der Schweiß ausbricht.

Er sprach wieder zu Irbid. »In der HLM wird das Blut abgekühlt. Auf achtundvierzig bis vierunddreißig Grad. Dadurch wird der Sauerstoffverbrauch reduziert.« Und zu Kinast gewandt: »Wir gehen auf zweiunddreißig.«

Der totale Bypass war eingeleitet. Der Piepton hatte ausgesetzt.

»Beate«, sagte Paul und hielt der Schwester die offene Hand hin. Sie reichte ihm ein Skalpell. Jetzt wollte er die Coronar-Arterie anschließen.

Er hob den Blick zu Kramer. Seine Backenknochen über dem Mundschutz, die Umgebung der Augenränder, was man von seinem Gesicht sehen konnte, war kalkweiß.

Kramer erfaßte sofort die Situation. Überanstrengung, schoß es ihm durch den Kopf, Niklas hat zu stark auf Tempo getrieben! Leise sagte er: »Soll ich übernehmen?«

Sofort schaltete sich Irbid ein: »Sie sollen nicht flüstern!«

»Nicht der Rede wert«, sagte Paul. Sein Atem ging schwer.

»Ich will wissen, was Doktor Kramer gesagt hat!«

»Er hat mich gefragt«, sagte Paul schleppend, »ob er an die Coronar-Arterie anschließen soll.«

»Nein«, sagte Irbid scharf, »das wird er nicht machen! Das ist Ihre Arbeit!«

Paul spürte, wie ihm schwindelte. Er stützte sich mit der Hand gegen den Tisch. Aufrecht zwar, doch bewegungslos. Alle Augen waren auf ihn gerichtet. Ohne den Kopf zu wenden, spürte er die Blicke. Er wußte, daß die Operation für ihn in das entscheidende Stadium getreten war.

11

Jan Voss hatte drei Zigarettenlängen im Wagen gesessen. Dann wollte er sich die Beine vertreten und hatte sich zu einem Spaziergang entschlossen, durch die abendlichen Straßen des ihm fremden Stadtteils.

Als er die Klinik betreten hatte, war es auf der Uhr in der Pförtnerloge kurz vor neun.

Er kannte den Weg zu Pauls Büro. Er kannte auch Frau Gramm. Er hatte vor Monaten einmal Paul hier aufgesucht.

Frau Gramm begrüßte ihn so vertraut, als gehöre er zur Klinik. »Die Operation ist noch im Gang«, sagte sie und spannte einen Bogen in die Maschine.

»Sie arbeiten noch?« Jan nahm auf dem Stuhl vor dem Schreibtisch Platz.

»Das ist die beste Art, sich abzulenken. Ich arbeite alte Berichte auf.«

»Darf ich?« Er holte eine Packung Zigaretten aus seinem Jackett.

»Aber ja doch! Kommen Sie, ich gebe Ihnen auch einen Aschenbecher. Nein, danke, ich rauche nicht.« Sie stand auf, holte aus einem der Aktenschränke einen Aschenbecher und stellte ihn vor Jan hin.

»Herzlichen Dank«, sagte Jan, »aber wenn Sie Nichtraucherin sind, dann bezähme ich mich.« Er steckte die Packung wieder weg.

»Aber, Herr Doktor, Sie werden doch nicht meinetwegen . . .«

»Keine Widerrede: Es tut mir gut. Darf ich Ihnen Gesellschaft leisten oder störe ich?«

»Nein, Sie stören nicht. Ganz im Gegenteil. Ich bin froh, daß Sie gekommen sind. Daß ich jetzt mit meinen Gedanken nicht mehr allein bin.«

Es klopfte. Es war Stanley Martindale. Er hatte zu Hause ein paar Stunden geschlafen. Jetzt war er schon bei Sils gewesen und über die Lage unterrichtet. Er hatte sich vorgenommen, das Ende der Operation in Pauls Büro abzuwarten. Er freute sich, hier auf Jan Voss zu treffen. Er schätzte ihn als einen Menschen, der wohltuende Ruhe verbreitet.

Sie sprachen über Belanglosigkeiten. Über das Wetter. Über Frau Gramms Urlaubspläne. Über Spanien. Über das dortige Königshaus. Über Zarzuela, den katalanischen Fischeintopf. Aber dann auch über den Fall des Jungen Andreas Werner.

Sie unterhielten sich ohne Pause. Sie redeten eine gute Stunde miteinander, krampfhaft bedacht, nicht an das Geschehen im Operationssaal zu denken, und doch wußte einer vom anderen, was in ihm vorging.

Jan brach den Bann. Ohne Übergang, mitten im Gespräch über die jetzigen Preise von Eigentumswohnungen, fragte er: »Wie lange kann so eine Operation dauern?«

Auf Frau Gramm wirkte die Frage befreiend. »Oh, der Herr Professor ist gewöhnlich ein bis zwei Stunden im OP«, sprudelte es aus ihr heraus, »aber eine Infarkt-Operation dauert länger. Sie zählt zu den schwierigsten überhaupt. Ich rechne mit zweieinhalb Stunden. Ja, mit gut zweieinhalb Stunden.«

»Ob er das durchsteht?« sagte Jan gedankenversunken.

»Ich halte ihm jedenfalls die Daumen. Aber ich habe Bedenken. Einen so niedergeschlagenen Eindruck wie heute hat er auf mich noch nie gemacht.«

»Ich gebe Ihnen recht«, sagte Jan und dachte: Weiß Gott, ich möchte nicht in seiner Haut stecken!

12

Paul nahm alle seine Kraft zusammen. »Ich mache jetzt eine Längs-Inzision in die Coronarie«, sagte er zu Irbid hin und verdeutlichte: »In die Coronar-Arterie, jenseits des Verschlusses.« Es fiel ihm schwer, seine Gedanken zu ordnen.

Mit einem dünnen, spitzen Skalpell schnitt er das Loch. Danach schnitt er das freie Ende des schon in die Aorta eingenähten Stückes der Unterschenkel-Vene schräg an.

»Wieder stelle ich eine End-zu-Seit-Anastomose her«, erklärte er, »nur diesmal mit sechs null Prolene.«

Irbid schwieg. Sein Blick war auf die Hände gerichtet, die mit kaum zu überbietender Fingerfertigkeit auch diese zweite Verbindung Stich um Stich zusammenschweißten.

Die Uhr zeigte wenige Minuten nach 21 Uhr 30. Die Operation währte jetzt eineinhalb Stunden.

Paul hatte dafür keinen Gedanken frei. Er hatte sich die Lupe aufs neue heruntergezogen und nähte konzentriert Stich um Stich.

Das Musikband lief noch immer.

»Okay.« Paul sah hoch. Er hatte die Verbindung hergestellt. »Und jetzt der zweite Bypass«, sagte er mit einer unverhüllten Anklage gegen Irbid.

»Fühlen Sie sich noch fit?« fragte Kramer leise, und als Irbid ihn erneut scharf zurechtwies, entgegnete ihm Paul in noch schärferem Ton: »Mister Irbid, ab jetzt werden Sie von uns keinerlei Erklärungen mehr bekommen! Ich glaube, wir haben Ihnen deutlich und lange genug bewiesen, daß wir hier ernsthaft arbeiten! Jetzt in der zweiten Phase brauchen wir unsere ganze Kraft, um mit ruhigen Nerven durchzuhalten. Drohen Sie mit was Sie wollen! Ziehen Sie meinetwegen Ihre Pistole! Sie bringen uns jetzt nicht mehr davon ab, unsere Arbeit in höchster Konzentration zu Ende zu führen!« Paul atmete hörbar und setzte hinterher: »Am besten ist es, Sie verlassen den Raum!«

Keiner bewegte sich. Alle Blicke waren auf ihn gerichtet. Nach und nach schwenkten sie zu Irbid über.

Irbid preßte die Lippen zu einem schmalen Strich zusammen. Die Muskeln seines Gesichts waren angespannt. Auf seinen Brillengläsern reflektierte das matte Licht der Raumbeleuchtung. Er schwieg.

Paul begann, die Circumflexa zu präparieren.

13

Die Digitaluhr zeigte 22 Uhr 45. Auf den Gesichtern der Menschen im OP spiegelte sich eine unmenschliche Anspannung.

Paul nähte die letzten Stiche der ›End-zu-Seit‹-Anastomose zwischen der verschlossenen Arterie und der Vene.

Irbid stand noch immer an der gleichen Stelle wie vor mehr als einer Stunde. Er hatte seither kein Wort mehr gesprochen. Er hatte Paul nicht aus den Augen gelassen, doch mit der Zeit waren seine Züge erschlafft. Die anstrengende, schier endlose Operation hatte auch ihn angestrengt.

»Ich glaube«, sagte Paul kaum vernehmlich und nachdenklich, legte die Nadel beiseite und beugte sich mit der Lupe noch einmal über die Nahtstelle, »ich glaube . . .«, und richtete sich nach einer Weile auf: »Ich glaube, wir können!«

Das Herz lag flimmernd und schlaff in seinem Beutel.

Beate reichte Paul den Defibrillator. Er faßte den Griff mit beiden Händen und hielt die zwei Metallscheiben über das Herz. »Einschalten!«

Ohne den Blick zu heben, sagte er, für Irbid bestimmt: »Wir defibrillieren. Das heißt, wir bringen das Herz durch einen elektrischen Stromstoß wieder zum Schlagen.«

»Ich weiß«, sagte Irbid zwischen den Zähnen hindurch. Er war ohnmächtig vor Wut, daß Paul ihn als medizinischen Laien hinstellte.

Das Herz schlug.

Der Piepton setzte ein.

Paul spürte, wie ihn eine Welle der Hoffnung heiß durchströmte. Eine weitere, entscheidende Hürde war genommen.

Der Monitor zeigte an, wie das Herz langsam begann, einen eigenen Blutdruck aufzubringen.

Paul beobachtete die Kurve. »Wir lassen dem Herz noch die Unterstützung durch die Maschine«, sagte er zu Irbid, und zu Kinast: »Allmählich aufwärmen.«

Nach weiteren zwanzig Minuten gab Paul mit einem Blick Kramer zu verstehen, daß sich seiner Meinung nach die Leistung des Herzens zu festigen begann. Kramer nickte zustimmend, und Paul wies die Biotechniker an: »Schrittweise drosseln.«

Er sah Irbid an: »Wir gehen schrittweise von der Maschine ab. Das Herz muß nach und nach selbständig arbeiten. Wenn sich seine Leistung völlig normalisiert hat, gehen wir ganz ab. Wenn es danach noch mal müde wird, schließen wir erneut fünf bis zehn Minuten an. Ich hoffe, daß wir das nicht brauchen.«

Die Herz-Lungen-Maschine war abgeschaltet. Paul beobachtete den Monitor. Das Herz brachte einen guten Blutdruck auf.

Über die Schulter sagte er zu Schwester Beate: »Den Flowmeter bitte.«

Er war sichtlich erleichtert. Die Hauptarbeit lag hinter ihm. Jetzt kam es nur noch darauf an, den Bypass zu prüfen, den Blutfluß zu messen und eine intra-operative Angiographie vorzunehmen. Nur noch!

Beate reichte ihm den Flowmeter am Kabel. Paul nahm ihn und legte mit einer Pinzette den Flowmeterkopf vorsichtig um die angenähte Vene. Er prüfte, ob der Kopf sie völlig umschloß, ob er fest saß, und ließ einschalten.

Die Messung ergab für den Bypass der Circumflexa 120 Milliliter pro Minute, für die LAD 80 Milliliter. Das waren gute Ergebnisse.

Paul war mit den Messungen zufrieden. Er rief Hagenau zu: »Und jetzt die Angiographie.«

Pollock fuhr die 70-mm-Röntgen-Kamera bis 20 Zentimeter auf das Operationsfeld herunter. Hagenau hielt Paul die vorbereitete Spritze mit Injektionskanüle hin, und Paul spritzte das Kontrastmittel in das eingesetzte Venenstück. Pollock filmte, wieviel Kontrastmittel über die Vene in die Arterie abfloß.

Paul nahm seine Erklärungen für Irbid wieder auf: »Die Angiographie dient uns nur zur späteren Dokumentation. Das ist alles. Ich vernähe jetzt den Herzbeutel. Dann schließen wir die Brust. Das übernimmt Doktor Kramer. Danach ist die Operation abgeschlossen.«

14

Irbid hatte geschwiegen.

Paul hatte den Herzbeutel vernäht. Kramer hatte begonnen, den Sperrer zurückzukurbeln.

Irbid schwieg noch immer. Er war etwas zurückgetreten, so daß er niemandem im Weg stand. Seine Haltung war erstarrt. Wer ihn beobachtete, hätte glauben können, er brüte immer noch Rache.

Dem Patienten wurde nach dem Verschluß der Wunde der Verband angelegt.

Paul gab Schwester Beate stumm ein Zeichen. Sie schaltete das volle Licht ein und öffnete die Flügeltür zum Flur. Zwei Helfer kamen mit einer Lafette herein und übernahmen den Patienten.

Paul war abgekämpft. Er streifte sich die Gummihandschuhe ab, riß sich die Kopfbedeckung herunter, öffnete den Mundschutz und ließ die Bleischürze von sich gleiten. Er trat auf Kramer zu und drückte ihm stumm die Hand. Dann ging er zu Obermann und Schollhof und legte ihnen anerkennend seine Hand auf die Schulter. Er war zu keinem Wort mehr fähig. Er war völlig erschöpft.

Er nickte mit schwerem Kopf in die Runde: der Dank an alle.

Er verließ den OP durch die Schiebetür, die zum Vorbereitungsraum führte. Im Umkleideraum sank er schwer auf die Bank. Er lehnte den Kopf an eines der Fächer und schloß die Augen.

Wenig später traten Kramer, Obermann und Schollhof ein. Paul kam zu sich. Er hob den Blick, der auf die Uhr über dem Kleiderkasten fiel. Es war kurz vor Mitternacht.

Er hatte vier Stunden am Tisch gestanden, gesammelt und mit eisernen Nerven. Er hatte durchgehalten.

Er hatte sich vor sich selbst bestätigt.

Jetzt dachte er an Kathy.

15

»Sag es endlich, oder ich schlage dir die Zähne ein!«

Schroff und unnachsichtig stand der Satz im Raum. Der Satz galt Kathy. Doch sie hörte ihn nicht.

Rings um sie war tiefe Dunkelheit. Ein großes, schwarzes Loch. Ein endlos tiefes, großes, schwarzes Loch.

Sie fiel und fiel wie in einen abgrundtiefen Brunnen. Tief und tiefer. Endlos. Sie wollte ihren Fall aufhalten, wollte ihre Finger irgendwo einkrallen. Doch es gab nichts, wo sie sich hätte einkrallen können. Keinen Balken. Keine Mauer. Keinen Baum. Nichts. Sie fiel, und ihr Fall nahm kein Ende.

Sie wollte schreien: Hiillfe!! Doch ihr fehlte die Stimme. Ihr fehlte die Zunge.

Sie spreizte alle Gliedmaßen von sich, spannte alle ihre Muskeln an, bäumte sich auf: Nein, ich will nicht fallen, ich will nicht!!!

Sie glaubte, ihr Gehirn platze vor Anstrengung.

Da löste sich das Dunkel auf. Zwar nur ganz allmählich, aber es löste sich auf. Nebelhafte graue Schwaden mischten sich in das Dunkel und wischten an ihr vorüber. Das Grau wurde lichter, wurde hell. Die Schwaden verdichteten sich zu einer Einheit. Zu einer großen weiten Fläche.

Sie vernahm Geräusche. Aber sie konnte die Geräusche nicht unterscheiden. Dann hörte sie Laute. Unbestimmte Laute. Die Laute wurden klarer. Es waren Stimmen. Menschliche Stimmen. Zehn Menschen sprachen ineinander. Ein unentwirrbares Knäuel von zehn menschlichen Stimmen. Nein, es waren höchstens fünf. Es waren vier. Drei. Zwei. Es war nur ein Mensch, der sprach. Ein Mensch, der zu ihr sprach. Er stellte ihr eine Frage. Groß und drohend kam ein Fragezeichen auf sie zu.

Sie verstand die Frage nicht. Sie verstand sie akustisch nicht. Sie wollte antworten. Doch ihr fehlte die Stimme.

Sie quälte sich einen Laut ab. Sie versuchte, ein Wort zu formulieren. Die Muskeln ihres Kiefers schmerzten.

Sie kam zu sich.

Vor ihr stand ein Mann. Sie sah nur seine Hände. Sie waren nahe vor ihr. Es waren kräftige, häßliche Hände. Das konnten nur die Hände eines Mannes sein.

Sie hob den Kopf. Richtig: es war ein Mann. Ein Mann, der sie verächtlich angrinste. Seine Goldzähne wurden sichtbar. Ein Mann in einem graubraunen Anzug, in offenem Hemd mit dichtem, schwarzem Haar, dessen Koteletten ihm fast bis zum Kinn reichten. Ein Mann mit einer großen, scharf gebogenen Nase. Ein Galgenvogelgesicht.

»Sag es endlich oder ich schlage dir die Zähne ein«, herrschte er sie an, »los, sag es endlich!« Er versetzte ihr einen Tritt gegen das Schienbein.

Ein Schmerz. Ein wilder, stechender Schmerz. Sie sah an sich herunter. Jetzt erst merkte sie, daß sie saß. Sie war auf einen Stuhl gefesselt. Und der Mann beugte sich drohend über sie.

»Los, spuck es endlich aus!«

»Was? Was soll ich ausspucken?« Sie hatte Angst. Aber sie hatte gesprochen! Sie konnte sprechen!«

»Du sollst endlich sagen, was das zu bedeuten hat!«

»Was was zu bedeuten hat?«

»Das, was du eben gesagt hast!«

»Was habe ich denn eben gesagt?«

»Noch so eine Antwort, und ich schlage dir die Zähne ein!« Der Mann holte zum Schlag aus.

Da erkannte sie ihn. Ja, es war der Mann, der sie in seinen Wagen gelockt hatte. Wann aber war das? Heute? Gestern? Vor einem Jahr? Wo? Und warum?«

»Los, wird's bald!«

»Es tut mir schrecklich leid«, sagte sie, »aber mein Kopf zerspringt vor Schmerz. Ich kann mich nicht erinnern, was ich eben gesagt haben soll.«

»Du hast eben gesagt: Puff verdoppeln. Laut und deutlich.«

»Puff verdoppeln? Ich soll gesagt haben: Puff verdoppeln?« Sie mußte lachten. Trotz des Schmerzes am Schienbein, trotz der Schmerzen im Kopf.

»Du hast es mehrmals gesagt! Und ich will wissen, was es bedeutet!« Er hoffte, durch ihre Antwort irgendeinen Fingerzeig über ihre Lebensumstände zu erhalten, etwas, das man bei möglichen Übergabeverhandlungen unter Umständen ausnutzen könnte.

»Puff verdoppeln?« Sie ließ die Worte auf der Zunge vergehen. Puff verdoppeln!

Blitzartig setzte die Erinnerung ein: Back Gammon! Das Spiel, das früher einmal in Deutschland ›Puff‹ hieß! Verdoppeln: den Einsatz verdoppeln. Zweifach, vierfach und so weiter bis zum 64fachen!

Frank stand vor ihr. Frank in der düsteren Kneipe ›Die Kutsche‹. Der Back-Gammon-Tisch. Der mysteriöse Telefonanruf. Der Telefonanruf des Mannes, der jetzt vor ihr stand!

Der Duft! Sie schnupperte verstohlen. An ihr haftete noch etwas von ihrem Parfüm! Der Vorfall konnte also nicht sehr lange zurückliegen. Nur Stunden.

Sie bemerkte die künstliche Beleuchtung im Raum. Demnach war es Abend. Oder Nacht. In der ›Kutsche‹ war sie am frühen Nachmittag gewesen. Am vergangenen Nachmittag!

Sie erinnerte sich an den Besuch von Stanley Martindale. Hatte er ihr nicht anvertraut, daß ihr Vater gezwungen würde, eine bestimmte Operation auszuführen? Von palästinensischen Terroristen gezwungen würde!

Und der Mann vor ihr konnte Araber sein!

Sie sah den Mann dankbar an. Ohne es zu ahnen, hatte er ihr die jüngste Vergangenheit zurückgegeben. Sie war drauf und dran, ihm voll Ironie zu danken, daß er sie damit auf die rechte Spur gebracht hatte.

Sie setzte schon zum Sprechen an.

Dann aber überlegte sie es sich anders. Sie sagte nur: »›Puff verdoppeln‹ hat nichts zu bedeuten. Oder sagen wir, nicht allzuviel.« Sie log: »Ich war mal Schauspielerin. Ein Theater bot mir eine kleine Rolle an. Eine Nutte in einem Puff. Die Gage war mir zu klein. Ich verlangte die doppelte. Das Engagement kam nicht zustande. Deshalb: Puff verdoppeln!«

Schihan war voller Zweifel. »Doch«, log sie, »so war es. So und nicht anders!«

Sie hatte Glück. Er gab sich mit ihrer Antwort zufrieden. Er wußte nicht, daß das Back-Gammon-Spiel früher einmal in Deutschland die Bezeichnung ›Puff‹ hatte.

Er verließ den Raum und verschloß ihn von außen.

Sie war allein.

Ein kleines, nüchternes Zimmer. Kahle, weiße Wände. In der Ecke eine Matratze. Eine graue, zerschlissene Decke. Eine kleine Kiste, umgestülpt. Auf ihr ein leerer Teller mit einem Löffel.

Ein Vorhang aus schwarzem Molton, der von der Decke bis an den Fußboden reichte. Und ihr Stuhl, auf den sie mit einem Strick gefesselt war.

Sie versuchte sich zu bewegen. Der Strick schnitt in ihr Fleisch ein. Doch sie gab nicht auf. Sie versuchte es so lange, bis sie sich auf die Füße stellen konnte.

Sie hüpfte. An den Stuhl gebunden, hüpfte sie zum Vorhang. Mit dem Kopf schob sie ihn zur Seite.

Er verdeckte ein Fenster. Draußen war dunkle Nacht.

Das Zimmer schien sehr hoch zu liegen. Vielleicht im siebenten Stockwerk oder noch höher. Denn weit unter ihr waren die Lichter der Stadt.

Und dann erkannte sie die Lichterkette. Montgomery Saunter hatte sie ihr gezeigt. Der nächtliche Blick aus dem Restaurant auf dem Fernsehturm!

Die Lichterkette des Mittleren Rings! Das schemenhaft sichtbare Dach des Olympiastadions!

Sie hüpfte zurück in die Mitte des Zimmers und setzte sich so, wie sie vorher gesessen hatte.

16

»Mister Niklas, ich gratuliere.« Irbid saß hinter dem Schreibtisch und hatte die Beine übereinandergeschlagen. Er trug jetzt wieder seinen hellen Sommeranzug mit weißem Hemd und heller Seidenkrawatte.

»Ihren Kommentar können Sie sich sparen!« sagte Paul kalt. »Ich will von Ihnen keine Erklärungen. Ich will meine Tochter! Und zwar auf der Stelle!«

Er stand in seinem Büro. Es waren die ersten Sätze, die nach der Operation zwischen ihnen gewechselt wurden.

Paul hatte sich noch einige Zeit im Umkleideraum aufgehalten. Er hatte geduscht. Er war wieder zu Kräften gekommen. Er hatte mit den Kollegen ein paar belanglose Worte gewechselt, nur zur Entspannung, und sie waren gemeinsam auf die Intensivstation gegangen.

Dort hatten sie Sils getroffen, Jan Voss und Stanley Martindale. Sobald Frau Gramm aus dem OP-Trakt die Nachricht hatte, daß die Operation beendet war, waren Jan und Martindale hinüber auf die Station gegangen, da sie wußten, daß sie Paul hier zuerst treffen würden.

Paul hatte Jan und Martindale gebeten, auf ihn zu warten, und sich mit Sils, Kramer, Obermann und Schollhof um den Patienten gekümmert.

Dem ging es der schweren Operation entsprechend. Er war in guter Obhut. Paul sprach einige Anweisungen mit Sils ab. Dann ging er mit Jan und Martindale hinaus.

Von allen war die Spannung gewichen. Jan schlug Paul freundschaftlich stumm gegen den Oberarm. Martindale machte eine Bemerkung, die aufheitern sollte, doch niemand nahm sie zur Kenntnis.

»Wissen Sie, wo Irbid ist?« fragte Paul.

»In Ihrem Büro«, antwortete Martindale, »ich verstehe, daß Sie ihn sprechen wollen. Wenn ich Ihnen aber einen Rat geben darf: Der Mann sitzt noch immer am längeren Hebel!«

»Jetzt nicht mehr«, sagte Paul, »jetzt hat er seinen Willen gehabt!«

»Glauben Sie mir, Mister Niklas . . .«

»Aber, Martindale, ich war immer der Meinung, wir stünden auf einer Seite.«

»Nicht ganz, Mister Niklas. Vergessen Sie nicht: Wir haben verschiedene Interessen. Und ich kann Ihnen bei der Wahrung Ihrer Interessen nicht helfen. So leid es mir auch tut. Befehl von oben.«

»Befehl?« sagte Paul ungläubig.

»Strikter Befehl sogar. Man hat mich zurückgepfiffen.«

»Und warum sind Sie dann überhaupt noch hier?«

»Ich habe Ihnen ja gesagt, unsere Interessen gehen auseinander. Ich kann Ihnen nur viel Glück wünschen. Und Ihnen noch einmal dringend raten, nichts erzwingen zu wollen. Auch nicht mit Hilfe der Polizei. Tja . . . dann gute Nacht, Mister Niklas.«

Die allgemeine Müdigkeit war einer hektischen Aufbruchstimmung gewichen. Sils und Kramer zogen noch im Gehen ihre weißen Mäntel aus. Martindale war schon an der Tür. Schollhof und die Schwestern Elma und Lore und Christine, die abgelöst worden waren, wollten noch irgendwo zusammen etwas trinken. »Dann kommt doch mit zu mir«, sagte Obermann, »ich habe einen guten Roten. Mister Martindale, wollen Sie auch mitkommen? Sie sehen so durstig aus.«

Und Martindale, der Christine im Kreis der anderen sah, kam mit, nachdem er Newley vom Ende der Operation verständigt hatte.

Obermann wohnte in Grünwald. Sie fuhren mit drei Wagen. Martindale arrangierte es geschickt, daß Christine bei ihm mitfahren mußte.

Paul und Jan waren hinüber zu Frau Gramm gegangen. »Ich warte hier«, hatte Jan gesagt, und Paul hatte sein Büro betreten.

Jetzt stand er vor Irbid, der genüßlich den Platz hinter dem Schreibtisch besetzt hielt, und hatte unmißverständlich die sofortige Freilassung von Kathy gefordert.

»Aber, Mister Niklas«, sagte Irbid beschwichtigend, »wir haben doch zunächst etwas anderes zu besprechen.«

»Nein«, sagte Paul, »wir haben nichts mehr miteinander zu besprechen. Außer der sofortigen Freilassung meiner Tochter!«

»Gerade darauf will ich ja zu sprechen kommen. Ist denn das Schicksal Ihrer Tochter nicht untrennbar mit dem meines Freundes verbunden? Na, sehen Sie! Deshalb möchte ich zunächst von Ihnen erfahren, wie es meinem Freund geht.«

»Es geht ihm gut«, sagte Paul kurz, »der Operation entsprechend.«

»Die Auskunft genügt mir nicht. Ich möchte Einzelheiten wissen. Zum Beispiel: Wie ist das EKG?«

»Aus dem EKG können Sie beim jetzigen Stand nichts ersehen. Es entspricht seinem Zustand.«

»Und wie wird der weitere Verlauf sein?«

»Mich interessiert das Schicksal meiner Tochter!«

»Und mich interessiert das Ergehen meines Freundes!« sagte Irbid laut und schlug mit der flachen Hand auf die Schreibtischplatte. Er beugte sich vor und sah Paul lauernd an: »Also?«

»Er ist auf der Intensivstation.«

»Das ist mir bekannt, Mister Niklas! Ich will wissen, wie es weitergehen wird!«

»Er ist vorläufig noch an die Pumpe angeschlossen. Als Vorsichtsmaßnahme.«

»Und wie lange wird diese Vorsichtsmaßnahme aufrechterhalten?«

»Etwa drei Tage.«

»Und in welchem Zustand wird mein Freund heute mittag sein? Und heute abend? Und morgen früh? Lassen Sie sich nicht jedes Wort einzeln herauslocken, Niklas, ich warne Sie!«

»Da gibt's nichts mehr zu warnen. Ich habe Ihre Bedingung erfüllt. Ich will meine Tochter wiederhaben!« Paul hob die Stimme an, daß er im Vorzimmer zu hören war.

Irbid blieb ruhig. Er lächelte. Er sagte, als tadelte er ein Kind: »Aber, aber, Mister Niklas! Wer wird denn in eine derart falsche Richtung denken!« Und dann streng: »Beantworten Sie meine Fragen!«

Paul schwieg. Er sah ihn herablassend an.

»Los, Niklas! Ich kann es von Ihnen verlangen!«

Paul sagte nichts. Er wandte sich zum Gehen.

»Ich kann es auch erzwingen!« Irbid erhob sich.

Paul drehte sich zu ihm hin. »Na, los doch, Irbid! Ziehen Sie schon Ihre Kanone! Schießen Sie doch! Es geht doch um die Gesundung Ihres Freundes, oder?« Seine Worte waren voll Spott und Hohn.

»Sie irren, Niklas. Sie irren schon wieder! Ich werde nicht schießen. Obwohl ich es liebend gerne täte. Ich werde Sie anders zwingen. Erfolgreicher für meinen Freund.« Er streifte mit der Hand die Manschette seines Hemdes zurück: »Es ist jetzt kurz vor ein Uhr morgens. Ich habe meinem Mitarbeiter . . . ich meine, dem Mann, der Ihre Tochter, na sagen wir, betreut . . . ich habe mit ihm vereinbart, daß ich mich mit ihm spätestens um halb zwei Uhr in Verbindung setze, um ihm zu sagen, ob es Dschafar gutgeht.«

Er steckte beide Hände in die Jackentaschen. Seine Brillengläser funkelten. »Wenn ich mich nicht bis halb zwei Uhr mit ihm in Verbindung setze«, sagte er, »dann haben wir für Ihre Tochter etwas nicht eben angenehmes vereinbart. Also?«

Paul atmete tief:

»Heute abend wird er wohl schon eine Tasse Tee zu sich nehmen können.«

»Und morgen?«

»Eine Suppe.«

»Und übermorgen?«

»Da läßt man ihn für kurze Zeit aufsitzen und die Beine aus dem Bett schwenken.«

»Und am vierten Tag? Und am fünften? Wie lange wird er brauchen, bis er . . .? Niklas!«

»Er wird drei bis vier Tage auf der Intensivstation liegen. Dann kommt er auf die Pflegestation.«

»Und dort?«

»Dort beginnt der Erholungsprozeß.«

»Wir wird das aussehen?«

»Viel Essen. Viel Schlaf. Behandlung durch einen Physiotherapeuten.«

»Das heißt?«

»Krankengymnastik. Atmungsphysiotherapie.«

»Und wann ist er transportfähig?«

»Nicht vor dem zehnten Tag.«

»Und wenn ich sage: am achten? Oder am siebenten?«

329

»Dann handeln Sie auf Ihre Verantwortung. Der behandelnde Arzt wird ihn nicht vor dem zehnten Tag herausgeben.«

»Ach? Der behandelnde Arzt?«

»Ja. Das ist in diesem Fall Professor Sils.«

»Falsch, Niklas! Das sind Sie! Für mich sind das Sie! Und Sie sagen also, er kann nicht vor dem zehnten Tag transportiert werden?«

»Ja. Wenn alles gutgeht.«

»Ach? Und wenn es schlechtgeht?«

»Ja, dann . . .« Paul zuckte mit den Schultern.

»Sehen Sie, Niklas, genau deswegen unterhalten wir uns hier. Die Frage, die es zu lösen gilt, lautet: Was ist, wenn eine Komplikation eintritt?«

»Die Frage ist nicht zu beantworten. Nicht theoretisch.«

»Aber ich will eine Antwort! Auf meine Weise, Niklas! Ich muß wissen, wer dann die Verantwortung hat. Und die haben Sie! Und damit Sie diese Verantwortung auch gewissenhaft . . .«

»Sie können sich jedes Wort sparen, Irbid.« Paul war weiß geworden.

»Es bleibt mir keine andere Wahl, Niklas. Ihre Tochter ist mein bestes Faustpfand. In Damaskus ist nämlich mittlerweile eine neue Situation entstanden. Das AWT hat alle Geiseln freigelassen. Alle bis auf zehn! Wir haben den Flugplatz geräumt, die Maschine zurückgegeben und die zehn ins Innere des Landes gebracht. Wir sagen uns, zehn genügen auch. Und machen nicht soviel Arbeit. Aber daß wir schon allein aus diesem Grund bei Ihrer Tochter keine Ausnahme machen können, ist doch verständlich!«

»Sie haben mich belogen, Irbid!« – »Na und?«

»Sie haben mich belogen, als Sie mir den zweiten Verschluß verschwiegen. Und Sie haben mich belogen, daß die Freilassung meiner Tochter nur von der Bedingung abhängt, daß ich die Operation übernehme! Sie haben mich zweimal belogen, Irbid! Ich glaube Ihnen gar nichts mehr!«

»Stop, Niklas! Das stimmt nicht! Ich habe Sie nicht im ungewissen darüber gelassen, daß mit der Freilassung Ihrer Tochter nicht nur die Durchführung der Operation verknüpft ist.«

»Okay, Sie haben gesagt, wenn die Operation gut verläuft . . .«

»Na und? Wann können Sie das feststellen? Wann frühestens? Ihren eigenen Worten zufolge frühestens am zehnten Tag!«

»Ich glaube Ihnen nicht mehr, Irbid.«

»Das ist mir egal. Aber Sie werden noch für mich arbeiten!«

»Nein.«

»Das werden Sie sich noch überlegen!«

»Ich denke nicht daran!«

»Aber, Mister Niklas!« Irbid lächelte mild: »Denken Sie an halb zwei Uhr! Das ist in einer Viertelstunde! Wissen Sie, was dann geschieht? Das heißt, wenn ich mich nicht telefonisch melde? Dann verliert Ihre Tochter einen Finger. Und eine Stunde später einen zweiten. Und so fort. Na?«

»Sie sind ein Schwein, Irbid! Ein ekelerregendes, dreckiges Schwein!«

»Das trifft mich nicht. Ich will von Ihnen nur die Zusicherung, daß Sie weiter für uns arbeiten. Also?«

»Nehmen Sie an, ich hätte es Ihnen bestätigt.«

»Ich will es nicht annehmen. Ich will es hören! Ja oder nein?«

»Ja.«

»Danke, Mister Niklas. Ich wünsche Ihnen eine angenehme Nachtruhe!«

Irbid verließ das Zimmer durch die Tür, die auf den Flur führte.

Paul stand eine Weile regungslos. Er fühlte sich wie zerschlagen. Mit müden Bewegungen wechselte er den weißen Mantel gegen sein Jackett. Dann straffte er sich. Er hatte einen Entschluß gefaßt. Er ging hinüber ins Vorzimmer, wo Jan und Frau Gramm noch immer warteten.

»Frau Gramm«, sagte er milde zurechtweisend, »Sie sollten längst zu Hause sein! Gute Nacht!« Und zu Jan: »Komm, wir gehen!« Er legte dem Freund die Hand auf die Schulter und schob ihn zur Tür hinaus.

Sie fuhren mit dem Lift nach unten. »Du schläfst doch bei mir?« fragte Paul, und Jan bejahte.

»Das ist gut«, sagte Paul, »jetzt brauchen wir zuerst mal ein paar Stunden Schlaf.«

»Ein paar Stunden? Und dann?«

»Dann muß ich etwas erledigen«, sagte Paul ernst, »und du kannst mir dabei helfen.«

17

Es war gegen halb sechs Uhr morgens. Der Tag war hell. Der erste Sonnenstrahl lag über dem Wald. Obermann begleitete seine Gäste zu ihren Wagen. »Komisch«, sagte Schollhof, »ich bin überhaupt nicht müde.«

»Das geht mir genauso«, sagte Schwester Elma, »wir sind eben überdreht.«

»Vielleicht weil uns die gestrige Mammutarbeit heute allen einen freien Tag beschert«, sagte Schwester Lore lachend.

Sie verabschiedeten sich voneinander. Christine Bern fuhr mit Stanley Martindale. »Die anderen müßten sonst einen Umweg machen«, sagte er, und sie ließ die Begründung gelten.

Ruhig glitt der Wagen durch die leeren Straßen. Martindale drehte das Radio an. Leise Musik erklang. Sie schwiegen.

Christine sah gleichgültig aus dem Fenster. Die Villen Grünwalds zogen an ihnen vorbei. Plötzlich zuckte sie zusammen. »Stop! Halten Sie an!« sagte sie aufgeregt und umfaßte seinen Arm.

Martindale bremste. »Was ist denn los?«

Sie hörte nicht hin. Sie sah nur wie gebannt auf einen Mann, der gut dreißig Meter vor ihnen in einen Wagen stieg.

Martindale folgte ihrem Blick: »Kennen Sie ihn?«

»Ja«, sagte sie, »aber ich will ihm nicht begegnen.«

»Also warten wir, bis er abgefahren ist.«

»Ja bitte.« Ihre Stimme zitterte.

»Aber, Christine! Ist Ihnen was?«

»Nein, nichts. Gar nichts.«

»Ist es meinetwegen?«

»Nein, nein. Es ist nichts.«

»Okay, ich habe kein Recht, zu fragen. Aber kann ich Ihnen helfen? Ich weiß zwar nicht wie . . . aber vielleicht kann ich.«

»Nein, wirklich, es ist nichts. Und Sie können mir auch nicht helfen.« Sie hatte ihr Gesicht von ihm abgewandt und sah dem Wagen nach, der jetzt davonfuhr.

»Oder doch«, sagte sie, »doch, warum eigentlich nicht?« Sie sagte es mehr zu sich und drehte sich ihm ruckartig zu: »Doch. Sie können mir helfen. Ich wüßte gerne, wer dort wohnt.«

»In dem Haus, aus dem er gekommen ist?«

»Ja.«

»Da meint es der Himmel gut mit Ihnen. Solche Zufälle gibt es eben. Ich war zwar bis heute nur ein einziges Mal in Grünwald. Aber ausgerechnet in diesem Haus. Es gehört einem Baron Raoul Phillip von Merheim. Er macht Bankgeschäfte.«

»Baron von Merheim?« sagte sie. »Nie gehört.«

Er nahm eine Packung Zigaretten aus dem Handschuhfach, klopfte eine halb heraus und hielt sie ihr hin. »Danke«, sagte sie und nahm sie. Er gab ihr Feuer und steckte sich auch eine an.

Er sog den Rauch tief in die Lungen und lehnte sich in die Polster zurück. »Aber vielleicht kennen Sie seine Frau«, sagte er und deutete mit dem Kopf leicht in die Richtung der Villa.

»Seine Frau? Nein.«

»Baronin Lance Alice von Merheim. Geschiedene Niklas.«

»Das ist . . .? Sie war . . .? Mit unserem Niklas . . .?« Christine sah Martindale mit großen Augen an.

»Ja. Sie war seine Frau. Eine Amerikanerin. Er hat sie drüben geheiratet. Und seine Tochter Katharina . . .«

» . . . ist ihr Kind?«

»Ja. Sie sehen, Sie sind bei mir an der richtigen Adresse. Und wer war der Mann, der gerade abgefahren ist? Ich habe leider nur seinen Rücken gesehen.«

»Sie kennen ihn.«

»Ich kenne ihn?« Er überlegte: »Saunter? Doktor Saunter?«

»Ja.«

»Ich habe es mir beinahe gedacht. Aber . . . Moment mal, die Sache beginnt interessant zu werden!« Er setzte sich auf.

»Interessant? Wieso?«

»Darf ich Sie etwas fragen?«

»Ja. Warum nicht.«

»Warum wollten Sie Saunter nicht begegnen?«

»Ist das eine private Frage oder eine berufliche?«

»Vielleicht beides«, sagte er, »aber Sie brauchen Sie mir gar nicht mehr zu beantworten. Ich kann mir die Antwort denken.«

»Sie ist ja auch nicht allzu schwer zu erraten.«

»Nein.« Er schnippte die Zigarette aus dem Fenster. »Sind Sie schon lange mit ihm befreundet?«

»Ich war. Aber ich glaube, ich bin es nicht mehr.«

»Aber Sie lieben ihn noch?«

»Ich bilde es mir zumindest ein.«

»Tut es weh?«

»Manchmal.«

»Jetzt auch?«

»Ja. Ein bißchen.«

»Das tut mir leid.« Er sagte es leise und einfühlsam.

»Und warum?« Sie hob den Blick: »Warum tut es Ihnen leid?«

»Ich glaube, das wissen Sie.«

»So? Meinen Sie?«

»Es tut mir leid, weil ich Sie mag.«

Sie schwiegen. Sie drückte ihre Zigarette im Aschenbecher aus und schloß die Augen, als wollte sie sich ein bestimmtes Bild heranholen. Er steckte sich eine neue Zigarette an. Er war nervös.

»Sie sind in diesem Land der erste Mensch, der . . .« Er stockte.

»Sprechen Sie ruhig weiter. Ich höre auch mit geschlossenen Augen.«

». . . der erste Mensch, der mich dazu gebracht hat, meine Beziehung zu diesem Land zu überdenken.«

»Ich?«

»Ja, Sie. Natürlich können Sie das nicht wissen. Sie haben es ja nur unbewußt ausgelöst.«

»Aber warum ich? Warum ausgerechnet ich? Was habe ich getan oder was habe ich gesagt, daß Sie . . .«

»Nichts Besonderes. Vielleicht war es auch, weil ich Sie vom ersten Augenblick an mochte. Das ist eben so. Irgendein Mensch löst bei einem anderen irgend etwas aus.«

»Aber ich kann nichts dafür.« Sie sagte es wie eine Entschuldigung.

»Nein, natürlich nicht«, sagte er und kannte sich auf einmal selber nicht mehr: Er war verlegen. Er konnte sich nicht erinnern, wann er das letztemal verlegen war.

»In bin nicht gerade attraktiv«, sagte er, »ich meine, nicht unbedingt ein Typ, auf den die Frauen fliegen.«

»Vielleicht nicht alle«, sagte sie, »muß denn das sein?«

»Absolut nicht. Eine genügt.« Er spürte, wie ihm das Blut in den Kopf schoß.

Sie schwiegen erneut. Ein alter Mann kam nahe am Wagen vorbei.

Er führte einen Boxerhund an der Leine spazieren. Er schenkte dem Wagen keine Beachtung.

»Sie haben gesagt, Ihre Frage war zum Teil auch beruflich gemeint?« sagte sie und drehte ihr Gesicht wieder dem Fenster zu.

»Meine Frage nach Saunter?«

»Ja. Was haben Sie mit ihm zu tun?«

»Mit ihm direkt nichts. Aber mir kam da ein Gedanke.« Er hatte sich an seinen Besuch bei Lance von Merheim erinnert. Er hatte sich die Verabschiedung ins Gedächtnis gerufen, ihren Satz: »Es tut mir leid, daß ich Ihnen keine große Hilfe war.« Und er hatte ihren Gesichtsausdruck vor sich. Einen Ausdruck, der mit dem Satz nicht übereingestimmt hatte.

Er hatte es schon damals geahnt, aber jetzt war er seiner Sache plötzlich sicher: Lance von Merheim hatte nie die Absicht gehabt, ihm zu helfen. Sie mochte Paul Niklas nicht. Ja vielleicht haßte sie ihn sogar. Warum, das war eine andere Frage.

Aber angenommen, sagte er sich, sie haßte ihn in der Tat? Und Saunter ist ihre einzige Verbindung zur Umgebung ihres früheren Mannes? Dann ist es doch interessant, zu erfahren, ob irgendein Zusammenhang zwischen Saunters Besuch so früh hier draußen und den derzeitigen Schwierigkeiten von Paul Niklas besteht?

»Ich werde die Sache zu klären versuchen.« Er drückte den Türhebel.

»Klären? Jetzt? Aber wie? Sie können doch nicht . . .!«

»Keine Angst, ich bin gleich wieder zurück.« Er stieg aus und ging die Straße entlang zur Villa. Etwa zwei Meter hinter der Stelle, an der Saunters Wagen eben noch geparkt hatte, entdeckte er einen frischen Ölfleck.

Christine sah, wie er den Klingelknopf drückte. Nach einiger Zeit wurde ihm geöffnet, und er verschwand durch die schmiedeeiserne Gartenpforte.

Keine fünf Minuten später saß er wieder neben ihr im Wagen.

»Und«, fragte sie, »haben Sie etwas erreicht?«

»Erstaunlich, was?« Er steckte sich eine Zigarette an. »Aber es ist eine alte Erfahrung: Auf jede Frage bekommt man eine Antwort. Nur was man mit der Antwort anfängt, das ist die zweite Frage.«

»Wissen Sie jetzt etwa, warum er hier war?«

»Nicht hundertprozentig. Ich habe mit dem Hausmädchen gesprochen. Sie war ein bißchen verwundert über meinen frühen Besuch. Anscheinend kam sie gerade aus dem Bett. Aber sie hat sich an mich erinnert. Und hatte behalten, daß ich nur dringende Angelegenheiten bearbeite.« Er lachte: Und das war ein besseres Entree als ein dicker Blumenstrauß!«

»Und! Was hat sie gesagt?«

»Die gnädige Frau war nicht zu sprechen. Gott sei Dank! Ich hatte also leichtes Spiel.«

»Hat das Mädchen gewußt, daß er da war?«

»Ja. Nur offenbar nicht, wie lange. Ich habe sie gefragt, ob es sich wieder um eine größere Party gehandelt hat.«

»Und?«

»Es war diesmal nur eine Party zu dritt.«

»Die Merheims und Monty?«

»Eh-eh! Frau von Merheim. Saunter. Und noch ein Mann. Ein junger. Sozusagen der Ölfleck hinter Saunter.«

»Das verstehe ich nicht.«

»Ich auch nicht, Christine. Vorläufig nicht. Das heißt, noch nicht ganz. Ich muß erst noch etwas herausfinden.«

»Wer der junge Mann war?«

»Genau. Das Mädchen hat nur eine unbestimmte Andeutung gemacht. Jetzt wollen wir der Sache mal auf den Grund gehen!«

Er startete.

18

Etwa zur gleichen Zeit, als Stanley Martindale Christine Bern zu Hause absetzte, drehte Paul Niklas die Dusche auf. Er hatte vier Stunden geschlafen.

Es war nach zwei Uhr morgens gewesen, als er und Jan nach Hause gekommen waren. Hundemüde hatte er dem Freund noch einen Schlafanzug und Badetücher für das Gästezimmer herausgelegt und sich den Wecker gestellt.

Seine Gedanken an Kathy hatten ihn in den Schlaf begleitet. Unruhig hatte er sich hin und her gewälzt, war einige Male hochgeschreckt, hatte keine Ruhe gefunden. Er hatte die Uhr der nahen Kirche drei Uhr schlagen hören, vier Uhr, fünf Uhr. Eine halbe Stunde, bevor der

Wecker schrillte, war er schließlich eingeschlafen. Doch obwohl er sich wie zerschlagen fühlte, war er aufgestanden. Er hatte das Haus durchstreift, ruhelos, als glaubte er, irgendwo eine Antwort auf seine Fragen zu finden.

Er stellte die Dusche ab, hüllte sich in den Bademantel, ging in die Küche und setzte den Wasserkessel auf. Er wollte sich Tee aufbrühen.

»Paul, du übertreibst!« In der Tür stand Jan. Er war im Schlafanzug.

Paul lächelte flüchtig: »Du hättest noch schlafen können, Jan. Ich hätte dir den Tee ans Bett gebracht.«

»Sag mir lieber, wo der Zucker steht und die Milch, wo ihr das Brot versteckt und ob es hier Marmelade gibt!« Jan war voller Tatendrang.

Paul wies ihn ein, und beide bereiteten das Frühstück gemeinsam. Keine zwanzig Minuten später saßen sie rasiert und angezogen am Tisch.

»Paul, ich habe ganz vergessen, dir etwas zu sagen.«

»Brauchst du Wurst? Willst du ein weichgekochtes Ei?«

»Danke nein. Ich habe gestern lange mit Frau Gramm gesprochen. Unter anderem auch über den Fall des kleinen Andreas Werner.«

»Bitte, Jan!« Paul wollte davon nichts hören.

»Ich weiß, was ich sage, Paul. Und ich bin mir auch bewußt, warum ich es jetzt sage. Je eher ich es an dich loswerde, um so besser für ich.«

Paul sah ihn stumm an. Seine Stirn war gefurcht.

»Frau Gramm ist eine patente Person«, sagte Jan, »sie ist fleißig, sie ist dir treu ergeben, und sie ist interessant. Sie ist mehr als eine Sekretärin.«

»Mach es kurz, Jan.«

»Paul, dich trifft am Tod des Jungen keine Schuld. Nicht die geringste. Nicht soviel!« Jan schnippte mit den Fingern.

»Ach? Weil Frau Gramm es sagt?«

»Sei nicht töricht. Sie hat es mir nur weitererzählt. Der Junge ist durch Kammerflimmern gestorben.«

»Das weiß ich!«

»Und du führst das Kammerflimmern auf eine Unterlassung von dir zurück.«

»Jan, du langweilst mich.«

»Und myocardiale Schrittmacher-Elektroden, also Drähte, näht man doch nur ein, um einen möglichen Herzblock zu verhindern. Ich meine, um den Schrittmacher außen anschließen zu können? Stimmt das?«

»Ja, das stimmt. Aber bitte, laß das Thema!«

»Nein, du mußt mir zuhören! Du wirfst dir vor, daß du keine Schrittmacher-Elektroden eingenäht hast?«

»Ja, zu Recht!«

»Der Junge hatte einen Sinusrhythmus. Das heißt doch so viel, daß er einen völlig normalen Regungsablauf hatte?«

»Ja! Und nun gib Ruhe!«

»Nein, das tue ich nicht. Wenn nun das Kammerflimmern innerhalb von Sekunden einsetzt, ich meine, ohne vorangehenden Herzblock? Dann hätte doch ein Schrittmacher nichts genützt? Ja?«

»Ja! Aber das ist eben nicht erwiesen!«

»Doch, Paul. Das ist erwiesen.«

»Was sagst du da?« Paul setzte die Tasse, die er angehoben hatte, wieder ab.

»Ja. Das Magnetband! Sie haben es zwei Tage später angesehen. Es hat das EKG der letzten Stunde vor dem Tod gespeichert. Es gab keinen Herzblock!«

»Ist das wahr, Jan?«

»Ja, Paul. Und alle deine Mitarbeiter wissen es. Nur du noch nicht. Deshalb mußte ich es dir . . . ich hoffe, es hilft dir.«

»Ja, es hilft mir. Es hilft mir sehr«, sagte Paul nachdenklich und dann: »Und jetzt gib mir mal den Honig herüber. Er ist ja wohl nicht für dich allein.«

»Entschuldige, daß ich so unaufmerksam bin«, sagte Jan im Scherz, »aber ich kann Helen natürlich nicht vollwertig ersetzen.« Er brachte Paul zum Lachen. Das Frühstück war beendet.

»Und jetzt sag mir endlich, warum wir so früh aufstehen mußten?« Jan stellte in der Küche das Geschirr zusammen.

»Weil wir etwas zu tun haben, Jan. Wir suchen Kathy.«

»Wir? Wir zwei? Wir zwei allein? Bist du verrückt?«

In diesem Augenblick läutete das Telefon. Schrill und laut durchschnitt es ihre Unterhaltung.

»Viertel nach sieben. Wer kann das sein?« Jan sah den Freund fragend an.

»Das ist hier nicht ungewöhnlich. Wenn es sein muß, werde ich mitten in der Nacht geweckt.«

Das Telefon läutete weiter. Paul hob ab und meldete sich. Auf seinem Gesicht breitete sich Verwunderung aus: »Sie, Martindale? An Sie habe ich wirklich nicht gedacht. Was sagen Sie? Ach? Meinetwegen, wir haben schon gefrühstückt. Aber eine Tasse Kaffee haben wir noch übrig.« Er legte auf und sagte zu Jan: »Er ist hier in der Nähe. Er kommt vorbei. Er sagt, er hätte womöglich eine interessante Neuigkeit.«

19

Martindale kam. Jan Voss goß ihm eine Tasse Tee ein, stellte Brot, Butter und Marmelade vor ihn auf den Tisch und wünschte ihm ein »beschauliches Frühstück«.

»Das würden meine Nerven nicht durchhalten«, sagte Martindale und trank die Tasse auf einen Zug leer. Dann gab er seinen Bericht.

Paul hörte ihn in Ruhe an. »Etwas ist unklar, Mister Martindale«, warf er ein, »in welcher Weise sollte meine erste Frau mir Schaden zufügen können, und was sollte Saunter damit zu tun haben?«

»Ich bin noch nicht fertig. Sie vergessen den zweiten Mann!«

»Den Jungen?«

»Ja. Das Hausmädchen hat nur vermutet, daß sie ihn kennt, daß sie sein Gesicht schon irgendwo einmal gesehen hat, vielleicht in einer Zeitung.«

»Hunderte von Menschen sind täglich in Zeitungen abgebildet«, sagte Jan.

»Ja, natürlich«, sagte Martindale, »aber ich habe da so meine eigene Methode. Sie müssen wissen, ich bin ein Spieler. Ich gewinne zwar nicht immer, aber wer tut das schon? Ich setze auf plain. Das heißt, wenn ich einem Verdacht nachgehe.«

»Hatten Sie denn einen Verdacht, Mister Martindale«, sagte Paul, »einen bestimmten?«

»Eine Gegenfrage, Mister Niklas: Wären Sie in Ihrer jetzigen Situation erfreut, eine großangelegte Pressekampagne gegen sich zu erleben? Ich glaube, wir haben das Thema schon einmal berührt. Aber mehr am Rande.«

»Eine Pressekampagne? Was könnte die Presse denn gegen mich . . .? Nein, da sehe ich keine Gefahr.«

»Wenn ich Chefredakteur wäre«, sagte Martindale, »ich wüßte eine Bombenstory gegen Sie. Ich würde nur einen lückenlosen Report der letzten Tage liefern. Ich würde das Leben des Professor Niklas und das Leben der Geiseln im unerträglich heißen Wüstensand gegeneinanderstellen. Das Zaudern des berühmten Professors gegen die Ohnmacht der kraftlosen Geiseln. Ach, das ließe sich zwingend ausschmücken! Der Professor in überwältigend schöner Bergeinsamkeit. Und hundertvierundachtzig Menschen ohne einen Tropfen Wasser!«

»Die Dinge sind doch längst überholt!« Paul war verstimmt.

»Für Sie vielleicht, Mister Niklas. Aber nicht für den Leser. Die Presse hat bis jetzt geschwiegen. Aber nicht nur auf Empfehlung des Innenministeriums. So etwas hält nicht länger als maximal ein, zwei Tage. Sie hat geschwiegen, weil sie ausgeschlossen war. Weil wir die Sache bis jetzt sozusagen unter uns abgezogen haben. Begreifen Sie endlich?«

Martindale sah Paul abwartend an. Als Paul nicht antwortete, fuhr er fort: »Wenn jetzt jemand der Presse die diesbezüglichen Informationen nachliefert . . .«

»Aber das kann doch immer geschehen«, sagte Paul, »dagegen ist man doch nie gefeit.«

»Das schon. Aber vielleicht nicht unbedingt durch eine Insider-Information. Durch eine, die jeder Überprüfung standhält.«

»Sie glauben . . . Saunter?« Paul erhob sich und durchschritt den Wohnraum. »Nein, das kann ich mir nicht denken! Außerdem: Was soll Saunter schon sagen? Er weiß ja nichts.«

»Sind Sie da sicher? Ich habe da schon Pferde kotzen sehen.«

Paul blieb stehen. Er hatte die Hände in den Hosentaschen. »Und dieser junge Mann ist Chefredakteur?«

»Nein«, sagte Martindale, »ein – sagen wir – gängiger Kolumnist. Sein Kopf ist jede Woche in einer Boulevardzeitung zu sehen. Also nichts Aufregendes. Aber immerhin ein Sprachrohr. Er wohnt hier in der Stadt. Ich habe ihn vorhin angerufen. Ich habe ihm gesagt, ich sei der Hausmeister von Merheims und ich riefe im Auftrag meiner Herrschaft an, weil er heute morgen einen Notizblock in der Villa vergessen habe.«

»Sie sind wirklich mit allen Wassern gewaschen«, sagte Paul.

»Wenn Sie es als Kompliment meinen, bedanke ich mich.«

»Nicht unbedingt.« Paul setzte sich wieder. »Und wie hat der Mann reagiert?«

»Dumm. Er hat gefragt: ›Einen Notizblock?‹ Er war nicht ärgerlich, daß ich ihn vielleicht aus dem Bett getrommelt habe. Er ist nicht aus allen Wolken gefallen. Er hat nicht so getan, als sei mein Anruf absurd. Und er hat nicht einfach aufgelegt. Er hat nur bezweifelt, ob er seinen Notizblock tatsächlich vergessen habe. Genügt Ihnen das als Beweis?«

»Was schlagen Sie vor? Ich nehme doch an, auch in Ihrem Interesse?«

»Natürlich auch in unserem Interesse. Denn jetzt wo die Aktien so günstig stehen . . .« Martindale brach mitten im Satz ab. Er hatte einen Fehler begangen. Er hatte das Schicksal von Katharina Niklas nicht bedacht.

Er verbesserte sich: ». . . ich meine, die Aktien stehen so, daß wohl alle unmittelbar von der Sache Betroffenen in einigen Tagen . . . ich meine, daß sich alles bald in Wohlgefallen auflösen wird. Ja, auch für Sie, Mister Niklas. Und da kann der Staub, den die Presse jetzt womöglich aufwirbelt, mit Sicherheit mehr schaden als nützen.«

»Schaden sehe ich aber immer noch keinen.«

»Mister Niklas, das ist doch ganz simpel: Einer dieser Burschen fängt an, und die anderen schreiben hinterher. Und spätestens nach zwei Tagen müssen Sie Ihr Haus verbarrikadieren, können keinen Schritt mehr tun, ohne daß Ihnen einer dieser Pressefritzen auf den Zehen steht. Und was unsere eigenen Interessen betrifft: Je ruhiger und geheimer verhandelt werden kann, desto größer sind im allgemeinen die Erfolge. Abgesehen von der Klinik! Von der Ruhe des Patienten! In zwei Tagen würde auf dem Parkplatz hinter der Klinik ein Heerlager der Zeitungsschreiber entstehen, auf den Fluren, auf den Stationen würde man über Fotografen und Kameramänner stolpern . . . nein, ich glaube nicht, daß Sie das ernstlich wünschen!«

»Ich stimme Mister Martindale zu«, sagte Jan, »du mußt tatsächlich etwas unternehmen.«

»Ja, ich denke auch«, sagte Paul, »aber was?«

»Wir dürfen keine Zeit verlieren«, sagte Martindale, »der Bursche ist durch meinen Anruf aufgescheucht. Der macht jetzt Dampf. Ich schlage vor, wir verteilen die Rollen. Sie nehmen sich Saunter vor. Und wenn es nötig wird, auch Ihre frühere Frau. Und ich werde mit dem jungen Mann ein paar passende Worte wechseln.« Martindale stand auf. »Das heißt, sobald ich von Ihren Ergebnissen weiß. Okay?«

»Einverstanden«, sagte Paul, »ich sehe ein, daß diese Sache noch dringlicher ist als . . .«

»Als was?« fragte Martindale. Er war schon an der Tür.

»Nichts«, sagte Paul, »nichts. Etwas ganz Privates.«

»Ihre Tochter?«

»Nein, nichts.«

»Mister Niklas, unterliegen Sie keinem Irrtum! Er könnte schwerwiegende Folgen haben. Anders als mit diesem wohlgemeinten Rat kann ich Ihnen momentan nicht helfen.«

»Danke, Martindale. Aber Sie haben mir ja schon gesagt, daß ich mit Ihrer Hilfe nicht rechnen kann. Lassen Sie von sich hören?«

»Ja. Ich lege mich eine Stunde aufs Ohr. Und ich hoffe, daß Sie dann schon etwas erreicht haben. Denn wir müssen die Glut austreten, bevor daraus ein Steppenbrand wird.«

20

Eine Stunde später läutete Montgomery Saunter am Haus beim Herzogpark. Nachdem Martindale gegangen war, hatte Paul ihn sofort angerufen und ihn in kurzen Worten gebeten, so schnell wie möglich zu ihm zu kommen.

Er führte Saunter ins Arbeitszimmer und bot ihm Platz an. »Sherry? Cognac?«

»Danke, nein.« Saunter winkte ab: »Nicht zum Frühstück! Wenn es keine Umstände macht, höchstens Kaffee.«

»Kaffee!« rief Paul in Richtung Küche, und von dort kam die Antwort: »Verstanden!« Jan ließ ihn das fehlende Hausmädchen vergessen.

Ohne Vorrede kam Paul zum Thema: »Sie waren heute nacht im Hause meiner früheren Frau?«

»Ja.« Saunter war verblüfft: »Woher wissen Sie? Hat Frau von Merheim mit Ihnen telefoniert?«

»Nein, das nicht. Ich wüßte den Anlaß gern von Ihnen.«

»Den Anlaß? Kein besonderer. Ich gehöre zum Bekanntenkreis. Warum fragen Sie? Ist das etwa der Grund, weswegen Sie mich hergebeten haben?«

»Ja, das ist der Grund, Monty. Eine wenig schöne Angelegenheit. Denn Sie waren mit einem Mann bei Frau von Merheim, der mir Sorgen bereiten könnte.«

»Sie meinen Cornelius?«

»Ja, ich glaube, das ist er. Ein Journalist.«

»Ja, Fred Cornelius.«

»Ist er ein Bekannter von Ihnen? Ein Freund?«

Saunter zögerte mit der Antwort: »Nein. Ich kenne ihn nur flüchtig.«

»Haben Sie ihn zu Frau von Merheim gebracht?«

»Nein. Sie kennt ihn besser als ich.« Saunter richtete sich auf: »Herr Niklas, wir können das Gespräch abkürzen. Ich weiß jetzt, weshalb Sie mich angerufen haben.«

»Um so besser. Dann sparen wir Zeit.« Paul erzählte ihm von seinen Befürchtungen, von der Lage, in der er sich befand, und vom Gespräch mit Martindale. Er sprach offen zu ihm. Und als Saunter ihn nach Helen fragte, sagte er ihm sogar, wie sehr er sie gerade jetzt vermisse.

Jan trug das Tablett mit dem Kaffee herein: »Hoffentlich störe ich nicht im ungeeignetsten Moment.« Er stellte das Tablett vor Saunter ab.

»Begreifen Sie jetzt meine Sorge«, sagte Paul, »verstehen Sie, daß ich mir Klarheit verschaffen muß? Daß gerade Sie mir helfen könnten?«

»Sie können auf mich bauen, Herr Niklas, das wissen Sie.«

»Sagen wir, ich wußte es. Jetzt bin ich mir nicht mehr so sicher.«

»Ich gebe zu«, sagte Saunter und nippte am Kaffee, »Frau von Merheim hatte Cornelius offenbar in voller Absicht eingeladen.«

»Das steht wohl außer Frage. Mich interessiert: Was haben Sie über mich und meine derzeitige Situation gesagt?«

»Nichts. Oder, sagen wir, nur wenig, nur allgemeines. Daß ich Sie schätze als Kollege und Mensch. Daß Sie heute alle anderen überragen. Daß die Arbeit mit Ihnen und die Arbeit in der Klinik reibungslos funktioniert.« Saunter war sich keiner Schuld bewußt.

»Und über den Fall Dschafar?«

»Daß man mich ausgewiesen hat, aus politischen Gründen. Daß ich mich als Gegner dieser Kerle sehe. Daß ich . . .«

»Ich meine, über mich, was den Fall Dschafar betrifft.«

»Über Sie?«

»Ja, das ist entscheidend, Monty.«

»Daß mir Kathy erzählt hat, daß Sie weggefahren sind.«

»Sie haben Kathy gesehen?«

»Ja. Sie hat mich in Schwabing aufgegabelt.« Er schilderte den frühen Morgen mit Kathy in Stichworten und gab ihre Gespräche wieder. Daß er mit ihr geschlafen hatte, sagte er nicht. Er fand, das gehöre nicht hierher.

»Ja, ich glaube, ich habe mich gegenüber Cornelius falsch verhalten«, sagte er nachdenklich, »aber ich habe es nicht bedacht, ich war mir der Tragweite nicht bewußt. Sie müssen mir glauben! Ich wollte Ihnen nicht schaden!«

»Ich glaube ihnen.« Paul stand entschlossen auf: »Aber jetzt müssen Sie mich allein lassen.« Er reichte ihm die Hand zum Abschied. »Jetzt muß ich mit Lance sprechen.« Er sagte es mehr zu sich und ging zum Telefon.

Jan begleitete Saunter zur Tür. »Es war richtig, daß Sie offen zu ihm gesprochen haben.«

»Ja.« Montgomery Saunter war mit seinen Gedanken woanders. Er hatte sich vorgenommen, seine Schuld wiedergutzumachen.

21

Der Kosmetiksalon war sehr groß und glich der Dekoration für einen modernen Film. Glas, Metall, Kunststoff, flauschige Teppiche, durchsichtige, weich fallende Vorhänge an den Fenstern und im Raum. Die einzelnen Abteilungen in den Tönen shocking-pink und hellgelb bis orangefarben.

Am frühen Vormittag hatte der Salon noch nicht allzu viele Kundinnen. Die junge Dame, die Paul Niklas empfangen hatte, trug wie ihre Kolleginnen ein kurzes, uniform gehaltenes Hemdblusenkleid in zartem Blau. Sie wirkte sehr gepflegt, und ihre Wimpern waren unecht. Sie hatte Paul gesagt, daß er einige Minuten warten müsse.

Paul sah sie fragend an: »Was ist bitte eine Boretsch-Kompresse und eine schwedische Schönheitspackung?«

Die Kosmetikerin fühlte sich in ihrem Element. »Boretsch ist ein Gurkenkraut aus dem Orient«, schnurrte sie herunter, »es kann wie Spinat zubereitet werden. Die Blätter enthalten ätherische Öle und Gerbstoff und wirken stark schweißtreibend. Wir übergießen zwei Handvoll davon mit ungefähr zwei Liter heißem Wasser, lassen sie zehn Minuten ziehen und tauchen die Tücher in die abgeseihte Flüssigkeit.«

»Danke«, sagte Paul. Er hörte nicht zu. Ihm ging es nur darum, die Wartezeit zu überbrücken.

Doch die Kosmetikerin sprach weiter: »Und eine schwedische Schönheitspackung besteht aus einer Creme, die aus Bienenhonig, süßer Sahne und Quark gewonnen wird. Sie glättet und reinigt jede Haut mild und durchdringend. Ich glaube, jetzt kann ich Sie nach hinten führen.« Sie deutete ihm mit einer anmutigen Handbewegung an, ihr zu folgen.

Sie verließen den Hauptraum und kamen in einen Flur mit vielen Türen. »Hier sind unsere Ruhekabinen«, sagte sie und öffnete ihm die dritte Tür auf der linken Seite, »bitte!« Sie ließ ihn eintreten. Er schloß die Tür hinter sich.

Ein schmaler, heller Raum. Ein hoher Spiegel. Eine Konsole, auf der sich kosmetische Fläschchen, Töpfchen, Tuben und Zubehöre befanden. In der Mitte eine Liege, auf der Lance lag. Den Kopf auf einem Polster, ein helles dünnes Tuch bis über die Schultern, die Arme und Hände frei.

Er erkannte sie nur an ihren Händen. Der schmale Handrücken. Die am Nagelbett breit geschwungenen Finger.

Ihr Gesicht war von einer weißen, starren Masse überzogen, die nur die Augen und ihr Umfeld freiließ: die schwedische Schönheitspackung. Das Haar war mit einem breiten, weißen Band zurückgebunden.

Er hatte versucht, sie zu Hause zu erreichen. Das Hausmädchen hatte ihm die Adresse des Salons gegeben.

»Lance, bitte entschuldige, daß ich dich ausgerechnet hier überfalle. Nach so vielen Jahren wäre sicher eine Begegnung an anderem Ort angemessener gewesen. Aber es muß leider sein. Bleib ruhig liegen. Ich weiß, daß du mit der Packung kaum sprechen kannst. Bitte erschrick nicht, ich bringe dir eine schlimme Nachricht. Kathy ist entführt worden.«

Sie wurde starr. Sie wollte sich aufrichten. Paul drückte sie sanft zurück. »Hör zu! Hab keine Angst, was Kathy betrifft. Bitte frag jetzt nichts, das kannst du später tun. Meine Zeit ist knapp. Bist du bereit, mir Fragen zu beantworten?«

Sie nickte.

»Gestern nacht hattest du Besuch von Doktor Saunter und einem Journalisten namens Cornelius. Stimmt das?«

Sie nickte und versuchte, etwas zu sagen, doch unter der Packung blieb ihre Stimme unverständlich.

Er fragte weiter: »Gibst du auch zu, daß du Saunter über mich aushorchen wolltest?«

Sie reagierte nicht. Sie nickte weder, noch schüttelte sie den Kopf. Sie lag unbeweglich, und ihr Blick ging an ihm vorbei.

»Gibst du zu, daß du den Journalisten Cornelius angehalten hast, einen Artikel über mich zu schreiben?«

Wieder zeigte sie keine Reaktion.

»Einen Artikel, der mir schaden sollte? Der meine derzeitige Situation in aller Öffentlichkeit breittreten sollte?«

Sie warf ihm einen wütenden Blick zu und wollte aufstehen, doch er hielt sie mit festem Handgriff in ihrer Lage.

»Lance, du hast es getan! Gib es zu! Es geht um Kathy!«

Ihre Augen nahmen einen fragenden Ausdruck an.

»Ja, um Kathy! So ein Artikel wird die gesamte Presse mobilisieren! Die Arbeit der Polizei wird unnötig erschwert. Sie kann keine geheime Aktion mehr starten. Ich werde für Kathy nichts unternehmen können, ohne von Journalisten umgeben zu sein! Wir werden Kathy womöglich überhaupt nicht finden! Lance, siehst du das ein?«

Er sah sie eindringlich an. Sie hatte den Blick zur Decke gehoben. Ihre Augen waren ernst. Nach und nach füllten sie sich mit Tränen.

»Lance, bist du bereit, diesen Journalisten daran zu hindern, daß er den Artikel schreibt?«

Sie nickte. Und zuckte mit den Schultern.

»Du meinst, du weißt nicht, wie du das machen könntest?«

Sie nickte abermals.

»Meiner Ansicht nach gibt es da nur einen Weg: Geld. Bist du dazu bereit?«

Sie nickte.

»Gut, dann werde ich dir sagen, wie ich mir deine Hilfe vorstelle: Wenn du diese Packung hinter dir hast, klärst du sofort, wieviel Geld du im äußersten Notfall bereitstellen kannst. Sofort! Hörst du?«

Natürlich hätte auch er selber Geld bereitstellen können. Doch nicht unbedingt soviel wie Lance und gewiß nicht so schnell. Darüber hinaus wollte er sie auch nicht einfach aus ihrer Schuld entlassen.

Da sie nicht reagierte, fragte er noch einmal: »Hörst du?«

Sie nickte.

»Du klärst, ob du zwanzigtausend bereitstellen kannst. Oder mehr. Oder, wenn es darauf ankommt, auch hunderttausend.«

Sie nickte.

»Wir müssen ihn bestechen, verstehst du? Und die Bestechung muß Hand und Fuß haben. Mit wieviel, glaubst du, können wir rechnen? Mit zwanzig?«

Sie nickte.

»Auch mit fünfzig?«

Sie nickte mehrmals.

»Unter Umständen auch mit hundert?«

Sie nickte nachhaltig.

»Gut. Ich werde meinen Vertrauensmann davon unterrichten. Und wann, glaubst du, kannst du über das Geld verfügen? Noch heute?«

Sie nickte.

»Traust du dir das zu, Lance?«

Sie nickte unmerklich, und ihre Augen füllten sich erneut mit Tränen.

»Gut. Ich gehe. Ich werde dich anrufen. Aber auch du kannst mich jederzeit verständigen. Zu Hause oder in der Klinik. Sollte ich gerade nicht erreichbar sein, hinterläßt du eine Nachricht. Mach's gut, Lance!«

Als er draußen auf der Straße stand, hatte er das Gefühl, richtig gehandelt zu haben.

22

Das Gartenhaus war kein echtes Gartenhaus. Es war ein kleiner Zwei-Zimmer-Bungalow aus Fertigteilen, der im Hof zwischen den hohen Mietskasernen stand. Er sah verkommen aus.

In der Ferne schlug eine Uhr achtmal. Der Hof lag noch im morgendlichen Schatten und war menschenleer. Über einer Teppichstange hing, alleingelassen, ein brauner, abgetretener Läufer aus Sisalhanf. Die Mülltonnen quollen über und standen aufgedeckt bereit für die Abfuhr. An der Toreinfahrt, die zum Hof führte, hatte Stanley Martindale eine junge Frau, die anscheinend gerade einkaufen ging, nach Fred Cornelius gefragt. »Dort hinten im Gartenhaus«, hatte sie geantwortet und war weitergegangen.

Martindale hatte sich mit Paul Niklas in Verbindung gesetzt, und der hatte ihm die Gespräche mit Saunter und mit seiner früheren Frau genau geschildert. Noch in Gedanken an diesen Bericht, ging Martindale langsam über den Hof. Er zog einen Kaugummi aus der Tasche, wickelte ihn umständlich aus und steckte ihn sich in den Mund. Dann klopfte er an die Tür des kleinen Bungalows. Nichts geschah. Er klopfte stärker und rief: »Cornelius!«

Im Inneren wurden Stimmen laut. Schritte näherten sich. Die Tür öffnete sich einen Spalt. Das Gesicht eines Mädchens war zu sehen. »Was wollen Sie um diese Zeit?« Das Mädchen war nackt und verschlafen. Es hielt sich ein Handtuch vor seine Blöße und sprach leise.

»Ich muß Herrn Cornelius sprechen«, sagte Martindale freundlich und schob mit der Zunge den Kaugummi auf die andere Seite, »es ist dringend!«

»Fred schläft noch nicht mal 'ne Stunde! Ich kann ihn jetzt nicht wecken.«

»Es geht um einen ganz dicken Fisch! Und es geht um Minuten!«

»Na schön, ich will's versuchen. Warten Sie 'n Moment.« Das Mädchen schloß die Tür und stand wenig später wieder vor ihm. Diesmal im Bademantel. »Kommen Sie rein.«

Im Bungalow sah es aus, als hätte hier seit Monaten niemand mehr aufgeräumt. Benütztes Geschirr, benützte Wäsche, Zeitungen, leere Flaschen, Bücher, Kleidungsstücke, alles war wild über die beiden Räume verstreut, auf Sessel, Tische, den Fernsehapparat, den Fußboden.

Von der breiten Couch in der Ecke des kleinen Raumes erhob sich Fred Cornelius. Ein schmächtiger junger Mann. Er war im Unterhemd und schlüpfte in Jeans.

»Was gibt's? Wer sind Sie?« In seinen Augen stand Mißtrauen.

Martindale nannte seinen Namen. »Ich muß Sie allein sprechen, Cornelius!« Sein Ton war barsch.

»Mann, Sie gefallen mir! Wecken mich mitten in der Nacht und schlagen einen Ton an, den ich nicht leiden kann!« Er wandte sich schroff an das Mädchen, das in der offenen Tür stand: »Biggi, warum hast du diesen Menschen überhaupt hereingelassen!« Biggi schwieg und zuckte mit den Achseln.

»Ihre Scherze können Sie sich für bessere Zeiten aufheben, Cornelius! Meine Zeit ist knapp. Kann ich Sie nun allein sprechen oder nicht?«

»Martindale!« wiederholte Cornelius den Namen geringschätzig. »Was heißt das schon? Wer sind Sie? Sind Sie etwa der Heini, der vorhin angerufen hat? Woher kommen Sie? Polizei? Amerikaner?«

»Sagen wir, ich komme von draußen. Das muß genügen. Um Ihnen den Entschluß zu erleichtern: Es geht um Frau von Merheim, bei der Sie heute nacht waren.« Martindale beobachtete Biggi. Sie bekam schmale Augen. Er hatte richtig vermutet: Sie war eifersüchtig.

»Na«, sagte er zu Cornelius, »kann ich Sie nun allein sprechen?«

»Also doch!« sagte Cornelius ärgerlich und zu Biggi: »Geh mal raus!«, doch sie reagierte nicht. »Du sollst verschwinden!« sagte er mit Nachdruck, »aber Tempo! Geh zum Supermarkt oder trink auf der Leopoldstraße Kaffee! Aber verschwinde!« Er machte drohend einen halben Schritt auf sie zu.

Sie verschwand im Nebenraum. Wenig später fiel die Wohnungstür ins Schloß. Cornelius vergewisserte sich, daß sie den Bungalow verlassen hatte, und kam zu Martindale zurück.

»Nun schießen Sie los! Aber kurz! Ich kann Ihre Fresse nicht ertragen!«

»Wir brauchen nicht lange. Sie geben mir Ihre Notizen von heute nacht und haben mich los.« Martindale hielt die offene Hand hin.

»Sie haben wohl 'n Knall, was?«

»Die Notizen!« sagte Martindale unbeeindruckt und hielt die Hand hin. »Alle Unterlagen! Aber schnell!«

»Wissen Sie, was Sie mich können? Sie können mich . . .!«

»Alle Unterlagen!« Martindale ging auf ihn zu.

»Was erlauben Sie sich!«

»Das werden Sie gleich sehen!« Martindale packte ihn am Handgelenk. »Los, zeigen Sie mir die Unterlagen!«

»Lassen Sie mich los, Sie Dreckskerl!« Cornelius wollte sich aus Martindales Griff befreien, doch er hielt ihn fest wie in einem Schraubstock.

Martindale verstärkte den Griff, daß dem anderen die Augen tränten.

Er drückte ihn zu Boden und versetzte ihm einen Fußtritt. »Ich gebe dir eine Minute! Dann schlage ich dich krankenhausreif!«

»Okay«, sagte Cornelius schwer atmend, »lassen Sie mich los!«

Martindale gab ihn frei. Cornelius erhob sich und ging zu der kleinen Kommode, die neben dem Fernsehapparat stand. Er zog eine Schublade auf.

Plötzlich hielt er eine Pistole in der Hand. Er richtete sie auf Martindale. »So, du Dreckskerl! Und jetzt ziehst du Leine! Sonst knall ich dir 'n paar Löcher ins Jackett! Los, raus hier! Und laß dich hier nie mehr blicken!«

Er trieb Martindale vor sich her in Richtung Tür. Eine blitzschnelle Drehung, eine knappe Bewegung, und Martindale hieb ihm die Pistole aus der Hand und packte ihn am Oberarm.

»Ob du einen Waffenschein hast, wollen wir hier nicht untersuchen. Aber wenn nicht, bist du dran! Und damit du schlauer wirst: hier!« Er schlug sein Jackett flüchtig zurück, so daß der Schulterhalfter mit der Webley sichtbar wurde. »Wenn ich gewollt hätte, wärst du schon jetzt ein toter Mann. In Notwehr erschossen, wie es so schön heißt.« Und dann mit harter Stimme: »Los, die Unterlagen!«

Er stieß Cornelius von sich, hob dessen Pistole auf und steckte sie ein.

Mit schleppendem Schritt trat Cornelius an den Fernsehapparat. Auf einer angebissenen Tafel Schokolade, einem gebrauchten Socken und dem aufgeschlagenen Telefonbuch lag eine Schreibmappe. Er reichte sie Martindale.

»Ist das alles?« Martindale warf einen prüfenden Blick in die Mappe. »Wirklich alles?«

»Ja. Aber Sie sind im Irrtum.«

»Womit?«

»Daß Sie glauben, Sie könnten damit etwas erreichen. Der Artikel erscheint trotzdem. Das schwöre ich Ihnen!«

»Und warum glaubst du das, mein Sohn?« sagte Martindale ruhig.

»Weil ich ihn schreiben werde! Einschließlich Ihres Besuchs!«

»Und einschließlich deiner Beerdigung!« Martindale packte ihn erneut am Handgelenk. Er legte seine volle Kraft in den Griff.

»He! Sie brechen mir ja die Knochen!« Cornelius ging in die Knie, und seine Stimme schwankte.

»Jeden einzelnen, das kannst du mir glauben! Mich über den Haufen knallen wollen! Ich werde dich zusammenschlagen, daß man dir einen Extra-Sarg bauen muß! Hör mir gut zu, was ich dir jetzt sage: Wenn dieser Artikel erscheint oder ein ähnlicher mit diesen Informationen . . . in irgendeiner Zeitung . . . in irgendeiner, hörst du! . . . wenn das geschieht, dann bist du keine vierundzwanzig Stunden mehr am Leben! Egal, wohin du dich verkriechst! Ich finde dich! Und wenn du schon jemals etwas von mir gehört hättest, dann wüßtest du, daß ich es ernst meine!«

»Ich werde die Polizei . . . auah! Sind Sie wahnsinnig!«

»Ich gebe dir nur eine kleine Kostprobe.« Martindale drehte das Handgelenk des anderen, daß er aufschrie vor Schmerz.

»Die Polizei kannst du meinetwegen verständigen«, sagte er, »am besten gleich Doktor Hermann persönlich.«

»Ach? Stecken Sie etwa unter einer Decke?«

»Denk, was du willst. Helfen wird dir keiner! Und sobald du in der Öffentlichkeit dein Maul aufmachst . . . sobald du nur das geringste von der Sache in Umlauf setzt, gnade dir Gott!« Martindale stieß ihn von sich, daß er gegen den Fernsehapparat knallte.

»Ich werde Sie vor Gericht bringen!« schrie Cornelius, daß seine Stimme kippte.

Er wollte sich auf Martindale stürzen, doch der fing ihn mit einem kurzen Schwinger ab. Cornelius torkelte gegen die Kommode und riß sie im Fallen mit sich um.

Er richtete sich auf, hatte einen schweren Aschenbecher in der Hand und warf ihn gegen den anderen.

Martindale duckte sich, packte ihn von neuem am Handgelenk, zog ihn zu sich hoch und versetzte ihm einen wuchtigen Aufwärtshaken. Cornelius sackte in sich zusammen. Aus seinem Mund floß Blut.

»Hast du mich jetzt verstanden?« herrschte Martindale ihn an.

Cornelius erhob sich mühsam. Er preßte die Hand gegen sein Kinn.

»Ob du mich verstanden hast, habe ich gefragt!« Martindale packte ihn noch mal. Cornelius nickte stumm.

»Weiß außer dir jemand von dem Artikel? Biggi? Oder die Redaktion?«

Cornelius schüttelte den Kopf.

»Wirklich niemand?«

»Wirklich niemand. Kein Mensch. Außer Frau von Merheim und dem Mann, der bei ihr war.«

»Okay«, sagte Martindale, »du bekommst zwanzigtausend Piepen. Und ein Flugticket nach Florida. Meinetwegen auch für deine Biene. Und als Dreingabe streiche ich den Pistolenanschlag aus meinem Gedächtnis. Und vielleicht habe ich noch eine zusätzliche Überraschung für dich.« Er ließ ihn frei. »Wirst du auch nur das geringste wegen des Artikels unternehmen?«

»Nein.« Cornelius versagte die Stimme. Sein Kiefer schmerzte.

»Wirst du die ganze Angelegenheit jetzt sofort vergessen?«

Cornelius bejahte.

»Okay. Du hast noch heute das Geld und das Ticket. Auch eins für Biggi?«

Der andere hatte den Kopf gesenkt und nickte.

»Okay. Dann auch eins für Biggi. Ich melde mich spätestens bis gegen drei. Wie ist die Nummer?«

»Drei sechs drei sechs null eins vier.«

»Und bis dahin nehmt ihr mit niemandem Verbindung auf! Mit niemandem! Sonst werde ich ungemütlich! Sag das auch Biggi. Und ihr verlaßt das Haus nicht, klar!«

»Und wenn wir etwas essen wollen?«

»Bis drei verhungert ihr nicht! Ihr bleibt im Haus, klar!«

Cornelius nickte.

»Okay. Dann bereite dich schon mal geistig auf den weißen Sand von Bahia Honda Key vor.«

Martindale nahm die Schreibmappe an sich und verließ den Bungalow.

23

Niels Hermann rückte wie nebenbei seine Krawatte zurecht und lächelte seinem Gegenüber verbindlich zu: »Ich kann nur immer wiederholen: Mir sind die Hände gebunden. Ich habe Richtlinien, die ich befolgen muß. So schmerzlich das für Sie sein mag.«

Sein Büro ging auf den Hof des Polizeipräsidiums hinaus. Die Wände waren in beigem Ton gestrichen, der Fußbodenbelag dunkelbraun gehalten. Ein mit Akten überladener Schreibtisch, eine häßliche Stehlampe, ein niedriges Bücherregal voller Gesetzbücher, eine Sitzecke, die aus einem Mahagonitisch mit einer Glasplatte und drei Sesseln in hellem Braun bestand. Die Atmosphäre war freudlos.

Hermann saß Paul in der Sitzecke gegenüber.

Paul hatte sich vorgebeugt. Er konnte seine Unruhe nur schwer beherrschen.

»Aber es muß doch einen Weg geben!« sagte er leidenschaftlich. »Die Polizei kann doch nicht tatenlos zusehen, wenn vor ihren Augen Menschen geraubt werden!«

»Menschenraub ist eines unserer heißesten Eisen. Wenn man dabei nicht mit viel Fingerspitzengefühl vorgeht . . . wenn man nicht jeden Fall seiner Struktur entsprechend individuell behandelt . . . dann kann die Polizei durch ihr Eingreifen mehr schaden als nützen. Natürlich bin ich als Polizeipräsident unbedingt dafür, daß wir von jedem Menschenraub in Kenntnis gesetzt werden. Auch wenn die Entführer womöglich das Gegenteil zur Bedingung gemacht haben. Und auch in Ihrem Fall, Herr Professor, handeln Sie richtig, wenn Sie zu uns kommen.«

»Nur völlig umsonst.«

»Ich kann Ihnen in diesem Augenblick leider nur wenig Hoffnung machen. Zumindest nicht heute.«

»Sie meinen . . .?«

»Ich tappe eigentlich im dunkeln. Das heißt, was die Anordnung des Bundesinnenministeriums betrifft. Mag sein, daß sie morgen aufgehoben wird. Oder in den nächsten Tagen. Oder . . .«

». . . oder wenn es zu spät ist!«

»Wir wollen es nicht hoffen.«

»Mit anderen Worten: Ich soll untätig zusehen, wie sich meine Tochter in den Händen von Gangstern befindet. Soll mich mit unbe-

353

stimmten Vertröstungen zufriedengeben. Glauben Sie im Ernst, daß ich das kann?«

»Ich fühle mit Ihnen. Aber ich kann Ihnen nur das sagen, was ich Ihnen schon gesagt habe.«

»Doktor Hermann! Soviel ich weiß, haben auch Sie Kinder.«

»Ja, drei. Ich kenne Ihre Frage. Ich habe sie oft genug beantworten müssen. Und ich habe immer die gleiche Antwort gegeben. Die Antwort, die sich in nichts von meinen Erkenntnissen als Polizeipräsident unterscheidet. Ja, auch wenn es um meinen eigenen Sohn oder eine meiner Töchter ginge, so würde ich als Vater kein unnötiges Risiko heraufbeschwören.«

»Sie würden also die Hände in den Schoß legen und den Dingen ihren Lauf lassen?« Paul war fassungslos.

»Ich würde den Bedingungen der Entführer nicht sichtbar zuwiderhandeln.«

»Was meinen Sie mit ›sichtbar‹?«

»Ich würde als Vater verbieten, daß öffentlich Jagd auf die Entführer gemacht wird, solange eines meiner Kinder noch in ihren Händen ist. Wer diese Jagd veranstaltet, ist gleichgültig. Ob die Polizei oder private Helfer. Herr Professor, ich habe in diesem Punkt wirklich Erfahrungen gesammelt, glauben Sie mir. Oftmals schreckliche Erfahrungen. Für die Opfer tödliche Erfahrungen. Es ist sinnlos, gegen einen Gegner anzurennen, der sich in sicherer Deckung befindet. Mit dem Menschen, den man befreien will, als Kugelfang.«

»Vielleicht haben Sie recht, vielleicht nicht. Vielleicht kann man in der Tat nicht allgemein entscheiden. Nicht nach purer Erfahrung. Vielleicht kann man nur mit dem Herzen entscheiden.«

»Falsch, Herr Professor. Nur mit der Vernunft!«

»Die Vernunft sagt mir, daß ich der Gegenseite, in unserem Fall diesem sogenannten Doktor Irbid, nicht mehr glauben kann. Ein Mann, der sein Versprechen zweimal gebrochen hat, scheut auch kein drittes Mal davor zurück. Es bleibt mir demnach nichts anderes übrig, als mir selber zu helfen.« Paul erhob sich.

Aufgrund der Äußerungen von Martindale hatte er sich von diesem Gespräch nicht viel versprochen. Dennoch hatte er das Gespräch mit Hermann gesucht. Er wollte nichts unversucht lassen, wollte jede Möglichkeit ausschöpfen, auch wenn sie ihm noch so wenig Erfolg versprach.

Und dennoch war er zutiefst enttäuscht. Hermann sah es ihm an. Er begleitete ihn auf den Flur hinaus, hinunter bis zum Ausgang.

»Herr Professor, ich bitte Sie eindringlich: Unternehmen Sie nichts Unüberlegtes! Vertreiben Sie mögliche aggressive Gedanken. Schlafen Sie eine Nacht darüber. Setzen Sie sich noch mal mit mir in Verbindung. Ich stehe Ihnen immer zur Verfügung.«

»Schön, daß Sie das sagen. Aber ich glaube, Sie können mir nicht helfen. Auch nicht mit Worten. Ich danke Ihnen.«

Paul ging die Straße vor zum Wagen, wo Jan auf ihn wartete. Er fühlte eine große Leere in sich. Wieder hätte er etwas darum gegeben, Helen in seiner Nähe zu wissen, gemeinsam mit ihr seine Entscheidung zu treffen.

»Eine Niederlage?« sagte Jan, als Paul auf ihn zukam.

»Ein Rückschlag«, sagte Paul und stieg in den Wagen.

Jan fuhr an. »Was hast du jetzt vor?«

»Jetzt tun wir das, wozu ich schon heute morgen entschlossen war: Wir nehmen die Sache selber in die Hand.«

»Paul, das halte ich für sinnlos. Wir zwei allein! Zwei Laien!«

»Und wenn es hundertmal sinnlos ist! Ich muß etwas tun! Ich muß!«

»Aber es ist nicht nur sinnlos! Es ist auch gefährlich. Gefährlich für Kathy, meine ich.«

»Jetzt fängst auch du damit an! Gut, dann mache ich es eben allein!«

»Paul, du weißt genau, daß ich dich nicht im Stich lasse, selbst gegen meine Überzeugung. Womit willst du beginnen?«

»Danke, Jan. Wir haben nicht allzu viele Möglichkeiten. Wir werden es über ihren Bekanntenkreis versuchen. Vielleicht kann uns jemand einen Fingerzeig geben. Vielleicht weiß jemand, wo es passiert ist. Vielleicht weiß irgend jemand irgend etwas . . .! Es klingt nicht vielversprechend, das ist mir klar. Aber wir müssen es versuchen. Bieg da vorne links ab. Zur ersten Adresse.«

Zu Jans Überraschung zog er ein Notizbuch aus seiner Tasche.

24

Es war das Notizbuch, das er heute früh in Kathys Zimmer gefunden hatte. Es enthielt Adressen. Adressen von flüchtigen Bekanntschaften? Von Schulkolleginnen? Von Freunden?

Als er nach dem Aufstehen das Haus durchstreift hatte, war er auch ins Zimmer seiner Tochter gegangen. Er hatte die ihr vertraute Umgebung gesucht. Auf dem Jungmädchenschreibtisch hatte das Notizbuch gelegen. Klein, handlich, mit weinrotem Ledereinband. Gedankenverloren hatte er darin geblättert. Und mit einem Mal hatte er erkannt, daß ihm das Buch unter Umständen wertvolle Aufschlüsse geben konnte. Er hatte es an sich genommen.

Inzwischen hatten sie fünf der Adressen aufgesucht, doch ohne Erfolg.

»Immer noch geradeaus?« Jan hatte das Steuerrad fest in beiden Händen und ließ den Blick nicht von der Straße.

»Die zweite Straße rechts«, sagte Paul. Er hielt das aufgeschlagene Notizbuch vor sich und las ab: »Gartenstraße hundertzehn. Viola Hiller.«

»In welchem Stadtteil sind wir hier?«

»Schon außerhalb der Stadt. Unterföhring. Dort drüben liegen die Ateliers des ZDF.«

»Wie lange willst du noch so weitermachen?« fragte Jan.

»Machst du schon schlapp?«

»Das nicht. Aber vertun wir nicht unsere Zeit?«

»Vielleicht. Aber vielleicht haben wir auch Glück.«

»Was wollen Sie von meiner Tochter?« Frau Hiller trug einen lachsfarbenen Morgenmantel, und ihre Haare waren ungekämmt. Sie keifte, daß Jan sie im Wagen hörte.

»Ich will sie nur sprechen, weiter nichts, Frau Hiller.«

»Sind Sie ein Bekannter von ihr? Einer, der ihr nachstellt?«

»Nein, Frau Hiller. Ich bin Arzt.«

»Arzt? Ist sie krank? Hat sie mir was verschwiegen? Eine Fehlgeburt, he?«

»Nein, Frau Hiller. Ich will mich bei ihr nur nach meiner Tochter erkundigen.«

»Nach Ihrer Tochter?« Frau Hiller wurde ruhiger. Ihr Mißtrauen aber blieb. »Wie heißen Sie, haben Sie gesagt? Niklas? Nie gehört.«

»Bitte sagen Sie jetzt Ihrer Tochter, daß ich Sie sprechen muß. Es ist wichtig. Äußerst wichtig.«

»Mutter, geh bitte. Laß mich mit dem Herrn allein!« Viola stand hinter ihrer Mutter. Sie war die Treppe heruntergekommen.

Sie ist in Kathys Alter, dachte Paul, und sieht schon verhärmt aus. Schmal und blaß stand sie vor ihm, in schlechter Haltung, und die schwarzen Haare fielen ihr lang und strähnig über die Schultern.

Die Mutter nörgelte unverständlich in sich hinein und verschwand nach hinten durch eine Tür.

»Sie sind Kathys Vater?«

»Ja. Und Sie könnten mir helfen.«

»Helfen? Womit? Darf ich Sie zu mir nach oben bitten?«

»Danke, das ist sehr freundlich. Aber meine Zeit ist knapp. Ich habe nur eine Frage.«

»Wegen Kathy?«

»Ja«, sagte Paul und log: »Sie ist verreist. Und ich habe zu Hause Schlüssel gefunden. Fremde Schlüssel. Schlüssel, die vielleicht jemand vermißt. Jemand aus Kathys Bekanntenkreis. Und jetzt fahre ich herum und frage jeden, dessen Namen ich hier in dem Notizbuch finde, ob er . . .« Er zeigte ihr seine Hausschlüssel.

Sie betrachtete die Schlüssel. »Nein, die gehören nicht mir. Außerdem ist es schon lange her, daß ich das letztemal bei Kathy zu Hause war. Wir haben uns in letzter Zeit ein wenig aus den Augen verloren.«

Er hielt ihr das Notizbuch hin: »Wenn Sie einen Blick hineinwerfen wollen? Vielleicht finden Sie jemanden, der . . .«

»Dem die Schlüssel gehören könnten?«

»Mit dem Kathy zuletzt zusammen gewesen sein könnte.«

»Wenn Sie meinen . . .« Sie blätterte das Buch aufmerksam durch. Dann gab sie es zurück. »Nein. Da kann jeder in Frage kommen. Oder auch nicht.«

»Und über diese Namen hinaus?«

»Ich fürchte, ich kann Ihnen nicht helfen. Mir fällt niemand ein.«

»Es gibt da noch einen Anhaltspunkt«, sagte Paul, »Kathy hat vor kurzem bei einer Freundin gewohnt. Für eine Weile. Sie hatte sich anscheinend Hals über Kopf dazu entschlossen. Ich nehme an, das muß eine besonders gute Freundin gewesen sein. Eine, die wahrscheinlich allein wohnt?«

»Karin! Stimmt, daran habe ich gar nicht gedacht!«

»Sie wissen, daß Kathy bei ihr gewohnt hat?«

»Ich weiß es nicht. Ich nehme es nur an. Es kann eigentlich nur Karin gewesen sein. Sie verstehen sich sehr gut. Und Karin hat ein eigenes Appartement.«

»Und wo erreiche ich . . .?«

»Fürstenried. Sie wohnt in einem der neuen Hochhäuser. Wenn Sie von der Stadt kommen, in dem ersten rechts. Die Nummer weiß ich nicht.«

»Und der Name?«

»Ach so! Karin Tönissen.«

25

Karin Tönissen war im gleichen Alter wie Viola Hiller. Aber im Gegensatz zu Viola war sie eine junge Dame. Gepflegt, frisch und mit Geschmack gekleidet.

Das Appartement bestand aus der üblichen kleinen Diele, der noch kleineren Küche, dem Badezimmer und einem verhältnismäßig großen Wohnraum. Breite Eckcouch, eine Bücherwand, eine Schrankwand, weißer Schafwollteppich, kleine Sessel, viel Glas, aufeinander abgestimmte Farben.

»Sie überlegen, wo hier zwei Menschen schlafen können?« lachte sie. »In der einen Hälfte der Schrankwand verbirgt sich das Ausziehbett. War zwar ein bißchen eng, aber es gibt Schlimmeres.«

Paul brachte sein Anliegen vor. Sie saßen in der Couchecke einander schräg gegenüber.

»Ja«, sagte Karin Tönissen, »Kathy hat mir noch vorgestern von einem Jungen erzählt, mit dem sie anscheinend jetzt viel zusammen ist. Er ist vielleicht auch der Grund, daß wir uns seit einigen Tagen weniger sehen.«

»Hat sie Näheres erzählt?«

Karin Tönissen dachte angestrengt nach: »Sie hat mir sogar seinen Namen gesagt. Mark oder so ähnlich. Oder Hank. Oder Frank. Ich kann es Ihnen beim besten Willen nicht sagen. Sie kennt ihn noch nicht lange.«

Paul beugte sich gespannt vor: »Vielleicht erinnern Sie sich noch an weitere Einzelheiten? Wo sie den Jungen getroffen hat? Was er macht? Was sie zusammen unternommen haben?«

»Ich glaube, er ist Student. Unternommen? Nein, darüber hat sie nichts gesagt. Oder doch! Er ist ein großer Spieler, hat sie gesagt. Und dann hat sie die ›Kutsche‹ erwähnt.«

»Die Kutsche?«

»Ein Lokal in Schwabing. Eine Bummskneipe. Ich glaube, dort wird auch gespielt. Mehr weiß ich wirklich nicht. Wir haben nur wenig über Männer gesprochen.«

»Ich danke Ihnen, Fräulein Tönissen. Vielleicht helfen mir Ihre Angaben weiter.«

»Ich wünsche es Ihnen.«

»Wenn ja, lasse ich es Sie wissen.«

Paul ging zurück zum Wagen.

»Ich sehe es dir an«, sagte Jan, »die erste, die irgendwas zu sagen wußte, stimmt's?«

»Es stimmt.« Paul atmete auf. »Wir fahren nach Schwabing. Dort gibt es ein Lokal, das ›Kutsche‹ heißt.«

26

Mittlerweile war es Mittag. Über dem nördlichen Teil der Stadt zogen dunkle Wolken auf. Es begann zu regnen. Zunächst mild und sommerlich, doch nach wenigen Minuten entwickelte sich daraus plötzlich eine Sturzflut, angenehm kühl, die alle Fußgänger unter schützende Dächer flüchten ließ und für eine Weile den Autofahrern jede Sicht nahm und den Verkehr lahmlegte.

Wie alle anderen, so hatte auch Jan die Scheibenwischer eingeschaltet. »Sie schaffen es nicht«, sagte er, fuhr rechts heran und hielt am Bordstein.

Auch über das olympische Dorf prasselte der Regen herunter. Kathy konnte ihn jedoch nicht sehen, sondern nur hören. Der Raum, in dem sie sich befand, war nach wie vor verdunkelt.

Für ein paar Stunden hatte der Mann, den sie bei sich »Galgengesicht« nannte, sie vom Stuhl losgebunden. Er hatte ihr befohlen, sich auf die Matratze zu legen. Dann hatte er ihr eine Spritze in den Oberarm gegeben. Ermattet war sie schon nach kurzer Zeit eingeschlafen.

Als sie die Augen aufschlug, saß der Mann nach vorne gebeugt vor ihr auf dem Stuhl. Neben ihm auf dem Fußboden lag ein Packen Tageszeitungen. In der einen Hand hielt er eine brennende Zigarette, mit der anderen blätterte er die Zeitungen durch. Gründlich eine nach der anderen. Kathy hörte, daß es regnete.

Als hätte er geahnt, daß sie die Augen aufgeschlagen hatte, warf er ihr von der Seite einen Blick zu und richtete sich auf. »Es ist erstaunlich«, sagte er halb zu ihr, halb zu sich selber, »aber wir stehen noch in keiner Zeitung. Anscheinend halten alle dicht.« Er erhob sich und trat auf sie zu: »Wirklich erstaunlich, was?«

Sie gab ihm keine Antwort. Nach dem Schlaf fühlte sie sich wieder einigermaßen bei Kräften. Sie wartete auf ihre Chance.

»Los, steh auf«, sagte er, »wir ziehen um!«

Sie schob die zerschlissene Decke von sich und stand auf. Ihre Beine wollten nachgeben. Doch sie spannte alle Muskeln an und machte schnell ein paar Kniebeugen, damit das Blut zirkulierte.

»Kein Theater! Wir haben keine Zeit! Los, komm her!« Er zog sie grob zu sich heran und drückte sie auf den Stuhl. Mit einer schnellen Bewegung holte er die Spritze aus seiner Tasche.

Umziehen! schoß es ihr durch den Kopf. Umziehen bedeutet Neuland, Ungewißheit, Unwägbares! Was, wenn für sie dadurch die kleinste Chance, sich zu befreien, zunichte würde? Sie mußte handeln! Blitzartig! Sie mußte die ihr vielleicht verbleibende letzte mögliche Chance nutzen!

Behend schnellte sie sich hoch, schlug ihm mit dem Unterarm die Spritze aus der Hand und rammte ihm ihren Kopf in den Bauch. Wortlos fiel er nach hinten mit dem Hinterkopf auf den Fußboden. Mit einem Satz war sie an der Tür, faßte die Klinke, zerrte. Die Tür war verschlossen.

Schihan war sofort wieder auf den Beinen, sprang sie von hinten an, sie drehte sich weg und drosch ihm die Faust mit dem Handrücken ins Gesicht. Er verlor das Gleichgewicht, sie hieb ein zweites Mal auf ihn ein, dann noch mal und noch mal, mit den Fäusten, mit den Füßen, mit den Knien, so lange, bis er regungslos vor ihr lag.

Sie hatte sich die Hand aufgerissen und war blutverschmiert. Sie beugte sich zu ihm hinab und durchsuchte fieberhaft seine Taschen nach dem Schlüssel. Ihr Atem ging schwer, es flimmerte ihr vor den Augen, ihre Hände zitterten. Sie hatte den Schlüssel! Die Pistole aber hatte sie in der Eile nicht bemerkt. In fliegender Hast war sie an der Tür, brauchte einige Sekunden, bis sie den Schlüssel im Schloß hatte, drehte ihn . . .

Der Schlag gegen den Hinterkopf traf sie ohne Warnung. Sie sackte zusammen, rutschte mit dem Kopf an der Tür herunter, fiel auf den Fußboden, in sich verkrümmt.

Schihan hatte beide Hände zu einer Faust geballt und den Hieb von oben her mit ganzer Kraft durchgezogen. Er rang nach Luft.

Er nahm die Spritze vom Fußboden, kniete sich neben Kathy und stieß ihr die Nadel in den Oberarm.

27

»Frau Graf?«

»Ja, die bin ich.« Frau Graf war klein und ihr Gesicht von Falten durchzogen. Ihr eisgraues Haar war streng zurückgekämmt und am Hinterkopf zu einem Knoten zusammengesteckt. Sie hatte die Tür nur so weit geöffnet, wie es die Kette zuließ.

Von unten herauf fixierte sie den fremden, stattlichen Mann. Das markante, sportliche Gesicht, die grauen Schläfen, die klugen Augen. Er schien ihr »etwas Besseres« zu sein.

»Guten Tag, mein Name ist Niklas. Bei Ihnen wohnt ein Herr Jensen.«

»Ja, der wohnt hier.«

»Kann ich ihn bitte sprechen.«

»Das tut mir leid. Er ist weg.«

»Schon längere Zeit?«

»Nein, erst seit einer Stunde. Kann ich ihm etwas ausrichten?«

»Ich gebe Ihnen auf alle Fälle meine Telefonnummer.« Paul zog seine Karte aus der Tasche und reichte sie der Frau durch den schmalen Spalt.

Sie nahm sie und las: » Paul Niklas. Ah, in Bogenhausen wohnen Sie?«

»Ja. Hat Herr Jensen vielleicht gesagt, wohin er geht?«

»Nein. Das tut er nie. Das ist vielleicht ein Fehler.« Sie stutzte: »Haben Sie gestern schon mal nach ihm gefragt?«

»Ich? Nein. Warum?«

»Ach, nur so. Nein. Das können Sie auch gar nicht gewesen sein. Ihre Stimme klingt ganz anders.«

Paul horchte auf: »Ach? Gestern hat schon mal jemand nach ihm gefragt? Wissen Sie noch ungefähr wann?«

»Das weiß ich genau. Kurz nach Mittag muß das gewesen sein. Ich habe dem Herrn nämlich gesagt, er kann ruhig jetzt schon in die ›Kutsche‹ gehen. Weil sie doch dort immer spielen. Fast jeden Tag und bei jedem Wetter. Schon am frühen Nachmittag. Stellen Sie sich das einmal vor!«

»Ja, in der ›Kutsche‹ war ich eben. Dort habe ich Herrn Jensen aber nicht angetroffen. Möglicherweise war es doch noch zu früh. Außer einer Putzfrau und ein paar Jungen war niemand da. Und einer der Jungen hat mir Ihre Adresse genannt.«

»Ach?«

»Können Sie mir den Mann beschreiben, Frau Graf? Den von gestern, meine ich.«

»Leider nicht.« Sie lächelte ihn offen an: »Er hat nur telefoniert.«

»Hat er seinen Namen genannt?«

»Ja, das hat er. Korrekt. Warten Sie mal! Ach ja, Will! Will hat er gesagt.«

»Will?« wiederholte Paul nachdenklich. »Und sonst nichts?«

»Nein, sonst nichts. Nur daß er ein Freund von Frank, von Herrn Jensen, sei. Und daß er ihm einen Job verschaffen könnte. Ja, er hat ›Job‹ gesagt! Ach, und dann hat er noch gesagt, daß er noch mal anrufen wollte, wenn er Frank, wenn er Herrn Jensen nicht in der ›Kutsche‹ erreicht.«

»Hat er denn noch mal angerufen?«

»Nein, das hat er nicht. Wahrscheinlich hat er ihn erreicht. Ja, mehr kann ich Ihnen leider auch nicht sagen, Herr . . .« Sie warf einen Blick auf die Karte: »Herr Niklas.« Sie hob bedauernd die Schultern: »Es tut mir leid.« Und erinnerte sich: »Ach, er hat ja noch etwas gesagt! Er hat nach Mädchen gefragt.«

»Nach Mädchen?« Pauls Herz schlug schneller. War er auf der richtigen Spur?

»Ja. Er hat gefragt, ob ich weiß, bei welchem Mädchen Herr Jensen denn sein könnte. Aber das weiß ich ja nicht.«

»Frau Graf, kennen Sie dieses Mädchen?« Aus der Innentasche seines Jacketts zog er ein Foto, das Kathys Gesicht in Großaufnahme zeigte. Er hielt es ihr hin. Sie betrachtete es eingehend. »Hm. Ich glaube ja. Das dürfte die neue sein. Die letzte.« Und dann erschreckt: »Sind Sie von der Polizei?«

»Nein, Frau Graf. Ich bin Arzt. Ich suche meine Tochter. Was meinten Sie mit Ihrer Bemerkung, sie war die ›letzte‹?«

»Na ja . . . wie das eben so ist . . . Frank hat viele Mädchen. Er bringt natürlich nicht alle hier herauf. Nur wenige eigentlich.«

»Aber meine Tochter war einmal hier?«

»Kurz nur. Auf einen Sprung. Er hat irgendwas vergessen gehabt, und da war sie mit heraufgekommen.«

»Können Sie sich noch erinnern, wann das war? Ungefähr?«

»Das kann ich genau. Das war erst vorgestern. Aber ich wußte ihren Namen nicht. Sonst hätte ich ihn schon dem Herrn von gestern gesagt. Gehören Sie und dieser Herr zusammen?«

»Nein, Frau Graf, das nicht. Aber, um noch mal auf ihn zurückzukommen: Sie haben vorhin gesagt, meine Stimme sei ganz anders?«

»Ja, das ist sie.«

»Und wie war seine?«

»Seine? Anders. Sagen wir, gröber. Härter.«

»Härter? Könnte es sein, daß der Mann Ausländer war?«

»Ausländer?« meinte sie zögernd. »Er sprach gut deutsch.«

»Überlegen Sie, Frau Graf! Vom Klang der Stimme her, meine ich. Von winzigen Akzenten her.«

»Vielleicht haben Sie recht. Ja, der Mann kann wirklich ein Ausländer gewesen sein. Ja, ich glaube, er war Ausländer!«

»Danke, Frau Graf. Sie haben mir sehr geholfen.« Paul nahm sich vor, noch einmal zur ›Kutsche‹ zurückzufahren. Wenn er Glück hatte, mußte er Frank Jensen jetzt antreffen.

28

Sie fuhren einen Umweg über die Klinik. Es hatte längst aufgehört zu regnen. Die Sonne schien wieder. »Dem Patienten geht es der schweren Operation entsprechend gut«, sagte Sils.

»Keine Komplikationen?« fragte Paul. »Keine«, sagte Sils, »er hat eine verhältnismäßig gute Konstitution. Frau Gramm hat mir gesagt, daß bei ihr ein Anruf für Sie gewesen sei.«

»Danke, Herr Sils, ich werde gleich mal nachfragen.«

Der Anruf war von Lance gekommen. »Frau von Merheim hat nur hinterlassen«, sagte Frau Gramm, »daß ich Ihnen ausrichten soll, das Geld stehe in jeder Höhe bereit.«

»Danke, Frau Gramm. Sie kennen doch Mister Martindale?«

»Den Amerikaner, der hier herumschwirrt?« Es klang abfällig.

»Ja, den.« Paul verbiß sich ein Lächeln. »Er muß vom Anruf meiner früheren Frau in Kenntnis gesetzt werden. Ob Sie das schaffen?«

»Aber, Herr Professor!« Sie tat entrüstet.

»Und Sie gehen heute früher nach Hause«, sagte er und drohte freundlich, »früher! Sagen wir spätestens um vier!«

»Ja, ja.«

»Nicht ja, ja. Ich bestehe darauf!«

»Wenn Sie unbedingt meinen. Aber Sie brauchen auch Ruhe!«

Er überhörte ihre Kritik und sagte: »Ja, ich meine es. Und wenn bis dahin noch etwas sein sollte, machen Sie mir bitte eine Notiz. Ich schaue am Spätabend noch mal herein.«

29

»Ja, ich bin Frank Jensen.« Frank saß am Back-Gammon-Tisch. Er sah flüchtig hoch.

Paul wollte seinen Namen nicht vor den anderen Spielern nennen. Er sagte: »Haben Sie einen Moment Zeit für mich?«

»Mitten im Spiel? Das glauben Sie doch wohl selbst nicht!«

»Aber es eilt.«

»Aber wir spielen. Und ich muß mich konzentrieren.«

Frank wandte sich wieder dem Spiel zu und würfelte.

Paul beugte sich zu ihm hinunter und sagte leise: »Es geht um Kathy.« Frank drehte sich um: »Um Kathy?«

»Ja. Es hat sich etwas ereignet.«

»Wer sind Sie?«

»Das sage ich Ihnen dann. Haben Sie jetzt Zeit?«

»Ja.« Frank sagte zu den Mitspielern: »Ich muß abbrechen. Spielt schon mal ohne mich. Ich bin gleich zurück.« Er ging mit Paul nach vorne. Das Lokal war menschenleer. Sie setzten sich an einen der Tische. Hier konnten sie ungehört reden.

364

Der Barkeeper kam heran, um ihre Bestellung entgegenzunehmen, doch Frank winkte ab: »Laß uns in Ruhe!«, und der Keeper ging wortlos wieder hinter die Theke.

»Ich bin Kathys Vater«, sagte Paul.

»Der berühmte Professor?«

Paul überging die Anspielung. »Sie waren in den letzten Tagen viel mit meiner Tochter zusammen?«

»Ist das verboten?«

»Nein«, sagte Paul, »ich wollte es nur von Ihnen bestätigt wissen.« Er erzählte, daß Kathy seit gestern verschwunden sei. Doch er verschwieg die Hintergründe.

»Seit gestern mittag, sagen Sie?« Frank wurde aufmerksam.

»Ziemlich genau seit dem frühen Nachmittag«, sagte Paul.

»Ja! Da war sie hier! Zusammen mit mir! Und plötzlich war sie weg. Und ist nicht mehr zurückgekommen.«

Paul mußte an sich halten, damit ihn die Erregung nicht übermannte. »Es ist also hier passiert«, sagte er nachdenklich.

»Ich weiß nicht. Sie wurde ans Telefon gerufen. Und dann hat Hans mir gesagt, sie käme gleich zurück. Hans ist der Keeper.«

»Herr Jensen«, sagte Paul aufgewühlt, »wollen Sie mir helfen?«

»Ja, natürlich«, sagte Frank erstaunt.

»Dann versprechen Sie mir bitte, daß Sie zu niemandem . . .«

»Ich verstehe. Aber waren Sie denn noch nicht bei der Polizei?«

»Ich erkläre Ihnen das alles später. Jetzt bitte ich Sie, keine Fragen zu stellen. Einverstanden?«

»Einverstanden. Aber wie kann ich Ihnen helfen?«

»Ich habe einen bestimmten Verdacht.«

»Sie meinen ein anderer Junge?«

»Nein, Herr Jensen. Dann wäre ich gewiß nicht hier. Kathy hatte alle Freiheiten. Mein Verdacht ist schwerwiegender.«

»Sie meinen doch nicht . . .?«

»Doch. Denn ich weiß es.« – »Sie wissen es? Und warum haben Sie dann noch nicht die Polizei . . .?«

»Haben wir nicht eben gesagt, daß Sie nicht . . .?«

»Schon klar, ja. Ihnen sind die Hände gebunden.«

»Ja. Das ist gewiß.«

»Und woher wissen Sie, daß Kathy . . .? Entschuldigung, es ist natürlich klar. Man hat Sie verständigt!«

»Ja. Ist Ihnen in dem Zusammenhang gestern noch etwas Besonderes aufgefallen? Ich meine, bei Kathy? Oder bei einem anderen?«

»Nein. Nichts.«

»Der Keeper? Ich will ihn fragen!« Paul erhob sich, und sie gingen zusammen zur Theke.

Der Keeper Hans sortierte Flaschen. Frank rief ihn heran und erklärte ihm, wer Paul sei.

»Ich suche meine Tochter«, übernahm Paul das Gespräch, »Herr Jensen sagte mir, daß sie gestern am frühen Nachmittag hier im Lokal war.«

»Hier bei uns?« Der Keeper war verwundert.

»Sie war mit mir da«, klärte Frank ihn auf, »und sie wurde von dir ans Telefon gerufen. Erinnerst du dich?«

»Ach ja! Hat sie nicht rote Haare?«

»Richtig«, sagte Paul, »sie hat rote Haare. Wissen Sie vielleicht zufällig, wer sie angerufen hat?«

»Nein. Ein Mann. Er hat den Namen nicht gesagt.«

»Können Sie sich erinnern, was er überhaupt gesagt hat?«

»Lassen Sie mich nachdenken. Er hat nicht viel gesagt. War ganz kurz angebunden.« Der Keeper steckte sich eine Zigarette an.

»In etwa? Was hat er in etwa gesagt?« Paul ließ keinen Blick von ihm.

»Ja, was hat er gesagt?« überlegte der Keeper. Er hat gesagt: Ich möchte Fräulein Niklas sprechen.«

»Er hat wirklich gleich den Namen gesagt?« fragte Paul.

»Ja, das hat er. Moment mal! Er hat sogar gesagt: Bei Ihnen sitzt ein Fräulein Niklas! Ja, das ist ziemlich wörtlich. Auf jeden Fall hat er gleich gesagt, daß das Mädchen bei uns sitzt. Das weiß ich hundertprozentig! Weil ich ihm nämlich gesagt habe, bei uns ist kein Mädchen!«

»Und dann?« sagte Paul.

»Und dann hat er darauf bestanden. Und gesagt, sie sitzt hinten beim Back-Gammon-Tisch.«

»Und dann haben Sie sie ans Telefon geholt?«

»Ja. Und dann hat sie telefoniert. Nicht allzu lange.«

»Haben Sie zufällig was mitbekommen?«

»Nicht viel. Ein paar Fetzen. Ich hatte ja zu tun.«

»War denn schon Betrieb?«

»Das nicht. Aber ich habe ja auch jetzt zu tun.«

»Und was konnten Sie aufschnappen?«

»Da muß ich erst nachdenken, Moment!« Der Keeper sog an der Zigarette. »Sie schien den Mann nicht zu kennen. Und sagte dann, sie sei hier im Lokal. Und kurz darauf so ähnlich wie: Woher wissen Sie eigentlich, daß ich hier bin?«

»Noch etwas?«

»Ja, sie hat gefragt, ob er sie kenne. Und dann gefragt: Können Sie nicht hier vorbeikommen? Aber da schien der andere eingehängt zu haben. Sie stand nämlich einen Moment ein bißchen ratlos da. Mit dem Hörer in der Hand.«

»Mann, Hans, du bist Klasse!« Frank gab dem Keeper einen freundschaftlichen Stoß gegen die Schulter.

»Ja, Sie haben sehr gut beobachtet, Hans«, sagte Paul, »und Sie können uns sogar noch weiterhelfen.« Unwillkürlich bezog er Frank in sein Anliegen mit ein. Der Junge war ihm sympathisch. Er hatte ein offenes, ehrliches Gesicht. Und er schien Kathy zu mögen. Zumindest schien er sich über ihr Verschwinden zu sorgen.

»Wie sollte ich Ihnen noch weiterhelfen können«, sagte der Keeper und nahm einen tiefen Lungenzug.

»Weil der Mann, der angerufen hat, offenbar kurz vorher hier im Lokal war.«

»Hier?« Der Keeper war verblüfft.

»Ja, hier«, sagte Paul, »sonst hätte er wohl kaum derart bestimmt behaupten können, daß Kathy, so heißt meine Tochter, daß sie beim Back-Gammon-Tisch sei.«

»Natürlich«, sagte der Keeper, »woher hätte er das sonst wissen sollen!«

»Es gibt allerdings noch eine andere Möglichkeit«, warf Frank ein.

»Er hat einen Komplizen gehabt«, vollendete Paul den Gedanken des anderen.

»Richtig!« sagte der Keeper. »Das wäre auch eine Möglichkeit.«

»Aber das wäre egal«, sagte Paul zu Frank, »dann lernen wir eben den Komplizen kennen«, und zum Keeper: »Denken Sie bitte noch mal nach: Hatten Sie gestern um diese Zeit viele Gäste?«

»Nein. Gestern war es so heiß wie heute. Da war nur der Tisch hinten besetzt.« Er wandte sich an Frank: »Hinten bei euch, meine ich.« Und sagte zu Paul: »Hier vorne war nichts. Das heißt, nicht im Lokal.

Doch: ein Junge! Und hier an der Theke zwei Jungen. Das war's schon.«

»Können Sie sich daran erinnern, daß einer vor dem Telefonanruf das Lokal verlassen hat? Ich meine genau: nachdem meine Tochter mit Herrn Jensen gekommen war und vor dem Anruf?«

»Nein, niemand«, sagte der Keeper, »ich kann mich jedenfalls nicht erinnern. Und ich war die ganze Zeit über hier. Moment mal! Da war noch einer! Natürlich! Und der Kerl ist vorher weggegangen! Natürlich! Saß hier an der Ecke!« Er deutete auf den Hocker an der Ecke der Theke. »Genau hier hat er gesessen! Ich habe mich sogar mit ihm unterhalten!«

»Sie haben sich mit ihm unterhalten?« Paul war voll Ungeduld. »Wissen Sie auch noch, worüber?«

»Das Übliche. Mir hat es gestunken, daß ich bei dem schönen Wetter hier drinnen sein muß.«

»Und er? Was hat er gesagt?« fragte Paul.

»Er? Komisch, jetzt kommt's mir erst. Er hat überhaupt nichts gesagt! Natürlich! Er hat nicht mal was gesagt, wie er sein Bier bestellt hat! Er war stumm! Total stumm! Er hat nur gedeutet. Auf das Bier von dem anderen Jungen. Hat auch nichts gesagt, wie er bezahlt hat! Natürlich, jetzt kommt's mir! Der war keine zwei Minuten draußen, schon ist der Anruf gekommen! Natürlich! Und vorher ist er durchs Lokal nach hinten gegangen an den Tisch. Hast du ihn denn nicht gesehen?« Der Keeper meinte Frank.

»Nein«, sagte Frank, »ich habe ihn nicht gesehen. Vielleicht habe ich gerade gespielt. Quatsch! Ich habe Kathy das Spiel erklärt! Richtig, so war's! Nein, den Kerl habe ich nicht gesehen!«

»Und wie sah er aus?« fragte Paul den Keeper.

»Leicht zu beschreiben. Ein Kameltreiber. Ein Araber. Oder von da unten. Nicht gerade groß. Eher schmächtig. Ein paar Goldzähne. Brauner Anzug. Oder grauer. Schwarzes Haar. Ja, natürlich! Lange Koteletten! Besonders lange. Fast bis zum Kinn. Und eine Pfundsnase! So eine Habichtsnase. Ja, genauso hat er ausgeschaut. Ich könnte ihn direkt malen.« Er sah Paul an, ahnte seine Frage im voraus und setzte hinterher: »Aber ich kann nicht malen. Leider.«

»Herr Hans, ich danke Ihnen«, sagte Paul, streckte ihm die Hand hin, und der Keeper schlug ein: »Ich glaube, Sie haben mir sehr geholfen. Hoffentlich kann ich das irgendwie gutmachen?«

»Aber ich bitte Sie«, sagte der Keeper mit einer abwehrenden Handbewegung, »das war doch selbstverständlich! Menschenpflicht! Ich hoffe, Sie finden Ihre Tochter recht bald!«

»Ja. Ich hoffe auch«, sagte Paul und zu Frank: »Ich würde mich mit Ihnen noch gerne weiter unterhalten. Aber ich muß nach Hause. Haben Sie Lust und Zeit, mitzukommen?«

»Okay«, sagte Frank, und zum Keeper mit einer Kopfbewegung in Richtung auf den Spieltisch: »Sag ihnen, ich mußte weg.«

30

Als sie das Haus am Herzogpark betraten, fiel Paul sofort der kleine Zettel auf. Er lag auf dem Fußboden nahe der Tür. Jemand hatte ihn durch den Briefschlitz geworfen.

Er nahm ihn hoch. Es war eine Nachricht von Martindale. Frau Gramm hatte ihn erreicht. Er wollte Verbindung mit Lance aufnehmen.

»Kommen Sie, wir gehen hier herein«, sagte Paul zu Frank und hielt ihm die Tür zum Arbeitszimmer auf.

»Soll ich uns etwas zum Trinken machen? Kaffee? Tee? Saft?« Jan war schon in der Küche. Da ihm die anderen nicht antworteten, sagte er zu sich: »Dann also Saft!«, und begann mit dem Auspressen von Orangen. Als er den Saft bereitet hatte, waren Paul und Frank schon mitten im Gespräch. Jan stellte die Gläser wortlos vor ihnen auf den Tisch und setzte sich dazu.

»Wir überlegen eben«, sagte Paul zu ihm, »in welcher Weise Herr Jensen uns weiterhelfen kann.«

»Herr Niklas hat eine Idee, wie wir möglicherweise an diesen Araber herankommen«, setzte Frank Jensen erläuternd hinzu, »er wollte die Sache in Ruhe besprechen. Nicht im Lokal.«

»Außerdem können wir von hier aus ungestört telefonieren«, sagte Paul, »denn ich glaube, wir sollten genau nach Plan vorgehen.«

»Und wie sieht der Plan aus?« Jan nahm einen Schluck Orangensaft und die anderen auch.

»Der Plan ist sicher noch nicht perfekt«, sagte Paul und stellte sein Glas zurück auf den Tisch, »jeder kann seine Meinung beisteuern. In diesem Fall sind drei Gehirne besser als eins.«

»Ich bin Ihnen dankbar, daß ich dabeisein darf.« Frank Jensen sah von Paul zu Jan: »Ich fühle mich irgendwie mitschuldig.«

»Unsinn«, sagte Paul, »Sie trifft nicht die geringste Schuld! Wenn der Kerl Kathy nicht aus der ›Kutsche‹ hätte herauslocken können, dann hätte er sicher einen anderen Weg gefunden. Nein, Herr Jensen, Sie können nichts dafür! Außerdem: Woher sollten Sie wissen, daß Kathy eine Entführung droht?« Er hatte dem Jungen nichts über die Hintergründe des Geschehens erzählt. Solange es sich umgehen ließ, wollte er auch dabei bleiben. Er wollte, soweit es in seiner Macht lag, den Kreis der Eingeweihten nicht unnötig vergrößern. Und der Junge konnte ihm auch behilflich sein, wenn er das Motiv der Entführung nicht kannte.

»Natürlich konnte ich nicht ahnen, daß Kathy eine Entführung droht«, sagte Frank, »aber immerhin war sie mit mir zusammen, als es passierte.«

»Ich möchte jetzt euren Plan kennenlernen«, unterbrach Jan.

»Unterbrecht mich, wenn ich etwas außer acht lasse«, sagte Paul und holte aus: »Welche Ansatzpunkte haben wir? Da ist zunächst einmal die ziemlich genaue Beschreibung des Mannes, der Kathy im Lokal beobachtet hat. Doch wir wissen weder seinen Namen noch wo wir ihn suchen sollen. Wir sind auf Vermutungen angewiesen. Zum Beispiel könnte man davon ausgehen, daß er hier nicht fremd ist. Oder daß er einen oder mehrere Helfer hat, die hier nicht fremd sind. Seid ihr soweit mit mir einer Meinung?«

»Unbedingt«, sagte Frank, und Jan pflichtete ihm bei.

»Wir wissen, daß er Araber ist. Oder zumindest ähnlich aussieht. Vielleicht dürfen wir sogar annehmen, daß es sich bei seinen möglichen Helfern ebenfalls um Araber handelt?« Paul sah die anderen fragend an. »Das könnte ein Trugschluß sein«, sagte Jan, »konzentrieren wir uns lieber auf ihn allein.«

»Du hast recht«, sagte Paul, »wie viele Araber oder einem Araber ähnliche junge Männer dürften wohl hier in der Stadt sein?« Seine Frage galt vor allem Frank.

Frank zuckte die Achseln: »Keine Ahnung. Aber wenn Sie darauf hinauswollen, ob man ihn überhaupt finden kann, dann glaube ich, daß so etwas nicht völlig unmöglich ist. Man könnte unter den Kellnern nachfragen in den bestimmten Restaurants. Und unter den Studenten.«

»Genau das habe ich auch überlegt«, sagte Paul, »was meinst du, Jan?«

»Ich glaube, die Überlegung ist richtig.« Jan trank sein Glas leer. Nur: So eine Suche kostet zuviel Zeit! Daß man so auf Anhieb zum Ziel kommt, damit darf man zumindest nicht rechnen.«

»Mit anderen Worten: ein Vabanquespiel!« sagte Paul.

»Ja«, sagte Jan, »und darauf sollten wir uns nicht einlassen.«

»Dann haben wir noch einen zweiten Ansatzpunkt«, sagte Paul.

»Irbid«, sagte Jan. Er hatte von Anfang an nur an ihn gedacht.

»Ja, Irbid.« Paul wandte sich an Frank: »Irbid ist ein Araber. Wir vermuten, daß er mit der Sache zu tun hat. Genauer gesagt: Es ist mehr als nur eine Vermutung. Nein, bitte keine Fragen! Irbid wohnt im Hotel ›Vier Jahreszeiten‹. Er könnte uns vielleicht den Weg zeigen.«

»Im Hotel?« sagte Frank erstaunt, »ganz offiziell im Hotel?«

»So ist es«, sagte Paul schlicht.

»Wir könnten ihn beschatten.« Jan war von dem Gedanken angetan.

»Ich falle aus«, sagte Paul, »mich kennt er. Aber du und Frank könntet ihn übernehmen.«

»Ja«, sagte Jan, »aber du mußt ihn uns zeigen. Denn nur auf die bloße Beschreibung hin könnte uns beiden vielleicht ein Fehler unterlaufen.«

»Es wäre eine Möglichkeit. Aber eine, die womöglich viel Zeit erfordert und trotzdem nicht zum Ziel führt.« Paul sah Jan an.

»Du meinst, wenn Irbid das Hotel nicht verläßt?«

»Eben. Dann verlieren wir unter Umständen Stunden, ohne daß wir auch nur einen Schritt weiterkommen.«

»Also ausweglos?« sagte Jan.

»Ich sehe nur eine einzige Chance«, entgegnete Paul, »wir müssen mehrere Wege gehen. Zu gleicher Zeit.«

»Und welchen Weg noch?« Jan lehnte sich zurück und verschränkte die Arme vor der Brust.

»Noch keinen bestimmten«, sagte Paul, »nur: Falls sich noch einer oder mehrere ergeben, müssen wir die Aufgaben unter uns verteilen. Frank kommt sicher mehr für die Suche nach unserem namenlosen Araber in Frage?« Er wandte sich Frank zu: »Nennen wir ihn mal ›die Habichtnase‹.«

»Ich weiß auch schon, wo ich ansetzen werde«, sagte Frank, »ich kenne da ein paar Studentenkneipen und habe sehr gute Verbindungen.«

»Zu arabischen Studenten?« fragte Jan.

»Ja. Und zu ihren Freunden.«

»Dann soll das Ihre Aufgabe sein«, sagte Paul, »und Doktor Voss und ich versuchen in den ›Vier Jahreszeiten‹ unser Glück.«

»Im Hotel?« sagte Jan. »Ich dachte, wir beobachten den Eingang von draußen?«

»Mir kommt da ein Gedanke«, sagte Paul, »vielleicht können wir nachhelfen.«

»Du meinst, Irbid dazu bringen, das Hotel zu verlassen?«

»Das allein nützt uns nicht«, sagte Paul. »Wir müssen ihn dazu bringen, sich mit seinem oder seinen Kumpanen in Verbindung zu setzen.«

»Und wie willst du das schaffen?«

»Daß es gelingt, dafür kann ich natürlich nicht garantieren. Ich denke auch noch nicht an Einzelheiten. Ich weiß nur, daß wir es versuchen sollten. Und daß es vielleicht einen Weg gibt. Vielleicht!« Er erhob sich. »Seid ihr einverstanden, daß wir über diese Adresse miteinander in Verbindung bleiben?«

Die beiden anderen nickten. Paul nannte Frank die Telefonnummer. »Sollte das Telefon nicht besetzt sein«, sagte er, »machen wir es wie Martindale. Einen Zettel durch den Briefschlitz. Aber immer auch mit der Angabe, wo der andere gerade zu erreichen ist.«

Er drückte die Klinke der Tür zum Wohnraum, »entschuldigt, ich muß jetzt ungestört ein paar Telefongespräche führen«, und schloß die Tür hinter sich.

Als er wieder zurückkam, fragte er Frank: »Haben Sie Geld für Taxi und was sonst alles anfallen kann?«

»Nein«, sagte Frank, »nicht eine Mark.«

Paul zog seine Brieftasche und drückte ihm ein paar Scheine in die Hand: »Genug?«

»Danke. Das ist reichlich.« Frank wollte ihm einen Schein zurückgeben, doch Paul wehrte ab.

Je länger er ihn kannte, desto stärker fühlte er sich von der offenen Art des Jungen angesprochen.

31

Der Chevrolet bog zum Flughafen ab. Stanley Martindale hatte die Hände locker auf dem Steuerrad liegen. In der einen hielt er eine brennende Zigarette. Er wandte flüchtig den Kopf zu seiner Mitfahrerin:

»Christine, Sie wissen, was Sie machen sollen?«

Sie lachte: »Trauen Sie mir das etwa nicht zu?«

»Dann hätte ich Sie ja nicht darum gebeten. Sie dürfen uns nur nicht verpassen!«

»Die Maschine um achtzehn Uhr zehn«, wiederholte sie seine Angaben, »ich suche die Nähe der beiden, sehe zu, daß ich mitbekomme, was sie reden, und gehe mit bis zur Gangway.«

»Na großartig! Ich werde Sie für unseren Haufen vorschlagen!« Er fuhr auf den Parkplatz vor dem Flughafengebäude und hielt an. »Wird es Ihnen nicht zu langweilig?«

»Ich trinke einen Kaffee.«

»Aber vor eineinhalb bis zwei Stunden werden wir kaum aufkreuzen.«

»Das macht nichts. Ich bin Warten gewöhnt. In der Klinik ist es oft nicht anders.«

»Sie sind ein prima Mädchen, Christine.« Er war glücklich, daß er den Einfall hatte, sie in seine Arbeit mit einzubeziehen. Auch wenn es sich nur um eine Art Gefälligkeit handelte. So hatte er einen triftigen Grund, mit ihr zusammen zu sein.

Natürlich hatte er nicht damit rechnen können, daß sie überhaupt Zeit hatte und bereit war, ihm zu helfen.

Er hatte es darauf ankommen lassen, und ihre Zusage hatte ihm recht gegeben.

Er lächelte in sich hinein. Ohne Einsatz kann man nicht einmal in Las Vegas gewinnen! Er stieg aus und hielt ihr die Tür auf: »Ich drücke Ihnen beide Daumen, Christine! Ich warte auf Sie hier auf dem Parkplatz. Okay?«

»Einverstanden, Mister Martindale.«

»Stop, Christine! Das geht jetzt nicht mehr! Meine Kollegen nennen mich ›Stan‹.«

Um ihre Mundwinkel spielte ein unmerkliches Lächeln. »Einverstanden, Stan«, sagte sie und ging hinüber zum Eingang.

Er sah ihr nach, bis sie hinter der automatischen Glastür verschwunden war. Verdammt, sagte er sich, seit wann läßt sich denn ein knochenharter CIA-Veteran derart gehen!

Er fuhr zurück in die Stadt.

32

»Hier Newley. Wer spricht?«

»Stan.«

»Alles klar?«

»Soweit ja.«

»Wie weit?«

»Ich bin da auf einen Dichter gestoßen.«

»Kannst du sprechen?«

»Und wie! Bin in der Wohnung. In meiner bezaubernden.« Martindale klemmte sich den Hörer mit der Achsel ans Ohr und steckte sich eine Zigarette an.

»Dann laß die Sache mal raus!« sagte Newley. Er telefonierte aus seinem Büro in Bonn.

»Die Sache ist schon geklärt.« Martindale nahm einen tiefen Zug. »Ich schiebe den Dichter ab.«

»Das ist nie verkehrt. Und wohin?«

»Nach Florida.«

»Drehst du durch?«

»Hast du noch mehr solche Weisheiten auf Lager?«

»Also warum?«

»Weil ich ihn bei Laune halten muß.«

»Okay, ich nehme es hin. Was darf ich dazu beisteuern?«

»Ein Gespräch mit der Zentrale. Für ein Empfangskomitee.«

»Wo?«

»In Miami.«

»Wann?«

»Du mußt es dir selber herausfummeln. Die Maschine geht hier um achtzehn Uhr zehn weg.«

»Und wie wird der Dichter erkannt?«

»Er reist mit Dame. Beide zusammen sind ungefähr so alt wie ich. Unsere Leute halten sich am besten an die Passagierliste. Er heißt

Cornelius. Fred Cornelius. Und sie Biggi. Was Brigitte bedeuten
kann.«
»Und auch Cornelius?«
»Das kann ich nicht beschwören.«
»Was meinst du mit ›unsere Leute‹?«
»Na, zwei Halblahme waren schon immer besser als ein Ganzlah-
mer. Wird das zu machen sein?«
»Es ist gekauft. Braucht der Dichter seine Freunde rund um die
Uhr?«
»Wenn das auch noch drin ist, wende ich nichts dagegen ein. Wich-
tig ist, daß er nicht mit anderen Dichtern Verbindung aufnimmt. Du
kennst das ja: Steppenbrand.«
»Okay. Sonst noch was? In der Klinik? Steht unser Mann schon
auf den Beinen?«
»Du bist vielleicht ein Komiker? Was heißt auf den Beinen! Er hat
sich für heute abend zu einem Tanzturnier gemeldet!«

33

Nichts im Hof hatte sich verändert. Über der Teppichstange hing noch
immer der braune, abgetretene Läufer aus Sisalhanf. Die Mülltonnen
quollen nach wie vor über und standen aufgedeckt bereit für die Abfuhr. Nur der Schatten, der am Morgen noch den ganzen Hof überzogen hatte, war mittlerweile im rückwärtigen Teil einem schmalen
Sonnenstreifen gewichen.

Martindale klopfte gegen die Tür des kleinen Bungalows. Wie am
Morgen mußte er eine geraume Weile warten, bis ihm geöffnet
wurde. Und wie am Morgen öffnete Biggi zunächst nur einen Spalt,
und sie war nackt und verschlafen. Sie hielt sich ein Handtuch vor.

»Ach, Sie sind's!« Sie ließ ihn eintreten.

Auch im Haus war noch alles so, wie er es verlassen hatte. Der einzelne Socken lag noch auf der angebissenen Tafel Schokolade, und das
benützte Geschirr stand noch wild über beide Räume verstreut.

Fred Cornelius erhob sich von der Couch. Er war in einen speckigen
Morgenmantel gehüllt.

»Ist es denn schon drei?« sagte er und gähnte. Die eine Seite seines
Kinns war geschwollen.

»Ich bringe Ihnen eine frohe Kunde«, sagte Martindale und hielt ihm einen Scheck und die Tickets hin.

Cornelius nahm beides an sich und warf einen Blick auf den Scheck. Er begehrte auf:

»Aber das ist ja . . . !«

»Richtig«, sagte Martindale, »ein Spezialscheck. Nur einzulösen bei der Nationalbank in Miami. Aber immerhin neuntausend gute Dollar! Das sind sogar etwas mehr als die versprochenen zwanzigtausend Mark. Und Miami ist ja sowieso euer Zielbahnhof. Hast du das denn vergessen?«

»Sie sind doch ein verdammter Hund!«

»Wenn du das sagst, ist das so viel wie eine Ordensverleihung. Ihr müßt euch beeilen. Der Kapitän kann auf euch keine Rücksicht nehmen. Die Maschine hebt um achtzehn Uhr zehn ab.«

»Heute noch?« Biggi kam aus dem Nebenraum. Sie trug jetzt abgewetzte, ehemals blaue Jeans und ein dunkelblaues, eng anliegendes T-Shirt mit kurzen Ärmeln, unter dem sich die Knospen ihres kleinen Busens abzeichneten.

»Wie stellen Sie sich das vor«, sagte Cornelius, »glauben Sie etwa, ich bekomme innerhalb von fünf Minuten Urlaub? Telefonisch?«

»Ganz einfach. Du bist weg! Ohne Urlaub.«

»Sehr gut! Und wenn ich zurückkomme, werde ich mit offenen Armen wieder aufgenommen! Sie haben ja einen Knall!«

»Stell dich nicht so blöd an! Du bist von einem Ölscheich eingeladen worden! Denk dir 'ne hübsche Story über ihn aus! Dann sahnst du sogar auch noch bei deinem Käseblatt ab.«

»Das Märchen glaubt mir nicht mal unser Portier!«

»Es kommt nur darauf an, wie du es erzählst. Ist denn noch nie einer von euch Brüdern von 'nem echten Millionär über Nacht nach Florida geschaukelt worden? Dann habt ihr ja bisher glatt einiges versäumt!«

»Na schön«, seufzte Cornelius, »ich krieg's schon hin.«

»Eben«, sagte Martindale, »der Hoteldirektor hat ja schon den roten Teppich ausgerollt.«

»Ein Hotel ist schon bestellt?« Cornelius wurde wieder mißtrauisch.

»Ja, was glaubt denn ihr? Unsere Organisation ist erstklassig! Auch der Fremdenführer steht schon bereit.«

376

»Wollen Sie uns verarschen?« sagte Cornelius.

»Nicht die Spur. Ihr werdet nahtlos übernommen.«

»Übernommen?« Cornelius überlegte angestrengt. »Was soll das heißen?«

»Das heißt, daß ein guter Freund von mir euch in Miami in Empfang nimmt. Er zeigt euch das Hotel. Er geht mit euch zur Bank. Er leistet euch Gesellschaft.«

»So haben wir nicht gewettet!« sagte Cornelius jetzt herausfordernd.

»Wir haben überhaupt nicht gewettet«, sagte Martindale betont ruhig, »wir haben uns geeinigt. Ihr tut, was ich euch sage, und ich brauche nicht ungemütlich zu werden. Das ist doch ein faires Abkommen, oder?« Mit einer schnellen Bewegung packte er Cornelius am Kinn.

»He, Sie Arsch, Sie tun mir weh!«

»Ach? Tu ich das?« Martindale ließ ihn los. »Ist gut, daß du mich daran erinnerst. Siehst du, man muß sich eben an alles erinnern! Und vor allem an die schönen Dinge des Lebens. An den Scheck zum Beispiel. Oder an die Überraschung, die ich dir noch in Aussicht gestellt habe.«

»Was für 'ne Überraschung?« Biggi schaltete sich ein.

»Wenn innerhalb der nächsten sechs Monate kein derartiger Artikel erscheint . . . ich meine keiner mit deinen Informationen . . .« Martindale sah Cornelius durchdringend an: »In keiner Zeitung, wohlgemerkt! In keiner!«

»Was ist dann?« fragte Cornelius herablassend.

»Dann gibt's noch mal Kohlen.«

»Noch mal?« Biggi war die freudige Überraschung anzusehen.

»Du hältst dich hier raus!« fuhr Cornelius sie an.

»Kann ich das denn noch? Ich weiß doch schon mehr als zuviel!«

»Du blödes Stück!« Cornelius holte zum Schlag aus, doch Martindale hielt seinen Arm fest: »Hör mal, Bürschchen! Benimmt man sich so gegen eine Dame? Noch dazu gegen eine, mit der man nach Miami fliegt?« Er stieß ihn von sich: »Los! Packt eure Klamotten! Ihn zehn Minuten ist Abmarsch!«

»Und wieviel Kohlen gibt's noch nach? Ich meine in sechs Monaten?« Biggi fühlte sich jetzt vor ihrem Freund sicher.

»Dann gibt's das Doppelte.«

»Vierzigtausend?« sagte Biggi zu Cornelius. »Ich werde verrückt!«
Und zu Martindale: »Sie haben mich überzeugt. Ich werde aufpassen,
daß er sie nicht in den Wind schießt!«

34

Kathy kam zu sich und schlug die Augen auf.

Sie lag auf einer Pritsche. Ein Arm baumelte über die Kante. Ein
Finger berührte etwas Kühles. Den Fußboden. Einen nackten Fußboden aus Zement. Von ihm strömte die Kühle aus.

Sie hob den Blick. Ich bin in einer Abstellkammer, dachte sie, oder
in einem Schacht. Nackter Fußboden, nackte, weiß gekalkte Wände,
nackte Decke, kein Fenster, nur ein Abzug. Nur Fußboden, Decke und
Wände. Vielleicht drei mal vier Meter. Und die Pritsche, auf der ich
liege. Und eine matte Glühbirne an der Decke. Und eine Tür.

Sie schloß die Augen. Angst überkam sie. Das erstemal, seit das
Galgengesicht sie in den metallic-grünen Volkswagen gestoßen hatte,
überkam sie echte, große Angst. Sie fühlte sich verloren.

Sie hörte, wie sich ein Schlüssel im Schloß drehte. Die Tür ging auf.
Shihan trat ein und schloß sie sofort wieder hinter sich. Er hielt eine
Schüssel in der Hand. »He, wach auf!« Er stieß mit dem Fuß nach Ka-
thy.

Sie sah ihn an: »Was ist?« Sie blieb bewegungslos liegen.

»Du mußt was essen!« Er stellte die Schüssel vor sie auf den Ze-
mentboden. In der Schüssel war Suppe. Er legte einen Löffel dazu.

»Ich habe keinen Hunger.«

»Du mußt! Nudeln mit Huhn.«

»Ich will nicht.«

»Dann muß ich dich zwingen!« Die Drohung war unmißverständlich. »Na?«

Sie griff wortlos nach dem Löffel, richtete sich halb auf und begann
zu essen.

»Na, siehst du, sie schmeckt! Jeder Mensch muß essen! Sonst
klappt er zusammen.«

»Na und?«

»Du hast noch einiges vor dir.«

»Wir sind doch schon umgezogen.«

»Vielleicht eine Reise. Eine längere. Da mußt du bei Kräften sein.«

»Eine Reise? Wohin?«

»Ist das nicht egal?«

»In den Orient?«

»Da kannst du lange fragen.«

»Wie lange werde ich noch festgehalten?«

»Frag ruhig.«

»Wie lange, he!«

»Du kannst ewig fragen.«

»Du gemeiner Kerl, du!«

»Du kannst auch schreien. So laut du willst. Hier hört dich niemand.«

»Ich will hier raus!«

»Schrei ruhig. Schrei und frag, soviel du willst.«

»Ich will hier raus! Raus! Hörst du!« Sie warf die noch halbvolle Schüssel nach ihm. Im letzten Augenblick wich er aus. Die Schüssel knallte gegen die Wand und zerschellte. Auf dem Fußboden bildete sich eine Lache. In ihr lagen die Nudeln.

35

Am Durchgang zu den internationalen Flugsteigen drängten sich die Passagiere. Stanley Martindale hatte vorher mit der Flughafenpolizei abgesprochen, daß Christine Bern den Weg durch die Büroräume der Lufthansa nehmen durfte.

Als er jetzt mit Fred Cornelius und Biggi zur Zollabfertigung kam, war Christine schon jenseits der Barriere. Er tauschte mit ihr einen kurzen Blick. Sie verstand.

»Okay«, sagte er zu Cornelius, »das wär's dann. Ab jetzt bist du mich los.«

»Ich passe auf ihn auf«, sagte Biggi, »mir woll'n die vierzigtausend nicht aus 'm Kopf.«

Martindale glaubte ihr. Sie begaben sich auf die Reise in einen anderen Erdteil, wie andere Leute für ein paar Stunden aufs Land fahren, dachte er. Jeans, Hemd, leichte Schuhe und eine nicht sehr große Ledertasche mit ihren Utensilien. Keine Jacke, keinen Mantel, kein großes Gepäck.

»Du bist meine Vertrauensperson«, sagte er zu dem Mädchen und gab ihr einen freundschaftlichen Klaps auf ihr mageres Hinterteil und setzte leise hinterher, so daß nur sie es hören konnte: »Wenn du es schaffst, gehören zwanzig Riesen dir.« Sie nickte.

»Nur eine Frage noch, Martindale«, sagte Cornelius, »immer die gleiche: Für wen sprechen Sie? Ich meine für welche Organisation?«

»Der Flug ist lang, Cornelius. Da hast du bequem Zeit, die Nuß zu knacken.«

»Daß Sie einer Organisation angehören, steht für mich fest. Sie treten zu offen auf. Polizei?«

»Du kannst mir ja deine Lösungen durchtelefonieren«, sagte Martindale, »dann hast du wenigstens gleich Verwendung für deine Kohlen.« Er wandte sich um und ging durch die Halle dem Ausgang zu.

Hinter der Reklametafel blieb er stehen. Zwischen ihr und dem Kiosk für Zeitschriften und Bücher hatte er die Zollabfertigung im Auge, ohne daß Cornelius und Biggi ihn sehen konnten. Als er sah, daß Christine neben den beiden auftauchte, war für ihn der Fall abgeschlossen. Er verließ die Halle und überquerte die Straße zum Parkplatz.

Eine halbe Stunde später stieg Christine zu ihm in den Wagen. Ihre Wangen waren vor Aufregung gerötet. Ihre Augen strahlten.

»Also hat alles geklappt«, sagte er und drehte den Zündschlüssel.

»Ja. Woher wissen Sie?«

»Berufsgeheimnis. Und was haben die beiden noch gequatscht?«

»Sie haben sich gestritten. Die ganze Zeit über. Bis sie in der Maschine verschwanden.«

»Er fürchtet, daß sie seine Interessen nicht mehr vertritt.«

»Warum haben Sie mich eigentlich gebraucht, wenn Sie sowieso alles wissen?«

»Sie haben mir einen großen Dienst erwiesen, Christine. Nein, wirklich! Ohne Sie wäre ich jetzt meiner Sache gar nicht so sicher. Das muß begossen werden?« Er drehte sich ihr zu.

Einen Atemzug lang tauchten ihre Blicke ineinander, vertraut, wie die zweier guter Freunde. Daß im gleichen Augenblick Montgomery Saunter, keine drei Schritte von ihrem Wagen entfernt, aus einem Taxi stieg und auf den Eingang des Gebäudes zuging, nahmen sie beide nicht wahr.

Saunter war ohne Gepäck. Er hatte es eilig. Er lief durch die sich selbsttätig öffnende Glastür, durchquerte die Halle und trat an einen Schalter der Lufthansa.

Über die Theke hinweg reichte er der Stewardeß sein Ticket. Sie warf einen kurzen Blick darauf, fertigte ihn ab und gab ihm das Ticket zurück: »Die Maschine nach Paris ist schon aufgerufen. Flugsteig A bitte.«

36

Jan Voss hatte den Wagen noch nicht gestartet, da sagte er zu Paul: »Mit wem hast du vorhin so geheimnisvoll telefoniert?« Er startete.

»Erstens«, sagte Paul, »waren es zwei Gespräche, und davon wollte ich eines ungestört führen. Das andere war mit der Klinik.«

»Und? Läuft alles glatt?«

»Es sieht so aus. Er hat schon Tee getrunken.«

»Das ist ja unglaublich! Keine zwanzig Stunden nach der Operation!«

»Gar so unglaublich ist das nicht. Wir hatten schon ganz andere Fälle.«

»Und das zweite Gespräch?«

»Ach so! Das habe ich mit Irbid geführt.«

»Mit Irbid?«

»Lag das nicht auf der Hand? Aber ich mußte allein sein, verstehst du?«

»Ja, das schon. Aber was hast du mit ihm . . .«

»Es liegt doch nahe, daß ich mich mit ihm in Verbindung setze, daß ich ihn über den Zustand seines Freundes auf dem laufenden halte.«

»Zugegeben. Aber wie ich dich kenne . . .«

»Du kennst mich. Ich wollte von ihm zum Beispiel wissen, ob ich ihn weiterhin im Hotel erreiche. Aber er ließ sich nicht fangen. Er hat ausweichend geantwortet, daß er auf jeden Fall mit dem Hotel in ständiger Verbindung stehe, und ich kann für ihn jederzeit eine Nachricht hinterlassen.«

»Pech. Das sagt gar nichts.«

»Und doch hatte ich vielleicht einen gewissen Erfolg. Zum einen habe ich vielleicht sein angeknackstes Vertrauen in mich wieder ein wenig gestärkt . . .«

»Und zum anderen?«

»Ich habe der Telefonistin gesagt, daß es wohl einfacher sei, den Papst zu erreichen als die dreihunderteinundzwanzig. Das ist das Zimmer von Irbid.«

»Das verstehe ich nicht.«

»Ich habe ihr gesagt, daß ich es seit Stunden immer wieder versucht habe, aber ohne Erfolg.«

»Ich verstehe noch immer nicht.«

»Sie war sehr entgegenkommend, hat kurz ihre Kolleginnen gefragt und mir dann eine klare Auskunft gegeben. Nein, die dreihunderteinundzwanzig hat, seit sie Dienst hat, nicht ein einziges Gespräch geführt oder empfangen. Es müsse sich also um einen Irrtum meinerseits handeln.«

»Sehr gut! Und wie lange hatte sie schon Dienst?«

»Immerhin schon fünf Stunden.«

»Paul, das war großartig! Wenn man bei so einer Sache überhaupt eine Wahrscheinlichkeitsrechnung aufstellen kann, dann müßte Irbid ja eigentlich bald . . .?«

»Eben!« sagte Paul. »Ich kann mir auch nicht vorstellen, daß er den Draht zu seiner sogenannten Außenstelle über Gebühr lange tot läßt.« Sie waren am Hotel ›Vier Jahreszeiten‹ angekommen.

37

Das Hotel bot das gewohnte hektische Bild eines internationalen Hotels am späten Nachmittag. Gäste kamen von einem ausgedehnten Stadtbummel zurück in der Absicht, sich kurz auszuruhen oder frisch zu machen für den Abend, andere nahmen ihren 5-Uhr-Tee ein, und manche, vor allem Herren, waren sogar schon bereit für den abendlichen Ausgang. Die Stimmung war laut, da und dort ausgelassen, zwischen Rezeption und Halle war ein ständiges Kommen und Gehen, in der Halle ein Sich-Niederlassen und Aufbrechen, im Vorraum standen Gruppen herum, man begrüßte und verabschiedete sich, man winkte und rief sich zu, und das Personal hatte alle Hände voll zu tun, um alle Wünsche zu befriedigen.

Paul und Jan gingen nach hinten zur Telefonzentrale. Die Mädchen mit ihren Kopfhörern vor den Klappenschränken hatten Hochbetrieb.

Sie vermittelten, gaben Auskunft, nahmen Gespräche an und kamen kaum zum Atemholen.

Die zweite der Telefonistinnen, die Paul ansprach, hatte ihn vor ungefähr zwanzig Minuten mit Zimmer 321 verbunden. Sie erinnerte sich an das etwas ungewöhnliche Gespräch mit ihm.

»Nein«, sagte sie freundlich, »bei mir hatte die dreieinundzwanzig in der Zwischenzeit kein Gespräch.«

Paul schob ihr verstohlen einen Schein zu: »Vielleicht wissen Ihre Kolleginnen mehr?«

Die Telefonistin sah ihn einen Augenblick prüfend an. »Kann das sein, daß ich Sie kenne?«

»Ich glaube nicht.«

»Professor Niklas, habe ich recht?«

»Ja, aber . . .« Paul war verblüfft.

»Nur Ihr Bild kenne ich. Aus der Zeitung. Sie haben den Nobelpreis bekommen, ja? Für Medizin!« Sie bekam rote Wangen. »Sekunde!« sagte sie, vermittelte ein Gespräch und wandte sich dann an ihre Kolleginnen: »Hatte die dreieinundzwanzig in letzter Zeit ein Gespräch?« Niemand hatte eins vermittelt.

»Nein«, sagte sie zu Paul, »kein Gespräch.«

»Danke. Sie könnten mir noch einen Gefallen erweisen«, sagte Paul, »das heißt, wenn es Ihre Zeit überhaupt erlaubt.« Offenbar war ihm das Mädchen gewogen. Diesen Umstand wollte er ausnützen.

»Wir sind ziemlich im Druck, ja. Aber ich mache eine Ausnahme.« Sie war verlegen.

»Ich müßte wissen, ob der Herr von dreihunderteinundzwanzig noch auf seinem Zimmer ist. Aber ohne daß mein Name fällt.«

»Das ist möglich, ja«, sagte sie, drückte eine der Tasten, stöpselte ein, sagte in die Muschel: »Oh, Verzeihung!«, stöpselte um und hob den Blick zu Paul: »Der Herr ist noch da.«

»Danke«, sagte Paul, »und noch etwas!« Er beugte sich zu ihr hinab und sagte leise: »Wenn er ein Gespräch hat, dann . . . ich habe so etwas noch nie gemacht . . . ich müßte wissen, um was es bei diesem Gespräch geht.« Er setzte schnell hinterher: »Ich weiß natürlich, daß Sie das nicht dürfen, daß ich Sie damit in Schwierigkeiten bringen kann, aber ich . . .«

Sie antwortete nicht. Doch mit den Augen gab sie ihm zu verstehen, daß sie bereit war, Irbids Gespräche mitzuhören.

»Wir sind in der Halle«, sagte Paul, deutete auf Jan, der im Hintergrund stand, und wollte ihr einen weiteren Schein zustecken, doch den nahm sie nicht an.

38

Die Uhr über dem Eingang zeigte kurz nach sieben. Sie saßen noch immer in der Halle. Sie hatten Tee getrunken, jeder hatte ein Schinkenbrot gegessen, Jan hatte dazu Bier genommen und Paul Orangensaft. Mittlerweile hatte sich der Raum zusehends geleert.

»Glaubst du auch jetzt noch an sie?« Jan sah den Freund zweifelnd an.

»Es war schieres Glück«, erwiderte Paul, »ich gebe es zu. Aber ich hatte dir ja gesagt, man muß es einfach versuchen«, und dann, wie um es sich selber zu bestätigen: »Ja, ich vertraue ihr auch jetzt noch. Ich setze auf meine Menschenkenntnis. Ich bin zwar gegen jede Publicity. Aber in diesem Fall hat sie mir anscheinend geholfen.«

»Bis jetzt noch nicht«, sagte Jan trocken.

»Vielleicht hat er noch kein Gespräch geführt.«

»Vielleicht hat es sich das brave Mädchen anders überlegt? Vielleicht hatte sie gar keine Gelegenheit, ein Gespräch für ihn anzunehmen. Oder ihre Kolleginnen haben ihr zu sehr auf die Finger gesehen. Oder sie sitzt schon längst zu Hause vor dem Fernseher. Soll ich mal nachschauen?« Jan stützte sich mit beiden Händen auf die Lehne, wie um aufzustehen.

In dem Augenblick trat ein Page an den Tisch. »Professor Niklas?«

»Ja, das bin ich«, sagte Paul.

»Bitte, Herr Professor, Sie werden an der Garderobe erwartet. Wenn ich bitte vorausgehen darf?«

Neben der Garderobe befand sich eine Ecke zum Ankleiden. Die Ecke war von der Garderobe her nicht einzusehen. Ein wandhoher Spiegel, ein kleines Tischchen aus der Biedermeierzeit, ein gepolsterter Hocker.

Hier stand die Telefonistin in Deckung, mit der Paul gesprochen hatte. Ihr Blick war unstet, sie schien ziemlich nervös zu sein. »Hatten Sie schon befürchtet, daß ich nichts hören lasse?«

»Nein«, sagte Paul ruhig.

»Das ist nett von Ihnen«, sagte sie und sah an ihm vorbei, »hier!«
Sie drückte ihm verstohlen einen Zettel in die Hand: »Das Gespräch
war eben.« Und leise: »Ich habe es Ihnen aufgeschrieben.«

»Danke. Und . . .«, er suchte nach Worten, ich möchte mich gerne
erkenntlich zeigen. Wie heißen Sie?«

»Aber, Herr Professor, das will ich nicht. Ich tue so etwas sonst
nie.«

»Das glaube ich Ihnen. Aber nachdem Sie ja nun wissen, wer ich
bin, möchte ich auch gerne wissen . . .«

»Ich habe einen schrecklichen Namen: Melanie. Meine Kolleginnen sagen Mela.«

»Ich finde ihn gar nicht schrecklich. Im Gegenteil. Also, Mela, meinen herzlichsten Dank. Und glauben Sie, daß ich . . .« Er zögerte:
». . . daß ich, wenn es notwendig wäre, noch mal mit einem derartigen Ansinnen kommen darf?«

»Ich habe jetzt keine Zeit mehr«, sagte sie mit hochrotem Kopf,
»ich muß zurück.« Sie wandte sich zum Gehen und drehte sich noch
mal flüchtig um: »Ja, Sie können kommen.«

Er ging zurück in die Halle. Am Tisch entfaltete er den Zusammengeknüllten Zettel. »Hast du ihn von ihr?« fragte Jan, und Paul nickte.

Gemeinsam lasen sie, was auf dem Zettel stand:

»Ein Stadtgespräch. Ich habe das Tonband mitlaufen lassen.

Anrufer: Hier ist Schiller.

321: Ich höre.

A.: Wir sind umgezogen.

321: Alles okay?

A.: Ja. Aber wir müssen uns sehen.

321: Unmöglich.

A.: Es ist wichtig. Sehr wichtig.

321: Sag es in unserer Sprache.

Dann kamen einige Sätze in arabisch. Ich habe sie von unserem Garagenwärter übersetzen lassen. Hier sind sie:

A.: Areg scheint uns gesehen zu haben.

321: Wo?

A.: Als wir in den Wagen stiegen.

321: Wen meinst du mit ›wir‹?

A.: Ich und das Mädchen.

321: War sie nicht ausgeschaltet?

A.: Doch, das schon.

321: Und wie konnte das passieren? Das mit Areg.

A.: Er hatte anscheinend gewartet. Vielleicht, weil ich nichts mehr habe hören lassen.

321: Weiß er, wo ihr jetzt wohnt?

A.: Nein. Ich habe ihn abgehängt.

321: Bist du sicher?

A.: Ich glaube ja.

321: Schalte ihn aus. Sofort.

A.: Okay.

321: Melde dich, wenn du es geschafft hast.

A.: Okay.

Ende des Gesprächs.«

Paul und Jan sahen einander stumm an. Jeder wußte vom anderen, was er dachte. Paul brach das Schweigen: »Mehr Glück konnten wir weiß Gott nicht haben.«

»Ja«, sagte Jan. Er war fassungslos: »Stell dir nur mal vor, das Mädchen hätte heute dienstfrei gehabt . . .«

»Ja, zum Beispiel.«

»Was schlägst du nun vor?«

»Wir müssen sehen, daß wir den Jungen erreichen. Diesen Frank.«

»Sollten wir nicht auch mit dem Garagenwärter sprechen? Allerdings brauchen wir dazu das Mädchen.«

»Sie heißt Mela. Ich meine, wir brauchen sie überhaupt. Der Text ist zu ungeheuerlich. Was soll so ein Mädchen denken? Jetzt ist mir auch klar, warum sie so aufgeregt war.«

»Ach? War sie aufgeregt?«

»Und ob! Ich glaube, sie hat innerlich gezittert. Wir müssen sie noch sprechen, bevor sie Dienstschluß hat.«

»Gib mir noch mal den Zettel«, sagte Jan, und Paul hielt ihn dem Freund hin. »Hier steht«, sagte Jan und deutete auf die letzten Zeilen: »Schalte ihn aus. Sofort.« Er sah hoch: »Das heißt doch soviel wie, daß dieser Areg umgebracht werden soll? Oder täusche ich mich?« Er sprach mit gedämpfter Stimme.

»Ich glaube, du täuschst dich nicht.«

»Hm. Dieser Areg . . . er wäre für uns Gold wert.«

»Ja. Wir müssen uns auf die Suche nach ihm konzentrieren.«

»Richtig! Und dabei Irbid nicht aus den Augen verlieren. Ich suche Frank. Er muß den Namen Areg erfahren.«

»Und ich bleibe vorläufig hier. Am Bund mit den Wagenschlüsseln hängt auch ein Schlüssel fürs Haus.«

»Geht in Ordnung. Ich fahre vorbei. Vielleicht liegt schon eine Nachricht bereit. Und dich erreiche ich hier?«

»Oder in der Klinik. Oder zu Hause.«

»Mach's gut, Paul!«

Jan verließ die Halle mit festen Schritten. Niemand beachtete ihn, den gedrungenen, etwas kurzatmigen Mann mit dem vollen, grauen Haar und dem weißen Spitzbart.

Mit seinen siebenundsechzig Jahren entwickelt er mehr Energie als ein Dreißigjähriger, dachte Paul, und: Er ist ein Freund, wie ihn sich jeder Mann nur wünschen kann.

39

Wieviel Zeit vergangen war, seit Jan das Hotel verlassen hatte, wußte Paul hinterher nicht zu sagen.

Seine Gedanken waren eigene Wege gegangen. Kathy, ihre Geburt, ihre Kindheit, das alles war in wechselnden Bildern an ihm vorübergezogen, während er wartete.

Plötzlich schrak er zusammen. Irbid! Ihm war, als sei Irbid eben, vom Lift kommend, zur Rezeption gegangen!

Er legte einen Schein auf den Tisch und ging hinterher. Er hatte sich nicht getäuscht: Sein Widersacher stand an der Rezeption. Von der Schwingtür aus beobachtete Paul, wie er auf einen der Portiers einsprach, wie er seinen Zimmerschlüssel über die Theke reichte, wie der Portier den Telefonhörer abhob und eine Nummer wählte.

Offenbar bestellte der Portier für Irbid ein Taxi. Mela!, schoß es Paul durch den Kopf, er mußte der Telefonistin eine Nachricht hinterlassen! Schnell entschlossen zog er Kathys Notizbuch aus der Tasche, riß eine leere Seite heraus und schrieb hastig eine Adresse auf. Er winkte einen Pagen heran, drückte ihm ein Fünfmarkstück in die Hand, bat um einen Briefumschlag, der Page eilte ins Schreibzimmer, brachte das Kuvert, Paul steckte den Zettel hinein, verschloß es und gab es dem Pagen: »Für Mela. In der Telefonzentrale.«

Das Taxi für Irbid stand schon bereit. Irbid verließ das Hotel und stieg ein. Paul winkte sich das nächste heran: »Fahren Sie Ihrem Kollegen nach!«

Die Fahrt ging zur Klinik. Paul wartete, bis Irbid im Eingang verschwunden war. Er stieg aus, ging nach hinten über den Parkplatz, betrat das Gebäude durch den rückwärtigen Eingang und fuhr hinauf in sein Büro. Auf dem Schreibtisch lag eine Notiz von Frau Gramm: »19 Uhr 15: Martindale hat angerufen und nach Ihnen gefragt. Jetzt gehe ich. Auch Sie sollten sich Ruhe gönnen. G.«

Über sein Gesicht legte sich ein flüchtiges Lächeln. Er zog seinen weißen Mantel an und ging zur Intensiv-Station.

Irbid stand im Flur mit Sils zusammen. Als Paul herankam, unterbrach er das Gespräch und empfing ihn mit einem sarkastischen: »Wie schön, daß Sie Wort halten, Mister Niklas!«

Paul nahm keine Notiz von ihm, begrüßte nur Sils und fragte ihn: »Hat sich etwas verändert?«

»Nein«, sagte Sils, »ein völlig normaler Verlauf.«

»Dann hätten wir ja in diesem Fall das erstemal so etwas wie Glück?«

»Es wird Zeit«, sagte Sils, »wir müssen uns allmählich wieder unserem täglichen Betrieb zuwenden.«

»Wenn der Verlauf weiterhin normal gut bleibt«, sagte Irbid zu Sils, »wann kann dann der Patient frühestens entlassen werden?«

»Nicht vor zehn Tagen«, sagte Sils.

»Auch nicht unter ärztlicher Aufsicht?« sagte Irbid und sah Paul an: »In Begleitung einer Kapazität, meine ich natürlich!«

»Sie können meinen, was Sie wollen«, sagte Paul, »meine Tätigkeit beschränkt sich auf die Klinik.«

»Wissen Sie das so genau?« Irbid ließ keinen Zweifel daran, daß er sich überlegen fühlte.

»Doktor Irbid«, sagte Paul, ließ das Wort »Doktor« auf der Zunge zergehen und wiederholte genüßlich: »Doktor Irbid, Sie mögen in dem Wahn leben, mit Gewalt könne man nicht nur das Recht beugen, sondern auch Menschen. Vor der Medizin aber versagt die Gewalt. Auch für einen Doktor, wie Sie einer sind. Das sollte Ihnen inzwischen klargeworden sein!«

Irbid mußte sich zusammennehmen, um nicht heftig zu werden. Gefährlich leise begann er: »Auch Sie werden noch einsehen, daß sich sogenannte fundierte Maßstäbe verändern lassen! Und wenn es sein muß mit Gewalt!«

Er steigerte sich in den Gedankengang hinein, und von Satz zu Satz glichen seine Worte mehr einer Rede über revolutionäre Grundprinzipien, wurde seine Stimme lauter: »Gewalt kann auch Gutes vollbringen! Gutes für die Allgemeinheit! Gutes fürs Volk! Wenn wir unser Land zurückerobert haben, mit Gewalt zurückerobert!, dann kommt dieses Land dem Volk zugute! Und wir werden unser Leben für dieses Land einsetzen! Rücksichtslos! Gegen alle Gefahren von außen! Wir werden dort Gewalt ausüben, wo diese Gewalt Vorteile für unser Volk bringt! Merken Sie sich das, Mister Niklas!«

Paul sah ihn von oben herab an. Seine Stimme klang maßvoll: »Aus Ihrem Mund, Doktor Irbid, interessiert mich nur eines: Wann halten Sie Ihre Vereinbarung ein? Wann geben Sie meine Tochter frei?«

»Das Thema ist vom Tisch, Mister Niklas. Ich habe Ihnen längst eine klare Antwort gegeben.«

»Aber, Doktor Irbid! Das ist mehr als Hohn! Wie Sie zu dieser Antwort gestanden haben, wissen wir! Und gerade eben haben Sie mir versteckt angedeutet, daß ich unter Umständen auch noch den Transport begleiten soll! Mister Irbid, Sie haben Ihre Glaubwürdigkeit selber disqualifiziert! Und deshalb frage ich noch einmal, hier in Gegenwart von Professor Sils: Wann endlich geben Sie meine Tochter frei?«

»Ach, lassen Sie mich damit endlich in Frieden! Sie werden rechtzeitig von mir hören! Tun Sie Ihre Arbeit, statt zu diskutieren! Um so eher werden Sie Ihre Tochter wiederhaben!« Irbid hatte sich in eine Erregung hineingesteigert, die ihm das Blut in den Kopf trieb.

»Doktor Irbid«, sagte Paul und betonte das Wort ›Doktor‹ ironisch wie vorhin, »ich werde Ihnen keine Gelegenheit mehr geben, mich in eine Diskussion zu verwickeln. Ich werde Ihnen nicht einmal mehr Gelegenheit geben, sich bei mir nach dem Patienten zu erkundigen.«

Er nahm Sils beim Arm und zog ihn wortlos mit sich. Sie verließen gemeinsam die Station.

Irbid stand einen Augenblick unschlüssig. Dann ging auch er durch die Schwingtür.

40

Paul hatte Sils in sein Büro geschoben und sich den Mantel herunter-
gezerrt. »Herr Kollege, ich brauche Ihren Wagen!«

»Sind Sie denn ohne?«

»Ja. Kann ich ihn haben? Jetzt sofort?«

»Aber natürlich. Lange?« Sils erkannte, daß Paul unter Zeitdruck
stand. Er stellte keine weiteren Fragen und gab ihm die Schlüssel.

»Ich bin so schnell wie möglich zurück«, sagte Paul. Er war schon
halb aus der Tür.

Als das Taxi für Irbid vorfuhr, lenkte Paul den Volvo von Sils schon
zum Parkplatz hinaus.

Er folgte dem Taxi.

Er betete im stillen: Mein Gott, laß Irbid zu Kathy fahren! Laß ihn
mir den Weg zeigen! Laß ihn nicht entdecken, daß ich ihn beob-
achte!

Die Fahrt ging in die Innenstadt. Je stärker die Verkehrsdichte zu-
nahm, um so schwieriger wurde für Paul die Verfolgung.

Wild jagte ihm ein Gedanke durch den Kopf: Irbid war bewaffnet!

Was war, wenn Irbid bemerkte, daß er ihn verfolgte? Wenn Irbid
ihn in einen Hinterhalt lockte? Wenn es zwischen ihnen zu einer
Auseinandersetzung kam? Zu einer unvorhergesehenen, tätlichen
Auseinandersetzung? Zu einer Auseinandersetzung, in deren Verlauf
Irbid die Pistole zog?

Er spürte, wie ihm heiß wurde. Er erkannte, daß er im Begriff stand,
fahrlässig zu handeln. Daß er sich unbedacht einer Gefahr aussetzte,
der er womöglich nicht gewachsen war. Einer unter Umständen tödli-
chen Gefahr.

Jan! Jan hatte Gewehre! Nur Jan konnte dieses Problem lösen!

Unwillig schob er die Überlegung beiseite. Er mußte sich auf den
Verkehr konzentrieren.

Das Taxi mit Irbid im Rücksitz fuhr auch jetzt noch vor ihm. Es
bog ab. Ein Lastwagen drängte sich zwischen sie. Eine Ampel. Paul
mußte anhalten. Der Lastwagen versperrte ihm die Sicht.

Die Ampel schaltete auf Gelb, auf Grün. Der Lastwagen fuhr an.
Das Taxi mit Irbid war nicht mehr zu sehen.

Paul fuhr weiter, auf Verdacht die Hauptstraße hinunter. Das Taxi
blieb verschwunden. Er war verzweifelt.

Er fuhr zurück zur Klinik.

Jan! dachte er, ich muß Jan sagen, daß er eines seiner Gewehre holen soll.

41

»Eine Flasche Ballantine's und eine Flasche Pommery. Sehr wohl, der Herr.«

Die Verkäuferin reichte vier Mark und die Tragetasche mit den Flaschen über die Theke. Stanley Martindale nahm beides an sich.

Newlcy hatte ihm nahegelegt, den Fall ›Dschafar‹ so unauffällig und so schnell wie möglich zu Ende zu bringen. Das bedeutete für ihn: Er durfte den Fall zu keinem Zeitpunkt aus den Augen verlieren.

Daß er sich jetzt dennoch eine kurze Ruhepause gönnte, hatte für ihn zwei Gründe. Erstens einen privaten. Er hieß Christine Bern. Zweitens den beruflichen: seine Erfahrung, auf die er baute.

Die Erfahrung hatte ihn gelehrt, daß man Katastrophen auf verschiedene Weise verhindern kann. Nicht unbedingt nur durch persönlichen Kontakt, sondern auch durchs Telefon. Und dieser Erkenntnis wollte er heute folgen.

Er verließ das Geschäft, im Arm die Tüte mit Whisky und Champagner, überquerte die Straße und ging zu seinem Wagen.

»Stan! Was schleppen Sie denn da an?« Christine hielt ihm die Tür auf. Die Spannung, unter der sie nach ihrer Aktion auf dem Flughafen gestanden hatte, war einer gelösten Stimmung gewichen. Sie war im Begriff, sich allmählich an den etwas rauhen Charme dieses Amerikaners zu gewöhnen.

»Christine, haben Sie eine . . . wie sagt man bei euch: eine Bude?«

»Ja. Warum?«

»Gibt es in der Bude auch so etwas wie ein Telefon?«

»Auch das.«

»Dann ist es offiziell: Wir feiern bei Ihnen!« Bevor er die beiden Flaschen erstanden hatte, war Martindale Christine gegenüber befangen gewesen wie bisher. Jetzt hatte er alle Zurückhaltung abgestreift. Er wunderte sich über sich selber.

Die Bilder an den Wänden bis zur Decke, die Staffelei, die als Ablage für Garderobe diente, die Papierblumen auf dem kniehohen

Tisch, die Kiste mit dem abgewetzten Kissen, die Gipsbüste von König Ludwig mit dem aufgeklebten Schnurrbart, der Paravent aus Japan und das den Raum bestimmende hohe, schräge Atelierfenster.

Er fühlte sich hier sofort wohl.

»Whisky oder Champagner?«

»Champagner«, sagte Christine, »ich bringe gleich die Gläser.« Sie trat aus dem Vorhang, der die Küche vom Wohnraum trennte, und stellte zwei Wassergläser neben die Papierblumen.

Er ließ den Korken mit lautem Knall springen und schenkte ein. »Cheers!«

»Darf ich?« Er setzte sich auf die Kiste.

»Aber natürlich! Dazu ist sie ja da.«

Sie tranken. Sie hingen ihren Gedanken nach. Sie schwiegen.

»Wollen Sie ein Märchen hören? Ein modernes Märchen?« Er saß nach vorne gebeugt, die Ellenbogen auf die Knie gestützt, hielt sein Glas mit beiden Händen und hatte den Blick gesenkt.

»Wenn es ein interessantes Märchen ist.« Sie saß im Schneidersitz auf dem Fußboden und beobachtete ihn.

»Ob es interessant ist, kommt auf den Standpunkt des jeweiligen Zuhörers an.«

»Ich gehe das Risiko ein.«

»Okay. Es war vor mehr als vierzig Jahren. Im Mai. Dem schönsten Monat in Frisco. In der Nähe von Potrero-Point wird ein Junge geboren. Er ist natürlich nicht der einzige Junge, der an diesem Tag in Frisco geboren wird. Aber er ist sicher einer der ärmsten. Sein Vater hat nicht einmal Geld für die Cable-car, um den Doktor zu holen. Denn es ist Sonntag. Und am Sonntag gibt es den Einheitsfahrschein zu fünfzig Cent. Zwei Tage nach der Geburt ihres Sohnes wäscht die Mutter schon wieder bei fremden Leuten.«

Er hob den Kopf: »Interessiert es Sie?«

»Ja.«

»Okay. Der Junge findet in der Familie kaum Beachtung. Jeder hat mit sich selbst genug zu tun. Der einzige, der ihn wenigstens ab und zu bemerkt, ist sein Vater. Der Junge ist traurig. Sobald er laufen kann, geht er seine eigenen Wege. Er streift durch die Nachbarschaft, lernt Mülltonnen lieben, ernährt sich von Abfällen, die aus Abfällen anderer Armer stammen. Mit fünf Jahren klaut er Zigaretten. Stangenweise. Er macht sie zu Dollars. Mit sechs klaut er alles, was ihm in die Hände fällt und er tragen kann. Als er sieben ist, kommt sein Vater zur Army. Mit sieben oder acht klaut der Junge nur noch Geld. Und mit neun steht er das erstemal vor dem Schnellrichter. Er kommt mit zwei Wochen Bewährung davon. Als er wieder zu Hause ist, sagt ihm seine Mutter wie nebenbei, daß sein Vater nicht mehr zurückkommt. Er ist im Krieg gefallen. In Deutschland.«

Martindale richtete sich auf: »Noch mehr?«

Christine nickte.

»Wir wollen es abkürzen«, sagte er, »der Junge wächst und wächst und wird nicht besser und nicht schlechter als alle Jungen seines Viertels. Na ja, er arbeitet am Hafen. Kommt zum Marinekorps. Wird Boxmeister der Army. Und deshalb sogar Captain. Ja, nur deshalb! Und plötzlich ist er in Deutschland. Und je länger er in Deutschland bleibt, desto weniger glaubt er an seine Zukunft. Ja, und dann passiert es! Er trifft auf ein Mädchen, das seine Meinung über die Zukunft erschüttert. Es hat langes blondes Haar. Es trägt einen weißen Mantel. In ihren Augen droht der Junge aus Frisco zu versinken.«

Er erhob sich: »Noch nicht genug?« und kam auf sie zu.

»Nein«, sagte sie und wußte, daß er jetzt versuchen würde, sie zu küssen.

Sie schloß die Augen. Sie mochte ihn.

42

Die ›Maske‹ war ein Spätlokal. Ein Sammelbecken für die umliegenden Theater. Für deren Publikum und deren Künstler. Schauspieler verkehrten hier, Tänzer, Künstler aller Arten. Viele junge Männer, zum Teil sehr gut aussehende, mit guten Manieren und grazilen Bewegungen.

Eine Theke. Die Tische in kleinen Nischen. Etwas Flitter. Ein Hauch Nostalgie. Dröhnende, rhythmische Musik über Stereo.

Das Lokal lag in einer Parallelstraße der Maximilianstraße, nicht weit von den ›Vier Jahreszeiten‹ entfernt. Dieser Umstand und die Tatsache, daß bis zwei Uhr morgens geöffnet war, hatte Paul bewogen, die ›Maske‹ als Treffpunkt zu wählen. Kathy hatte sie einmal erwähnt, und er hatte sich daran erinnert.

Er sah die Telefonistin Melanie schon von weitem. Obwohl sie jetzt

Zivil trug; einen schwarzen Rollkragenpulli und eine schwarze, weit-geschnittene Hose.

Sie saß an der Theke. Auf dem letzten Hocker in der langen Reihe. »Ich hoffe, Sie warten noch nicht allzu lange?« Er stellte sich neben sie.

»Nein«, sagte sie verhalten, »ich hatte ja bis zehn Uhr Dienst.«

»Sie müssen entschuldigen, daß ich Sie hierher gebeten habe. Aber ich mußte Sie unbedingt heute noch erreichen. Und mir fiel in der Eile nichts anderes ein.«

»Ich finde es hier sehr hübsch.«

»Ja, ich auch, aber . . . ich wäre Ihnen dankbar, wenn wir uns in Ruhe unterhalten könnten. Es geht um Ihre Nachricht. Sind Sie ein-verstanden, daß wir gehen? Haben Sie einen Wagen?«

»Ja.«

»Dann schlage ich vor, ich fahre mit bis zu Ihnen. Auf dem Weg kann ich alles erklären. Und von Ihnen aus nehme ich mir ein Taxi. Wohnen Sie weit weg?«

»In der Parkstadt.«

»Das ist in etwa auch meine Richtung. Wollen wir? Ich darf Sie doch einladen?«

Sie nickte verlegen, und er beglich ihre Rechnung.

Der Wagen war ein Citroën 2 CV/6. Paul zwängte sich auf den Sitz neben der Fahrerin. »Nennt man den nicht Ente?«

»Ja. Manche sagen auch ›häßliches Entlein‹.« Melanie startete, und Paul begann: »Ich kann Ihnen gar nicht genug danken. Sie haben meinetwegen Ihre Dienstvorschrift verletzt.«

»Ich habe es gern getan.«

»Sie sind dabei vielleicht auf Dinge gestoßen, über die Sie sich ge-wundert haben?« – »Nein.«

»Sie waren nicht verwundert über das Gespräch, das Sie . . . das Sie mir wiedergegeben haben?«

»Nein.«

»Aber es war doch zumindest ungewöhnlich?«

»Nein.«

»Aber, Fräulein Mela! Da kommt ein Mann zu Ihnen mit seltsamen Bitten. Und Sie erfüllen ihm diese Bitten auch. Und hören für ihn ein fremdes Gespräch ab! Das allein ist doch schon ungewöhnlich oder etwa nicht?«

»Doch, das schon. Aber dieser Mann war immerhin Professor Niklas. Ein Chirurg, habe ich recht?«

»Sie haben recht. Aber ich muß das Gespräch noch mal erwähnen. Spätestens nachdem Sie die Übersetzung hatten, mußten Sie doch glauben, daß . . .«

»Ich habe gar nichts geglaubt. Ich habe die Übersetzung kaum gelesen.«

»Aber Fräulein Mela! Sie wollen mir doch nicht einreden, daß Sie die Übersetzung mehr oder weniger ungesehen an mich weitergegeben haben!«

»Doch. Das habe ich.«

»Hm. Na gut. Ich glaube Ihnen. Und ich bitte Sie, auch mir zu glauben. Das Gespräch war harmlos. Es heißt da, daß ein Mann namens Areg . . .«

»Ich will nichts davon wissen.«

». . . daß er ausgeschaltet werden soll. Das bezieht sich auf ein Geschäft«, sagte Paul, »auf eine wirtschaftliche Transaktion.« Nach eingehender Überlegung hatte er sich diese Ausrede zurechtgelegt. Er hielt sie für die annehmbarste.

»Auf eine normale, wirtschaftliche Transaktion«, sagte er, »ich habe damit nur am Rande zu tun.«

»Ich glaube Ihnen.«

»Danke, Fräulein Mela. Ich habe nur noch die Bitte . . .«

»Ich werde mit niemandem darüber reden. Ich bin in Diskretion geschult.«

»Danke.« Nach einer Weile sagte er: »Da wäre noch der Garagenwärter.«

»Ich kenne ihn nicht sehr gut. Ich weiß nicht, ob man ihm vertrauen kann. Aber ich denke schon.«

»Woraus schließen Sie das?«

»Weil ich . . .« Sie zögerte. »Entschuldigen Sie bitte, Herr Professor, daß ich eigenmächtig gehandelt habe.«

»Wie meinen Sie das?« Er verstand nicht.

»Ich . . . ich habe es nur für Sie getan. Ich . . . Sie sind mir sehr sympathisch. Sie sind so wie mein . . . Sie erinnern mich an meinen Vater. Er lebt nicht mehr.«

»Hm. Und was haben Sie eigenmächtig . . .? Haben Sie etwa noch ein Gespräch abgehört?«

Sie nickte stumm.

»Aber, Fräulein Mela, Sie weinen ja! Weinen Sie, weil Sie Ihre Dienstvorschrift noch ein zweites Mal . . .?«

»Nein. Weil ich es getan habe, ohne daß Sie es mir gesagt haben. Ohne daß Sie Bescheid wußten.« Sie hielt den Wagen an. »Ich bin da. Hier wohne ich.«

Sie waren vor einem Flachbau in der Parkstadt angekommen. Paul stieg aus. »Wollen Sie mir auch Ihren Nachnamen sagen?«

»Singer. Mela Singer.«

»Danke, Fräulein Singer. Und machen Sie sich keine unnötigen Gedanken. Auch wenn ich Ihnen nicht gesagt habe, daß Sie ein weiteres Gespräch . . .«

»Ich habe es ebenfalls übersetzen lassen.«

»Sie haben . . .« – »Ja. Von Dulla. So nennen wir den Garagenwärter. Kommt wahrscheinlich von Abdullah.«

»Und er hat es getan ohne eine Frage . . .?«

»Ja. Deshalb glaube ich auch, daß man ihm vertrauen kann.«

»Fräulein Singer, ich weiß nicht, was ich sagen soll. Sie setzen mich wahrhaftig in Erstaunen. Einen Menschen wie Sie trifft man nicht alle Tage.«

»Sie wollen mich verlegen machen.«

»Nein, im Gegenteil. Ich meine es ernst.«

»Danke.« Sie öffnete ihre Umhängetasche und holte ein Kuvert heraus: »Hier ist der Text.« Sie reichte es ihm.

»Ich danke Ihnen. Ich kann Ihnen gar nicht sagen, wie sehr ich mich Ihnen zu Dank verpflichtet fühle.«

»Wenn ich Ihnen noch weiterhelfen kann . . . ich stehe im Telefonbuch. Und ab morgen mittag bin ich wieder im Dienst.«

»Nur noch eine Frage: Wo ist bitte der nächste Taxistandplatz?«

»Keine hundert Meter von hier. Dort drüben.«

43

Das Haus lag im Dunkeln. Nur im Wohnzimmer war Licht. Die Stehlampe neben der Kommode gab einen milden Schein.

Jan kauerte auf der Couch. Er hatte die Schuhe abgestreift und sich eine Decke über die Schultern gezogen. Er schlief.

Als Paul sich vernehmlich räusperte, schreckte er hoch. Er wischte sich mit dem Handrücken über die Augen und fragte müde: »Bin ich eingeschlafen?«

»Du hast sogar geschnarcht«, sagte Paul, »am besten ist, du gehst gleich ins Bett.«

»Wie spät ist es denn?«

»Ziemlich nach Mitternacht.«

»Und du? Bist du gar nicht müde?«

»Doch. Ich muß mich auch etwas hinlegen. Mir flimmert es schon vor den Augen.« Paul zog sein Jackett aus und warf es über einen Sessel. »Hast du irgendwas erreicht?«

»Es tat sich einiges.« Jan setzte sich auf und rieb sich das Gesicht, als könne er so den Schlaf vertreiben. »Zuerst das Ministerium.«

»Das Ministerium? Wer? Jetzt am Abend?«

»Am späten Nachmittag. Telefonisch. Ein Mann. Den Namen habe ich nicht mitgekriegt.«

»Was wollte er?«

»Er hat Bezug genommen auf deine Kündigung. Er wollte dich sprechen.«

»Es hat sich also bis zu denen noch nicht herumgesprochen, daß ich inzwischen wieder in der Klinik bin. Wenn auch nicht gerade aus eigenem Antrieb.«

»Bravo, Paul! Ich wußte ja, daß du dich wieder fängst!«

»Das ist jetzt wirklich meine geringste Sorge.«

»Aber es schafft neue Voraussetzungen. Du glaubst wieder an dich. Und das ist entscheidend.«

»Was war noch?«

»Irbid.«

»Irbid? War er hier?«

»Nein. Er hat angerufen. Muß wohl so gegen neun gewesen sein. Oder noch später.«

»Angerufen? Merkwürdig. Woher hat er die Nummer?«

»Aber, Paul! Stehst du vielleicht nicht im Telefonbuch?«

»Allmählich drehe ich durch!« Paul schlug sich gegen die Stirn. Er ließ sich in einen Sessel fallen. »Aber trotzdem ist es merkwürdig, daß er angerufen hat!«

»Das habe ich mir auch gedacht. Und ich habe versucht, es im Gespräch herauszubekommen. Er hat sich gewunden wie ein Aal.«

»Aber er muß doch einen Grund genannt haben? Für den Anruf.«
»Er wollte dich sprechen. Mehr hat er nicht gesagt.«
»Dringend?«
»Ich hatte nicht den Eindruck. Ich glaube eher, der Anruf war ein Vorwand. So etwas wie ein Kontrollanruf.«
»Du meinst, er wollte sich vergewissern, ob ich zu Hause sei?«
»Wenn du mich fragst, ja.«
»Du könntest recht haben.« Paul überlegte angestrengt. »Vielleicht hat er entdeckt, daß ich seinem Taxi gefolgt bin. Vielleicht wollte er nur sichergehen, daß ich nichts unternehme. Nichts für Kathy, meine ich. Daß ich mich nur zwischen Klinik und hier bewege.« Er sah Jan an: »Ja, das wäre einleuchtend.«
»Ich glaube auch. Ich habe ihn nämlich ohne Umschweife gefragt, ob vielleicht etwas Außergewöhnliches vorgefallen sei. Nichts dergleichen.«
»Hm. Hat er sonst etwas gesagt?«
»Nichts. Er hat dann mitten im Gespräch aufgelegt. Hast du etwas erreicht?«
Paul griff nach seinem Jackett und reichte Jan wortlos den Zettel, den die Telefonistin Mela Singer ihm gegeben hatte.
Jan las:
»Gespräch für 321.
Zeit: 21 Uhr 32.
A.: Hier ist Schiller.
321: Du rufst zu oft an.
A.: Ich habe unseren Freund nicht erreicht.
321: Wo?
A.: Zu Hause.
321: Hat dich jemand gesehen?
A.: Nein. Was soll ich tun?
321: Du mußt das erledigen.
A.: Wenn ich zu oft hingehe, kann das auffallen.
321: Versuche es zu anderen Zeiten. Du mußt das erledigen.
A.: Ja. Ich melde mich wieder.
321: Ja.
Ende des Gesprächs.«
Jan sah hoch: »Was hältst du davon?«
»Wenn ›ausschalten‹ wirklich für töten steht«, sagte Paul und

nahm den Zettel wieder an sich, »dann müssen wir uns beeilen, diesen Areg zu finden.«

»Das ist auch meine Meinung. Ich habe Frank den Namen gegeben.«

»Wo hast du ihn getroffen?«

»Er war hier. Gegen elf. Er sah nicht frischer aus als wir. Er hat sich die Sache offenbar leichter vorgestellt.«

»Also kein Erfolg.«

»Nein. Anscheinend gibt es in der Stadt doch mehr Araber, als er angenommen hat. Aber jetzt mit dem Namen . . .«

»Glaubst du, daß er damit . . .?«

»Er ist davon überzeugt. Er will alle Hebel in Bewegung setzen. So hat er jedenfalls gesagt. Ich glaube, der Junge ist in Ordnung. Sonst etwas?«

»Du meinst mit dem Mädchen? Ja, ich habe die Sache geklärt. Auch die mit dem Garagenwärter.« Paul erzählte ihm alle Einzelheiten. Und auch wie er Irbid gefolgt war, ihn verloren hatte und wie er auf den Gedanken mit dem Gewehr gekommen war.

»Ich wollte es dir nicht sagen.« Jan erhob sich und ging durch den Raum.

»Was wolltest du nicht sagen?«

»Ich war zwei Stunden nicht hier.«

»Du warst in Rottach und hast dein Gewehr geholt?«

»Ich habe zwei geholt. Schließlich sind wir ja zu zweit.«

»Mann, Jan! Du bist wirklich ein Hellseher!«

»Spar dir die Blumen. Wir denken einfach in die gleiche Richtung, das ist alles.« Jan ging zur Tür: »Ich lege mich aufs Ohr. Die Nacht ist kurz. Steh nicht wieder so früh auf.«

»Ich kann nichts dafür«, sagte Paul, »ich werde getrieben.«

Erschöpft gingen sie in ihre Zimmer.

Mitten hinein in die Stille läutete das Telefon. Schrill und aufdringlich.

Paul ließ sich Zeit. Er nahm das Gespräch im Schlafzimmer entgegen. In der Tür stand Jan.

»Hier Martindale. Niklas, sind Sie es?«

»Ja, Mister Martindale. Was wollen Sie denn so spät?«

»Ich habe schon ein paarmal angerufen. So am frühen Abend. Da war aber niemand da.«

»Das kommt schon mal vor.«

»Eben. Das habe ich mir auch gedacht. Deshalb habe ich danach in der Klinik angerufen. Aber da waren Sie auch nicht. Waren Sie etwa draußen am Tegernsee? Auf dem Berg?«

»Nein.«

»Na, sehen Sie, Mister Niklas!«

»Ist das alles, was Sie mir sagen wollen?« Paul war ungehalten.

»Nicht unbedingt. Das ist nur der Grund, warum ich jetzt um diese Zeit anrufe.«

»Bitte, Mister Martindale, machen Sie es kurz!«

»Nichts lieber als das, Mister Niklas. Allerdings fürchte ich, daß ich Sie vielleicht morgen wieder nicht erreiche. Und daß Sie heute schon einen Fehler begangen haben. Einen, der vielleicht nicht mehr zu reparieren ist!«

»Sagen Sie endlich, was Sie wollen!«

»In kurzen Worten: Ich möchte Ihnen helfen.«

»Helfen? Wobei?«

»Helfen, daß Sie keinen Fehler machen. Daß Sie nicht den Kopf verlieren. Wissen Sie, Mister Niklas, ich bin ein alter Hase. Mir macht so leicht keiner was vor. Wenn aber ein Mann ein mehr oder weniger geregeltes Leben führt, ich meine ein Leben, das sich in überschaubaren Bahnen abspielt, sozusagen zwischen zu Hause und der Arbeitsstätte . . .«

»Es ist ziemlich spät, Mister Martindale!«

»Oh, das macht gar nichts. Wenn also so einem Mann die Tochter entführt wird, und wenn er plötzlich nirgends zu erreichen ist, nicht in der Klinik, nicht am Tegernsee, was würden Sie von einem solchen Mann denken, Mister Niklas?«

»Ich bin es leid, Ihre Belehrungen entgegenzunehmen.«

»Oh, ich will nicht als Schulmeister auftreten, Mister Niklas! Ich habe nur einen Job. Und den fülle ich aus. Und zu diesem Job gehört, daß ich den Fall unseres lieben Patienten auf Ihrer Intensivstation so zu Ende bringe, wie man es von mir erwartet. Deshalb habe ich mir erlaubt, Sie noch in dieser späten Stunde zu stören. Nur deshalb!«

»Gute Nacht, Mister Martindale.«

»Nein, Sie werden mich nicht los. Auch wenn Sie mich zum Teufel wünschen. Ich bleibe Ihnen auf den Fersen. Bis dieser Fall so abgeschlossen ist, wie wir uns das vorstellen. Und ich werde Sie daran hindern, unseren Interessen entgegenzuarbeiten! Und wenn es nicht anders möglich ist, dann mit Nachdruck! Gute Nacht, Mister Niklas!«

Paul hielt den Hörer noch einen Augenblick am Ohr. Doch Martindale hatte aufgelegt.

»Ein hartnäckiger Bursche«, sagte Jan, »aber er kann uns nicht in die Quere kommen.«

»Hm. Und warum nicht?«

»Weil er allein ist. Und wir sind zu zweit. Und jetzt schlaf gut.«

44

Um diese Jahreszeit gehörte Paris den Fremden. Wer von den Einwohnern es sich leisten konnte, hatte das Leben in der Stadt mit dem am Meer oder auf dem Land vertauscht.

Montgomery Saunter trat aus der Telefonkabine auf dem Flughafen von Orly. Er fluchte innerlich. Keiner seiner Freunde war zu erreichen. Er hatte sich vorgenommen, den Abstecher gleichzeitig zu benützen, um bei dem einen oder anderen »Hello!« zu sagen. Jetzt hatte er die Liste durchtelefoniert. Erfolglos.

Hätte er sich nicht vor dem Abflug versichert, daß wenigstens Jim Douglas Dienst tat, er hätte womöglich unverrichteter Dinge wieder zurückfliegen müssen. Doch Jim hatte versprochen, ihm weiterzuhelfen.

Place de Nation. Boulevard Diderot. Pont d'Austerlitz. Die Seine. Oh, wie er diese Stadt liebte!

Er verließ das Taxi und ging zu Fuß den Quai Saint Bernard entlang, atmete in tiefen Zügen den leicht modrigen Geruch des Wassers ein und fühlte sich beschwingt.

Immer, wenn er in Paris war, hatte er sich beschwingt gefühlt. Hier hatte er seinen ersten Eindruck von Europa bekommen. Hierher hatte es ihn, wenn es seine Zeit erlaubte, sehr oft zurückgezogen. Hier hatte er sich amüsiert.

Diesmal war der Anlaß seines Besuches ein anderer. Er hatte sich vorgenommen, eine Schuld abzutragen.

An der Station Jussieu nahm er die Metro und fuhr zu den Champs-Elysées. In den Vorgärten der Cafés drängten sich die Menschen. Über den breiten Bürgersteig flanierten hübsch anzusehende junge

Frauen in dünnen Sommerkleidern, Frauen, die anscheinend alle eine natürliche Begabung hatten, ihren Körper anmutig zu bewegen.

Das Gebäude der PAN AM unterschied sich in nichts von den übrigen hohen Glaskästen. »Mister Douglas ist leider schon weg. Nein, er kommt heute nicht mehr zurück. Ach, Sie sind Mister Saunter! Ja, er hat eine Nachricht für Sie hinterlassen.« Die freundliche Angestellte überreichte ihm ein Kuvert.

Das Kuvert enthielt einen Briefbogen der Gesellschaft mit nur zwei Zeilen: Eine Telefonnummer und einen kurzen Gruß.

Er suchte sich in der Nähe ein Hotel. Dann rief er die Nummer an.

Es meldete sich eine weibliche Stimme: »Hallo?«

Saunter nannte seinen Namen.

»Saunter? Montgomery Saunter? Doktor Montgomery Saunter?«

»Ja. Ich bin hier in Paris. Zufällig. Und da dachte ich . . .«

»Wirklich zufällig?«

»Ja. Ich habe Freunde hier. Nur sind die Freunde zur Zeit anscheinend alle in Ferien.«

»Ach? Das tut mir leid.« Die Ironie war nicht zu überhören. Dann sachlich: »Woher haben Sie meine Adresse?«

»Das sage ich Ihnen beim Essen.«

»Beim Essen?«

»Oder haben Sie heute abend schon etwas vor?«

»Nein, das nicht. Es kommt nur sehr überraschend. Ich meine, Ihr Anruf und . . . na ja, ich muß mir das alles erst durch den Kopf gehen lassen. Aber Sie haben vielleicht recht. Warum sollten wir nicht zusammen essen?«

»Sagen wir um neun? Ich hole Sie ab.«

»Moment! So einfach geht das nicht! Sie müssen mir versprechen, daß wir nicht über . . . daß wir uns nur über Paris unterhalten. Versprechen Sie mir das?«

»Ja. Und wo wohnen Sie?«

»Ich denke, Sie haben meine Adresse?«

»Nur die Telefonnummer.«

»Dann werde ich jetzt auflegen und damit allen Problemen aus dem Weg gehen.« Ein Seufzer. Saunter gab jedoch nicht auf.

»Was halten Sie denn von Mercier in der Rue Lincoln?«

»Haben Sie etwa eine Erbschaft gemacht?«

»Also wo?«

»Rue de Vaugirard. Achtundfünfzig. Das ist direkt am Jardin du Luxembourg.«

»Gut, um neun.« Er hängte ein.

45

Mercier war ein Restaurant im provenzalischen Stil, mit Kellnern, deren Würde jedem anderen exklusiven Lokal zur Ehre gereicht hätte.

Montgomery führte Helen Niklas an den Tisch: »Ich freue mich, daß Sie meine Einladung angenommen haben.«

»Wenn ich ehrlich bin, hat die Neugierde mich getrieben.«

Sie bestellten, sprachen Belangloses, die Vorspeise kam: Avocado und Shrimps sauce diable.

»Welche Neugierde?« fragte Saunter.

»Ich glaube noch immer nicht, daß Sie nur der Zufall nach Paris geführt hat.«

»Sie haben recht. Ich gestehe es. Ich bin zwar aus eigenem Antrieb hier. Aber mit einer ganz konkreten Absicht. Mit einer Absicht, die Sie betrifft. Sie und Ihren Mann.«

»Aber ich muß darauf bestehen, daß Sie das Thema nicht berühren.«

»So leid es mir tut: Aber das wird kaum möglich sein.«

»Monty! Ich darf Sie doch so nennen? Ich bin nicht ohne Grund hier in Paris.«

»Darüber bin ich mir im klaren.«

»Ich glaube, nicht ganz. Sonst hätten Sie mich wohl nicht aufgesucht.«

»Ich habe Sie nicht aufgesucht, um Sie zu beeinflussen.«

»Aber, Monty! Das nehme ich Ihnen nicht ab.«

»Ich wollte Sie nur etwas wissen lassen.«

»Hat dieses Etwas mit meiner Ehe zu tun?«

»Nicht direkt.«

»Dann lassen Sie uns über Paris sprechen. Merken Sie, daß die Stadt in dieser Jahreszeit ausgestorben ist? Wie gefallen Ihnen die Mädchen?«

Er sah sie an und sagte: »Kathy ist entführt.«

»Was sagen Sie da?« Sie erstarrte.

»Ja. Kathy.«

»Mein Gott, und da habe ich . . .!« Sie legte ihr Besteck auf den Teller: »Erzählen Sie!«

Er erzählte alles, was in den letzten Tagen vorgefallen war. Er ließ nichts aus. Nicht die Bedrängnis, in der sich Paul befand, nicht die Lage, die sich für ihn immer stärker zugespitzt hatte, nicht seine Begegnung mit ihm. Er berichtete von Kathys Entführung und von der Ohnmacht, der sich Paul ausgesetzt sah.

Er schwieg. Sie war bestürzt.

»Und da haben Sie sich entschlossen, mich zu suchen«, sagte sie nach langem Schweigen, »Sie wollten Ihr Gewissen erleichtern.«

»Ich weiß, daß Ihr Mann Sie braucht. Sehr braucht.«

»Hat er es Ihnen gesagt?«

»Ohne es zu wollen.«

»Weiß er, daß Sie . . .?«

»Daß ich hier bin? Nein.«

»Und daß ich hier in Paris bin, das wußten Sie von . . . .?«

»Das hat mir Kathy gesagt. Schon vor einigen Tagen. Sie hat mir auch von Ihren Problemen erzählt. Von den Problemen zwischen Ihnen und Ihrem Mann. Das heißt, soweit sie das konnte.«

»Und den Ausschlag hat Ihr Schuldgefühl gegeben?«

»Wahrscheinlich ja. Ich habe in erster Linie an Ihren Mann gedacht.«

»Und in zweiter Linie?«

»Ich habe sicher ausschließlich an ihn gedacht.«

»Na? Nicht auch ein bißchen an . . . an ein Mädchen mit roten Haaren?« Sie sah ihn offen an: »Und wie kamen Sie an meine Adresse?«

»Durch einen Freund hier. Jimmy Douglas. So wie ich ihn kenne, hat er alle Sprachschulen unter Dampf gesetzt.«

Sie legte die Serviette beiseite: »Haben Sie eine Zigarette für mich?«

Er klopfte ihr eine aus seiner Packung, gab ihr Feuer und zündete sich auch eine an.

Sie blies den Rauch vor sich und sagte: »Ein junger Kollege sorgt sich um das Innenleben seines älteren Kollegen. Er will es ins Gleichgewicht bringen. Ohne den Kollegen davon wissen zu lassen.« Sie nahm einen tiefen Zug: »Ein erstaunlicher Entschluß. Finden Sie nicht auch?«

»Nein. Das finde ich nicht. Ich mag Ihren Mann. Ich mochte ihn von der ersten Zusammenarbeit an. Ich glaube, ihm erging es ähnlich. Und jetzt . . .« Er hob unmerklich die Schultern: »Er muß von mir maßlos enttäuscht sein. Das wollte ich wiedergutmachen. Wollte ihm helfen. Irgendwie kam das Gespräch auf Sie. Und blitzartig war mir klar, was ich zu tun hatte. Nein, ich finde den Entschluß ganz und gar nicht erstaunlich.«

Sie unterhielten sich noch lange. Doch ihr Gespräch drehte sich im Kreis. »Ich bin müde«, sagte Helen, »bringen Sie mich bitte nach Hause?«

Er ließ ein Taxi kommen. Vor dem Haus Nummer achtundfünfzig in der Rue de Vaugirard verabschiedete er sich von ihr.

»Bleiben Sie länger hier?« fragte sie.

»Nein. Ich fliege morgen zurück.« Er war enttäuscht. Sie sah es ihm an.

In ihrem Blick lag ein kaum wahrnehmbares Lächeln.

46

Unaufhörlich hatte Paul sich im Bett hin und her geworfen, hatte keine Ruhe gefunden. Jetzt endlich hatte er sich entspannt. Sein Atem ging gleichmäßig. Er schlief.

Ein greller Ton. Laut und störend. Ein stechender Schmerz im Kopf. Paul fuhr hoch. Das Telefon auf dem Nachttisch!

Mit geschlossenen Augen tastete er müde nach dem Knopf der Lampe und knipste an. Er zog sich den Hörer ans Ohr. »Hallo?« Seine Stimme gehorchte ihm nicht. Sein Gaumen war verklebt. Er fühlte sich halbtot.

»Herr Niklas?«

»Ja. Wer spricht?«

»Ich bin es. Frank.«

»Frank? Ach so, Frank!« Paul zwang sich, die Augen zu öffnen, schaute in das Licht der Nachttischlampe, um zu sich zu kommen.

»Herr Niklas, hören Sie?«

»Ja, ja, ich höre. Ich bin nur . . . .«

»Ich glaube, ich habe eine Spur.«

»Eine Spur?« Paul war wach.

»Ja. Ich habe Glück gehabt. Freunde haben mir geholfen. Studenten.«

Da Frank nicht weitersprach, wartete Paul ebenfalls ab. Schließlich fuhr Frank fort: »Ja, und vor etwa einer halben Stunde hat mich einer verständigt!«

»Wegen Areg? Kennt er ihn?«

»Nicht er selbst. Aber er weiß was. Durch andere Freunde.«

»Und was weiß er?«

»Areg ist Student. Er kommt aus Libyen. Er ist noch nicht lange hier. Mein Freund konnte mir sogar sagen, wie er aussieht. Er ist nicht allzu groß. Hat langes, schwarzes Haar. Und ist bekannt wegen seiner Narbe.«

»Wegen einer Narbe?«

»Er hat eine große, auffallende Narbe, die sich von der Hand über den ganzen Unterarm zieht. Mein Freund sagt, er zeigt sie jedem und hat eine scherzhafte Erklärung dafür: Er hat die Staatskasse mitgehen lassen, und da wollte man ihm die Hand abhacken, doch er hat sich in letzter Sekunde losreißen können.«

»Wissen Sie auch, wo er zu erreichen ist?«

»Er hat keine feste Bleibe. Nur eine feste Postadresse. Er wohnt abwechselnd bei Freunden.«

»Und zur Zeit? Wo wohnt er zur Zeit?«

»Das muß ich erst noch herausfinden. Das wußte mein Freund nicht. Ich trommle jetzt den anderen heraus. Den, von dem mein Freund den Tip hat. Soll ich Sie wieder anrufen?«

»Aber ja! Jederzeit! Und Sie? Schlafen Sie überhaupt nicht?«

»Ich habe es probiert. Ich kann nicht.«

»Ich glaube auch nicht, daß ich jetzt noch schlafen kann«, sagte Paul, und dann kam ihm der Gedanke: »Wie wäre es, wenn Sie hier vorbeikommen? Dann gehen wir gemeinsam los.«

»Ich bin in zwanzig Minuten bei Ihnen.«

»Ich warte vor dem Haus. Damit mein Freund nicht aufwacht.«

»Ist okay. Bis dann.«

47

Ohne Menschen und ohne Autos ist die Straße direkt schön, dachte Paul. Er hatte seinen Wagen vor dem Postamt geparkt. Vor ihm lag die Leopoldstraße in ihrer ganzen schnurgeraden Länge bis hinunter zum Siegestor, das sich in der Morgendämmerung schemenhaft abzeichnete.

Frank war pünktlich nach zwanzig Minuten mit einem Taxi erschienen. Paul hatte den Wagen aus der Garage gefahren, darauf bedacht, keine allzu lauten Auspuffgeräusche zu verursachen, und Frank war zugestiegen.

Jetzt war Frank oben bei dem Bekannten seines Freundes. Paul klappte das Handschuhfach auf. Wenn er sich recht erinnerte, lag darin eine angebrochene Tafel Schokolade. Er fand sie und brach ein Stück davon ab und ließ es auf der Zunge zergehen. Wie hatte doch seine Mutter manchmal gesagt: »Junge, ein Stück Schokolade kann dir vielleicht einmal das Leben retten!«

Er lächelte in sich hinein. Seine Mutter war jetzt schon zwölf Jahre tot. Doch immer noch mußte er manchmal an ihre sogenannten Lebensweisheiten denken!

Frank kam zurück. Sein Gesicht glühte.

»Erfolg?« Paul hielt ihm die Tür auf.

»Ja. Ein voller Erfolg.«

»Und wo?«

»Siebenbrunn. Eine Schrebergartensiedlung. Beim Tierpark. Neben der Wirtschaft.«

»Kann man da denn wohnen?«

»Jetzt im Sommer vielleicht. Für ein paar Tage. Areg wollte unbedingt weg aus Schwabing. Hat jeden gefragt, ob er nichts für ihn wüßte, eine Bleibe, meine ich. Es ist das dritte Gartenhäuschen, von hinten gerechnet. Auf der linken Seite.«

»Und wie kommen wir von hier aus zu Ihnen?« Paul sah Frank an.

»Zu mir? Warum? Ich dachte, wir fahren auf dem schnellsten Weg zum Tierpark?«

»Ich bringe Sie nach Hause.«

»Mich? Jetzt? Aber ich komme doch mit!«

»Ich möchte allein fahren, Frank.«

»Aber warum denn?«

»Ich weiß nicht, ob Sie mich verstehen können. Ich will es allein machen. Sie haben mir sehr geholfen, Frank. Und ich bin Ihnen auch dankbar für Ihre Hilfe. Sehr dankbar. Ohne Sie wäre ich wahrscheinlich nicht weitergekommen. Aber den Weg weiter muß ich jetzt allein gehen. Das bin ich mir schuldig. Verstehen Sie?«

Frank zuckte die Schultern: »Ich kann mich Ihnen natürlich nicht aufdrängen.«

»Sie haben sich nicht aufgedrängt, Frank. Sie waren mein Partner. Ein Partner, den mir der Zufall beschert hat. Der glückliche Zufall. Also, wie kommen wir zu Ihnen?«

»Zweite Straße rechts. Dritte links.«

»Können Sie mich nicht verstehen?«

»Ich weiß nicht, ob ich an Ihrer Stelle wie Sie denken würde. Aber das ist Ansichtssache. Darf ich Sie anrufen und mich erkundigen, ob . . .?«

»Ja, natürlich. Vielleicht brauche ich Sie auch noch mal.«

»Ich bin für Sie da. Bitte lassen Sie mich hier raus.«

»Aber wir sind doch noch nicht . . .«

»Ich will jetzt nicht nach Hause. Ich gehe spazieren.«

Paul hielt an. Weder er noch Frank bemerkten den Wagen, der ihnen schon seit dem Herzogpark in sicherem Abstand folgte.

48

Die Schrebergärten lagen im ersten Licht der aufgehenden Sonne. Der Weg dorthin führte von der Autostraße weg, an einer Wirtschaft vorbei, einen sandigen Pfad entlang. Links vom Pfad waren die Gärten, dahinter floß ein Bach.

Die Gegend war menschenleer. Vor der Wirtschaft standen Gartentische und Stühle gegeneinandergekippt. Die Fensterläden waren geschlossen. Neben dem Haus stand ein Handwagen.

In den Bäumen lärmten die Vögel. Sonst war nichts zu hören.

Paul hatte seinen Wagen abseits auf den Parkplatz des Tierparks gestellt. Er ging zu Fuß den sandigen Pfad entlang. Ab und zu wandte er den Kopf, wie um sich zu vergewissern, daß ihn niemand beobachtete.

Das dritte Gartenhäuschen auf der linken Seite, von hinten gerechnet. Es lag in einem der handtuchschmalen Gärten unmittelbar am Bach. Seine Fassade war grün gestrichen, ein wenig unbeholfen, unregelmäßig in Farbe und Strich. Schwarze Dachpappe. Ein Ofenrohr, durch das runde Loch eines Fensters geleitet. Und die Eingangstür leuchtete zinnoberrot lackiert.

Das Gartentor war brusthoch und hatte eine Glocke mit Zug.

Paul drückte vorsichtig die Klinke nieder, um die Glocke nicht in Gang zu setzen, und schloß die Tür ebenso vorsichtig hinter sich. Er ging den schmalen Kiesweg zwischen den Blumen- und Gemüsebeeten. Er klopfte an die rotlackierte Tür. Niemand antwortete. Er klopfte eindringlicher und rief mit verhaltener Stimme: »Areg!« Nichts geschah. Er umfaßte die Türklinke. Die Tür gab nach. Sie war offen. Er stand in einem winzigen Windfang. Gartengeräte lehnten an der Wand. Auch die zweite Tür war nur angelehnt. Der Raum war klein und unfreundlich. Geräte. Gestapelte Kisten. Ein Kanonenofen. Ein durchgesessenes Sofa. Durch einen Spalt des Fensterladens drang hell der Morgen.

Vor dem Sofa lag ein Mann. Regungslos. Mit dem Kopf nach unten. Sein Haar war lang und schwarz. Ein einziger Blick genügte Paul. Er sah sofort, daß dieser Mann nicht schlief.

Er beugte sich in die Hocke und faßte seinen Arm. Er rührte sich nicht. Behutsam drehte er ihn um. Er kontrollierte den Puls, den Herzschlag, den Reflex der Pupillen. Der Mann war tot. Von seinem Handrücken bis über den Unterarm zog sich eine breite, alte Narbe. Die Hand war zur Faust geschlossen. Zwischen Daumen und Zeigefinger war etwas Weißes zu sehen. Papier.

Paul öffnete die Hand und zog einen zerknüllten Zettel heraus. In seinem Rücken sagte eine ruhige Stimme: »Ist er tot?«

Paul fuhr herum. Er hielt den Atem an. Sein Gesicht war vor Schreck kreidebleich. In der Tür stand Stanley Martindale.

»Sie?« Paul versagte die Stimme. Verstohlen schloß er seine Hand um den zerknüllten Zettel und steckte ihn mit einer unauffälligen Bewegung in die Tasche seines Jacketts.

»Ja, ich«, sagte Martindale, »erstaunt Sie das?«

Paul erhob sich. »Ich . . .« Er wußte nicht, wie er seine Anwesenheit erklären sollte.

»Geben Sie sich keine Mühe, Mister Niklas. Nach unserem Telefongespräch konnte ich Ihnen wohl kaum mehr vertrauen. Aber das ist nun mal das Los unseres Vereins. Nur weil man einem nicht trauen kann, muß man sich die Nacht um die Ohren schlagen.«

»Ich bin Ihnen keine Rechenschaft schuldig, Martindale.« Paul hatte sich wieder gefangen.

»Juristisch gesehen haben Sie recht. Sie haben nicht gegen ein Gesetz verstoßen. Es sei denn . . .«

»Es sei denn, was?«

»Es sei denn, Sie haben ihn umgebracht.«

»Sind Sie wahnsinnig?«

»Sollte gegen Sie Anklage erhoben werden«, sagte Martindale betont bedächtig, »dann bin ich wohl der Kronzeuge.«

»Sie sind verrückt, Martindale!«

»Ich habe Sie in direktem Kontakt mit der Leiche gesehen«, sagte Martindale ruhig, »so ähnlich heißt es doch in der deutschen Beamtensprache?«

»Martindale, Sie wissen sehr gut . . .!«

»Ich weiß nichts. Ich weiß nur, daß ich Ihnen gefolgt bin. Von Ihrem Haus weg. Daß Sie mit einem Jungen zur Leopoldstraße gefahren sind . . . ich glaube, das kann ich mir schenken, ja?«

»Martindale, Sie wissen, daß ich keinen Menschen umbringe!«

»So? Weiß ich das?« Martindale grinste. »Ein Vater, der seine Tochter mit Gewalt aus den Händen von . . . na, sagen wir: von Gangstern befreien will? So ein Vater sollte nicht fähig sein, für das Leben seiner Tochter einen anderen Menschen zu töten? Ist das Ihr Ernst?«

»Martindale! Überzeugen Sie sich, wie lange der Mann tot ist!«

»Das wollen wir doch lieber den Fachleuten überlassen. Oh, pardon: Wir haben ja einen Fachmann hier!«

»Ich habe es noch nicht feststellen können. Ich war gerade dabei, ihn . . . da sind Sie gekommen.«

»Wobei waren Sie gerade, meinen Sie?«

»Sie sagen, Sie haben mich verfolgt. Dann wissen Sie genau, daß ich erst unmittelbar vor Ihnen . . .«

»Sie wollten sagen, Sie waren gerade dabei, dem Mann die Hand zu öffnen. Oder bin ich einer Täuschung erlegen? Haben Sie es denn geschafft?« Martindale machte einen halben Schritt vor und sah auf die Leiche hinunter: »Ja, Sie haben es geschafft. Und wann tritt die Leichenstarre frühestens ein, Mister Niklas?«

»Daß er noch nicht allzu lange tot sein kann, ist mir klar. Er ist noch warm.«

»Na bitte! Wie wurde er denn getötet?«

»Das sehen Sie doch! Er wurde erschossen. Kopfschuß.«

»Wie zielbewußt! Nehmen wir einmal an, Sie haben die Waffe sofort nach der Tat verschwinden lassen. Soviel Zeit hatten Sie. Aber lassen wir das. Das ist nicht mein Problem. Mein Problem sind ausschließlich Sie! Sie und Ihre Sturheit! Damit halten Sie mich auf den Beinen!«

»Ich habe Sie nicht darum gebeten.«

»Gebeten nicht. Aber gezwungen! Oder glauben Sie, ich will mir bei meinem Chef Ihretwegen Ärger einhandeln?«

»Ihr Chef interessiert mich nicht.«

»Aber mich, Mister Niklas! Mich interessiert er gewaltig! Und ich werde diese acht oder neun Tage noch durchstehen. Oder wie viele auch immer. Darauf können Sie die Bank halten! Ich werde Sie keine Minute mehr allein lassen! Ich werde Ihnen nicht mehr gut zureden. Und ich will Sie auch nicht mehr überzeugen. Ich werde von der Tatsache ausgehen, daß Sie durch keinerlei Argumente davon abzubringen sind, Ihre Tochter zu befreien. Tun Sie es, Mister Niklas! Tun Sie es meinetwegen mit all Ihrer Sturheit! Mit all Ihrer Fahrlässigkeit! Aber tun Sie es nicht, solange dieser Obergangster noch in der Klinik liegt! Solange er nicht gegen die restlichen zehn Geiseln ausgetauscht ist! Wenn Sie es aber doch vorher tun, dann müssen Sie mit mir rechnen! Mit mir, Stanley Martindale! Meiner Hartnäckigkeit! Und mit meiner Wut im Bauch!«

Martindale holte Atem: »Und wenn Sie mich dazu zwingen, Mister Niklas, werde ich auch nicht davor zurückschrecken, Sie mit Gewalt an Ihrem Amoklauf zu hindern!«

»Aber, Martindale, machen wir uns doch nichts vor: Glauben Sie im Ernst, daß Sie mich daran hindern können, für das Leben meiner Tochter zu kämpfen? Mit aller mir zur Verfügung stehenden Kraft zu kämpfen?«

»Ich könnte es ihnen beweisen.«

»Sehr gut. Beweisen Sie es!«

»Mit einem einzigen Schlag wären Sie weit über die Zeit knockout. Vielleicht sogar krankenhausreif. Auf jeden Fall für einige Tage außer Gefecht. Mit einem einzigen Schlag dieser Faust!« Martindale hielt seine Faust Paul vors Gesicht. »Man findet Sie hier neben der Leiche! Mehr brauche ich Ihnen doch nicht zu sagen?« Martindale ließ keinen Zweifel aufkommen, daß es ihm ernst war.

»Warum tun Sie es nicht?«

»Das ist eben Stanley Martindale! Der Mensch unter den CIA-Hyänen.« Martindale wandte sich zum Gehen: »Kommen Sie! Ich begleite Sie zu Ihrem Wagen.«

»Wollen Sie ihn etwa liegenlassen?«

»Wollen Sie ihn etwa mitnehmen?« Martindale steckte sich einen Kaugummi in den Mund. »Ich benachrichtige Hermann. Das ist am einfachsten.«

»Was wollen Sie ihm sagen?«

»Nichts von Ihnen. Ich habe den Mann von mir aus verfolgt. Wie heißt er doch gleich?«

»Areg.«

»Areg«, sagte Martindale, »ist das nicht eine ostindische Münze? Ach nein, Areb!«

»Woher wissen Sie . . .?«

»Abendkurse«, sagte Martindale trocken.

Sie verließen den Garten und gingen schweigend den sandigen Weg zurück. Paul dachte an ihren Spaziergang durch den Nymphenburger Schloßpark. Er schien ihm eine Ewigkeit zurückzuliegen. So vertraut war ihm der andere mittlerweile. Doch die Ewigkeit war noch keine Woche alt.

»Und was ist der Mensch in Stanley Martindale?« Er sah ihn von der Seite an.

»Ich bin mit dem Herzen auf Ihrer Seite. Ich war schon drauf und dran, das ganze Gesindel hochgehen zu lassen. Schauen Sie, hier!« Martindale griff in die Tasche und zog den Zwanzigmarkschein hervor, den er von dem alten Mann in der Unterführung eingetauscht hatte. Er hielt ihn Paul hin: »Er ist von dem Mann, der sehr wahrscheinlich Ihre Tochter entführt hat.«

»Von dem . . .?« Paul blieb jäh stehen. »Haben Sie mit ihm Verbindung?«

»Nein, das nicht. Aber ich hatte es mal darauf angelegt. Ich zeige Ihnen den Schein nur als Beweis. Er ist mir bei meinen Nachforschungen in die Hände gefallen. Ich habe ihn als mögliches Indiz sichergestellt. Jetzt brauche ich ihn nicht mehr. Der Wind hat sich gedreht. Das sollten auch Sie sich überlegen.« Martindale war weitergegangen, und Paul kam ihm nach.

»Sie haben also selber die Absicht gehabt . . .?«

»Sagen wir, ich kalkuliere immer alles ein. Auch die Absicht, die Kerle zu schnappen. Nur eben aus anderen Gründen als Sie. Nicht aus Gründen, die nur einer heißen Erregung entspringen.«

»Sie irren, Mister Martindale. Ich habe meinen Entschluß genau durchdacht.«

»Das mag sein. Aber auf Ihre Weise.«

Sie waren am Parkplatz angekommen. »Hier, ich schenke Ihnen den Schein«, sagte Martindale, »oder sagen wir besser, ich tausche ihn ein.«

»Wofür?«

»Für das, was Sie dem toten Areg abgenommen haben.« Martindale hielt in einer Hand den Schein und die andere Paul offen entgegen: »Das ist doch ein faires Angebot. Das, was Sie dem Toten abgenommen haben, gegen den Schein und gegen die Zusicherung, daß ich vergesse, daß Sie am Tatort waren.«

»Ich weiß nicht, wovon Sie reden.«

»Aber, Mister Niklas! Ich habe gute Augen! Die Augen sind mein halbes Kapital! Geben Sie schon her!«

Paul schwieg. Er überlegte fieberhaft.

»Los, Mister Niklas! Treiben Sie die Sache nicht auf die Spitze!«

»Na schön«, sagte Paul, »wenn Sie damit etwas anfangen können.« Er griff mit seiner Hand in die Jackentasche und reichte Martindale ein schnell zusammengeknülltes Stück Papier.

»Eine Tankquittung?«

»Ist es eine Tankquittung? Ich hatte nicht mal die Zeit . . .«

»Eine Tankquittung mit dem Stempel von . . . von gestern.«

»Mehr kann ich Ihnen leider nicht bieten. Ihren Schein können Sie behalten. Guten Morgen, Mister Martindale.«

Paul stieg in seinen Wagen und fuhr an. Im Rückspiegel sah er, wie der andere ihm noch eine Weile nachschaute, dann die Straße überquerte und zu seinem Wagen ging.

Paul hielt das Steuer mit einer Hand. Mit der anderen griff er in seine Jackentasche und holte den Zettel heraus, den er dem toten Areg aus der Hand gezogen hatte. Notdürftig glättete er ihn während der Fahrt.

Auf dem Zettel standen nur ein Wort und eine Zahl: »Denningerstraße 403.« Mit der Hand geschrieben. Die Schrift war ungelenk.

Er steckte den Zettel zurück in die Tasche. Seine Gedanken arbeiteten. Eine Adresse . . . auf den ersten Blick nichtssagend . . . wer oder
was verbarg sich dahinter? . . . war sie für ihn von Bedeutung? . . .
hatte der Zufall ihn etwa auf die Adresse gestoßen, wo Kathy? . . . An
diese Möglichkeit wagte er nicht zu denken.

Er riß den Wagen scharf nach links in eine Hauseinfahrt, hielt an,
sprang heraus und stellte sich so, daß er ungesehen die Straße über-
blicken konnte. Kurz danach fuhr der Chevrolet vorbei mit Martindale am Steuer. Er hatte Paul nicht bemerkt.

Paul wendete den Wagen und fuhr in die entgegengesetzte Richtung davon. Die Denningerstraße lag auf dieser Seite der Stadt.

49

Die Denningerstraße ist eine lange, kerzengerade Straße. Sie führt an
einzeln stehenden Hochhäusern vorüber, deren zehn, zwölf Stockwerke als immer gleiche Bauten in den Himmel ragten.

Paul war aufgewühlt. Er fuhr wie in Trance. Haus Nummer 95,
Haus Nummer 137, Haus Nummer 189. Er fuhr langsam, doch nicht
auffällig langsam. Seine Blicke prüften die Hausnummern ab. 221 . . .
275 . . .

Was, wenn Kathy tatsächlich im Haus mit der Nummer 403 . . .?
Was, wenn einer der Entführer die Straße beobachtete? Unwillkürlich
wendete Paul sein Gesicht der anderen Straßenseite zu.

Von Haus zu Haus wuchs in ihm die Erregung. 303 . . . 387 . . .
Seine Spannung wurde unerträglich.

389 . . . 391 . . . Er hielt den Atem an.

Und war im nächsten Augenblick völlig ernüchtert.

393 . . . Schluß! Die Denningerstraße war zu Ende. Weit und breit
gab es kein Haus mit der Nummer 403.

Auf dem Gehsteig kam ihm eine junge Frau entgegen. Sie führte
einen Dackel an der Leine. Paul bremste, kurbelte das Fenster herunter und sprach sie an: »Entschuldigen Sie bitte!«

Sie kam heran: »Ja, bitte?« In ihren Augen stand noch der Schlaf.

»Ich suche die Hausnummer vierhundertdrei.«

»Vierhundertdrei? Denningerstraße vierhundertdrei?«

»Ja. Denningerstraße vierhundertdrei.«

»Die gibt es nicht. Die Straße endet mit dreihundertdreiundneunzig.«

»Ja, das sehe ich. Ich dachte, vielleicht ein rückwärtiges Gebäude oder so . . .?«

»Nein, vierhundertdrei gibt es nicht. Ich kenne mich hier aus. Ich war einer der ersten Mieter.«

»Haben Sie besten Dank.« Paul gab Gas. Er war wie vor den Kopf geschlagen. Die Handvoll Hoffnung, sie hatte sich in nichts aufgelöst. Die Hoffnung auf Areg. Die Hoffnung auf die Adresse. Innerhalb einer knappen Stunde war an die Stelle der hochgespannten Erwartung große Leere getreten. Sein Kopf schmerzte. Seine Augen wurden müde. Doch Paul wollte durchhalten.

Einige Zeit später fand er sich auf der Maximilianstraße. Er wußte nicht, wie er hierhergekommen war. Er war nicht fähig, einen klaren Gedanken zu fassen. Er hatte den Wagen völlig unbewußt gelenkt.

Irbid! Er war wieder einmal sein einziger Anhaltspunkt. Wenn ihn nicht das Beschatten dieses Arztes zu Kathy brachte, sah er keinen anderen Weg mehr. Dann mußte er aufgeben. Ob er wollte oder nicht.

Wie in Trance betrat er das Hotel. Mela Singer war noch nicht im Dienst. Er ließ sich in der Halle nieder auf dem gleichen Platz wie gestern, den man vom Flur her nicht einsehen konnte. Er bestellte sich Frühstück. Kaffee. Brötchen. Butter. Honig.

Er wartete bis zehn Uhr. Vergebens. Er ging zur Telefonzentrale. Mela Singer war jetzt da. Sie machte für ihn einen Kontrollanruf. Irbid war auf seinem Zimmer.

Wie lange sollte er noch warten, bis Irbid das Hotel verlassen würde? Zwei Stunden? Fünf? Zehn? Zwei Tage? Paul war jetzt wirklich ratlos.

Mit einem Mal überfiel ihn Müdigkeit, große, innerliche Müdigkeit. Sinnlos, dachte er, alles, was ich unternehme, um Kathy zu helfen, ist sinnlos! Er spürte, wie ihn seine Spannkraft verließ, sein Mut.

Er rief Jan an. »Wo steckst du?« fragte Jan. Er war ausgeschlafen und in guter Laune.

»Im Hotel. War irgendwas?«

»Ja, es war etwas. Kannst du herkommen?«

»Etwas Positives?«

»Ja, etwas Positives.«

»Dann sag es.«

»Nicht am Telefon. Und bei dir? Was ist da?«

»Nichts. Absolut nichts. Lauter Fehlschläge.«

»Dann komm her!«

»Ich weiß nicht, ob ich nicht besser hier . . .« Paul war unschlüssig, wie er sich entscheiden sollte.

»Komm! Komm sofort!«

»Gut, ich komme.« Paul fühlte sich erleichtert. Er war froh, daß Jan ihm indirekt die Entscheidung abgenommen hatte.

50

Paul hatte den Wagen auf der Straße stehenlassen. Er sperrte die Haustür auf.

Wohltuend umfing ihn die Vertrautheit des Hauses. Die Tür zum Wohnzimmer stand halb offen. Er hörte Stimmen und stutzte. Rasch ging er durch die Diele und öffnete die Tür vollends.

Er erstarrte.

Oft, sehr oft in den letzten Stunden hatte er sich das Wiedersehen vorgestellt. Hatte sich ausgemalt, wie sie freudetrunken aufeinander losstürmen, wie es aus ihnen hervorbrechen würde, überwältigend und laut. Er hatte Bahnsteige vor sich gesehen, die weiten Hallen eines Flughafens, einen menschenleeren Platz im Dunst des Morgennebels.

Er hatte sich alles andere vergegenwärtigt, nur nicht ein Aufeinandertreffen hier im Haus, unvorbereitet und doch in der vertrauten Atmosphäre.

Helen! Er glaubte zu träumen.

Er ging auf sie zu und schloß sie wortlos in seine Arme.

So standen sie eine Weile. Eng umschlungen und der Umgebung entrückt.

»Na, habe ich zuviel versprochen?« sagte Jan. Er stand am Kamin und betrachtete sie, wie sie einander hielten.

»Du weinst ja.« Paul küßte ihr zärtlich eine Träne von den Wangen.

Sie nickte unter Schluchzen: »Ich . . . ich habe dich vermißt.« Sie befreite sich sanft aus seiner Umarmung: »Jan hat mir schon alles erzählt. Es ist schrecklich.«

»Wie bist du . . .? Ich meine, wie kommt es, daß du . . .?« Er legte seinen Arm um ihre Schulter, führte sie zur Couch, und sie setzten sich nebeneinander.

Sie berichtete ihm von Saunters Besuch. »Monty!« sagte er für sich, und es klang voller Hochachtung. Sie ließ ihm keine Zeit für Fragen. Ihr Interesse galt dem Schicksal von Kathy.

Er erzählte ihr, in welcher verzweifelten Stimmung er eben die Fahrt nach Hause hinter sich gebracht hatte. Er schilderte ihr die jüngsten Geschehnisse, seine Mißerfolge, die Ausweglosigkeit.

Sie schwieg. Ihr Blick ging von einem zum anderen. »Haltet mich bitte nicht für überheblich«, sagte sie gedankenversunken, »sagt nicht, ich komme hier hereingeschneit und habe leicht reden. Glaubt mir, daß ich die Schwierigkeiten und die Gefahr nicht unterschätze.« Sie erhob sich, wie um dem Gedanken Nachdruck zu geben: »Aber ihr dürft jetzt nicht aufgeben!«

Sie ging durch den Raum: »Mag sein, daß es pathetisch klingt. Aber wenn wir Kathy helfen wollen, dürfen wir unseren Stimmungen nicht nachgeben. Da dürfen wir unsere Chancen nicht in Frage stellen. Da darf uns nichts als ausweglos erscheinen, kein Einsatz zuviel. Keine Stunde, kein Augenblick.«

Bewußt hatte sie sich mit einbezogen. Sie war bereit, den Männern beizustehen. »Welche Möglichkeiten bleiben uns?« Sie setzte sich.

»Eigentlich nur die Beschattung von Irbid«, sagte Jan, und Paul nickte zustimmend.

»Und sein Komplize«, sagte sie, »der Mann mit den langen Koteletten und den Goldzähnen. Sehr ausgeprägte Kennzeichen. Und die Telefonistin. Was schlägst du vor?« Die Frage galt Paul.

»Ich muß mich erst an deinen frischen Elan gewöhnen«, sagte er und strich ihr liebevoll übers Haar. Er wurde ernst. »Es bleibt uns in der Tat nichts anderes übrig, als weiterzumachen wie bisher.«

»Mit dem kleinen Unterschied«, warf sie ein, »daß wir jetzt zu viert sind.«

»Ja«, sagte Paul, »und mit dem vielleicht nicht unwesentlichen Unterschied, daß wir jetzt eine Hilfe haben, die der Gegenseite sehr wahrscheinlich nicht bekannt ist. Ich meine, wenn wir Martindale

417

auch zur Gegenseite rechnen. Konkret: Wir beschatten Irbid weiter. Und Frank muß sich weiter um die Habichtnase kümmern. Wir haben zum Beispiel bedacht, ob der Freund, der Frank die Adresse des Gartenhauses gab, ob der nicht womöglich von einer Verbindung dieses Areg mit der Habichtnase weiß.«

»Sehr richtig«, sagte Jan, »das hatten wir außer acht gelassen.«

»Und wir bleiben mit Mela Singer in Verbindung.« Paul strich sich über die Augen, als ob er damit seine Müdigkeit vertreiben könnte.

»Liebling, auch wenn du jetzt hundemüde bist«, sagte Helen zu ihm, »keine Ausflüchte, ich sehe es dir an! Trotzdem brauchen wir dich jetzt. Zumindest bis du uns Irbid gezeigt hast. Selbst wenn du die Gelegenheit dazu durch einen Vorwand herbeiführen mußt.«

»Ausgezeichnet!« Jan war von der Idee angetan. Er sagte zu Paul: »Wir waren schon zu abgeschlafft. Wir haben zwar daran gedacht, aber . . .!« Und polternd zu Helen: »Es wird Zeit, daß frischer Wind in die Sache kommt!«

»Also los!« Paul erhob sich entschlossen: »Ich werde mit Mela Singer sprechen und Irbid dringend in die Klinik bestellen. Dann könnt ihr ihn euch ansehen.«

Er ging zum Telefon, hob den Hörer ab und rief das ›Vier Jahreszeiten‹ an und ließ sich Mela Singer geben. Sie hatte keine neuen Hinweise.

Paul wählte erneut. »Frau Gramm, hier ist Niklas.«

»Guten Morgen, Herr Professor.«

»Frau Gramm, rufen Sie bitte diesen Doktor Irbid in seinem Hotel an . . .«

51

Das Büro war überflutet vom grellen Licht der Sonne. Irbid trug seinen hellen Anzug diesmal mit schwarzer Krawatte. In seinen Brillengläsern spiegelte sich das Mobiliar.

Paul hatte sich hinter seinen Schreibtisch gesetzt. Bewußt hatte er dem anderen keinen Platz angeboten. Die Rollen sollten klar verteilt sein.

Gemeinsam hatten sich beide vorher auf der Intensivstation über den Zustand von Dschafar informiert.

Bevor er auf Irbid gestoßen war, hatte Paul dem Kollegen Sils von Saunters ›erfolgreichem Parisbesuch‹ berichtet. Jetzt war er wie gelöst.

Irbid setzte sich unaufgefordert auf die Sitzbank. Seine Miene war eisig. »Je mehr ich über Ihren Anruf nachdenke«, sagte er und rückte sich die Brille zurecht, »desto stärker sind meine Zweifel.«

»Zweifel?«

»Haben Sie nicht gesagt, daß Sie es in Zukunft ablehnen werden, mit mir überhaupt zu sprechen?«

»Ich habe eben meine Meinung geändert.«

»Sehen Sie, eben das bezweifle ich.«

»Das muß ich Ihnen überlassen.«

»Wollen Sie etwa bestreiten, daß keine akute Gefahr mehr gegeben ist? Meinem Freund könnte es nach Lage der Dinge nicht besser gehen. Sie selber waren Zeuge, wie er es mir bestätigt hat.«

»Und Ihre Zweifel?«

»Die beziehen sich auf Ihren Anruf. Herr Professor Niklas läßt plötzlich von sich hören! Wenn auch nur über seine Sekretärin. Ohne zwingenden Grund! Keine Forderung in bezug auf seine Tochter! Nichts dergleichen. Als Vorwand dient eine akute Gefahr für den Patienten. Ja, als Vorwand, Mister Niklas!« Irbids Stimme klang schneidend.

Paul sagte nichts. Er blickte den anderen nur an. Ruhig und abwartend.

Diesmal fühlte er sich ihm überlegen.

»Mister Niklas! Was haben Sie mit dem Anruf bezweckt!« Irbid stand ruckartig auf.

»Nichts, Mister Irbid. Ich habe nichts mit ihm bezwecken wollen. Nur daß Sie sich vom Zustand des Patienten überzeugen.«

»Aber es gab keinen Anlaß!«

»Doch, Mister Irbid, es gibt schon einen Anlaß. Der Patient selber spürt ihn. Der Computer . . . hier, überzeugen Sie sich!« Paul hatte vor sich ein Stück Computerband liegen. Er hatte es sich von Schwester Christine bringen lassen.

Irbid hatte neben ihm gestanden, als er ihr den Auftrag gab: »Bitte ein Stück von Band sieben Strich AB Strich null vier.«

Irbid hatte den Code nicht verstanden. Auch Christine nicht. Aber nach einem Blick von Paul hatte sie begriffen. Sie hatte ihm wahllos ein Stück Computerband ausgehändigt, die Werte irgendeines früheren Patienten.

Paul hielt Irbid das Band hin. »Da! Brauchen Sie einen noch stärkeren Beweis?«

Irbid starrte auf die Kurven, Zahlen, Punkte und Hieroglyphen. Er war überfordert. Paul hatte damit gerechnet. Das Lesen eines Computerbandes war eine Wissenschaft für sich.

»Was besagt das?« fragte Irbid zögernd.

»Wenn Sie mich fragen, wird die kommende Nacht für den Patienten entscheidend.«

»Und was bleibt zu tun?«

Paul zuckte die Achseln: »Das Übliche. Routinemäßig. Und es bleibt die Hoffnung.«

Irbid überlegte. Dann sagte er leise und drohend: »Es geht auch um das Leben Ihrer Tochter, Mister Niklas!«

»Ich bin mir dessen bewußt. Verstehen Sie nun, warum ich Sie sofort benachrichtigen ließ?«

»Denken Sie an das Leben Ihrer Tochter!« Irbid wandte sich zum Gehen. Er konnte seine Unruhe nicht verbergen.

Paul hatte erreicht, was er beabsichtigt hatte. Er begleitete den anderen auf den Flur hinaus und bis zum Lift.

Durch die nur einen Spalt geöffnete Tür der Pflegestation beobachteten Jan und Helen die beiden Männer.

Sie wußten jetzt, wie Irbid aussah.

52

»Meine Nerven liegen bloß«, sagte Paul, »ich bin kaum noch zu einem Gedanken fähig. Ich werde von einer inneren Unruhe getrieben und geize mit jeder Minute. Und trotzdem habe ich noch nie so oft und so intensiv an dich gedacht wie gerade in diesen letzten Tagen.« Er sah Helen zärtlich an.

Sie waren allein. Sie standen sich in der Diele ihres Hauses gegenüber. Paul hielt seine Frau mit beiden Händen an den Schultern ein wenig von sich weg, um ihr voll ins Gesicht sehen zu können.

Sie waren gerade von der Klinik zurückgekehrt. Sie hatten Jan den Wagen überlassen. Er hatte die Beschattung von Irbid übernommen.

Sie waren in einem Taxi nach Hause gefahren. In Gegenwart des Fahrers hatten sie nur Nebensächliches gesprochen.

Doch sobald sie die Haustür hinter sich geschlossen hatten, waren sie sich in die Arme gefallen. Sie hatten sich geküßt wie in der Zeit ihres Kennenlernens.

»Paul, mir ging es nicht anders«, sagte sie, »auch meine Gedanken waren sehr oft bei dir. Und als Saunter von dir erzählt hat, von deinen Schwierigkeiten . . .« Sie legte ihren Kopf an seine Schulter: »Paul, wie schön, daß wir wieder zusammen sind.«

Eng umschlungen wie ein junges Liebespaar gingen sie ins Wohnzimmer und setzten sich auf die Couch. Sie gestanden sich gegenseitig ein Gefühl, an das sie beide seit langer Zeit nicht mehr geglaubt hatten.

Helen schmiegte sich an Paul, und er drückte seine Wange an ihre. Eine Weile saßen sie schweigend und waren glücklich. Doch die Gedanken und die Sorge um Kathys Schicksal ließen sich nicht verdrängen.

»Paul, willst du dich nicht etwas hinlegen? Jetzt hättest du Zeit.«

»Nein, Helen. Seitdem du da bist, bin ich nicht mehr müde. Aber du! Du solltest schlafen! Du bist sicher schon um sechs Uhr morgens aufgestanden!«

»Um fünf. Aber das macht nichts. Mir geht es wie dir. Soll ich uns eine Kleinigkeit zu essen machen? Rührei mit Schinken zum Beispiel?«

»Nein, ich habe keinen Hunger.«

»Aber du mußt etwas essen. Wenn du schon nicht schlafen willst, mußt du etwas essen. Also Rühreier mit Schinken?«

»Wenn du mitißt, ja.«

»Und etwas Salat?«

»Nein. Es ist sicher keiner im Haus.«

»Dann hole ich welchen.« Sie erhob sich. »In zwanzig Minuten können wir essen. Einverstanden?«

»Einverstanden. Inzwischen werde ich versuchen, Jan zu erreichen.« Er ging zum Telefon.

Er wählte die Nummer des Hotels ›Vier Jahreszeiten‹.

Jan war nicht aufzufinden. Nicht in der Halle, nicht bei den Telefonzellen. Paul ließ sich mit der Zentrale verbinden.

»Bitte Zimmer zweihunderteinunddreißig.«

»Einen Moment bitte, mein Herr.« Ein Durchstellen.

Dann eine fremde, weibliche Stimme: »Hallo?« Verraucht. Verschlafen.

Paul war verwirrt. »Sind Sie das Zimmermädchen?«

»Das Zimmermädchen? Na, hören Sie! Ich wohne hier!«

»Sie wohnen dort? Seit heute?«

»Wer sind Sie denn?«

Paul überhörte die Frage bewußt. Er wollte sich nicht zu erkennen geben. Er sagte: »Sie wohnen seit heute in diesem Zimmer?«

»Ich wohne schon seit vierzehn Tagen hier. Und jetzt sagen Sie bitte endlich, mit wem ich spreche!«

Paul legte auf. Er war fassungslos. Seine Gedanken überschlugen sich. Eine Frau in Irbids Zimmer! Eine Frau, die sagt, sie wohne schon seit vierzehn Tagen dort! Irbid war aber höchstens seit sechs Tagen in der Stadt!

Er fand keine Erklärung. Mela Singer! Wenn ihm in diesem Falle jemand helfen konnte, dann sie! Er wählte noch mal die Nummer des Hotels.

»Kann ich bitte Fräulein Singer sprechen?«

»Fräulein Singer ist heute nicht hier.«

»Hat sie denn keinen Dienst?«

»Doch, aber sie ist krank. Kann ich ihr etwas ausrichten?«

»Nein, das nicht . . .« Er zögerte. Wenn Mela Singer nicht im Dienst war, dann blieb ihm nichts anderes übrig, als eben bei ihrer Kollegin sein Glück zu versuchen. Er sagte: »Ich habe gerade schon einmal angerufen. Ich weiß nicht, ob ich mit Ihnen verbunden war.«

»Wegen Fräulein Singer?«

»Nein, wegen Zimmer zweihunderteinunddreißig.«

»Ach ja! Das war ich. Sie haben sich nicht gemeldet! Die Frau Baronin hat sich schon bei mir beschwert.« Die Telefonistin nahm ihn als Bekannten ihrer Kollegin und sprach völlig unbekümmert.

»Die Frau Baronin? Welche Baronin?«

»Baronin von Koch. Ein alter Stammgast.«

»Ein Stammgast? Aber wohnt denn auf dem Zimmer nicht Mister Irbid?«

»Mister Irbid? Moment. Der wohnt dreihunderteinundzwanzig. Sie haben die Nummer vertauscht. Dreihunderteinundzwanzig und zweihunderteinunddreißig. Kann schon mal passieren.«

Für einen Augenblick war er sprachlos. »Ach ja«, sagte er, »entschuldigen Sie bitte . . .«

»Soll ich Sie jetzt mit der dreihunderteinundzwanzig verbinden?«

»Wie?« Er war nicht bei der Sache. Ihm war ein Gedanke gekommen. Jäh und heiß hatte er sich seiner bemächtigt.

»Ich meine, soll ich Sie verbinden?«

»Ja, ja, bitte.«

Ein Knacken. Der Ruf. Noch mal ein Knacken.

Die Stimme der Telefonistin: »Tut mir leid. Die dreihunderteinundzwanzig meldet sich nicht.«

»Danke.« Wie in Trance legte er auf. Pech? Nein, er hatte kein Pech! Vielleicht hatte ihm dieser Anruf ein geradezu unsagbares Glück beschert!

Er konnte kaum erwarten, daß Helen zurückkam. Er nahm das Telefonbuch, suchte eine Nummer heraus und wählte sie.

»Ja, hier Singer.«

»Hier ist Niklas. Spreche ich mit Fräulein Mela Singer?«

»Nein, ich bin die Mutter. Meine Tochter ist nicht da.«

»Ich hörte, sie sei krank?«

»Krank? Ja, natürlich! Aber sie ist nicht da.«

»Können Sie mir bitte sagen, wie ich sie erreiche?«

»Nein, Sie können Melanie nicht erreichen, sie ist weg.«

»Hat sie denn keine Telefonnummer hinterlassen?«

»Nein, das hat sie nicht.« Frau Singer wollte das Gespräch beenden. Sie fürchtete, Paul sei ein Beauftragter des Hotels, der sich überzeugen sollte, daß Melanie wirklich krank war und nicht unentschuldigt dem Dienst fernblieb.

»Ist sie hier in der Stadt?«

»Nein, sie ist weg. Mehr kann ich Ihnen nicht sagen.«

»Außerhalb?«

»Ja, außerhalb«, sagte Frau Singer und log: »Außerhalb in einer Klinik.«

»Dann sagen Sie ihr bitte viele Grüße von mir.« Er legte auf.

Was Frau Singer ihm nicht hatte erklären können, war: Ihre Tochter hatte sich die Angelegenheit mit Paul Niklas durch den Kopf gehen lassen. Die Erkundigungen, die sie verbotenerweise für ihn eingezogen hatte. Die Gespräche, die sie in seinem Auftrag abgehört hatte. Sie hatte auf einmal Angst vor ihrem eigenen Mut bekommen und sich ihrer Mutter anvertraut, jedoch ohne Pauls Namen zu nennen. Und die Mutter hatte entschieden: »Du machst einige Tage krank! Gehst zu meiner Schwester nach Regensburg. Dort kann dich niemand erreichen. Und dort bleibst du, bis der Mann auf dreihunderteinundzwanzig weg ist!«

Helen steckte den Kopf zur Tür herein: »In zehn Minuten können wir essen.«

Paul ging zu ihr in die Küche und erzählte ausführlich von den Telefongesprächen, die er während ihrer Abwesenheit geführt hatte.

»Liebling, du bist nervös. Was ist?« Sie war besorgt.

»Hat es denn bei dir nicht gezündet?«

»Gezündet? Was?« Sie setzte die Pfanne auf.

»Mit der Zimmernummer«, drängte er.

»Wieso mit der Zimmernummer?«

»Aber, Helen«, sagte er, »denk doch mal nach!«

»Was soll ich bedenken?« Sie hatte begonnen, den Salat zu waschen. Sie unterbrach ihre Tätigkeit und sah ihn fragend an.

»Die Adresse auf dem Zettel, den ich dem toten Areg abgenommen habe!«

»Ich verstehe dich nicht.«

»Aber, Liebling! Denningerstraße vierhundertdrei! Und die Straße endet mit dreihundertdreiundneunzig! Es gibt gar keine Vierhunderter-Nummern!«

»Du meinst . . .?« Sie hatte begriffen.

»Ja. Warum soll einem anderen nicht das gleiche Mißgeschick wie mir passieren! Zumindest könnte es so sein. Oder nicht?«

»Ja, Paul. Die Möglichkeit besteht.« Sie war jetzt so aufgewühlt wie er.

»Dann komm!« Er wandte sich zum Gehen.

»Jetzt? Aber wir wollten doch jetzt . . .?«

»Das Essen läuft uns nicht weg. Komm!«

»Eine Sekunde.« Sie stellte den elektrischen Herd ab und nahm die Pfanne von der Platte. »Ich muß mir noch schnell die Hände waschen. Aber willst du etwa mit einem Taxi dort vorfahren?«

»Du hast recht«, sagte er, »das geht nicht. Ein Mietwagen!« Doch einen Mietwagen anzufordern, würde Zeit kosten. Unter Umständen entscheidende Zeit.

»Was ist, Liebling? Resignierst du etwa?«

»Nein, nein.« Er wollte es ihr nicht eingestehen. Er fühlte sich auf einmal schwach.

»Ich könnte ja die Schreibers fragen! Sie leihen uns ihren Wagen bestimmt. Was meinst du?« Die Familie Schreiber war ihr unmittelbarer Nachbar.

»Das ist eine gute Idee! Das ist überhaupt die einzige Möglichkeit!« Er ging auf sie zu und gab ihr einen Kuß auf den Mund.

Sie hatten das Haus kaum verlassen, als das Telefon klingelte. Frank Jensen ließ den Ruf lange durchläuten. Er wollte Paul davon in Kenntnis setzen, daß er bis jetzt leider keinen Erfolg hatte. Nach einer Weile legte er auf.

53

Das Haus mit der Nummer 304 unterschied sich nur geringfügig von den anderen Hochhäusern an der Denningerstraße. Seine Fassade war zitronengelb gestrichen, und es hatte eine direkte Verbindung zum Haus mit der Nummer 306, ebenfalls einem Hochhaus gleichen Typs, nur mit hellgelber Fassade.

Paul hielt mit dem Fiat auf der gegenüberliegenden Straßenseite. Frau Schreiber, ihre Nachbarin, hatte ihnen sofort, ohne zu fragen, ihren Wagen geliehen.

Helen setzte sich die Sonnenbrille auf. »Sei ganz beruhigt«, sagte sie zu Paul, »ich bin vorsichtig.« Sie streckte ein Bein schon aus dem Wagen.

»Die Fragen nur wie nebenher einfließen lassen!«

»Ist mir schon klar.«

»Du darfst nicht davon ausgehen, daß der Hausmeister dir wohlgesinnt ist!«

»Paul, du kannst mir vertrauen.«

»Und denke daran: Ich bin in deiner Nähe! Wenn du in zehn Minuten nicht zurück bist, trete ich in Aktion.«

»Keine Angst, ich werde zurück sein.« Sie beugte sich zu ihm, küßte ihn auf die Wange und stieg aus.

Er sah ihr nach, wie sie die Straße überquerte, dachte wie schon oft: Sie hat noch immer die Figur einer Zwanzigjährigen, und sah sie im Haus verschwinden.

Der Hausmeister hieß Gonski. Er wohnte im Haus 306 im Erdgeschoß. Helen drückte den Klingelknopf.

Gonski öffnete selbst. Er sah Helen mißmutig an. Sie störte ihn gerade bei seinem zweiten Frühstück. »Ja?« sagte er, ohne die Lippen zu bewegen.

Er war kleiner als Helen und hatte schüttere, verklebte Haare. Sein Gesicht sah verlebt aus. Er trug einen dunkelblauen Arbeitskittel. Sein Blick war kalt. Helen hatte auf Anhieb das Gefühl, daß sie es nicht leicht haben würde, mit ihm in ein geeignetes Gespräch zu kommen. Aber sie mußte es versuchen.

Sie hatte mit Paul das Problem eingehend vorbesprochen.

»Ich halte es für besser«, hatte er gemeint, »wenn ich vorerst im Hintergrund bleibe. Wenn du mit dem Hausmeister sprichst. Eine Frau wirkt meistens unverfänglicher.«

»Das leuchtet mir ein. Nur was ist, wenn ich Pech habe und nicht sein Typ bin?«

»Dann müßten wir uns etwas anderes einfallen lassen.«

»Aber was?«

Paul hatte die Schultern gezuckt: »Das wird sich zeigen. Der Hausmeister kommt dann jedenfalls nicht mehr in Frage. Sonst wird er hellhörig.«

Sie stand vor dem Hausmeister Gonski und setzte alle ihre Liebenswürdigkeit ein: »Entschuldigen Sie bitte, wenn ich Sie gestört haben sollte . . .«

Gonski brummte Unverständliches.

». . . ich kann ja auch später noch mal wiederkommen, wenn Ihnen das angenehmer ist.«

»Um was geht's?« Er sah an ihr vorbei. Seine Hand lag auf der Klinke. Er war nicht gewillt, sich in ein ausführliches Gespräch einzulassen.

»Ich suche eine Wohnung für meinen Sohn«, log Helen, »eine Wohnung oder ein Appartement. Wenn es geht im Nebenhaus. In dreihundertvier. Ich wende mich an Sie, weil Sie mir als besonders hilfsbereit empfohlen wurden. Ich würde mich erkenntlich zeigen.« Mit einer schnellen Bewegung, ehe er reagieren konnte, schob sie ihm einen Geldschein in die Hand.

»Ich . . .« Gonski war nach wie vor mürrisch. Doch die Hand mit dem Schein senkte sich in die Tasche des Kittels.

»Wenn ich Ihnen jetzt ungelegen bin«, sagte Helen, »komme ich gerne später.«

»Nicht so schlimm.« Es klang eher wie das Gegenteil.

»Mein Sohn hat allerdings eine Bitte.«

Gonski schwieg. Er hatte den Kopf gesenkt. Es war, als höre er nicht zu.

»Mein Sohn würde gerne in der Nähe seines Freundes wohnen. Ich habe leider den Namen vergessen. Er muß vor kurzem hier gemietet haben. Oder vielleicht nicht mal gemietet. Sondern nur vor kurzem eingezogen. Vor zwei, drei Tagen. Können Sie mir da weiterhelfen?«

»Vor zwei, drei Tagen?«

»Vielleicht auch vor vier. Der Freund meines Sohnes ist Ausländer. Ich glaube Araber. Ich meine, wenn auch nichts in direkter Nähe frei sein sollte, aber Sie wissen ja, wie die jungen Leute sind. Was sie sich mal in den Kopf gesetzt haben, das soll die Mutter dann möglich machen. Vielleicht ist aber bei Ihnen gar niemand vor zwei, drei Tagen eingezogen? Dann hätte ich Sie umsonst gestört. Wenn Sie mir aber weiterhelfen können . . . wie gesagt, ich würde mich erkenntlich zeigen.«

»Vor zwei, drei Tagen?« Gonski hob den Kopf.

»Vielleicht auch vier.«

»Ein Ausländer, sagen Sie?«

»So hat es mir mein Sohn gesagt.«

»Ein Araber?«

»Darüber bin ich mir nicht ganz im klaren. Können Sie sich denn erinnern?«

»Nicht vor zwei, drei Tagen. Ist schon ein bißchen länger her. Wohnung tausendundeins.«

»Tausendundeins?« Helen gab sich amüsiert: »So viele Wohnungen sind in dem Haus?«

»Die Wohnungen sind nach Stockwerken numeriert. Und die liegt im obersten. Im zehnten.«

»Da hat also ein Ausländer gemietet?«

»Ja. Aber der ist noch nicht eingezogen.«

»Wissen Sie seinen Namen?«

»Nicht auswendig.« Er drehte den Kopf und rief durch die offene Tür: »Hedwig!« Eine Frauenstimme brummte: »Was ist?«, und er rief zurück: »Wie heißt der Kerl, der tausendeins gemietet hat?«

»Der mit der Brille?« rief Hedwig zurück.

»Ja, der mit der Brille! So ein kurzer Name war es!«

»Kent oder Ment oder so.«

»Richtig, Kent!« sagte Gonski zu Helen. »Kent heißt er.«

»Ein dunkler Typ, ja? Schwarze Haare. Streng gescheitelt. Schlank. Jung. Und eine besonders starke Brille.«

»Ja, das ist er. Kent.«

»Und Sie sagen, er ist noch nicht eingezogen?«

»Ich habe ihn jedenfalls seitdem nicht gesehen. Er hat die Miete im voraus bezahlt, das genügt für uns.«

»Ist ja auch egal«, sagte sie, »haben Sie da oben etwas frei?«

»Nicht im zehnten. Nur im neunten. Neunhunderteins. Ein Appartement. Direkt darunter.«

»Wie groß?«

»Ich kann es Ihnen zeigen.«

»Dazu komme ich mit meinem Sohn. Wie groß ist es?«

»Vierzig Quadratmeter.«

»Und Herr Kent, der Freund meines Sohnes, hat mehr?«

»Tausendeins ist eine richtige Wohnung. Vier Zimmer. Balkon rundherum. Eine Art . . .« Er zögerte.

»Eine Art Penthouse?«

»Genau. So sagt man jetzt.«

»Hat das Appartement neunhunderteins Telefon?«

»Nein. Das dauert eine Zeit. Drei Monate mindestens.«

»Na ja, solange kann mein Sohn ja zur Not bei Herrn Kent telefonieren.«

»Nein. Herr Kent hat auch noch kein Telefon.«

»Schade«, sagte sie und freute sich insgeheim, wie geschickt sie ihn ausgefragt hatte.

»Herr Gonski, ich danke Ihnen sehr. Ich komme in den nächsten Tagen mit meinem Sohn vorbei. Oder vielleicht schon heute. Entschuldigen Sie bitte nochmals, wenn ich Sie gestört haben sollte.

»Nicht so schlimm.« Gonski wartete, bis sie hinaus war, und schloß die Tür hinter ihr. Dann holte er den Schein aus der Tasche. Es war ein Zwanzigmarkschein. In Gedanken überschlug er die Höhe seiner Provision bei der Vermietung des Appartements 901.

54

Helen ging am Fiat vorbei die Straße vor bis zur nächsten Ecke. Paul verstand. Er startete. Hinter der Kreuzung stieg sie zu. Von hier aus lagen die Hochhäuser mit den Nummern 304 und 306 im toten Winkel.

Sie berichtete. Als sie fertig war, hielt Paul den Wagen an.

Er konnte seine Erregung nicht unterdrücken. »Ich habe es mir nicht so schwer vorgestellt«, sagte er leise, und sein Blick ging auf den Verkehr hinaus.

»Was, Liebling?« Auch sie war von einer Unruhe befallen, gegen die sie machtlos war.

»Bis jetzt war alles wie selbstverständlich. Wir haben Kathy gesucht. Ich habe mich mit Freundinnen von ihr unterhalten. Habe ihren Bekannten aufgestöbert. Habe mit einem Barkeeper gesprochen. Bin sogar allein zu dem Schrebergarten gefahren. Habe Martindale abgewehrt. Aber jetzt . . .« Gedankenversunken sah er zu ihr hin.

»Jetzt sind wir anscheinend am Ziel.« Sie sprach mehr zu sich selbst.

»Ja. Und das ist gar nicht so einfach.«

»Meinst du, wir sollten Jan verständigen?«

»Das ist es nicht.«

»Oder den Jungen? Wie heißt er doch?«

»Frank. Frank Jensen. Nein, darum geht es nicht. Bis hierher war eben alles vorstellbar.« Er verbesserte sich: »Obwohl ich mir x-mal ausgemalt habe, wie es sein wird, wenn wir . . .«

»Wenn wir am Ziel sind, meinst du?«

»Ja. Aber die Wirklichkeit ist eben doch anders.«

»Sollten wir uns jetzt nicht doch an Doktor Hermann wenden?«

»Da habe ich Bedenken.« Er erzählte ihr von seinem letzten Gespräch mit ihm.

»Er hat Anordnungen vom Bundesinnenministerium vorgegeben?« Sie wollte es nicht glauben.

»Deshalb meine ich ja: Wenn wir zu ihm gehen, könnten wir womöglich alles verderben.«

»Aber Hermann kennt uns.«

»Das schon. Aber sein Amt ist ihm wohl doch näher.«

»Was also sollen wir tun?«

»Es bleibt nur ein Weg.«

»Du meinst, wir beide allein?«

»Wir beide mit Jan. Vielleicht auch mit dem Jungen. Vor allem aber sollten wir das Haus nicht mehr unbeobachtet lassen. Keine Minute mehr!«

»Ich verstehe. Ich werde darauf achten, daß mich der Hausmeister nicht zu Gesicht bekommt.«

»Wie stellst du dir das denn vor?«

»Zum Beispiel von der Wiese aus. Oder vom Kiosk.«

»Du kennst die Beschreibung des anderen?«

»Arabischer Typ. Dunkles, volles Haar. Lange Koteletten. Habichtnase. Goldzähne. Graubrauner Anzug.«

»Den Anzug kann er gewechselt haben.«

»Das ist mir klar. Aber ich kenne ihn, und ich kenne vor allem diesen Irbid. Und meiner Beobachtung wird keiner der beiden entgehen.«

»Aber du verfolgst keinen!«

»Nein, natürlich nicht. Es genügt, wenn wir wissen, daß wir am Ziel sind.«

»Helen . . . es ist schön, daß du . . . du glaubst nicht, wie sehr mir deine Gegenwart hilft.«

»Ja, Paul. Es tut mir gut, wenn du das sagst.« Sie küßte ihn auf die Wange. »Du gibst den Wagen zurück?«

»Ja. Sobald ich Jan erreicht habe. Dann kommen wir so schnell wie möglich. Sollte er nichts von sich hören lassen, dann bin ich in spätestens eineinhalb Stunden wieder hier. Mit irgendeinem anderen Wagen. Du kannst ja anrufen, wenn du Erfolg gehabt hast.«

»Ich werde dir ein Zeichen geben.« Sie küßte ihn noch mal und stieg aus.

Dann ging sie den Weg zurück. Neben dem Haus, das der Nummer 304 gegenüberlag, war eine Spielwiese, begrenzt von einer mannshohen Hecke. Hinter diese Hecke stellte sie sich. Von hier aus hatte sie den Eingang von 304 gut im Auge.

55

Die Luft im Raum war abgestanden. Kathy lag auf der Pritsche. Sie war jetzt drei Tage eingesperrt, und jede Stunde hatte ihre Spuren hinterlassen. Ihr Gesicht hatte alle Frische verloren. Ihre Lippen waren trocken und aufgesprungen, die Augenlider vom ständigen grellen Licht entzündet. Sie fühlte sich kraftlos und ohne Hoffnung. Sie sehnte sich nach Wasser zum Waschen und nach Kühle.

Die Tür wurde aufgesperrt. Schihan erschien. »Los, dreh dich um!« befahl er.

Wortlos drehte sie sich auf den Bauch. Sie wußte, was er vorhatte.

Der Lederriemen. Dann das Seil. Und schließlich das schmutzige Taschentuch als Knebel.

Ihr Atem ging schwer. Obwohl sie den Vorgang mittlerweile kannte, überfiel sie jedesmal panische Angst, der Mann könne nicht mehr zurückkommen. Dann wäre sie so dem sicheren Tod ausgeliefert.

»Ich bin gleich wieder da«, sagte Schihan. »Du kannst Krach machen, soviel du willst. Du störst niemanden. Es gibt keine Nachbarn. Keiner kann dich hören. Wenn du klug bist, bleibst du ruhig und sparst deine Kraft.«

Es waren jedesmal die gleichen Verhaltensregeln, die er ihr gab. Sie kannte sie schon auswendig. Auch wenn er ihr nicht jedesmal einhämmern würde, wie aussichtslos ihre Lage sei, sie hätte nicht mehr die Kraft aufgebracht, sich anders als ruhig zu verhalten.

Er sperrte die Tür hinter sich. Wieder einmal war sie allein. Sie schloß die Augen. Sie hätte etwas darum gegeben, schlafen und den Spuk für eine Weile vergessen zu können. Doch sie konnte nicht schlafen. Ihre Gedanken ließen sie nicht zur Ruhe kommen.

56

Es war jetzt gegen 18 Uhr. Der Verkehr auf der Denningerstraße hatte sichtbar nachgelassen. Helen sah den Wagen schon von weitem. Sie trat hinter der Hecke hervor und ging ihm entgegen. Kurz vor ihm überquerte sie die Straße, so daß der Wagen bremsen mußte. Sie ging vor bis zur Kreuzung.

Sie bog um die Ecke, da hielt der Wagen neben ihr. Paul stieß die Tür auf, und sie stieg ein. Im Fond saß Jan.

Als Irbid in einem Taxi vom Hotel weggefahren war, hatte Jan die Verfolgung aufgenommen. Doch Irbid hatte das Taxi so lange kreuz und quer durch die Stadt dirigiert, bis Jan ihn aus den Augen verloren hatte.

»Hallo, Jan!« sagte sie grüßend nach hinten und dann zu Paul: »Hast du etwa mitten auf der Straße gewendet?«

»Nein, erst am Ende. Aber ich bin schnell gefahren, das gebe ich zu. Hast du Erfolg gehabt?« Die Frage kam verhalten, als fürchte er ein Nein.

Doch sie nickte und sah, wie er aufatmete. »Erzähl«, sagte er, und Jan beugte sich gespannt nach vorne.

»Die Habichtnase ist aufgetaucht«, sagte sie.

»Kam er aus dem Haus?« fragte Jan.

»Ja, aus dem Haus«, sprach sie halb zurückgewandt, »ich habe ihn sofort erkannt. Seine Koteletten sind aber auch zu schön, um sie zu übersehen.«

»Wann war das?« fragte Paul.

»Ungefähr vor einer halben Stunde.«

»Und ist er schon wieder zurück?«

»Ja, kurz darauf. Paul, ich muß dir etwas gestehen.«

»Du bist ihm gefolgt.« Er stieß einen Seufzer des Unmuts aus.

»Nur ein paar Schritte. Es war gerade günstig. Glaube mir, es war wirklich günstig.«

»Hat er dich gesehen?« sagte Jan.

»Nein, er kann mich nicht gesehen haben. Ich war abgedeckt durch eine Horde Kinder.«

»Wir wollen es hoffen«, sagte Paul, »und wie weit bist du ihm nachgegangen?«

»Nicht sehr weit. Er ging nur bis zur Telefonzelle. Dort hat er ein Gespräch geführt. Dann ging er auf die andere Seite hinüber zum Kiosk. Dort hat er sich Zigaretten gekauft und eine Zeitung.«

»Das hast du gesehen?« sagte Paul zweifelnd.

»Das hat mir die Frau vom Kiosk gesagt.«

»Helen! Du hast sie gefragt!« Paul war aufgebracht.

»Ja. Aber sie hat keinen Verdacht geschöpft. Wirklich nicht!«

»Und er ist dann zurück ins Haus gegangen?« fragte Jan.

»Ja.«

Eine Weile war es still im Wagen. »Wir sind also am Ziel«, sagte Paul.

»Und wir sind darauf vorbereitet«, sagte Jan. Er griff neben sich und hielt Helen eine Art Fernrohr hin.

»Was ist das?« Sie betrachtete es interessiert.

»Ein Nachtzielgerät«, erklärte Jan, »auf Infrarotbasis. Gegen Ende des Krieges haben unsere Nachtjäger ähnliche Instrumente gehabt. Das hier kommt aus Amerika. Es hellt ein Licht zweitausendfach auf. Es wird auf den Lauf gesteckt. Für die Jagd ist es strengstens verboten. Denn das Wild hat keine Chance dagegen. Aber für uns ist es gerade richtig. Noch dazu, wo heute der Mond besonders gut steht.«

»Jan hat noch besser vorgesorgt«, sagte Paul.

»Schließlich bin ich Jäger«, sagte Jan, »und ein Jäger hat Gewehre. Dort hinten liegen sie.« Er deutete für Helen hinter die Rücklehne des Fonds.

»Ich bin nicht sicher, daß mich Gewehre beruhigen«, sagte sie.

»Ich kann dich verstehen«, sagte Paul, »aber wir müssen damit rechnen, daß unser Gegner bewaffnet ist. Sonst wäre es ein ungleiches Aufeinandertreffen.«

»Habt ihr schon einen Plan?« Sie lehnte sich mit einem Seufzer zurück.

»Du hast mich gerade auf einen gebracht«, sagte Paul, »und so gesehen war es gut, daß du dem Mann gefolgt bist.«

»Danke, Paul.« Sie sah ihn liebevoll an.

»Was haltet ihr davon«, sagte Paul und bezog Jan mit ein, »wir warten, bis es dunkel ist. Am besten vielleicht sogar, bis Ruhe auf der Straße ist.«

»Und dann? Willst du etwa mit zwei Gewehren ins zehnte Stockwerk stürmen? Und das Türschloß durchschießen?« Jan gab zu erkennen, daß es ihm nicht unbedingt ernst damit war.

Paul ging nicht darauf ein. »Wir müssen ihn herauslocken. Herunterlocken auf die Straße.«

»Aber wie?« Helen dachte nach.

»Wir müssen ihn dazu bringen, daß er telefoniert!« sagte Jan entschlossen.

»Genau das meine ich.« Paul blickte von Jan zu Helen. »Wir müssen ihm eine Nachricht zukommen lassen. Eine Nachricht, die ihm unverdächtig erscheint. Die ihn zur Telefonzelle gehen läßt. Diese Nachricht muß von Irbid kommen! Ich hab's!«

»Ich auch«, sagte Jan hastig, »der Garagenwärter!«

»Erkläre es ihr«, sagte Paul nach hinten zu Jan.

»Der Garagenwärter aus den ›Jahreszeiten‹ spricht arabisch«, sagte Jan zu Helen, »und wir könnten ihn bitten, uns ein paar Worte in seiner Landessprache aufzuschreiben.«

»Dann aber los!« rief Paul. »Ich löse Helen hier ab. Versucht euer Glück! Die größten Chancen bei ihm wirst wohl du haben«, er meinte Helen, »nachdem Mela Singer nicht mehr greifbar ist.«

»Einverstanden«, sagte sie, »das machen wir.«

Alle Bedenken, die Paul und Helen noch vor zwei Stunden hatten, waren verflogen. Jans Zuversicht hatte sich auf sie übertragen.

57

»Dulla? Das ist der da hinten. Der Mohrenkopf. Soll er Ihren Wagen herausfahren?« Der Tankwart im orangefarbenen Overall gab Helen bereitwillig Auskunft.

»Nein«, sagte Helen, »es ist privat.«

Sie war mit Jan kurz zu Hause gewesen. Sie hatten sich vergewissert, daß Frank Jensen keine Nachricht hinterlassen hatte. Jetzt hatte Jan den Wagen unweit der Hotelgarage geparkt, und Helen war die letzten Schritte zu Fuß gegangen.

»Privat?« Der Tankwart sah sie mißtrauisch an. Seit er Dulla kannte, hatte sich privat nie jemand um ihn gekümmert. Und in den letzten Tagen war gleich zweimal ein Mädchen hier. Und jetzt diese Dame!«

»Was wollen Sie denn von ihm?« fragte er und trat Helen wie zufällig in den Weg.

»Ich soll ihm einen Gruß bestellen.«

»Einen Gruß? Kann ich das nicht machen? Privatpersonen haben nämlich eigentlich hier nichts zu suchen.«

»Ist das denn nicht die Hotelgarage?«

»Ja, das schon, aber . . .«

»Na, sehen Sie! Und deshalb habe ich hier Zutritt. Wenn Sie mir bitte Platz machen würden!« Helen ging an ihm vorbei und auf

434

Dulla zu, der im rückwärtigen Teil der Tiefgarage einen Wagen polierte.

»Guten Tag. Ich bin eine Freundin von Mela.«

»Guten Tag.« Er sah auf. Er war jung, hatte die bronzefarbene Haut der Orientalen, ein volles Gesicht und helle, wache Augen. »Von Mela? Von welcher Mela?«

»Von Mela Singer. Der Telefonistin im Hotel. Sie kennen sie doch!«

»Ah, Mela! Sie war vor ein paar Tagen mal hier.«

»Eben deswegen bin ich auch hier.« Sie sah, daß der Tankwart herbeikam, als hätte er hier zu tun. »Kann ich Sie einen Moment allein sprechen?« sagte sie zu Dulla.

»Allein? Aber hier ist niemand.« Er bemerkte ihren Blick. »Ach so, Willi! Der stört nicht.«

Als sie zögerte weiterzusprechen, sagte er: »Gehn wir auf den Hof.«

Es war ein enger, schmutziger Hinterhof, der zwischen den Rückgebäuden lag, die alle fünf bis sieben Stockwerke hoch waren.

»Mela hat mir gesagt, daß Sie arabisch können.«

»Ja, das ist meine Muttersprache.«

»Ich habe eine Bitte. Könnten Sie mir einen kurzen Satz in arabisch aufschreiben? Gegen Bezahlung natürlich.«

»Wie heißt der Satz?«

»Der Satz heißt: Rufe sofort an!«

Er lachte: »Natürlich kann ich das, Madame.«

»Ich habe Papier und Stift schon vorbereitet.« Sie holte aus ihrer Umhängetasche einen Bogen Hotelpapier des ›Vier Jahreszeiten‹, von dem sie den Aufdruck abgetrennt hatte, und einen Kugelschreiber.

58

Während Paul Niklas und Helen, Johannes Voss und vor allem Kathy vor der vielleicht gefährlichsten Stunde ihres Lebens standen, nahm das Leben in ihrer näheren und weiteren Umgebung seinen ganz normalen Lauf. Menschen hetzten von der Arbeitsstätte nach Hause. Andere saßen beim Abendessen oder vor dem Fernsehapparat oder verbanden beides miteinander.

Niels Hermann, der Polizeipräsident, schlüpfte gerade in das Jakkett seines dunklen Anzugs. »Es wird heute wieder spät«, sagte er zu seiner Frau. Sie hob seufzend die Achseln. Er mußte an einem offiziellen Empfang anläßlich des Besuches eines New Yorker Kollegen teilnehmen. Seine Gedanken beschäftigten sich mit allem möglichen, nur nicht mit dem Fall ›Dschafar‹ und seinen Auswirkungen. Der Fall war für ihn so gut wie abgeschlossen.

Lance von Merheim hatte Cocktail-Gäste. Einige von ihnen sprachen eben über den Fall ›Dschafar‹ und nannten ihn ›ungeheuerlich‹. Lance pflichtete dem bei. Sie dachte an das Geld, das ihr Mann auf ihre Bitte für die Bestechung des Journalisten Fred Cornelius bereitgestellt hatte. Sie war sicher, daß Paul auch Wege finden würde, Kathy aus den Händen ihrer Entführer zu befreien. Schon der bloße Gedanke beruhigte sie.

Montgomery Saunter saß in einem Straßencafé an der Leopoldstraße. Unbeteiligt ließ er den Verkehr an sich vorbeirollen. Er hatte keinen Blick für die zahlreichen jungen, anziehenden Mädchen, die im Minikleid, im Großmutter-Look, in allen möglichen Aufmachungen über den Boulevard flanierten.

Er hatte eben zum fünftenmal vergeblich bei Paul angerufen. Er hatte sich erkundigen wollen, ob er ihm in irgendeiner Form Hilfe leisten könne.

Noch in Paris nach dem Essen mit Helen war er entschlossen gewesen, Europa sofort zu verlassen. Er hatte sich überflüssig gefühlt, hatte sich nach Amerika gesehnt. Doch nun, da Sils ihm am Telefon gesagt hatte, daß Helen zurückgekommen sei, fühlte er sich durch die erfolgreiche Reise nach Paris bestätigt. Jetzt fühlte er sich nicht mehr im Abseits. Seine Gedanken waren bei Paul. Und auch bei Kathy. Den Abend auf dem Fernsehturm hatte er aus seiner Erinnerung gestrichen.

Unweit von Saunter entfernt, im unmittelbar anschließenden Straßencafé, saß eine lärmende Gruppe von Studenten. Unter ihnen Frank Jensen. Wie Saunter war auch er seiner Umgebung gegenüber gleichgültig. In sich gekehrt hatte er den Kopf gesenkt. Noch immer hatte er keine Spur, die ihn zu ›Habichtnase‹ hätte führen können. Er war verzweifelt. Wenn er den Kaffee ausgetrunken hatte, wollte er seine Suche fortsetzen. Er wollte seinen Teil dazu beitragen, damit Kathy gefunden wurde. Er fühlte sich zwar nicht stärker zu ihr hingezogen als zu anderen netten Mädchen, doch er gab sich eine gewisse Mitschuld an ihrem Verschwinden.

Etwa zur gleichen Zeit trat Christine Bern ihren Nachtdienst an. Sie ging in Kabine eins. Dschafar lag bleich und mitgenommen in seinem Bett. Sie fragte ihn, ob es ihm schon besser gehe, und er nickte bejahend. Sie konnte sich nur mit Mühe konzentrieren. Ihre Gedanken kreisten um Stanley Martindale. Sie stellte sich vor, daß sie mit ihm nach San Francisco gehen würde. Der Gedanke gefiel ihr.

Irbid hatte sich einen doppelten Whisky mit Eis auf sein Zimmer kommen lassen. Er war mit der Entwicklung der Dinge zufrieden. Der Kontrollanruf von Schihan war programmgemäß erfolgt. Abends wollte er noch einmal zur Klinik fahren. Er wollte sich vergewissern, wie Dschafars Genesung fortschritt und ob Paul Niklas sich darum bemühte.

59

»Und wenn wir es mit mehreren zu tun haben?« fragte Helen.

»Wir gehen davon aus, daß es nur einer ist«, sagte Paul, und Jan ergänzte: »Alles deutet nur auf einen hin. Auf einen neben Irbid.«

»Sollen wir nicht einen Fremden schicken«, sagte Paul, »ein Kind oder einen alten Mann?«

»Nein«, sagte Helen, »das ist zu riskant.«

Sie saßen zu dritt im Wagen. Jan hatte ihn an der Ecke der Nebenstraße geparkt. Von hier aus hatten sie den Eingang von 304 im Auge, ohne daß der Wagen vom Hochhaus aus gesehen werden konnte.

»Warum meinst du, zu riskant?« fragte Jan.

»Es kann zuviel Unvorhersehbares passieren«, antwortete Helen«, »ein Kind verliert die Lust, ein alter Mann macht schlapp.«

»Helen hat recht«, sagte Paul, »was ist, wenn die Habichtnase das Kind oder den Alten festhält? Um mit Gewalt den Auftraggeber herauszubekommen? Nein, einen Fremden können wir nicht schicken. Wir müssen daran denken, daß die Aktion nicht zu wiederholen ist. Sie muß hundertprozentig funktionieren. Und da sehe ich nur eine Möglichkeit.« Sein Blick fiel auf Helen.

»Es ist sicher das beste«, sagte sie.

»Es gibt nichts anderes«, sagte er, »Jan und ich müssen ihn unten abfangen. Und da wir nicht wissen, wie schnell er herunterkommt . . .«

»Ich sehe es ein«, sagte sie, »und ich kann nur hoffen, daß ich es schaffe.«

»Du solltest nicht den Lift benützen«, sagte Jan.

»Ich weiß«, sagte sie.

»Entscheiden kannst du erst, wenn du oben bist«, sagte Paul, »wenn du die Situation kennst. Mein Gott, Helen, was würden wir ohne dich machen!«

»Dann hättet ihr wahrscheinlich den Jungen genommen.«

»Frank Jensen?« sagte Paul nachdenklich. »Der Junge ist gewiß prima.«

»Aber?« Sie hatte seinen Einwand herausgehört.

»Aber er ist doch ein Fremder. Ein Risikofaktor. Nicht in der Art wie ein Kind. Er würde womöglich zuviel riskieren. Ohne daß wir eingreifen könnten. Nein, Helen, ohne dich ginge es nicht.« Paul sah sie eindringlich an: »Gehen wir doch mal alle Möglichkeiten durch. Also, du betrittst das Haus . . .«

»Da könnte ihr der Hausmeister in den Weg laufen«, sagte Jan trocken.

»Wenn es im Erdgeschoß ist, dann ist die Situation einfach. Helen erklärt, sie wolle zu ihm. Wegen des Appartements. Ja?«

Sie nickte: »Ja, das geht.«

»Und dann«, fragte Jan, »was wäre dann?«

»Dann müßten wir die Rollen vertauschen«, sagte Paul, »zweiter Gefahrenpunkt: Helen geht die Treppe hoch . . .«

». . . und trifft den Hausmeister in der dritten oder vierten Etage.« Jan strich sich über seinen Bart.

Paul sah Helen an: »Wie würdest du reagieren?«

»Ich würde ihm sagen, daß mir unten im Erdgeschoß jemand die Auskunft gegeben hat, er sei hier oben.«

»Wer hat Ihnen das gesagt?« Paul übernahm die Rolle des Hausmeisters.

»Eine Frau. Eine fremde Frau.«

»Alt? Jung? Klein? Groß? Dunkelhaarig? Blond?«

»Das kann ich nicht sagen. Es war ziemlich dunkel.«

»Der Hausmeister ist unser schwacher Punkt«, sagte Jan, »nicht nur weil er Helen kennt. Auch bei vertauschten Rollen, meine ich.

438

Er kann jeden Fremden fragen, was er im Haus zu suchen hat. Er kann sich als Klette erweisen.«

»Wir müssen ihn ausschalten«, sagte Paul, »ich weiß auch schon wie.«

»Durch einen Telefonanruf«, sagte Jan.

»Genau.« Paul sah den Freund an. »Das ist deine Aufgabe. Aus der Telefonzelle da vorne. Du hältst ihn hin. Sagst, es gehe um die Vermietung mehrerer Wohneinheiten. Du weißt das besser als ich.«

»Ich werde mir die Nummer vorher heraussuchen«, sagte Jan.

»Und ihr glaubt, der Mann geht darauf ein?« sagte Helen.

»Warum nicht?« sagte Paul und schränkte ein: »Wenn natürlich im Haus Feuer ausbricht, dann nicht.«

»Na also«, sagte Jan, »das Thema Hausmeister wäre erledigt.«

»Nehmen wir weiter an«, sagte Paul, »Helen betritt die zehnte Etage. Eine fremde Person kommt ihr entgegen. Aus dem Lift. Aus einer der Wohnungen. Was dann?«

»Entweder verhalte ich mich so, als suchte ich eine Adresse . . .«, sagte Helen.

»Das finde ich nicht gut«, sagte Jan, »das kann leicht zu Komplikationen führen.«

»Dann kann ich nur kaltblütig auf mein Ziel losgehen . . .«

»Ich bin auch der Ansicht«, sagte Paul, »du gehst ohne Zögern zu der Tausendeins und schiebst das Kuvert unter der Tür durch.«

»Und wenn die Tür so konstruiert ist, daß man nichts unter ihr durchschieben kann?« sagte Jan.

»Dann durch den Briefschlitz«, sagte sie.

»Und wenn es keinen Briefschlitz gibt«, sagte Jan, »oder wenn er von innen verklebt ist?«

»Dann lege ich es vor die Tür. Zunächst versuche ich aber, es unter der Tür durchzuschieben.«

»Einverstanden«, sagte Paul, »und jetzt nehmen wir den schlimmsten Fall an: Im gleichen Moment, in dem du das Kuvert durchschiebst, öffnet sich die Tür, und ein Mann steht vor dir. Die Habichtnase oder wer auch immer.«

»Ich gebe mich als Botin aus«, sagte sie.

»Als Überbringerin des Kuverts«, sagte Jan.

»Ja«, sagte sie, »ein fremder Mann hat es mir auf der Straße in die Hand gedrückt und mich gebeten, es für ihn abzugeben.«

»Wie sah der Mann aus«, fragte Paul, »wie Irbid?«

»Nein«, sagte sie, »es war ein alter, gebrechlicher Mann.«

»Und mit welcher Begründung hat er Sie gebeten, das Kuvert zu überbringen?« Paul war jetzt wieder in der Rolle des Gegners.

»Er sagte, er hätte es eilig.«

»Ist das glaubwürdig?« Paul sah Jan an.

»Ja, das geht«, sagte Jan.

»Und warum haben Sie es unter der Tür durchgeschoben?« Paul sprach zu Helen.

»Weil ich es los sein wollte. Weil ich keine langen Erklärungen abgeben wollte.«

»Genehmigt«, sagte Paul, und zu Jan: »Wenn er sie aber trotzdem festhält? Wenn er sie einsperrt, bis er den Anruf ausgeführt hat? Oder wenn er sie zwingt, mit ihm zur Telefonzelle zu gehen?«

»Sie muß ihre Rolle durchhalten. Bis zur Telefonzelle. Dann muß sie sich losreißen, weglaufen, in Deckung gehen. Und wir überwältigen ihn.«

Als keiner antwortete, fuhr Jan fort: »Eine gefährliche Sache, ich weiß. Aber die einzige Möglichkeit. Was aber, wenn es doch einen zweiten Mann gibt?«

»Wir können nur von dem Gespräch ausgehen, das uns Mela Singer weitergegeben hat«, sagte Paul, »von dem Gespräch, in dem von Areg die Rede war. Offensichtlich war er der einzige Mitwisser. Sonst hätte Irbid nicht aus einem derart geringfügigen Anlaß seine Ausschaltung befohlen. Kann sein, daß ich mich täusche. Abgesehen davon, daß wir nicht jedes Risiko aus dem Weg räumen können. Die Aktion ist und bleibt ein Wagnis. Und wir haben uns entschlossen, dieses Wagnis einzugehen.« Er wandte sich Helen zu: »Natürlich ist deine Aufgabe nicht überschaubar.«

»Jeder erfüllt seinen Teil«, sagte sie, »auch ich.«

Gemeinsam stellten sie den genauen Plan auf. Sie redeten und bedachten möglichst alle Risiken. Und sie redeten, als wollten sie sich gegenseitig Mut zusprechen.

60

Allmählich wurde es dunkel. Der Verkehr war völlig abgeebbt. Minutenlang fuhr kein Wagen vorbei.

Ein Mann mit einer Aktentasche, der von der Bushaltestelle kam. Ein Liebespaar, das in einem der vorderen Häuser verschwand. Ein Angestellter der Wach- und Schließgesellschaft, der sein Fahrrad zur Kreuzung schob. Mehr Fußgänger hatte Paul während der letzten halben Stunde nicht gezählt.

»Noch zehn Minuten«, sagte er, »bis der nächste Bus weg ist.«

»Ich bin bereit«, sagte Jan und spannte den Hahn seines Gewehrs.

Helen sagte nichts. Wie hypnotisiert sah sie hinüber zum Eingang von 304. Der gläserne Windfang. Die Tür auf der Seite. Das offene Fenster im Erdgeschloß, das anscheinend zur Wohnung des Hausmeisters gehörte. Ihr war, als finde sie dort drüben die Antworten auf die Fragen, die sie quälten.

Auf ihre Fragen, die sich mit der nächsten Stunde ihres Lebens beschäftigten. Mit sechzig endlos erscheinenden Minuten. Mit dreitausendsechshundert ungewissen Sekunden. Kann ich meine Aufgabe erfüllen? dachte sie. Haben wir wirklich eine Chance, Kathy zu befreien? und: Werde ich diese nächste Stunde überleben?

»Noch zwei Minuten«, sagte Paul. Die Spannung zerrte an seinen Nerven. Er drehte sich Helen zu: »Wenn Jan das Zeichen gibt, gehst du los.«

»Ja«, sagte sie, »so haben wir es besprochen.« Ihr Gaumen war wie ausgedörrt.

Paul hielt seine Armbanduhr vor das erleuchtete Armaturenbrett. »Noch eine Minute.«

»Komm nicht zu früh«, sagte Jan zu ihm. Er hatte die Hand schon auf dem Türdrücker.

»Du kannst dich auf mich verlassen«, sagte Paul. Mit der Faust gab er Jan einen freundschaftlichen Schlag gegen den Oberarm: »Und nach dem Telefongespräch . . .«

». . . gehe ich in Deckung.« Jan stieg aus. Das Gewehr hatte er notdürftig mit seiner Jacke verdeckt.

So ging er den Weg vor zur Telefonzelle. Die Straße war menschenleer.

Er betrat die Zelle. Er hob den Hörer ab und wählte. Er sprach in die Membrane, das Gesicht den Freunden zugewandt. Dann stieß er mit dem Fuß die Tür auf. Es war das Zeichen für Helen.

»Viel Glück«, sagte Paul und gab ihr einen Kuß auf die Wange.

»Danke, euch auch«, sagte sie, atmete tief durch und verließ den Wagen.

Ohne sich noch einmal umzudrehen, überquerte sie die Straße, tat, als wollte sie an 304 vorbeigehen, änderte kurz vor dem Eingang die Richtung und verschwand schnell im gläsernen Windfang.

Paul glaubte, noch flüchtig ihren Schatten zu sehen, doch einen Augenblick später löste sich der vermeintliche Schatten in ein Nichts auf.

<h2 style="text-align:center">61</h2>

Helen ging die Treppe hinauf. Sie spürte, wie ihre Beine nachgaben. Das erste Stockwerk, das zweite. Niemand begegnete ihr. Essensgerüche lagen über den Fluren, hinter einer Tür war ein Radio weit über Zimmerlautstärke aufgedreht.

Das dritte Stockwerk, das vierte. Helen ging schneller. Das Kuvert hielt sie in der Hand.

Ihre Sinne waren bis zum äußersten angespannt. Ein Türenschlagen. Eine laute Stimme. Ein schwaches Scharren. Jedes Geräusch ließ sie den Atem anhalten.

Das neunte Stockwerk, das zehnte. Von neuem wurden ihre Beine schwach. Sie hielt sich am Treppengeländer fest. Ihre Gedanken stürmten auf sie ein. Paul, Kathy, Jan, Paris . . . Sie nahm alle ihre Kraft zusammen.

Die Tür mit der Nummer »1001« unterschied sich in nichts von den Türen der übrigen Wohnungen des Hauses. Hellgrau. Schwarzes Türschild mit weißer Nummer. Die Klinke aus Metall. Ein Briefschlitz. Ein Spion.

Helen ging zum Lift und ließ ihn kommen. Dann ging sie zurück zur »1001«. Seitlich an die Wand gepreßt, bückte sie sich, so daß sie durch den Spion nicht zu sehen war.

Mit einer schnellen Bewegung schob sie das Kuvert unter der Tür hindurch.

Obwohl abgesprochen war, daß sie danach blitzschnell weggehen sollte, verharrte sie reglos. Sie war wie gelähmt, starrte auf die Tür, wartete darauf, daß sie aufgerissen würde. Nichts geschah.

Ihr Atem ging flach. Ihre Glieder wurden schwer. Sie starrte noch immer auf die Tür.

Endlich riß sie sich los und ging leise zum Lift. Die Tür glitt hinter ihr zu. Sie drückte auf Erdgeschoß. Der Lift setzte sich in Bewegung. Sie war gerettet.

Im Erdgeschoß ging sie zur Tafel mit den Klingelknöpfen und drückte anhaltend bei »1001«. Dann verließ sie das Haus im toten Winkel.

62

Keine zwei Minuten später tauchte Schihan auf.

Jan stand in der Hecke in unmittelbarer Nähe der Telefonzelle. Er hob das Gewehr und hatte Schihan nach wenigen Sekunden genau im Visier.

Schihan sah kurz die Straße hinunter, vergewisserte sich, daß niemand da war, der ihn beobachtete, und kam mit eiligen Schritten auf die Zelle zu.

Auch Paul hatte ihn sofort gesehen. Er hatte sich geduckt und ließ ihn nicht aus den Augen. Schihan wandte immer wieder den Kopf wie ein Tier, das eine unbestimmte Gefahr wittert.

Paul dachte an Helen. Wo sie wohl war? Er hatte sie aus dem Haus kommen sehen, aber mit einem Mal war sie seinen Blicken entschwunden, wie von der Dunkelheit verschlungen.

Hoffentlich verhält sie sich ruhig, schoß es ihm durch den Kopf, hoffentlich kommt sie nicht gerade jetzt über die Straße und auf den Wagen zu, hoffentlich hat auch sie bemerkt, wie der Mann das Haus verlassen hat!

Im gleichen Atemzug dachte er an Jan. Was ist, wenn er sich verrät? Durch eine unbedachte Bewegung, durch ein Geräusch? Was ist, wenn der andere dadurch gewarnt wird und entkommt?

Er wollte sich nicht tiefer in die Gedanken verrennen. Sollte die Aktion aus irgendeinem Grund mißlingen, würden sie Kathy wahrscheinlich nicht wiedersehen. Schihan hatte die Zelle betreten. Er nahm den Hörer ab und wählte.

Paul öffnete lautlos die Tür des Wagens. Bis zur Zelle waren es etwa dreißig Meter. Er ging, als wollte er die Zelle links liegen lassen, als wollte er zur Kreuzung gehen. Kurz vor der Zelle bog er scharf nach links ab und ging direkt auf sie zu.

Schihan hörte die Schritte. Er drehte blitzschnell den Kopf herum. Er sah, daß der Mann vor ihm die Tür der Zelle aufriß, sah den Blick des anderen, den entschiedenen und harten Ausdruck, erkannte plötzlich, daß ihm Gefahr drohte, ließ den Hörer fallen, der an der Schnur gegen die Wand schlug, griff mit einer behenden Bewegung unter sein Jackett, warf sich gegen den anderen und zog in der gleichen Bewegung die 9-mm-Llama.

Ein Schuß. Dumpf und trocken. Plock. Nichts sonst. Ein Geräusch, das in keinem der umliegenden Häuser wahrgenommen wurde. Ein Geräusch, das in der Großstadt unterging.

63

Es war gegen halb sieben Uhr, als sich Stanley Martindale hinter den Mauervorsprung gebückt hatte. Vor dem Haus am Herzogpark hatte der Wagen von Paul Niklas gehalten. Doktor Voss und Helen Niklas waren ausgestiegen und ins Haus gegangen. Kurze Zeit danach waren sie zurückgekommen und weggefahren. Martindale war in seinen Wagen gesprungen und hatte die Verfolgung aufgenommen.

Zunächst bis zur Garage der ›Vier Jahreszeiten‹, dann in die Denningerstraße. Er hatte seinen Wagen weitab von der Straße geparkt und den Wagen Pauls nicht mehr aus den Augen gelassen.

Er stellte sich hinter eine der verlassenen Bauhütten. Müde, hungrig mit trockener Kehle. Er verfluchte seinen Beruf und wünschte Paul zum Teufel. Doch er bewegte sich nicht von der Stelle. Als die Dunkelheit hereinbrach, verzichtete er sogar auf das Rauchen. Das Aufflammen des Feuerzeuges und das Glimmen der Zigarette hätte ihn verraten können.

Er sah, wie Jan Voss telefoniert, wie Helen Niklas aus dem Wagen stieg und über die Straße in das Haus 304 ging und nach einiger Zeit wieder herauskam. Er sah, wie Schihan plötzlich auftauchte und zur Telefonzelle ging, wie Paul ihm folgte und die Tür der Zelle aufriß.

Schlagartig waren Martindale die Zusammenhänge klar.

444

Er sah, daß Schihan sich jäh umdrehte, daß er an sein Schulterhalfter griff, daß er sich in der gleichen Bewegung gegen Paul warf und die Waffe zog.

Martindale sprang aus seiner Deckung, in der Hand seine Webley, riß sie hoch und feuerte ab. Unmittelbar darauf folgte eine Art Donnerschlag. Glas splitterte an der Telefonzelle. Auch Jan hatte geschossen. Zwei Fenster öffneten sich und wurden gleich darauf wieder geschlossen, da kein weiterer Schuß fiel.

64

Blitzschnell hatte Paul dem Mann vor sich die Waffe aus der Hand geschlagen, war seinem Stoß ausgewichen, hatte den Schuß gehört, war abgeglitten und zu Boden gefallen. Sofort hatte Schihan die Situation erfaßt, hatte gesehen, wie Martindale auf ihn zurannte, sah die Pistole in seiner Hand, schlug einen Haken und lief auf die Baugrube zu.

Paul hetzte ihm nach. Er hatte keinen Blick für Martindale, sah nur den Mann davonrennen, der offenbar am Bein verletzt war, wußte, daß er ihn erreichen mußte, und mobilisierte seine letzten Kräfte.

Als Schihan gerade in die Grube springen wollte, bekam Paul ihn an der Schulter zu fassen. Schihan warf sich herum, versetzte Paul einen Hieb, Paul taumelte, schnellte sich jedoch nach vorne und schlug dem anderen seine Faust ins Gesicht. Schihan fiel gegen eine Zementmischmaschine und sackte zu Boden.

»Seit wann können Chirurgen auch boxen?« Martindale stand hinter Paul. Um seine Mundwinkel spielte ein Lächeln.

Paul war ausgepumpt. Er drehte sich um: »Woher . . .?«

»Wir wollen uns kurz fassen«, sagte Martindale, »denn offenbar bin ich doch auf Ihrer Seite.« Er trat auf Schihan zu. Mit einem Blick sah er, daß der andere am Oberschenkel verletzt und bewegungsunfähig war. Die Webley hatte getroffen.

»Haben Sie geschossen?« fragte Paul scherzhaft.

»Nein, ich.« Jan war mit Helen herangekommen. In der Hand hielt er sein Gewehr.

»Bravo!« sagte Martindale und grinste in sich hinein. Er ließ Jan im Glauben, daß er Schihan erledigt habe.

»Übernehmen Sie ihn?« sagte Paul zu Martindale und deutete mit dem Kopf auf Schihan.

»Ja«, sagte Martindale, »wenn einer von Ihnen Hermann verständigt.«

»Das mache ich«, sagte Jan.

Paul umarmte Helen: »Komm!«, und sie liefen hinüber zum Hochhaus.

65

Der Hausmeister Gonski sperrte die Tür auf. Kathy lag auf der Liege, geknebelt und gefesselt. Unter Mühen hob sie den Kopf. Wenig später war sie befreit.

Überglücklich lagen sich Vater und Tochter in den Armen. Helen hielt sich im Hintergrund.

Plötzlich entdeckte Kathy sie. Sie löste sich sanft von ihrem Vater und bezog Helen in die Umarmung mit ein.

»Sie sollten nicht allzuviel Zeit verlieren.« Martindale stand in der Tür neben Jan. »Zwar ist Schihan verhaftet . . .«

Paul sah ihn verständnislos an.

»Die Sache ist noch nicht ausgestanden, Mister Niklas. Sie sollten wenigstens einmal auf meinen Rat hören. Sie sollten untertauchen. Mit Ihrer Frau und Ihrer Tochter. Möglichst sofort und möglichst unerreichbar.«

»Sie glauben . . .?« sagte Paul tonlos.

»Ich bin fest davon überzeugt«, erwiderte Martindale, »Irbid gibt nicht auf. Am besten ist, Sie sagen nicht einmal mir, wohin Sie verschwinden.«

»Ich danke Ihnen, Martindale.« Paul hielt ihm die Hand hin, und Martindale schlug ein.

»Es ist mein Job«, sagte Martindale gelassen, »aber in diesem Fall habe auch ich Ihnen zu danken. Immerhin habe ich durch Sie meine zukünftige Frau kennengelernt.«

Er ging hinaus und ließ sich den Lift kommen. Er sah klar vor sich, wie sich der Fall entwickeln würde, wenn es Paul Niklas gelang, sich und seine Familie in Sicherheit zu bringen. Spätestens in fünf Tagen würde Professor Sils den Patienten Dschafar für den Transport freigeben, und Washington würde ihn gemeinsam mit Irbid und Schihan unverzüglich gegen die verbliebenen zehn Geiseln austauschen.

Ich habe doch wirklich einen idiotischen Beruf, dachte er. Dann trat er in den Lift und fuhr nach unten.

66

Sie nahmen von zu Hause nur das Nötigste mit und fuhren Jan nach Rottach.

»Keine großen Worte!« sagte er beschwörend, als er ausstieg.

»Wir melden uns«, sagte Paul.

»Wie weit wollt ihr fahren?« Jan hatte die Hand schon auf der Klinke der Gartentür.

»So weit wir kommen. Richtung Süden.«

Sie fuhren über die Autobahn. Die Nacht zeichnete die Wälder als schwarze Schattenrisse. Kathy saß im Fond und schlief. Helen, die neben Paul saß, hatte Mühe, die Augen offenzuhalten.

»Macht es dir etwas aus, wenn ich . . .?«

»Nein«, sagte er, »schlaf ruhig.« Seine Hände hielten das Steuerrad fest umschlossen. Er war mit seinen Gedanken allein.

Frank Jensen kam ihm in den Sinn, Viola Hiller und Karin Tönissen, die Freundinnen von Kathy, und Mela Singer, die Telefonistin, die ihm selbstlos geholfen hatte. Er nahm sich vor, sich bei allen zu bedanken, sobald er zurückkommen konnte.

Er dachte an die Zeit mit Jan in Berlin, an seinen Sohn David, an Karachi und unvermutet an Colonel McCrew, der ihn nach Minnesota vermittelt hatte. Er versuchte, sich ausschließlich auf die Fahrbahn zu konzentrieren, doch seine Gedanken entglitten ihm vom einen zum anderen Mal.

Breslau stand vor ihm, die Stadt, in der er geboren war, San Francisco, Miami Beach, das Cornell in New York, schmal und mit großen Augen Frau Doktor Helen Ivensen, dann unvermittelt der kleine Andreas Werner, die Klinik mit Sils, Kramer und schließlich Montgomery Saunter, in dem er mehr als nur den Kollegen sah.

Wie hatte Jan gesagt: Das Leben besteht nur aus Augenblicken. Aus winzigen, überschaubaren Augenblicken. Aus Sekunden. Aus Minuten. Aus Stunden.

Mein Dank gilt den Ärzten,
die meine Recherchen ermöglichten
und mir mit Rat zur Seite standen,
sowie dem Journalisten Dr. Georg Schreiber,
der mir die Wege zu ihnen wies.
M.B.